JOHN GRISHAM

LE CLIENT

roman
traduit de l'américain par Patrick Berthon

ÉDITION DU CLUB QUÉBEC LOISIRS INC.
© Avec l'autorisation des Éditions Robert Laffont
© Éditions Robert Laffont, 1994
Titre original: The Client
© John Grisham, 1993
Traduction française: Les Éditions Robert Laffont
Dépôt légal — Bibliothèque nationale du Québec, 1995
ISBN 2-89430-167-7
(publié précédemment sous ISBN 2-221-07589-7) (Robert Laffont)
(publié précédemment sous ISBN 0-385-42471-X) (Doubleday, New York)

Pour Ty et Shea

1

A onze ans, Mark fumait depuis deux ans une cigarette de temps en temps, en veillant à ne pas devenir accro. Il préférait les Kool, la marque de son ex-père, mais sa mère fumait des Virginia Slim, au rythme de deux paquets par jour, et il lui en subtilisait dix ou douze par semaine. C'était une femme très occupée, avec de nombreux problèmes. Un peu naïve en ce qui concernait ses deux garçons, elle n'aurait jamais imaginé que l'aîné pût fumer à son âge.

De temps à autre, Kevin, le jeune délinquant qui habitait à deux rues de là, lui vendait un paquet de Marlboro volé pour un dollar, mais, dans l'ensemble, il ne pouvait compter que sur les cigarettes de sa mère.

Ce jour-là, il en avait quatre dans sa poche. Il descendait le sentier menant au bois qui s'étendait derrière leur lotissement de mobile homes avec son frère Ricky, huit ans. Ricky était nerveux à la perspective de sa première cigarette. La veille, il avait surpris Mark en train de cacher les siennes sous son lit, dans une boîte à chaussures, et avait menacé de tout raconter si son grand frère ne lui montrait pas comment on fumait. Les deux garçons se faufilèrent le long des arbres bordant le sentier, pour gagner l'une des cachettes où Mark avait passé de longues heures de solitude à essayer de faire des ronds de fumée.

Les autres enfants du voisinage buvaient de la bière et fumaient du hasch, deux vices que Mark était résolu à fuir. Leur ex-père, un alcoolique, tabassait les deux garçons et leur mère, et les raclées suivaient toujours ses retours de beuveries. Mark avait vu et senti les effets de l'alcool. La drogue aussi lui faisait peur.

– T'es perdu ? demanda Ricky, comme un tout petit garçon, quand ils quittèrent le sentier pour s'enfoncer jusqu'à la poitrine dans les hautes herbes.

– La ferme ! répliqua Mark sans ralentir le pas.

Les rares fois où leur père restait à la maison, il passait son temps à boire, à dormir et à les maltraiter. Dieu merci, il était parti ! Depuis cinq ans, Mark s'occupait de Ricky. Il avait l'impression d'être un père de onze ans. Il lui avait appris à lancer un ballon de football, à faire du vélo. Il lui avait expliqué ce qu'il savait sur le sexe, l'avait mis en garde contre la drogue et protégé des petites brutes. Il s'en voulait terriblement de cette initiation au vice. Mais ce n'était qu'une cigarette ; cela aurait pu être bien pire.

En sortant des hautes herbes, ils débouchèrent devant un gros arbre d'où pendait une corde attachée à une forte branche. Une rangée de buissons cachait une petite clairière, au bout de laquelle un chemin de terre envahi d'herbes folles disparaissait derrière une butte. On entendait au loin le bruit des voitures sur une autoroute.

Mark s'arrêta et indiqua à son frère une souche près de la corde.

– Assieds-toi là, ordonna-t-il.

Ricky recula docilement pour s'installer sur la souche. Il lança autour de lui des regards inquiets, comme pour s'assurer qu'il n'y avait pas de policiers aux aguets. Tout en le toisant comme un sergent instructeur, Mark prit dans la poche de sa chemise une cigarette qu'il tint entre le pouce et l'index, en essayant d'avoir l'air détaché.

– Tu connais les règles, articula-t-il, les yeux rivés sur son frère.

Les règles étaient au nombre de deux, ils en avaient discuté une douzaine de fois dans le courant de la journée, et Ricky se sentait frustré d'être traité comme un gamin.

– Oui, fit-il, les yeux levés au ciel, si j'en parle à quelqu'un, tu me taperas dessus.

– C'est ça.

– Et je n'ai le droit d'en fumer qu'une seule par jour, poursuivit Ricky en croisant les bras.

– Très bien. Si je te surprends à en fumer plus d'une, gare à tes fesses ! Et si je découvre que tu bois de la bière ou que tu touches à la drogue, je te préviens...

– Je sais, je sais. Encore une raclée.

– Exactement.

– Tu en fumes combien par jour ?

– Une seule, mentit Mark.

Certains jours, il n'en fumait qu'une. Mais il pouvait aller jusqu'à trois ou quatre, selon ses réserves du moment. Tel un gangster, il coinça le filtre entre ses lèvres.

– Est-ce qu'une par jour, ça peut me tuer ? demanda Ricky.

– Pas avant un bon moment. Une par jour, tu ne risques rien. Mais plus d'une, tu pourrais avoir des ennuis.

– Maman, elle en fume combien par jour ?

– Deux paquets.

– Ça fait combien de cigarettes ?

– Quarante.

– Ouille ! Elle va avoir de gros ennuis.

– Les ennuis, ce n'est pas ce qui lui manque. Je ne crois pas que les cigarettes soient son plus grand souci.

– Et papa, il en fume combien, lui ?

– Quatre ou cinq paquets. Une centaine, quoi.

– Alors, il va mourir bientôt, hein ? fit Ricky avec un petit sourire.

– J'espère. S'il continue à boire comme un trou et à fumer comme un pompier, il ne lui reste que quelques années à vivre.

– C'est quoi, fumer comme un pompier ?

– C'est ce qu'on dit de quelqu'un qui allume une nouvelle cigarette avant d'avoir éteint la dernière. J'aimerais qu'il en fume dix paquets par jour.

– Moi aussi.

Ricky dirigea son regard vers la clairière et le chemin de terre. Il y avait de l'ombre et il faisait frais sous l'arbre, mais au-dessus des branches le soleil était éclatant. Mark pinça le filtre de sa cigarette entre le pouce et l'index et l'agita devant sa bouche.

– Tu as la trouille ? ricana-t-il, comme seul un grand frère peut le faire.

– Non.

– Je crois que si. Regarde, tu la tiens comme ça. Pigé ?

Il approcha la cigarette de sa bouche. D'un geste théâtral, il l'éloigna pour ensuite la ficher entre ses lèvres. Ricky ne perdit pas une miette du spectacle.

Mark alluma la cigarette, exhala un petit nuage de fumée et la retira de ses lèvres pour l'admirer.

– N'essaie pas d'avaler la fumée, dit-il. Tu n'es pas encore prêt pour ça. Contente-toi d'aspirer un peu et recrache la fumée. Tu es prêt ?

– Ça va me rendre malade ?

– Si tu avales la fumée, oui.

Il tira deux bouffées rapides et souffla en cherchant l'effet.

– Tu vois, rien de plus facile. Je t'apprendrai à l'avaler, mais plus tard.

– D'accord.

Ricky avança nerveusement la main, pouce et index tendus, et Mark plaça délicatement la cigarette entre les petits doigts.

– Vas-y.

Ricky approcha d'une main tremblante le filtre mouillé de ses lèvres. Il tira une petite bouffée, souffla la fumée. Une autre petite bouffée. La fumée ne dépassait pas ses dents de devant. Encore une bouffée. Mark l'observait attentivement, espérant qu'il allait s'étouffer, se mettre à tousser en devenant tout rouge, puis qu'il vomirait et ne toucherait plus jamais une cigarette.

– C'est facile, déclara fièrement Ricky en admirant la cigarette qu'il tenait d'une main tremblante.

– Ce n'est pas sorcier.

– Ça a un drôle de goût.

– Ouais, ouais.

Mark s'assit à côté de lui, sur la souche, et prit une autre cigarette dans sa poche. Ricky tira rapidement plusieurs bouffées, Mark alluma la sienne et ils fumèrent tranquillement, en silence, sous le gros arbre.

– C'est marrant, fit Ricky en mordillant le filtre.

– Explique-moi donc pourquoi tes mains tremblent.

– Elles ne tremblent pas.

– Tu parles !

Ricky fit comme s'il n'avait pas entendu. Il se pencha, les coudes sur les genoux, tira une bouffée plus longue, puis cracha dans la poussière, comme il avait vu Kevin et les grands le faire derrière le lotissement. Fastoche.

Mark ouvrit la bouche en un cercle parfait et essaya de faire un rond de fumée. Il se dit que cela allait vraiment impressionner son petit frère, mais l'anneau ne se forma pas comme il fallait et la fumée se dissipa.

– Je pense que tu es trop jeune pour fumer, déclara-t-il.

Occupé à tirer sur sa cigarette et à cracher par terre, Ricky savourait ce pas de géant vers l'âge viril.

– Et toi, tu as commencé à quel âge ?

– Neuf ans. Mais j'étais plus mûr que toi.

– Tu dis toujours ça.

– Parce que c'est vrai.

Côte à côte sur la souche, à l'ombre de l'arbre, ils continuèrent à fumer, le regard tourné vers la clairière herbeuse. A huit ans, Mark était réellement plus mûr que son frère. Plus mûr que tous les gamins de son âge. Il l'avait toujours été. A sept ans, il avait frappé son père avec une batte de base-ball. Les conséquences n'avaient pas été drôles, mais l'ivrogne avait cessé de battre leur mère. Les querelles, les coups étaient fréquents, et Dianne Sway demandait conseil à son fils aîné et se réfugiait près de lui. Ils se consolaient mutuellement et complotaient pour survivre. Leurs larmes se mêlaient après les scènes violentes. Ils cherchaient des moyens de protéger Ricky. A neuf ans, Mark persuada sa mère de demander le divorce. C'est lui qui appela la police quand son père rentra complètement soûl après avoir reçu notification de la procédure. Il avait témoigné en justice pour les mauvais traitements, le manque d'affection et les coups. Il était très mûr pour son âge.

C'est Ricky qui, le premier, entendit la voiture. Un bruit sourd sur le chemin de terre. Mark l'entendit à son tour, et ils cessèrent de fumer.

– Ne bouge pas, fit-il à voix basse.

Une longue Lincoln d'un noir luisant apparut au sommet de la légère déclivité et glissa dans leur direction. Les herbes du chemin arrivaient à la hauteur du pare-chocs avant. Mark laissa tomber sa cigarette et l'écrasa sous sa chaussure. Ricky l'imita.

La voiture ralentit à l'approche de la clairière, en fit lentement le tour, frôlant les branches de l'arbre pendant la manœuvre. Elle s'immobilisa face au chemin de terre. Les garçons, juste derrière, ne pouvaient être vus du véhicule. Mark sauta de la souche et rampa dans les herbes jusqu'aux buissons bordant la clairière. Ricky le suivit. Ils s'arrêtèrent à moins de dix mètres de l'arrière de la Lincoln. Ils l'examinèrent avec attention. Elle était immatriculée en Louisiane.

– Qu'est-ce qu'il fait ? murmura Ricky.

– Chut ! fit Mark, levant la tête pour regarder à travers les herbes.

Des rumeurs circulaient dans le lotissement, d'après lesquelles des adolescents emmenaient des filles dans le bois et y fumaient du hasch, mais ce n'était pas la voiture d'un adolescent. Le moteur de la Lincoln s'arrêta, le silence se fit. Puis la portière s'ouvrit, le conducteur descendit et regarda autour de lui. C'était un homme rondouillard, en complet noir. Il avait la tête ronde, grasse, une pilosité réduite à deux touffes au-dessus des oreilles et une barbe poivre et sel. Il se dirigea d'un pas mal assuré vers l'arrière de la voiture, chercha la bonne clé et réussit à ouvrir le coffre. Il en sortit un bout de tuyau d'arrosage, fourra l'une des extrémités à l'intérieur du pot d'échappement et introduisit l'autre dans la voiture, par la vitre arrière gauche entrouverte. Il referma le coffre, parcourut de nouveau du regard les alentours, comme s'il craignait d'être surveillé, et disparut dans la voiture. Le moteur se mit en marche.

– Ça alors ! souffla Mark, l'air ébahi, sans détacher les yeux de la Lincoln.

– Qu'est-ce qu'il fait ? demanda Ricky.

– Il essaie de se tuer.

Ricky haussa la tête de quelques centimètres pour mieux voir.

– Je ne comprends pas, Mark.

– Baisse-toi ! Tu vois ce tuyau ? Les gaz d'échappement vont entrer dans la voiture et il mourra.

– Tu veux dire qu'il va se suicider ?

– Exactement. J'ai vu un type faire la même chose, dans un film.

Ils se baissèrent, le regard rivé sur le tuyau courant du pot d'échappement à la vitre arrière. Le moteur tournait au ralenti.

– Pourquoi veut-il se tuer ? demanda Ricky.

– Comment veux-tu que je le sache ? Mais il faut faire quelque chose !

– Oui, fichons le camp d'ici.

– Non. Reste tranquille une minute.

– Je m'en vais, Mark. Tu peux le regarder mourir, si ça t'amuse, mais moi j'y vais.

Mark saisit son frère par l'épaule et le força à se baisser. Ricky respirait bruyamment et ils transpiraient tous les deux. Le soleil se cacha derrière un nuage.

– Il faut combien de temps ? demanda Ricky d'une voix tremblotante.

– Pas très longtemps.

Mark lâcha son frère et se mit à quatre pattes.

– Reste ici, c'est compris ? Si tu bouges, je te botte les fesses.

– Qu'est-ce que tu vas faire, Mark ?

– Reste ici ! Je ne rigole pas !

Son corps fluet rasant le sol, Mark rampa vers la voiture. L'herbe sèche était haute d'au moins soixante centimètres. Il savait que l'homme ne pouvait pas l'entendre de l'intérieur de la voiture, mais se méfiait du mouvement des herbes. Il s'avança vers l'arrière de la Lincoln, progressant sur le ventre, comme un serpent, jusqu'à ce qu'il arrive dans l'ombre du coffre. Il tendit le bras, retira doucement le tuyau du pot d'échappement et le laissa tomber par terre. Il revint rapidement sur ses pas et, en quelques secondes, fut de retour auprès de Ricky, accroupi dans l'herbe plus épaisse et les broussailles, à la périphérie de la ramure de l'arbre. Il savait que, s'ils se faisaient repérer, ils pourraient filer à toutes jambes et disparaître sur le sentier, avant que le bonhomme rondouillard puisse les attraper.

Ils attendirent. Cinq minutes s'écoulèrent, qui parurent durer une heure.

– Tu crois qu'il est mort ? murmura faiblement Ricky d'une voix blanche.

– Je ne sais pas.

La portière s'ouvrit brusquement et l'homme descendit. Il pleurait en marmottant. Il se dirigea en titubant vers l'arrière de la voiture, vit le tuyau dans l'herbe, l'enfonça dans le pot d'échappement en lâchant une bordée de jurons. Une bouteille de whisky à la main, il lança vers les arbres un regard égaré avant de remonter en voiture. Il claqua la portière en grommelant entre ses dents.

Les garçons suivirent la scène, l'air horrifié.

– Il est complètement dingue, souffla Mark.

– Fichons le camp d'ici, dit Ricky.

– On ne peut pas faire ça ! Si nous l'avons vu se suicider ou si nous savons qu'il l'a fait, nous risquons d'avoir de gros ennuis.

– Eh bien, fit Ricky en relevant la tête, il suffit de ne pas en parler. Viens, Mark !

Mark le prit derechef par l'épaule pour le forcer à se baisser.

– Reste où tu es ! On ne partira pas avant que je le dise !

Ricky ferma les yeux, très fort, et se mit à pleurer. Mark secoua la tête avec dégoût, sans quitter la Lincoln du regard. Un petit frère a toujours plus de mauvais côtés que de bons.

– Arrête ! gronda-t-il, les dents serrées.

– J'ai peur.

– Très bien. Alors, ne bouge pas ! Tu as compris, tu ne bouges pas ! Et cesse de pleurnicher !

Tapi dans les herbes, Mark se prépara à repartir en rampant.

– Laisse-le mourir, Mark, articula Ricky entre deux sanglots.

Mark lui lança un regard noir par-dessus son épaule et se coula vers la voiture dont le moteur continuait de tourner. Il suivit le même chemin, sur l'herbe déjà foulée, si lentement, si prudemment que même Ricky, qui avait séché ses larmes, distinguait à peine sa silhouette. Ricky observa la portière du conducteur, attendant qu'elle s'ouvre avec violence et que le dingo se jette sur Mark pour le tuer. Il se dressa sur la pointe des pieds, dans l'attitude du sprinter, prêt à s'enfuir à travers bois. Il vit Mark déboucher sous le pare-chocs, poser une main sur les feux arrière pour garder l'équilibre et sortir lentement le tuyau du pot d'échappement. Il y eut quelques crissements, de légères ondulations de l'herbe, et Mark fut de retour à ses côtés, haletant, en sueur et souriant bizarrement, comme pour lui-même.

Assis en tailleur dans les broussailles, comme deux insectes, ils observèrent la voiture.

– Et s'il ressort ? demanda Ricky. Et s'il nous voit ?

– Il ne peut pas nous voir. Mais s'il vient vers nous, tu n'auras qu'à me suivre. Nous aurons disparu avant qu'il ait fait trois pas.

– Pourquoi est-ce qu'on ne part pas maintenant ?

– J'essaie de lui sauver la vie, tu piges ? fit Mark avec un regard dur. Il va peut-être se rendre compte que ça ne marche pas et, peut-être, décider d'attendre, ou faire autre chose. C'est vraiment si difficile à comprendre ?

– Mais tu vois bien qu'il est dingue. S'il est prêt à se tuer, il nous tuera aussi. C'est vraiment si difficile à comprendre ?

Mark secoua la tête avec agacement, quand la portière de la

Lincoln s'ouvrit. Le dingo descendit en grognant des paroles inintelligibles et se dirigea d'un pas lourd vers l'arrière de la voiture. Il ramassa le tuyau, considéra l'extrémité de l'objet récalcitrant et fit lentement des yeux le tour de la petite clairière. Il respirait fort et transpirait abondamment. Quand son regard se porta vers les arbres, les deux garçons se laissèrent tomber à plat ventre. L'homme regarda à ses pieds et s'immobilisa, comme s'il venait brusquement de comprendre. Derrière la voiture, l'herbe était en partie couchée. Il s'agenouilla pour l'inspecter, sembla se raviser et fourra de nouveau le tuyau dans le pot d'échappement avant de reprendre sa place au volant. Si on l'observait sous le couvert des arbres, il ne semblait plus s'en soucier. Il n'avait qu'une idée en tête : en finir au plus vite.

Deux têtes se soulevèrent d'un même mouvement, mais de quelques centimètres seulement. Les garçons coulèrent des regards furtifs à travers les herbes, pendant une longue minute. Ricky était prêt à prendre ses jambes à son cou, mais Mark réfléchissait.

– On s'en va, Mark, je t'en prie ! fit le cadet d'une voix implorante. Il aurait pu nous voir. Il a peut-être un pistolet ou quelque chose.

– S'il avait un pistolet, il s'en servirait pour lui.

Ricky se mordit la lèvre et les larmes lui montèrent aux yeux. Jamais il n'avait eu le dernier mot avec son frère et ce n'était pas encore cette fois qu'il réussirait.

Une autre minute s'écoula, Mark commença à s'agiter.

– Je vais essayer une dernière fois, d'accord ? S'il ne renonce pas, nous fichons le camp. Je te le promets.

Ricky acquiesça sans enthousiasme. Son frère se mit à plat ventre et commença à ramper lentement jusqu'aux herbes hautes. De ses doigts sales, Ricky essuya les larmes de sa joue.

L'avocat dilata les narines en aspirant profondément. Il expira lentement, le regard rivé sur le pare-brise, s'efforçant de déterminer si le gaz mortel avait pénétré dans son sang et commencé son œuvre fatale. Un pistolet chargé était posé sur le siège avant. Il tenait à la main une bouteille à moitié vide de Jack Daniel's. Il but une gorgée, revissa le bouchon, la posa sur le siège. Il inspira très lentement en fermant les yeux pour savourer le mélange gazeux. Allait-il simplement se laisser gagner par le sommeil ? Souffrirait-il, le gaz le brûlerait-il ou le rendrait-il malade avant de l'emporter ? Il avait laissé la lettre sur le tableau de bord, au-dessus du volant, à côté d'un flacon de pilules.

Pleurant et parlant tout seul, il attendit que le gaz fasse son effet – vite, bon Dieu ! – avant qu'il ne change d'avis et ne prenne le pistolet. Il était lâche, mais un lâche très décidé, et il préférait de loin respirer ce gaz d'échappement et s'endormir doucement plutôt que de se fourrer le canon d'une arme dans la bouche.

Il reprit une gorgée de whisky et la brûlure de l'alcool dans sa gorge lui arracha un petit cri. Oui, enfin, ça marchait. Tout serait bientôt terminé. Il se sourit dans le rétroviseur, parce que ça marchait, qu'il allait mourir et que, tout compte fait, il n'était pas si lâche. Il fallait du cran pour faire ça.

Marmonnant entre deux sanglots, il dévissa le bouchon pour une dernière gorgée. Il en prit une bonne dose. L'alcool coula sur ses lèvres et quelques gouttes se perdirent dans sa barbe.

Personne ne le regretterait. Cette pensée aurait dû lui faire mal, mais il se sentit apaisé par la certitude que personne ne le pleurerait. Sa mère était le seul être au monde qui l'avait aimé, mais, comme elle était morte quatre ans plus tôt, elle n'aurait pas de chagrin. Il avait bien eu une fille d'un premier mariage désastreux. Il ne l'avait pas vue depuis onze ans, elle faisait partie d'une secte et était aussi folle que sa mère.

Il n'y aurait pas grand monde à l'enterrement. Une poignée de confrères, peut-être un ou deux juges, tous sur leur trente et un, en complet sombre, chuchotant d'un air important, tandis que les notes d'une pièce pour orgue enregistrée flotteraient dans la chapelle presque vide. Pas de larmes. Les hommes de loi lanceraient de loin en loin un coup d'œil furtif à leur montre ; le pasteur expédierait les formules réservées aux chers disparus qui n'assistent jamais au culte.

L'affaire de dix minutes, avec service simplifié. La lettre sur le tableau de bord demandait la crémation du corps.

– Génial ! fit-il doucement avant de boire une autre gorgée.

En renversant la bouteille, il lança un regard dans le rétroviseur et vit les herbes bouger derrière la voiture.

Avant que Mark ne soit alerté par le bruit, Ricky vit la portière s'ouvrir avec violence, comme par un coup de pied, et le gros type rougeaud s'élança dans les herbes, se tenant à la voiture et grommelant. Surpris, terrifié, Ricky se mit debout et mouilla sa culotte.

Mark venait de poser la main sur le pare-chocs quand il entendit le bruit de la portière. Il resta figé sur place et eut l'idée de ramper sous la voiture, mais cette hésitation lui coûta cher. Son pied glissa au moment où il se redressait pour s'enfuir et le dingo l'empoigna.

– C'est toi ! C'est toi, petit saligaud ! hurla-t-il en saisissant Mark aux cheveux et en le poussant sur le coffre. Petit saligaud !

Mark donna des coups de pied, se débattit, mais une grosse main lui assena une gifle. Il lança un autre coup de pied, moins violent, reçut une seconde gifle.

Il regarda la face hagarde, furibonde, à quelques centimètres de lui. Les yeux étaient rouges, larmoyants. De la morve s'écoulait du nez, jusqu'au menton.

– Espèce de petit saligaud ! gronda l'homme entre ses dents serrées.

Quand Mark fut plaqué sur le coffre, maîtrisé, immobilisé, l'avocat enfonça le tuyau dans le pot d'échappement, puis tira l'enfant par le col pour l'entraîner jusqu'à la portière du conducteur, restée ouverte. Il le poussa à l'intérieur, sur les sièges de cuir noir.

Mark s'agrippa à la poignée de la portière, cherchant le taquet de verrouillage quand le gros homme se laissa tomber derrière le volant. Il claqua sa portière et tendit le doigt vers la poignée de l'autre.

– Ne touche pas ça ! rugit-il en frappant Mark d'un revers de main vicieux.

Mark poussa un cri de douleur, porta la main à ses yeux et se plia en deux, étourdi, les larmes aux yeux. Son nez lui faisait affreusement mal, il ne sentait plus ses lèvres, la tête lui tournait. Il entendit l'homme sangloter et ronchonner. Il sentit l'odeur du whisky et vit de l'œil droit les genoux sales de son jean. Le gauche commençait à gonfler. Tout devenait flou.

L'homme descendit une gorgée de whisky en considérant Mark, plié sur le siège, tremblant de tous ses membres.

– Cesse de pleurnicher ! lança-t-il d'un ton hargneux.

Mark passa la langue sur ses lèvres, avala un peu de sang. Il frotta la bosse au-dessus de son œil et s'efforça de respirer profondément, le regard toujours fixé sur son jean.

– Cesse de pleurnicher, répéta l'homme.

Il essaya. Le moteur tournait toujours. C'était une grosse berline, lourde et silencieuse, mais Mark percevait le ronronnement très doux du moteur, qui semblait venir de loin. Il se retourna lentement pour regarder le tuyau passant par la vitre, derrière la tête du conducteur, comme un serpent venimeux se glissant vers eux. Le gros bonhomme éclata de rire.

– Je crois que nous allons mourir ensemble, déclara-t-il, subitement très calme.

L'œil gauche tuméfié de Mark gonflait vite. Il tourna les épaules pour regarder bien en face l'homme qui lui parut encore plus gros. Dans la face joufflue à la barbe touffue, les yeux rougis brillaient dans la pénombre comme ceux d'un démon. Mark ne put retenir ses larmes.

– Laissez-moi partir, s'il vous plaît, fit-il, la lèvre tremblante, d'une voix au timbre fêlé.

18

Le conducteur fourra le goulot de la bouteille entre ses dents et la renversa. Il grimaça, passa la langue sur ses lèvres.

– Je regrette, mon petit gars. Il a fallu que tu joues au malin, hein, que tu viennes fourrer ton sale petit museau dans mes affaires ! Alors, je crois que nous allons mourir ensemble. D'accord ? Juste toi et moi. En route pour le pays des songes. Allons voir le magicien d'Oz. Fais de beaux rêves, mon petit gars !

Mark huma l'air, puis il remarqua le pistolet posé entre eux. Il détourna les yeux, mais son regard revint se fixer sur l'arme quand le gros homme but une nouvelle gorgée de whisky.

– Tu veux le pistolet ?

– Non, monsieur.

– Alors, pourquoi le regardes-tu ?

– Je ne le regardais pas.

– Ne me mens pas, mon gars ; si tu mens, je te tuerai. Je suis complètement cinglé, tu vois, et je te tuerai.

Les larmes coulaient sans retenue sur ses joues, mais sa voix était terriblement calme. Il respirait profondément en parlant.

– Et puis, reprit-il, si on doit devenir copains, il faut être franc avec moi. C'est très important, la franchise, tu sais ? Réponds : est-ce que tu veux ce pistolet ?

– Non, monsieur.

– Aimerais-tu le prendre et tirer sur moi ?

– Non, monsieur.

– Je n'ai pas peur de mourir, mon gars, tu comprends ça ?

– Oui, monsieur, mais je ne veux pas mourir. Je m'occupe de ma mère et de mon petit frère.

– Oh ! C'est pas beau, ça ? Un vrai petit homme !

Il vissa le bouchon sur le goulot, saisit brusquement le pistolet, enfonça le canon dans sa bouche, y colla ses lèvres et regarda Mark qui avait suivi tous ses gestes, en espérant qu'il presse la détente et, en même temps, qu'il ne le fasse pas. L'avocat retira lentement le canon de sa bouche, en embrassa l'extrémité, puis le pointa sur Mark.

– Je ne m'en suis jamais servi, tu sais, fit-il dans un murmure. Je l'ai acheté il y a une heure, à Memphis, au mont-de-piété. Tu crois qu'il marche ?

– Laissez-moi partir, je vous en prie !

– Tu as le choix, mon gars, fit l'homme en inhalant les gaz invisibles. Soit je te fais sauter la cervelle tout de suite, soit tu respires les gaz. A toi de choisir.

Mark évita de regarder le pistolet. Il dilata les narines, crut percevoir une odeur fugitive. Le canon de l'arme était tout près de sa tête.

– Pourquoi voulez-vous faire ça ? demanda-t-il.

– Ce ne sont pas tes oignons, mon gars. J'ai une case en moins, tu comprends ? Je suis barjo. Je m'étais préparé un gentil petit suicide, très intime. Seul avec mon tuyau et peut-être quelques pilules, et un peu de whisky. Personne ne m'aurait cherché. Mais non, il a fallu que tu fasses le malin. Petit saligaud !

Il baissa le pistolet, le posa soigneusement sur le siège. Mark frotta la bosse de son front et se mordit la lèvre. Il serra ses mains tremblantes entre ses jambes.

– Dans cinq minutes, nous serons morts, annonça le gros homme d'un ton péremptoire, avant de porter la bouteille à ses lèvres. Rien que nous deux, mon gars, nous allons voir le magicien.

Ricky se décida enfin à bouger. Il claquait des dents et son pantalon était mouillé, mais son cerveau fonctionnait. Il se tapit dans l'herbe, prenant appui sur les mains et les genoux. Le ventre collé au sol, il rampa vers la voiture, les yeux embués de larmes, en claquant des dents. La portière allait s'ouvrir à la volée. Le dingo, qui était vif malgré son poids, allait lui sauter au collet, comme il l'avait fait pour Mark, et ils mourraient tous les trois dans la longue voiture noire. Centimètre après centimètre, Ricky se fraya un chemin dans les herbes.

Mark souleva lentement le pistolet qu'il tenait à deux mains. L'arme était aussi lourde qu'une brique. Il la braqua sur le gros homme qui se pencha jusqu'à ce que le canon tremblant soit presque contre son nez.

– Vas-y, petit gars, presse la détente, fit-il avec un sourire, le visage luisant, frémissant d'une impatience fébrile. Si tu appuies sur la détente, moi, je serai mort, et toi, tu seras libre.

Mark plaça un doigt sur la détente. Le gros homme hocha la tête, se pencha un peu plus et découvrit ses dents qu'il referma sur l'extrémité du canon.

– Appuie sur la détente ! gronda-t-il.

Mark ferma les yeux et serra la crosse entre ses deux paumes. Retenant son souffle, il s'apprêtait à faire feu quand l'homme lui arracha l'arme des mains. Il l'agita fiévreusement devant le visage de Mark et pressa la détente. Mark poussa un hurlement quand, derrière sa tête, la vitre s'étoila, sans éclater.

– Il marche ! Il marche ! rugit l'homme tandis que Mark, la tête rentrée dans les épaules, se couvrait les oreilles.

En entendant la détonation, Ricky enfouit son visage dans l'herbe. Il était à trois mètres de la voiture quand il perçut le bruit et le hurlement de Mark. Le gros bonhomme hurlait aussi ; Ricky mouilla de nouveau sa culotte. Les yeux fermés, il se cramponna aux grandes herbes. Son estomac se serrait, son cœur battait la chamade. Il ne bougea pas pendant une longue minute après le coup de feu. Il pleurait son frère qui venait de mourir, abattu par un dingo.

– Vas-tu cesser de chialer ! J'en ai marre de tes pleurnicheries !

Mark serra les genoux et s'efforça de retenir ses larmes. La tête lui élançait, sa bouche était sèche. Il cala les mains entre ses genoux et se pencha en avant. Il fallait cesser de pleurer, penser à quelque chose. Un jour, à la télé, il avait vu un cinglé qui s'apprêtait à sauter du toit d'un bâtiment, et un flic, très calme, qui parlait, qui parlait sans discontinuer, et, à la fin, le cinglé lui avait répondu, et, bien sûr, il n'avait pas sauté... Mark aspira un petit coup, pour voir s'il sentait les gaz d'échappement.

– Pourquoi faites-vous ça ? demanda-t-il.

– Parce que je veux mourir.

– Pourquoi ? insista Mark, le regard fixé sur le petit trou tout rond dans la vitre.

– Pourquoi les enfants posent-ils tant de questions ?

– Parce que nous sommes des enfants. Pourquoi voulez-vous mourir ?

Il entendait à peine ce qu'il disait.

– Écoute, petit, nous serons morts dans cinq minutes, tu comprends ? Rien que toi et moi, mon pote, on va aller voir le magicien.

Il prit une grande lampée au goulot de la bouteille presque vide.

– Je sens le gaz, petit. Et toi, tu le sens ? Pas trop tôt.

Dans le rétroviseur extérieur, à travers la vitre étoilée, Mark vit les herbes remuer et aperçut Ricky, à plat ventre, qui allait se cacher dans les buissons, près du gros arbre. Il ferma les yeux et dit une prière.

– Faut que je te dise une chose, mon pote, je suis content que tu sois là. Personne n'a envie de mourir seul. Comment t'appelles-tu ?

– Mark.

– Mark comment ?

– Mark Sway.

Parle, parle, peut-être que le cinglé ne sautera pas.

– Et vous, c'est quoi, votre nom ?

– Jerome, mais tu peux m'appeler Romey. C'est comme ça que mes amis m'appellent et comme on est dans le même bain, appelle-moi Romey. Mais plus de questions, petit, d'accord ?

– Pourquoi voulez-vous mourir, Romey ?

– J'ai dit : plus de questions. Tu sens le gaz, Mark ?

– Je ne sais pas.

– Ça ne va pas tarder. Tu devrais faire tes prières.

Romey s'enfonça dans son siège, sa grosse tête rejetée en arrière, les yeux clos, parfaitement détendu.

– Pas plus de cinq minutes, Mark. Tes dernières paroles ?

De la main droite il tenait la bouteille de whisky, de l'autre le pistolet.

– Pourquoi faites-vous ça ? demanda Mark en lançant un nouveau coup d'œil dans le rétroviseur, dans l'espoir d'apercevoir son frère.

Il respira par le nez, à petits coups rapides, mais ne sentit rien, n'éprouva rien de particulier. Ricky devait avoir retiré le tuyau.

– Parce que je suis cinglé, tu vois, un avocat cinglé comme tant d'autres. On a fait de moi un cinglé. A propos, Mark, quel âge as-tu ?

– Onze ans.

– Tu as déjà bu du whisky ?

– Non, répondit Mark sans mentir.

La bouteille arriva aussitôt devant son nez, il la prit.

– Bois un coup, fit Romey, sans ouvrir les yeux.

Mark essaya de lire l'étiquette, mais son œil gauche était presque fermé, la détonation résonnait encore dans ses oreilles et il était incapable de se concentrer. Il coucha la bouteille sur le siège, Romey la saisit sans un mot.

– Nous sommes en train de mourir, Mark, fit-il, comme s'il se parlait à lui-même. Je suppose que c'est dur de mourir à onze ans, mais tant pis. Je ne peux rien y faire. Tes dernières paroles, mon grand ?

Mark se dit que Ricky avait réussi son coup, que le tuyau ne servait à rien, que son nouvel ami, Romey, était soûl et complètement fou, et qu'il ne parviendrait à survivre que s'il réfléchissait et parlait. L'air n'était pas toxique. Il prit une longue inspiration et se persuada qu'il pouvait y arriver.

– Qu'est-ce qui vous a rendu dingue ?

Après un instant de réflexion, Romey décida que c'était amusant. Il eut un ricanement, suivi d'un petit gloussement.

– Très drôle, fit-il. Excellente question. Je sais depuis plusieurs semaines ce que personne d'autre au monde ne sait, à part mon client, qui, soit dit en passant, est une belle ordure. Tu sais, Mark, nous autres, avocats, nous entendons toutes sortes de secrets qu'il nous est interdit de répéter. Strictement confidentiel, tu comprends ? Nous ne pouvons pas révéler ce qu'est devenu l'argent, qui couche avec qui, ni où le corps est caché. Tu me suis ?

Il inhala profondément, exhala avec un immense plaisir, en s'enfonçant un peu plus dans son siège, les yeux toujours fermés.

– Je regrette d'avoir dû te gifler, reprit-il, l'index replié sur la détente du pistolet.

Mark ferma les yeux, ne ressentit rien de particulier.

– Quel âge as-tu ?

– Onze ans.

– Oui, tu me l'as déjà dit. Onze ans. Moi, j'en ai quarante-quatre. Nous sommes tous deux trop jeunes pour mourir, hein, Mark ?

– Oui, monsieur.

– C'est pourtant ce qui est en train de se passer, mon pote. Tu le sens ?

– Oui, monsieur.

– Mon client a tué un homme, il a caché le corps et maintenant il veut me tuer aussi. Voilà toute l'histoire. Ils m'ont rendu dingue. Ha, ha ! C'est génial, Mark, c'est merveilleux ! Moi, l'avocat muet comme la tombe, je peux te dire, quelques secondes à peine avant le sommeil éternel, où se trouve le corps. Le corps, Mark, le corps introuvable, le plus recherché de notre temps ! Incroyable ! Je peux enfin le dire !

Les yeux grands ouverts, il darda sur Mark un regard flamboyant.

Le comique de la situation échappa à Mark. Il lança un coup d'œil vers le rétroviseur, un autre en direction du taquet de la portière, à trente centimètres de lui. La poignée était encore plus près.

Romey se décontracta et ferma de nouveau les yeux, comme s'il cherchait désespérément à faire un petit somme.

– Je suis navré, petit, vraiment navré, mais je suis content que tu sois là.

Il posa lentement la bouteille sur le tableau de bord, à côté de sa lettre, et fit passer le pistolet de la main gauche à la droite, l'effleurant du bout des doigts, caressant la détente de l'index. Mark essaya de ne pas regarder.

– Je suis vraiment navré, petit. Quel âge as-tu, déjà ?

– Onze ans. C'est la troisième fois que vous le demandez.

– Tais-toi ! Je sens le gaz maintenant, pas toi ? Cesse de renifler comme ça, bon Dieu ! C'est inodore, petit crétin ! Tu ne sentiras rien. Si tu n'avais pas fait le malin, je serais déjà mort, et tu jouerais tranquillement aux cow-boys et aux Indiens. Tu es vraiment bête, tu sais ?

Pas tant que vous, songea Mark.

– Qui votre client a-t-il tué ?

Romey sourit sans ouvrir les yeux.

– Un sénateur. Je parle, tu vois, je vide mon sac. Tu lis les journaux ?

– Non.

– Ça ne m'étonne pas. Le sénateur Boyette, de La Nouvelle-Orléans. C'est de là que je viens.

– Pourquoi êtes-vous venu à Memphis ?

– Bon Dieu ! Tu as encore beaucoup de questions ?

– Oui. Pourquoi votre client a-t-il tué le sénateur Boyette ?

– Pourquoi, pourquoi, pourquoi, qui, qui, qui... ? Tu es casse-pieds, petit !

– Je sais, fit Mark, en regardant d'abord le rétroviseur avant de tourner les yeux vers le tuyau. Pourquoi ne me laissez-vous pas partir ?

– Je peux aussi te coller une balle dans la tête, si tu ne la fermes pas.

Le menton couvert de barbe s'affaissa, touchant presque la poitrine.

– Mon client a tué des tas de gens. C'est comme ça qu'il gagne de l'argent, en tuant des gens. Il fait partie de la mafia de La Nouvelle-Orléans, et maintenant, c'est moi qu'il veut tuer. Dommage, hein ? Il s'est fait coiffer au poteau. On l'a bien eu !

Romey but une grande lampée au goulot et regarda Mark dans les yeux.

– Imagine, petit, qu'en ce moment même Barry la Lame, comme on l'appelle – ces gars de la mafia ont des surnoms charmants –, m'attend à La Nouvelle-Orléans, dans un resto crasseux. Il doit avoir deux copains avec lui et, après avoir tranquillement dîné, il m'aurait demandé d'aller faire un tour en voiture, m'aurait parlé de son affaire, puis il aurait sorti un couteau, c'est pour ça qu'on l'appelle la Lame, et hop ! Ils auraient planqué mon petit corps potelé comme ils ont fait disparaître celui du sénateur Boyette et hop ! La Nouvelle-Orléans aurait eu un meurtre non élucidé de plus. Mais on leur a montré, petit. On leur a montré, hein ?

Son débit ralentissait, sa voix devenait pâteuse. Il faisait monter et descendre le pistolet le long de sa cuisse, l'index toujours replié sur la détente.

Continue à le faire parler.

– Pourquoi est-ce que ce Barry veut vous tuer ?

– Encore une question. Je plane, et toi ?

– Oui. C'est bon.

– Pour des tas de raisons. Ferme les yeux, petit. Dis tes prières.

Mark suivit les mouvements du pistolet et jeta un coup d'œil au taquet de la portière. Il toucha lentement son pouce du bout de chaque doigt, comme on fait pour compter à la maternelle : la coordination était parfaite.

– Alors, où est le corps ?

Romey ricana, la tête ballottant de droite et de gauche.

– Le corps de Boyd Boyette, fit-il d'une voix à peine audible. Quelle affaire ! Le premier sénateur des États-Unis assassiné dans l'exercice de ses fonctions, le savais-tu ? Assassiné par mon cher client, Barry Muldanno, qui lui a tiré quatre balles dans la tête et a caché le corps. Pas de corps, pas de poursuites. Tu comprends, petit ?

– Pas vraiment.

– Pourquoi est-ce que tu ne pleures plus ? Tu pleurais il y a quelques minutes. Tu n'as pas peur ?

– Si, j'ai peur. Et je voudrais partir. Je regrette que vous ayez décidé de mourir et tout, mais il faut que je m'occupe de ma mère.

– Touchant, tellement touchant. Maintenant, ferme-la ! Tu vois, petit, les fédéraux ont besoin du corps pour prouver qu'il s'agit d'un meurtre. Barry est un suspect, leur unique suspect, parce que c'est lui qui l'a tué, tu vois, et ils le savent. Mais ils ont besoin du corps.

– Où est-il ?

Un gros nuage cacha le soleil et, d'un coup, la clairière devint plus sombre. Romey promena lentement le pistolet le long de sa jambe, comme pour mettre Mark en garde contre tout mouvement brusque.

– La Lame n'est pas le truand le plus malin que j'ai connu, tu sais. Il se prend pour un génie, mais il est bête à manger du foin.

C'est toi qui es bête, se dit de nouveau Mark. A t'enfermer dans cette voiture avec un bout de tuyau enfoncé dans le pot d'échappement. Il attendit, immobile comme une souche.

– Le corps est sous mon bateau.

– Votre bateau ?

– Oui, mon bateau. Comme j'étais en voyage, mon client bien-aimé, qui était pressé, a emmené le corps chez moi et lui a fait un cercueil de ciment, sous mon garage. Même si cela paraît invraisemblable, il y est encore. Les gars du FBI ont retourné la moitié de La Nouvelle-Orléans pour le retrouver, mais ils n'ont jamais pensé à venir voir chez moi. Barry n'est peut-être pas si bête, après tout

– Quand vous l'a-t-il dit ?

– J'en ai marre de tes questions, petit.

– J'aimerais vraiment partir maintenant.

– La ferme ! Le gaz arrive. C'est fini pour nous, petit. C'est fini.

Il laissa tomber l'arme sur le siège.

Le moteur ronronnait doucement. Mark considéra le trou fait par la balle dans la vitre, la multitude de craquelures rayonnant du point d'impact, puis se retourna vers le visage rougeaud aux paupières lourdes. Un bruit de respiration profonde, presque un ronflement, et la tête s'inclina sur la poitrine.

Il était en train de s'endormir ! Mark observa son visage, regarda la large poitrine monter et descendre. Il avait vu cent fois son ex-père faire la même chose.

Mark prit une longue inspiration. La serrure de la portière allait faire du bruit et l'arme était trop près de la main de Romey. Son estomac était noué, il ne sentait plus ses pieds.

De la face rougeaude fusa une sorte de long gargouillement. Mark comprit qu'il ne se présenterait pas d'autre occasion. Lentement, centimètre par centimètre, il approcha un doigt tremblant du taquet de la portière.

Les yeux de Ricky étaient presque aussi secs que sa bouche, mais son jean était trempé. Il se tenait sous l'arbre, dans l'ombre, loin des buissons, des hautes herbes et de la voiture. Cinq minutes s'étaient écoulées depuis qu'il avait retiré le tuyau. Cinq minutes depuis le coup de feu. Mais il savait que son frère était vivant, car il avait filé d'arbre en arbre, sur une quinzaine de mètres, jusqu'à ce qu'il aperçoive une tête blonde, dépassant à peine de la vitre et remuant à l'intérieur de la grosse voiture. Il cessa donc de pleurer et se mit à prier.

Ricky repartit vers la souche, s'accroupit, le regard fixé sur la voiture, impatient de revoir son frère, quand la portière s'ouvrit et Mark apparut.

Le menton de Romey s'affaissa sur sa poitrine. Au moment où il amorçait un nouveau ronflement, Mark poussa de la main gauche le pistolet au pied du siège tout en déverrouillant la portière de la droite. Il tira la poignée d'un coup sec, donna un grand coup d'épaule et entendit le bruit sourd d'un ronflement, au moment où il basculait à l'extérieur.

Il tomba sur les genoux, s'éloigna de la voiture à quatre pattes, en s'agrippant aux herbes. Il se mit à courir, cassé en deux, et, en quelques secondes, atteignit l'arbre où Ricky le suivait d'un regard horrifié. Il s'arrêta à la hauteur de la souche et se retourna, s'attendant à voir l'avocat lancé à sa poursuite, le pistolet à la main. Mais rien ne bougeait dans la voiture. La portière restait ouverte, le moteur tournait, le pot d'échappement était dégagé. Mark prit enfin le temps de respirer et se tourna lentement vers son frère.

– J'ai enlevé le tuyau, fit Ricky d'une voix suraiguë, la respiration haletante.

Mark approuva de la tête en silence. Il se sentit brusquement beaucoup plus calme. La Lincoln se trouvait à une quinzaine de mètres et, si Romey en descendait, ils pourraient disparaître en un instant dans le bois. Cachés par l'arbre et les buissons, ils ne seraient pas repérés par Romey s'il décidait de bondir de la voiture en tirant au jugé.

– J'ai peur, Mark, on s'en va, fit Ricky de la même voix de fausset, les mains tremblantes.

– Attends une minute, répliqua Mark, les yeux rivés sur la voiture.

– Viens, Mark, on s'en va.

– Je t'ai dit : une minute !

– Il est mort ? demanda Ricky en regardant la voiture.

– Je ne crois pas.

Le dingo était donc encore vivant, il avait une arme et il devenait clair que son grand frère n'avait plus peur et qu'il mijotait quelque chose.

– Je m'en vais, murmura Ricky en faisant un pas en arrière. Je veux rentrer à la maison.

Mark ne bougea pas. Il respira calmement et continua d'observer la voiture.

– Une seconde, fit-il, sans regarder son frère, d'une voix qui avait retrouvé son autorité.

Ricky s'immobilisa et se pencha en avant, les mains sur la toile mouillée de ses genoux. Il observa Mark, secoua lentement la tête en le voyant prendre délicatement une cigarette dans la poche de sa chemise, sans quitter la voiture des yeux. Il l'alluma, tira longuement dessus, rejeta la fumée en l'air, vers les branches. C'est à ce moment-là que Ricky remarqua la tuméfaction.

– Qu'est-ce que tu as à l'œil ?

Mark se souvint brusquement de son œil gonflé. Il le frotta doucement, passa à la bosse qui ornait son front.

– Il m'a donné une paire de gifles.

– Ce n'est pas beau à voir.

– Ça ira. Tu sais ce que je vais faire ? poursuivit-il, sans attendre une réponse. Je vais retourner à la voiture et remettre le tuyau dans le pot d'échappement. Je vais faire ça pour ce salaud.

– Tu es encore plus cinglé que lui. Tu dis ça pour rigoler, hein, Mark ?

Mark souffla un nuage de fumée d'un air décidé. Soudain, la portière du conducteur s'ouvrit et Romey descendit, le pistolet à la main. D'un pas chancelant, il se dirigea vers l'arrière de la voiture en pestant et découvrit une nouvelle fois le tuyau d'arrosage dans l'herbe. Il leva la tête au ciel et hurla des obscénités.

Mark s'accroupit et attira Ricky près de lui. Romey pivota sur lui-même pour scruter les arbres bordant la clairière. Il lança une autre bordée de jurons et éclata bruyamment en sanglots. La sueur coulait de ses tempes, sa veste noire trempée adhérait à son torse. Il contourna pesamment l'arrière de la voiture en sanglotant, en parlant tout seul, en hurlant vers les arbres.

Il s'immobilisa brusquement, hissa péniblement son corps sur le coffre, se tortilla pour glisser sur le dos comme un éléphant drogué, jusqu'à ce que sa tête touche la vitre arrière. Il étendit ses petites jambes. Il lui manquait une chaussure. Il prit le pistolet, ni très lentement ni trop vite, d'un geste presque machinal, et enfonça profondément le canon dans sa bouche. Ses yeux rougis au regard farouche firent le tour de la clairière et se posèrent fugitivement sur le tronc de l'arbre cachant les enfants.

Il écarta les lèvres, referma ses grosses dents sur le canon. Puis il ferma les yeux et son pouce droit pressa la détente.

2

Dans les chaussures en peau de requin, les chaussettes de soie vanille montant jusqu'aux rotules caressaient les mollets velus de Barry Muldanno, dit Barry la Lame, ou simplement la Lame, comme il aimait à se faire appeler. Son complet vert bouteille moiré semblait, au premier coup d'œil, en peau de lézard, d'iguane ou d'autre reptile, mais, de plus près, se révélait du polyester. Croisé, boutonné sur tout le devant, il tombait parfaitement sur un corps bien charpenté. Le tissu bruissait agréablement tandis que Barry se dirigeait en roulant les épaules vers le téléphone public, au fond du restaurant. Le complet n'était pas tape-à-l'œil, mais il en jetait. Son propriétaire pouvait passer pour un gros importateur de drogue ou un book en vogue de Las Vegas. Parfait. Barry la Lame voulait être remarqué. Quand les gens le regardaient, c'est la réussite qu'ils contemplaient ; ils devaient avoir les jetons et s'écarter sur son passage.

Barry avait les cheveux bruns et drus, teints pour dissimuler quelques fils blancs, enduits de gel et coiffés en queue de cheval retombant impeccablement sur la nuque, juste en haut du col de la veste vert bouteille. Il consacrait des heures à ses cheveux. Au lobe de l'oreille gauche étincelait le diamant de rigueur. Un élégant bracelet en or ornait le poignet gauche, juste sous la Rolex sertie de diamants, et à l'autre poignet une chaîne en or accompagnait sa marche d'un cliquetis discret.

Barry s'engagea d'une démarche conquérante dans un couloir étroit, s'arrêta devant le téléphone et lança un regard circulaire. A la vue des yeux pénétrants de Barry la Lame, filant en tous sens, cherchant la violence, un type normal aurait fait facilement dans son froc. Des yeux marron très foncé, tellement rapprochés que, si quelqu'un avait osé affronter ce regard plus de deux secondes, il aurait juré, à tort, que Barry louchait. Une ligne bien dessinée de poils noirs courait d'une tempe à l'autre, sans la moindre interruption, en haut du nez assez long et pointu. Sous les yeux, des demi-cercles bouffis de peau bistre proclamaient que cet homme aimait l'alcool et tous les plaisirs de la vie. Les yeux cernés témoignaient, entre autres, de gueules de bois sans nombre. La Lame adorait ses yeux. Ils étaient légendaires.

Il composa le numéro du cabinet de son avocat et parla rapidement, sans attendre de réponse.

– Allô ! C'est Barry ! Où est Jerome ? Il est en retard, on avait rendez-vous il y a quarante minutes. Où est-il passé ? Vous l'avez vu ?

La voix n'était pas agréable non plus. Une voix aux sonorités menaçantes de malfrat arrivé, qui avait cassé nombre de bras dans les rues de La Nouvelle-Orléans et n'hésiterait pas à en casser un de plus à qui encombrerait son chemin ou ne répondrait pas assez vite à ses questions. Une voix rude, arrogante, propre à intimider. La pauvre secrétaire au bout du fil la connaissait bien, et elle avait vu les yeux, les complets chatoyants et la queue de cheval. La gorge serrée, retenant son souffle, elle remercia le ciel de l'avoir au téléphone et non en chair et en os, faisant craquer ses jointures devant son bureau, puis informa M. Muldanno que M. Clifford avait quitté le cabinet vers 9 heures du matin et n'avait pas donné signe de vie depuis.

La Lame écrasa le combiné sur son support et repartit comme une furie, puis il se ressaisit et se remit à parader pour la galerie. Le restaurant commençait à se remplir. Il était près de 17 heures.

Tout ce qu'il voulait, c'était quelques verres et un bon repas avec son avocat, pour parler des sales draps dans lesquels il s'était fourré. Juste quelques verres et un bon repas. Les fédéraux le surveillaient, l'écoutaient. Jerome était devenu parano ; la semaine précédente, il lui avait confié qu'il croyait son cabinet sur table d'écoute. Ils s'étaient donc donné rendez-vous dans ce restaurant pour un bon repas, sans avoir à se soucier d'oreilles indiscrètes ni d'écoutes.

Ils devaient discuter. Jerome Clifford défendait depuis quinze ans des truands en vue de La Nouvelle-Orléans – gangsters, trafiquants de drogue, politiciens véreux –, avec des résultats impressionnants. Rusé et corrompu, il n'hésitait jamais à acheter ceux qui le voulaient bien. Il buvait avec les juges, couchait avec leurs maîtresses. Il arrosait les flics, menaçait les jurés. Il frayait avec les politiciens, mettait la main à la poche quand on le lui demandait. Jerome savait comment le système fonctionnait et, quand un prévenu ayant les moyens se trouvait dans une situation délicate, il se tournait invariablement vers le cabinet de Mᵉ W. Jerome Clifford, avocat à la Cour. Il y trouvait un ami d'une loyauté à toute épreuve.

L'affaire Muldanno était quelque peu différente. Elle avait un grand retentissement, qui allait croissant. Le procès, prévu pour le mois suivant, sentait la chaise électrique. Ce serait le deuxième procès pour meurtre de Barry. Pour le premier, à l'âge tendre de dix-huit ans, le ministère public s'était efforcé de prouver, en s'appuyant sur un unique et fragile témoignage, que Barry avait coupé les doigts d'un voyou d'une bande rivale avant de lui trancher la gorge. L'oncle de Barry, truand chevronné et respecté, avait distribué de l'argent de-ci de-là, et le jury, incapable de parvenir à un verdict, l'avait acquitté.

Barry purgea ensuite une peine de deux ans pour racket, dans un agréable pénitencier fédéral. Son oncle aurait pu lui sauver de nouveau la mise, mais, à vingt-cinq ans, il était mûr pour un peu de prison. Cela faisait bien dans son curriculum vitae. La famille était fière de lui. Jerome Clifford avait négocié pour réduire les charges retenues contre lui, et ils étaient devenus amis.

Un verre d'eau gazeuse attendait Barry quand il vint reprendre sa place au bar, en bombant le torse. L'alcool pouvait attendre quelques heures. Il lui fallait une main sûre.

Il pressa le citron vert en se contemplant dans le miroir. Il surprit quelques regards ; il était en passe de devenir l'accusé le plus célèbre de tout le pays. A quatre semaines du procès, sa photo s'étalait dans tous les journaux et on le dévisageait.

Ce procès à venir était bien différent de l'autre. La victime était un sénateur, le premier, prétendait-on, à être assassiné dans l'exercice de ses fonctions. « États-Unis d'Amérique contre Barry Muldanno. » Seulement il n'y avait pas de cadavre, ce qui constituait un énorme problème pour les États-Unis d'Amérique. Pas de cadavre, pas de compte rendu d'autopsie, pas de rapport balistique, pas de photographies sanglantes à brandir à la barre et à montrer au jury.

Mais Jerome Clifford était en train de craquer. Il avait un comportement étrange : il disparaissait sans prévenir, ne mettait pas les pieds dans son cabinet, ne répondait pas aux messages téléphoniques, arrivait toujours en retard au Palais, marmonnait entre ses dents, picolait beaucoup trop. Lui qui avait toujours été accrocheur, tenace, semblait devenu indifférent et on commençait à jaser. Franchement, Barry avait besoin d'un nouvel avocat.

Plus que quatre petites semaines. C'est du temps qu'il lui fallait : un délai, un ajournement, n'importe quoi. Pourquoi l'action de la justice est-elle si rapide, quand on ne le désire pas ? Au long d'une vie passée en marge de la loi, il avait vu des affaires traîner pendant des années. Son oncle, par exemple, avait été mis en accusation, mais après trois ans d'une guerre de procédure ininterrompue, le gouvernement avait fini par jeter l'éponge. Barry, lui, n'avait été accusé de meurtre que six mois auparavant et hop ! le procès était déjà là. Ce n'était pas juste. Romey ne faisait pas son boulot. Il fallait le remplacer.

Il est vrai que le dossier du FBI présentait quelques lacunes. Personne n'avait assisté au meurtre. Il y avait contre lui de fortes présomptions, peut-être un mobile. Mais il n'existait pas de témoin. Il y avait bien un informateur, peu fiable et qui ne résisterait pas à un contre-interrogatoire serré, si d'aventure il vivait jusqu'au procès. Les fédéraux le cachaient dans un endroit sûr. Barry avait un atout unique, mais précieux : le petit corps tout maigre de Boyd Boyette, qui pourrissait lentement dans son cercueil de ciment. Sans le corps, le révérend Roy ne parviendrait pas à établir sa culpabilité. Cette idée arracha un sourire à Barry qui lança une œillade à deux blondes décolorées assises près de la porte. Les femmes lui couraient après depuis sa mise en accusation. Il était célèbre.

Aussi léger que fût le dossier du révérend Roy, il ne mettait pas un bémol à ses sermons nocturnes devant les caméras, ses pompeuses prédictions de justice expéditive, ni ses confidences véhémentes à tout journaliste en mal de copie qui l'interrogeait. Le procureur général dévot avait du souffle, une voix mielleuse, des ambitions politiques qu'il ne pouvait cacher et des opinions véhémentes sur tout. Il avait son propre attaché de presse, un pauvre bougre surchargé de travail, assumant la lourde tâche de garder son patron sous le feu des projecteurs et de faire en sorte que le public lui demande, dans un avenir proche, de le représenter sur les bancs du Sénat. De là, seul le révérend savait où le Seigneur pourrait le conduire.

La Lame croqua rageusement un glaçon à l'évocation de Roy Foltrigg brandissant l'acte d'accusation devant les caméras et éructant ses prédictions du triomphe du bien sur le mal. Six mois plus tard, ni le révérend Roy ni ses acolytes du FBI n'avaient pourtant retrouvé le corps de Boyd Boyette. Ils filaient Barry jour et nuit ; ils devaient même l'attendre dehors, comme s'il était assez stupide pour aller jeter un coup d'œil au cadavre à la sortie du restaurant, juste pour le plaisir. Ils avaient arrosé tous les poivrots et les clodos qui se prétendaient indics, drainé des bassins et des étangs, dragué des rivières. Ils avaient obtenu des mandats de perquisition pour des dizaines d'immeubles et de locaux, et dépensé une petite fortune en excavateurs et bulldozers.

Barry savait où était le corps de Boyd Boyette. Il aurait voulu le déplacer, mais c'était impossible. Le révérend et son armée d'anges étaient à l'affût.

Clifford avait une heure de retard. Barry régla ses deux consommations, adressa un clin d'œil aux blondes décolorées en jupe de cuir, sortit en maudissant les avocats en général et le sien en particulier.

Il lui en fallait un nouveau, un qui le rappellerait quand il passait un coup de fil, qui prendrait quelques verres avec lui et se débrouillerait pour acheter des jurés. Un avocat, un vrai !

Il lui en fallait un nouveau, comme il lui fallait un ajournement, un renvoi, un délai, n'importe quoi pour ralentir la marche de cette machine judiciaire et lui donner le temps de réfléchir.

Il alluma une cigarette en suivant tranquillement le trottoir de Magazine Street. L'air était lourd. Le cabinet de Clifford se trouvait trois rues plus loin. Son avocat voulait que le procès s'ouvre rapidement ! L'abruti ! Dans ce système, personne n'avait hâte que s'ouvre un procès, personne, sauf Jerome Clifford. Il avait expliqué trois semaines plus tôt qu'ils avaient intérêt à presser le mouvement, qu'en l'absence de cadavre il n'y avait pas de crime, etc. S'ils attendaient, on pourrait découvrir le corps. Comme Barry était un suspect idéal, que l'affaire faisait sensation, que le ministère public était soumis à une pression terrible, comme Barry avait de toute façon commis le meurtre, qu'il était on ne peut plus coupable, il fallait aller sans délai devant le tribunal. Ce raisonnement avait choqué Barry. Ils avaient eu une violente dispute et leurs rapports s'étaient détériorés.

Profitant d'un moment d'accalmie pendant la discussion, Barry avait affirmé qu'on ne retrouverait jamais le corps. Il avait une longue expérience de la chose et savait s'y prendre. Celui de Boyette avait été caché assez précipitamment et Barry aurait préféré le déplacer, mais il était en lieu sûr et son repos éternel ne risquait pas d'être troublé par Foltrigg et les fédéraux.

Barry étouffa un petit gloussement de plaisir sur le trottoir de Poydras Street.

– Alors, avait demandé Clifford, où est le corps ?

– Vous n'avez pas besoin de le savoir.

– Bien sûr que si. Tout le monde veut le savoir. Allez, dites-le-moi, si vous en avez le courage.

– Il vaut mieux pas.

– Parlez.

– Ça ne va pas vous faire plaisir.

– Dites-le.

D'une chiquenaude, Barry envoya sa cigarette sur le trottoir et faillit éclater de rire. Il n'aurait pas dû le dire à Jerome Clifford. C'était puéril, même s'il n'y avait pas de danger. On pouvait faire confiance à Jerome – secret professionnel et tout –, qui avait été blessé de voir que Barry ne déballait pas d'emblée toute l'histoire. Jerome Clifford était aussi tordu et pourri que ses clients ; s'ils avaient du sang sur les mains, il tenait à en voir les traces de ses propres yeux.

– Vous souvenez-vous du jour de la disparition de Boyette ?

– Bien sûr, répondit Clifford. Le 16 janvier.

– Vous rappelez-vous où vous étiez, ce jour-là ?

Romey s'avança vers le mur, derrière son bureau, pour étudier le planning couvert de ratures.

– Colorado. Au ski.

– Et vous m'aviez prêté votre maison.

– Oui, un rendez-vous galant avec la femme d'un médecin.

– Exact. Mais elle n'a pas pu venir, c'est le sénateur que j'ai emmené chez vous.

Romey resta pétrifié, bouche bée, et baissa lentement les yeux.

– Il est arrivé dans le coffre, poursuivit Barry, et je l'ai laissé chez vous.

– Où ? fit Romey d'un ton incrédule.

– Dans le garage.

– Vous mentez.

– Sous le bateau qui n'a pas été déplacé depuis dix ans.

– Vous mentez !

La porte d'entrée du cabinet de Clifford était fermée. Barry la secoua en jurant derrière la vitre. Il alluma une nouvelle cigarette et passa en revue les places de stationnement habituelles de la Lincoln noire. Même s'il devait y passer la nuit, il mettrait la main sur ce gros plein de soupe.

Barry avait un ami à Miami, accusé de trafic de différents stupéfiants. L'excellent avocat qui le défendait avait réussi, de renvoi en ajournement, à gagner deux ans et demi, jusqu'à ce que le juge, perdant patience, fixe la date du procès. La veille de la sélection du jury, son ami avait tué l'excellent avocat et le juge s'était vu contraint d'ordonner un nouvel ajournement. Le procès n'avait pas eu lieu.

Si Romey mourait subitement, il s'écoulerait plusieurs mois, des années peut-être, avant qu'il ne soit jugé.

3

Ricky s'éloigna à reculons jusqu'à ce qu'il atteigne les hautes herbes, puis il trouva le sentier et partit ventre à terre.

– Ricky ! cria Mark, en vain. Attends, Ricky !

Il se retourna vers l'homme étendu sur le coffre, le pistolet dans la bouche, les yeux mi-clos, les pieds encore agités de tremblements.

Mark en avait vu assez.

– Ricky ! cria-t-il de nouveau en se dirigeant à petites foulées vers le sentier.

Il rattrapa son frère qui courait lentement, d'une façon étrange, les bras raides le long des jambes, le buste très incliné vers l'avant. Les herbes lui fouettaient le visage. Il trébuchait, mais ne tombait pas. Mark le saisit aux épaules et le fit pivoter vers lui.

– Écoute-moi, Ricky ! C'est fini !

Le teint blafard, les yeux vitreux, son petit frère ressemblait à un zombie. La respiration courte, précipitée, il gémissait plaintivement, incapable de parler. Il se dégagea brusquement et se remit à trottiner, giflé par les herbes du sentier. Mark lui emboîta le pas et ils traversèrent le lit à sec d'un ruisseau.

Les arbres étaient plus clairsemés aux abords de la palissade délabrée qui ceinturait la majeure partie du camp. Deux gamins lançaient des pierres sur des boîtes de conserve alignées sur le capot d'une épave. Ricky accéléra l'allure et se glissa dans un trou de la palissade. Il enjamba une rigole, se faufila entre deux préfabriqués et déboucha dans la rue, Mark toujours sur ses talons. Le gémissement continu s'intensifia à mesure que la respiration de Ricky se faisait plus haletante.

Le mobile home des Sway, trois mètres cinquante de large sur dix-huit de long, occupait une étroite bande de terrain de la rue de l'Est, au milieu d'une quarantaine d'autres. Le lotissement Tucker comprenait également les rues du Nord, du Sud et de l'Ouest, qui dessinaient des courbes et se croisaient plusieurs fois, dans toutes les directions. L'endroit était plutôt bien entretenu, avec des rues assez propres, équipées de ralentisseurs, quelques arbres, une multitude de bicyclettes et de rares voitures abandonnées. Une musique trop forte ou toute forme de tapage provoquait aussitôt l'arrivée de la police, dès que M. Tucker en était informé. Sa famille possédait la totalité du terrain et la plupart des mobile homes, y compris le numéro 17, rue de l'Est, que Dianne Sway louait deux cent quatre-vingts dollars par mois.

Ricky s'engouffra dans le mobile home et se jeta sur le divan de l'entrée. Il semblait pleurer, mais les larmes ne coulaient pas. Il replia les genoux sur son ventre, comme s'il avait froid, puis, très lentement, porta le pouce droit à sa bouche. Mark ne perdit pas un seul de ses gestes.

– Ricky, dis-moi quelque chose, fit-il en lui secouant doucement l'épaule. Il faut que tu me parles, mon vieux. C'est fini.

Ricky téta plus vigoureusement son pouce. Il ferma les yeux et se mit à trembler.

Mark fit du regard le tour de l'entrée et de la cuisine, constata que les choses étaient exactement telles qu'ils les avaient laissées une heure auparavant. Une heure ! Il avait l'impression que cela faisait plusieurs jours. La lumière baissait, tout était un peu plus sombre. Cartables et livres d'école s'entassaient, comme d'habitude, sur la table de la cuisine. Le petit mot quotidien de leur mère se trouvait sur la tablette du téléphone. Il s'avança vers l'évier, fit couler de l'eau dans une tasse à café propre. Il avait horriblement soif. Il but lentement l'eau fraîche en regardant par la vitre. Puis il entendit des bruits de succion et se retourna vers son frère. Le pouce. Il avait vu à la télé un reportage montrant des enfants de Californie qui s'étaient mis à sucer leur pouce après un tremblement de terre. Toutes sortes de médecins avaient donné leur avis. Un an après le séisme, les pauvres gosses continuaient à téter leur pouce.

Le bord de la tasse toucha un endroit sensible sur sa lèvre et il se souvint qu'il avait saigné. Il se précipita dans la salle de bains pour se regarder dans le miroir. Juste à la naissance des cheveux, il y avait une petite bosse que l'on distinguait à peine. Son œil gauche gonflé avait une sale allure. Il fit couler de l'eau et nettoya une petite tache de sang sur sa lèvre inférieure. Elle n'avait pas enflé, mais il sentit soudain des élancements. Il avait déjà été plus amoché après des bagarres, à l'école. C'était un dur à cuire.

Mark prit un glaçon dans le réfrigérateur et l'appliqua fermement sur son œil. Il se dirigea ensuite vers le divan et observa son frère, prêtant une attention particulière au pouce. Ricky dormait. Il était près de 17 h 30, l'heure à laquelle leur mère rentrait, après ses neuf heures à la fabrique de lampes. Dans ses oreilles résonnaient encore les détonations et les coups de son défunt ami Romey, mais son cerveau recommençait à fonctionner. Il s'assit à côté des pieds de Ricky et frotta lentement avec le glaçon le tour de son œil tuméfié.

S'il ne prévenait pas la police, il pouvait s'écouler plusieurs jours avant que le corps ne soit découvert. Le coup de feu fatal avait été très assourdi et Mark était certain que personne d'autre n'avait entendu. Il allait souvent dans la clairière, mais, en y pensant, il n'y avait jamais rencontré âme qui vive. Le coin était très retiré. Pourquoi Romey avait-il choisi cet endroit ? Lui, un type de La Nouvelle-Orléans ?

Mark avait vu beaucoup de reportages à la télévision et il savait que tout appel à la police était enregistré. Il ne voulait pas d'enregistrement. Jamais il ne raconterait à quiconque, même à sa mère, ce qu'il venait de vivre, et il devait absolument, à ce moment crucial, discuter avec son petit frère pour accorder leurs violons.

— Ricky, fit-il en lui secouant la jambe.

Ricky grogna, sans ouvrir les yeux, et se roula en boule.

— Ricky, réveille-toi !

Aucune autre réaction qu'un frisson qui parcourut le petit corps, comme s'il avait froid. Mark prit une couette dans un placard et en couvrit son frère, puis il enveloppa une poignée de glaçons dans un torchon et appliqua précautionneusement le tout sur son œil gauche. Il n'avait pas envie qu'on l'interroge là-dessus.

Le regard fixé sur le téléphone, il pensa aux westerns, aux cadavres jonchant le sol, aux vautours décrivant des cercles au-dessus du champ de bataille, à la nécessité d'ensevelir les morts avant que ces saletés de charognards ne les dévorent. La nuit tomberait dans une heure. Les vautours se nourrissent-ils la nuit ? Il n'avait jamais vu ça dans un film.

L'image de l'avocat grassouillet, le pistolet dans la bouche, une seule chaussure aux pieds, saignant probablement encore, était déjà assez horrible pour ne pas y ajouter celle des charognards déchiquetant leur proie. Mark saisit le combiné. Il composa le 911 et s'éclaircit la voix.

— Voilà, il y a un mort, dans les bois, et, euh... il faudrait que quelqu'un vienne le chercher.

Il avait pris une voix aussi grave que possible, mais, dès la première syllabe, il comprit qu'il était vain d'essayer de la déguiser. Il inspira longuement, la bosse de son front lui élança.

— Qui est à l'appareil, s'il vous plaît ?

C'était une voix de femme, qui ressemblait à celle d'un robot.

– Euh... je préfère ne pas le dire, vous comprenez ?

– Nous avons besoin de ton nom, mon garçon.

Génial ! Elle savait que c'était un enfant qui appelait. Il espérait passer au moins pour un adolescent.

– Vous voulez que je vous parle du corps ou pas ? demanda Mark.

– Où se trouve ce corps ?

De mieux en mieux, se dit-il, tu es déjà en train d'en parler à quelqu'un. Et pas à une personne de confiance, non, à quelqu'un qui porte un uniforme et fait partie de la police ; il imagina l'enregistrement de la conversation passé et repassé devant les membres du jury, comme à la télévision. La police ferait ses analyses vocales et tout le monde saurait que Mark Sway avait indiqué où se trouvait le corps, alors que personne d'autre n'était au courant. Il s'efforça de prendre une voix encore plus grave.

– Il est près du lotissement Tucker, et...

– Sur Whipple Road ?

– C'est ça. Dans les bois, entre le terrain et la nationale 17.

– Le corps est dans les bois ?

– Si l'on veut. En fait, il est sur l'arrière d'une voiture, dans les bois.

– Ce corps est celui d'un mort ?

– Le type s'est tiré un coup de pistolet dans la bouche, je suis sûr qu'il est mort.

– As-tu vu le corps ?

La voix de la femme perdait sa retenue professionnelle, une certaine nervosité y perçait.

Quelle question stupide ! songea Mark. Ai-je vu le corps ? Elle essaie de gagner du temps, elle cherche à prolonger la communication afin de localiser l'appel.

– Dis-moi, mon garçon, répéta-t-elle, as-tu vu le corps ?

– Bien sûr que je l'ai vu.

– Il faut que tu me dises comment tu t'appelles.

– Écoutez, il y a un chemin de terre qui part de la nationale et mène à une petite clairière. Vous verrez une grosse voiture noire, le mort est allongé dessus. Si vous n'arrivez pas à le trouver, tant pis pour vous. Salut.

Il raccrocha et garda les yeux fixés sur le téléphone. Pas un bruit dans la maison. Il s'avança vers la porte, regarda à travers les rideaux sales, s'attendant plus ou moins à voir surgir de partout des voitures de police, avec porte-voix, tireurs d'élite, gilets pare-balles.

Ressaisis-toi, mon vieux ! Il secoua de nouveau Ricky et remarqua, en lui touchant le bras, qu'il était tout mou. Mais son frère continua à dormir en suçant son pouce. Mark le prit délicatement par la taille et le traîna dans le couloir étroit, jusqu'à leur chambre, où il le fourra au lit. Ricky grogna et se débattit un peu en chemin, mais il ne tarda pas à se pelotonner dans son lit. Mark étendit une couverture sur lui et sortit.

Il écrivit un mot à sa mère, pour lui expliquer que Ricky ne se sentait pas bien et dormait, pour la prier de ne pas faire de bruit et l'informer qu'il rentrerait dans une heure. Elle n'exigeait pas que les garçons soient à la maison à son retour, mais s'ils étaient sortis, il valait mieux laisser un mot.

Mark ne perçut pas le bourdonnement lointain d'un hélicoptère.

Il alluma une cigarette sur le sentier. Deux ans auparavant, une bicyclette neuve avait disparu d'une maison de la banlieue voisine. Le bruit courut qu'on l'avait vue derrière une caravane, qu'elle avait été démontée et repeinte par deux gamins du lotissement. Les gosses de la banlieue aimaient cataloguer ainsi leurs voisins moins favorisés, avec tout ce que cela sous-entendait. Ils fréquentaient la même école et les bagarres étaient quotidiennes entre les deux clans. Tous les mauvais tours, tous les larcins étaient automatiquement imputés aux gamins du lotissement.

Kevin, le délinquant de la rue du Nord, avait montré la bicyclette neuve à quelques copains avant de la repeindre. Mark l'avait vue. Les rumeurs se multipliant, les flics s'étaient déplacés et, un soir, on avait frappé à la porte. Le nom de Mark avait été mentionné au cours de l'enquête et le policier avait quelques questions à poser. Il prit place à la table de cuisine et tint Mark une heure sous le feu de son regard. Rien à voir avec la télévision, où l'accusé garde son flegme et nargue le flic.

Mark n'avoua rien, ne put fermer l'œil pendant trois nuits et se jura de mener une existence irréprochable et d'éviter les ennuis.

Les ennuis, il était en plein dedans. De vrais ennuis, autre chose qu'un vol de bicyclette. Un mort qui lui avait révélé des secrets avant de mourir. Avait-il dit la vérité ? Il était ivre et complètement cinglé, avec son histoire de magicien. Mais pourquoi aurait-il menti ?

Mark savait que Romey avait un pistolet. Il avait même tenu l'arme, placé le doigt sur la détente. Et c'est cette arme qui l'avait tué. Ce devait être un crime de regarder quelqu'un se suicider sans l'en empêcher.

Jamais il n'en soufflerait mot ! Romey ne parlerait plus et il réglerait le problème de Ricky. Mark avait su garder le silence pour la bicyclette, il ferait la même chose. Nul ne saurait jamais qu'il était monté dans la voiture.

Une sirène hurla au loin, suivie du bruit cadencé des rotors d'un hélicoptère. Mark se cacha sous un arbre au moment où l'appareil survolait le bois à basse altitude. Il se glissa entre les arbres et les buissons, près du sol, calmement, et s'arrêta en entendant des voix.

Il vit les gyrophares, bleus pour les voitures de police, rouges pour l'ambulance. Les véhicules blancs de la police de Memphis entouraient la Lincoln noire. L'ambulance orange et blanc arriva au moment où Mark passait la tête entre les branches d'un arbre. Personne ne semblait nerveux ni inquiet.

Le corps de Romey n'avait pas été déplacé. Un policier prenait des photos tandis que les autres rigolaient. Des radios crachotaient, comme à la télévision. Du sang coulait sous le cadavre et le long des feux arrière. Romey tenait encore le pistolet dans sa main droite, posée sur sa panse rebondie. Sa tête était inclinée sur le côté, il avait les yeux clos. Les infirmiers s'approchèrent, l'inspectèrent des pieds à la tête, lancèrent quelques plaisanteries de mauvais goût qui déclenchèrent l'hilarité des policiers. Les quatre portières ouvertes, la voiture fut passée au peigne fin. Personne n'avait l'air de vouloir enlever le corps. L'hélicoptère effectua un dernier passage en rase-mottes et s'éloigna.

Mark était tapi dans les buissons, à une dizaine de mètres de l'arbre et de la souche où Ricky avait fumé sa première cigarette. Il avait une vue parfaitement dégagée sur la clairière et l'avocat ven-tripotent, allongé sur la voiture comme une vache morte au milieu de la route. Une autre voiture de police arriva, suivie d'une seconde ambulance. Des gens en uniforme se bousculaient.

De petits sacs blancs au contenu mystérieux, sortant de la Lincoln, étaient transportés avec de grandes précautions. Deux policiers munis de gants de caoutchouc enroulèrent le tuyau d'arrosage. Le photographe s'accroupit devant chaque portière et mitrailla l'intérieur de la voiture. De temps en temps, quelqu'un s'arrêtait pour regarder Romey, mais la plupart des gens discutaient en buvant du café dans des gobelets en plastique. Un policier posa la chaussure de Romey sur le coffre, à côté du cadavre, puis la laissa tomber dans un sac blanc sur lequel il griffonna quelque chose. Un de ses collègues s'agenouilla devant les plaques minéralogiques, une radio sur l'oreille, attendant des renseignements.

On sortit enfin de la première ambulance un brancard que l'on transporta jusqu'à l'arrière de la voiture avant de le poser dans l'herbe. Deux infirmiers saisirent les pieds de Romey et le firent glisser vers eux, puis deux autres le prirent par les bras. Les poli-ciers suivirent la scène en plaisantant sur l'embonpoint de M. Clifford, dont ils venaient d'apprendre le nom. Ils demandèrent s'il fallait faire venir d'autres infirmiers pour le transporter, si le brancard était renforcé, s'il allait tenir dans l'ambulance. Des éclats de rire accompagnèrent les efforts des infirmiers pour placer le corps sur le brancard.

Un policier glissa le pistolet dans un sac en plastique. Le brancard fut hissé dans l'ambulance dont les portières restèrent ouvertes. Une dépanneuse arriva, avec des lumières jaunes clignotantes, et recula jusqu'au pare-chocs avant de la Lincoln.

Mark pensa à Ricky, qui suçait son pouce. Peut-être avait-il besoin de lui ? Sa mère n'allait pas tarder à rentrer. Et si elle essayait de réveiller Ricky et s'affolait ? Il allait repartir dans une minute, il fumerait la dernière cigarette en chemin.

Il entendit quelque chose derrière lui, sans y prêter attention. Juste un craquement de brindille. Puis une grosse main le saisit au collet.

– Qu'est-ce qui se passe, petit ?

Mark pivota sur lui-même et se trouva face à un flic. Il demeura pétrifié, la respiration coupée.

– Qu'est-ce que tu fais là, petit ? demanda le policier en le soulevant par le col.

La main ne le serrait pas trop fort, mais le flic n'avait pas l'air de plaisanter.

– Lève-toi, tu n'as rien à craindre.

Mark se mit debout, le flic le lâcha. Ses collègues de la clairière avaient entendu et regardaient dans leur direction.

– Qu'est-ce que tu fais là ?

– Je regarde, c'est tout, répondit Mark.

Le policier indiqua la clairière avec sa torche. Le soleil était à son déclin, le soir tombait.

– Allons-y, fit-il.

– Il faut que je rentre chez moi, protesta Mark.

Le flic lui entoura les épaules d'un bras et l'entraîna dans les herbes.

– Comment t'appelles-tu ?

– Mark.

– Ton nom de famille ?

– Sway. Et vous ?

– Hardy... Mark Sway, hein ? répéta pensivement le flic. Et tu habites dans le lotissement Tucker ?

Mark ne pouvait le nier, mais, sans savoir pourquoi, il marqua une hésitation.

– Oui, monsieur.

Ils rejoignirent le cercle de policiers, qui attendaient en silence de voir le gosse.

– Salut, les gars, fit Hardy, je vous présente Mark Sway, c'est lui qui nous a prévenus. C'est bien toi qui as appelé la police, Mark ?

Mark aurait voulu mentir, mais il se dit qu'il ne leur ferait pas avaler un mensonge.

– Euh... oui, monsieur.

– Comment as-tu découvert le corps ?

– J'étais en train de jouer avec mon frère.

– Où étiez-vous ?

– Par ici. On habite là-bas, ajouta-t-il, tendant le doigt vers les arbres.

– Vous étiez en train de fumer du hasch ?

– Non, monsieur.

– Tu en es sûr ?

– Oui, monsieur.

– Ne touche pas à la drogue, petit.

Le cercle était formé d'au moins six policiers et les questions fusaient de toutes parts.

– Comment avez-vous découvert la voiture ?

– Eh bien, on est tombés dessus par hasard.

– Quelle heure était-il ?

– Je ne peux pas vous dire exactement. On se baladait dans le bois, comme d'habitude.

– Comment s'appelle ton frère ?

– Ricky.

– Même nom de famille ?

– Oui, monsieur.

– Où étiez-vous, Ricky et toi, quand vous avez découvert la voiture ?

Mark indiqua le gros arbre derrière lui.

– Sous cet arbre.

Un infirmier s'approcha et annonça que l'ambulance allait transporter le corps à la morgue. La dépanneuse commença à remorquer la Lincoln.

– Où est passé Ricky ?

– A la maison.

– Qu'est-ce que tu as à la figure ? demanda Hardy.

– Rien, fit Mark en portant instinctivement la main à son œil. Je me suis battu à l'école, c'est tout.

– Pourquoi étais-tu caché dans les buissons ?

– Je ne sais pas.

– Allons, Mark, tu avais bien une raison pour te cacher.

– Je ne sais pas. Ça fiche la trouille... Voir un mort, comme ça.

– Tu n'avais jamais vu un mort ?

– Si, à la télé.

Cette réponse arracha un sourire à l'un des policiers.

– Avais-tu vu cet homme avant qu'il ne se suicide ?

– Non, monsieur.

– Tu l'as juste découvert, comme ça ?

– Oui, monsieur. En arrivant sous l'arbre, on a vu la voiture, et puis, euh... et puis on a vu l'homme.

– Où étiez-vous, quand vous avez entendu le coup de feu ?

Mark esquissa de nouveau un geste pour montrer l'arbre, mais il se retint.

– Je ne suis pas sûr de comprendre la question.

– Nous savons que tu as entendu le coup de feu. Où étais-tu, à ce moment-là ?

– Je n'ai pas entendu de coup de feu.

– Tu en es bien sûr ?

– Certain. Quand on est arrivés ici, on a vu le corps, on est rentrés à la maison et j'ai fait le 911.

– Pourquoi n'as-tu pas voulu donner ton nom, au téléphone ?

– Je ne sais pas.

– Allons, Mark, il doit y avoir une raison.

– Je ne sais pas. Je crois que j'avais peur.

Les flics échangèrent des regards, comme si c'était un jeu. Mark s'efforça de respirer normalement et de prendre l'air piteux d'un gamin pris en faute.

– Il faut vraiment que je rentre chez moi. Ma mère doit me chercher partout.

– D'accord, fit Hardy. Une dernière question : est-ce que le moteur tournait quand tu as découvert la voiture ?

Mark réfléchit, mais fut incapable de se souvenir si Romey l'avait coupé avant de se tuer.

– Je n'en suis pas tout à fait sûr, répondit-il très lentement, mais je crois qu'il tournait.

– Monte là-dedans, fit Hardy en indiquant une voiture de police. Je vais te raccompagner.

– Ça va, je peux rentrer à pied.

– Non, il fait trop sombre, je vais te ramener chez toi. Monte.

Il prit Mark par le bras et le conduisit à la voiture.

4

Dianne Sway avait téléphoné au cabinet de pédiatrie ; assise sur le bord du lit de Ricky, elle attendait en se rongeant les ongles qu'un médecin la rappelle. L'infirmière avait dit que ça ne prendrait pas plus de dix minutes. Elle avait ajouté qu'un virus très contagieux sévissait dans les écoles et qu'ils avaient eu plusieurs dizaines de cas dans la semaine. Ricky présentait ces symptômes, il n'y avait donc pas lieu de s'inquiéter. Dianne toucha le front de son fils pour voir s'il était fiévreux. Elle le secoua légèrement, toujours aucune réaction. Il restait roulé en boule, respirant normalement et suçant son pouce. Elle entendit le claquement d'une portière et se dirigea vers le séjour.

Elle vit apparaître Mark.

– 'soir, maman.

– Où étais-tu ? fit-elle sèchement. Et ton frère, qu'est-ce qu'il a ?

La silhouette du sergent Hardy s'encadra dans le chambranle et elle resta clouée sur place.

– Bonsoir, madame, dit le policier.

– Qu'est-ce que tu as fait ? lança-t-elle à Mark avec un regard noir.

– Rien.

– Rien de grave, madame, fit Hardy en franchissant le seuil.

– Alors, pourquoi êtes-vous là ?

– Je peux tout t'expliquer, maman. Mais c'est une longue histoire.

Hardy ferma la porte, et ils échangèrent des regards gênés dans la petite pièce.

– J'écoute.

– Eh bien, Ricky et moi, on est allés jouer dans les bois, cet après-midi, et on a vu une grosse voiture noire dans une clairière. Le moteur tournait, on s'est approchés et on a vu un homme couché sur le coffre, un pistolet dans la bouche. Il était mort.

– Mort !

– Un suicide, madame, glissa Hardy.

– On est rentrés à la maison en courant et j'ai appelé la police.

Dianne se couvrit la bouche d'une main.

– L'homme s'appelle Jerome Clifford, sexe masculin, race blanche, énonça Hardy, comme s'il communiquait un rapport officiel. Il est domicilié à La Nouvelle-Orléans et nous ignorons ce qu'il est venu faire ici. Nous pensons que la mort remonte à deux heures. Il a laissé une lettre.

– Qu'est-ce qui est arrivé à Ricky ? demanda Dianne.

– Quand on est rentrés à la maison, il s'est allongé sur le divan, il a fourré son pouce dans sa bouche et n'a pas dit un mot. Je l'ai emmené dans son lit et je l'ai couvert.

– Quel âge a-t-il ? demanda Hardy, l'air perplexe.

– Huit ans.

– Pourrais-je le voir ?

– Pourquoi ? demanda Dianne.

– Je suis inquiet. Il a assisté à quelque chose de terrible, il peut être en état de choc.

– En état de choc ?

– Oui, madame.

Dianne traversa rapidement la cuisine et s'engagea dans le couloir, Hardy sur ses talons. Mark ferma la marche, secouant la tête, les dents serrées.

Hardy découvrit les épaules de Ricky et lui toucha le bras. Il tétait toujours son pouce. Il le secoua, prononça son nom. Ricky ouvrit fugitivement les yeux et marmonna quelque chose.

– Il a la peau froide et moite, fit le sergent. Il était malade ?

– Non.

Le téléphone sonna, Dianne se précipita vers l'appareil. De la chambre, Mark et Hardy l'écoutèrent indiquer les symptômes au médecin et parler du cadavre découvert par les garçons.

– A-t-il dit quelque chose quand vous avez trouvé le corps ? demanda Hardy à mi-voix.

– Je ne crois pas. Tout s'est passé très vite. Nous... euh... nous sommes partis en courant juste après. Ricky a grogné et gémi pendant tout le trajet. Il courait d'une drôle de manière, les bras le long du corps, je n'avais jamais vu ça. Dès qu'on est arrivés, il s'est recroquevillé et n'a plus ouvert la bouche.

– Il faut l'emmener à l'hôpital, déclara Hardy.

Mark sentit ses genoux se dérober sous lui et s'appuya à la cloison. Dianne raccrocha, Hardy la rejoignit dans la cuisine.

– Le médecin veut qu'on le conduise à l'hôpital, lança-t-elle, l'air affolé.

– Je vais appeler une ambulance, fit Hardy. Préparez-lui quelques vêtements.

Il sortit et se dirigea vers sa voiture, laissant la porte ouverte. Dianne foudroya du regard Mark, qui flageolait sur ses jambes et avait besoin de s'asseoir. Il se laissa tomber sur une chaise, à la table de la cuisine.

– Tu m'as dit la vérité ? demanda-t-elle.

– Oui, maman. On a vu le corps, Ricky a dû s'affoler et on est rentrés.

Il lui aurait fallu des heures pour rétablir la vérité. Il se déciderait peut-être à lui raconter en tête à tête le reste de l'histoire, mais le flic était là, ce serait trop compliqué. Il n'avait pas peur de sa mère et, en général, lui disait tout, quand elle insistait. Elle n'avait que trente ans, moins que les mères de ses amis, et ils avaient souffert ensemble. Les dures épreuves partagées pour lutter contre le père avaient créé entre eux un lien beaucoup plus fort que celui qui caractérise en général la relation mère-fils. Mark souffrait de lui cacher ce qu'il savait. Elle était effrayée, désemparée, mais ce que Romey lui avait confié n'avait rien à voir avec l'état de Ricky. Une douleur aiguë lui déchira l'estomac et tout se mit à tourner lentement.

– Qu'est-ce que tu as à l'œil ?

– Je me suis battu à l'école. Ce n'était pas ma faute.

– Ce n'est jamais ta faute. Ça va ?

– Je crois.

Hardy s'avança d'un pas lourd sur le seuil.

– Une ambulance sera là dans cinq minutes. Quel hôpital ?

– Le médecin m'a dit d'aller à St. Peter's.

– Qui est votre médecin traitant ?

– Cabinet de pédiatrie Shelby. Il a dit qu'un psychiatre pour enfants nous attendrait à l'hôpital. Vous croyez que ça ira ? ajouta-t-elle en allumant nerveusement une cigarette.

– Il doit recevoir des soins, madame, être hospitalisé, peut-être. J'ai déjà vu ce genre de réaction chez des enfants qui ont assisté à une fusillade ou une agression à coups de couteau. C'est une expérience traumatisante et il lui faudra un certain temps pour s'en remettre. L'an dernier, j'ai vu dans une cité un gamin qui avait assisté au meurtre de sa mère par un dealer de crack. Le pauvre gosse est encore à l'hôpital.

– Quel âge avait-il ?

– Huit ans, neuf aujourd'hui. Il refuse de parler, refuse de manger, suce son pouce et joue à la poupée. C'est vraiment triste.

– Je vais préparer ses affaires, fit Dianne, qui en avait assez entendu.

– Vous feriez mieux d'en prendre pour vous aussi, madame. Vous serez peut-être obligée de rester avec lui.

– Et Mark ?

– A quelle heure votre mari rentre-t-il ?

– Il n'y a pas de mari.

– Alors, prenez aussi des affaire pour Mark. Ils voudront peut-être vous garder pour la nuit.

Debout dans la cuisine, la cigarette à quelques centimètres de ses lèvres, Dianne s'efforça de mettre de l'ordre dans ses idées. Elle avait peur, elle ne savait que faire.

– Je n'ai pas d'assurance maladie, murmura-t-elle, s'adressant à la fenêtre.

– St. Peter's vous prendra en charge. Il faut faire votre valise maintenant.

Les voisins se rassemblèrent autour de l'ambulance dès qu'elle s'arrêta devant le 17, rue de l'Est. Ils ne perdirent pas une miette du spectacle, chuchotant, se montrant du doigt les infirmiers.

Hardy allongea Ricky sur la civière et on l'attacha sous une couverture. Il essaya de se rouler en boule, mais les fortes bandes de Velcro l'en empêchèrent. Il gémit à deux reprises, sans ouvrir les yeux. Dianne libéra délicatement son bras droit pour lui permettre de prendre son pouce. Elle avait les larmes aux yeux, mais s'interdisait de pleurer.

La foule s'écarta quand les brancardiers s'approchèrent de l'ambulance avec la civière. Ils installèrent Ricky dans le véhicule, Dianne les suivit. Quelques voisins s'enquirent de la santé de l'enfant, mais le conducteur claqua la porte sans lui laisser le temps de répondre. Mark prit place à l'avant de la voiture de police. Hardy appuya sur un bouton et des lumières bleues clignotantes éclairèrent par intermittence les caravanes voisines. La foule recula, Hardy fit ronfler le moteur. L'ambulance suivit.

Mark était trop inquiet et effrayé pour prêter attention aux radios, micros, pistolets et instruments divers autour de lui. Il resta droit sur son siège, sans ouvrir la bouche.

– Tu as dit la vérité, petit ?

Hardy avait retrouvé sa voix de flic.

– Oui, monsieur. A propos de quoi ?

– De ce que tu as vu.

– Oui, monsieur. Vous ne me croyez pas ?

– Je n'ai pas dit ça. Il y a certaines choses que je trouve bizarres, c'est tout.

Mark laissa s'écouler quelques secondes, et il fut évident que le sergent attendait qu'il poursuive.

– Qu'est-ce qui est bizarre ?

– Plusieurs choses. D'abord, tu as prévenu la police, mais refusé de dire qui tu étais. Pourquoi as-tu fait ça ? Si vous avez juste découvert le mort, pourquoi n'as-tu pas voulu donner ton nom ? Ensuite, pourquoi es-tu revenu sur le lieu du drame pour te cacher dans le bois ? Les gens qui se cachent ont peur. Pourquoi, en retournant là-bas, n'es-tu pas simplement venu nous dire ce que tu avais vu ? Enfin, si Ricky et toi avez vu la même chose, pourquoi s'est-il affolé, alors que tu sembles en pleine forme ? Tu vois ce que je veux dire ?

Mark prit le temps de réfléchir et comprit qu'il ne trouverait pas de réponses satisfaisantes. Il garda donc le silence. Ils roulaient sur l'autoroute, en direction du centre-ville. C'était sympa de voir les autres véhicules s'écarter pour laisser passer la voiture de police. L'ambulance aux feux rouges clignotants suivait de près.

– Tu n'as pas répondu à ma question, dit enfin Hardy.

– Quelle question ?

– Pourquoi n'as-tu pas voulu donner ton nom quand tu as appelé la police ?

– J'avais peur. C'est la première fois que je voyais un mort et j'ai eu la trouille. Je l'ai encore.

– Alors, pourquoi es-tu revenu dans le bois ? Pourquoi essayais-tu de te cacher ?

– J'avais peur, c'est sûr, mais je voulais voir ce qui se passait. Ce n'est pas un crime, quand même ?

– Peut-être pas.

Ils sortirent de l'autoroute, s'engagèrent à vive allure dans le flot de la circulation, en direction des immeubles du centre de Memphis.

– J'espère que tu as dit le vérité, reprit Hardy.

– Vous ne me croyez pas ?

– J'ai des doutes.

La gorge de Mark se serra. Il tourna la tête vers le rétroviseur extérieur.

– Je vais te dire ce que je pense, petit. Tu m'écoutes ?

– Bien sûr.

– Eh bien, je pense que vous étiez en train de fumer dans le bois, ton frère et toi. J'ai trouvé des mégots qu'on venait d'écraser, sous cet arbre où est attachée la corde. Je pense que vous étiez là, en train de fumer, et que vous avez assisté à toute la scène.

Mark eut l'impression que son cœur cessait de battre et que son sang se glaçait, mais il savait qu'il était vital de ne rien laisser paraître. Il suffisait de ne pas relever. Hardy n'était pas sur place, il n'avait rien vu. Ses mains tremblaient, il les glissa sous ses cuisses. Hardy l'observa.

– Vous arrêtez des enfants parce qu'ils fument des cigarettes ? demanda Mark d'une voix un peu plus faible.

– Non, mais les enfants qui mentent à la police peuvent avoir des tas d'ennuis.

– Mais je ne mens pas. J'ai déjà fumé sous cet arbre, mais pas aujourd'hui. On se baladait juste dans le bois en se disant qu'on allait peut-être en fumer une, quand on est tombés sur la voiture et Romey.

– Qui est Romey ? demanda Hardy, après une légère hésitation.

Mark prit une longue inspiration. Il comprit instantanément que tout était fichu. Il venait de vendre la mèche. Il avait trop parlé, trop menti. Il n'avait même pas réussi à tenir une heure. Ne te laisse pas abattre, se dit-il.

– C'est bien le nom du type ?

– Romey ?

– Oui. C'est bien comme ça que vous l'avez appelé ?

– Non, j'ai dit à ta mère qu'il s'appelait Jerome Clifford et qu'il venait de La Nouvelle-Orléans.

– Je croyais que vous aviez dit Romey Clifford, de La Nouvelle-Orléans.

– Drôle de nom, où as-tu pêché ça ?

– Je n'en sais rien.

Ils tournèrent à droite, Mark continua de regarder droit devant lui.

– C'est St. Peter's ? demanda-t-il.

– S'il faut en croire le panneau, oui.

Hardy gara la voiture au bord du trottoir et ils regardèrent l'ambulance s'approcher en marche arrière de l'entrée des urgences.

5

L'honorable J. Roy Foltrigg, procureur général du district sud de
la Louisiane, à La Nouvelle-Orléans, et membre du parti républi-
cain, sirotait tranquillement un jus de tomate, les jambes étendues
à l'arrière de son break Chevrolet sur mesure, qui filait en silence
sur l'autoroute. Memphis était à cinq heures de route par l'I 55 ; il
aurait pu prendre l'avion, mais ne l'avait pas fait pour deux raisons.
D'une part, à cause de la paperasse. Il aurait pu déclarer qu'il s'agissait d'une mission officielle, relative à l'affaire Boyette, et arranger
le coup. Mais il lui aurait fallu des mois pour se faire rembourser,
après avoir rempli dix-huit formulaires. D'autre part, beaucoup
plus important, il n'aimait pas l'avion. Après trois heures d'attente
à La Nouvelle-Orléans pour une heure de vol, il serait arrivé à
Memphis à 23 heures. Avec la Chevrolet, ils y seraient à minuit.
Foltrigg n'avouait à personne cette phobie de l'avion, mais il savait
qu'un jour ou l'autre il lui faudrait voir un psy pour la surmonter.
En attendant, il avait payé de ses deniers la Chevrolet de luxe, bourrée d'instruments et de gadgets : deux téléphones, un téléviseur et
même un fax. Toujours conduit par Wally Boxx, il sillonnait le sud
de la Louisiane dans le break, beaucoup plus agréable et confortable qu'une limousine.
   Foltrigg retira lentement ses mocassins en regardant la nuit derrière la vitre, tandis que l'agent spécial Trumann, un écouteur fiché
dans l'oreille, poursuivait une conversation téléphonique. L'autre
côté de la banquette bien rembourrée était occupé par Thomas
Fink, substitut du procureur général et fidèle bras droit de Foltrigg,
qui travaillait quatre-vingts heures par semaine sur l'affaire Boyette
et se chargerait du plus gros du procès, plus particulièrement de
l'obscur travail de recherches, laissant naturellement à son patron
le plus facile et le plus gratifiant. Fink lisait un document, comme
toujours, en essayant de suivre les paroles marmonnées par

Trumann, assis en face de lui, dans un large siège pivotant. Trumann était en communication avec le FBI de Memphis.

A côté de Trumann, dans un siège pivotant identique, était assis l'agent spécial Skipper Scherff, une jeune recrue qui n'avait pas beaucoup travaillé sur l'affaire, mais se trouvait libre pour cette escapade à Memphis. Il griffonnait sur un carnet et ne ferait rien d'autre pendant les cinq heures à venir. Au sein de ce petit groupe, il n'avait pas son mot à dire et personne ne voulait entendre sa voix. Il garderait les yeux fixés sur son carnet, noterait docilement les instructions de Larry Trumann, son supérieur hiérarchique, et, bien entendu, celles du général en personne, le révérend Roy. Scherff considérait ses gribouillages avec la plus vive attention, en évitant soigneusement de croiser, ne fût-ce qu'un instant, le regard de Foltrigg, et s'efforçait en vain de deviner ce que Memphis disait à Trumann. La nouvelle du suicide de Clifford, dont ils avaient eu connaissance une heure plus tôt, avait fait l'effet d'un coup de tonnerre et Scherff ne comprenait encore ni pourquoi ni comment il se trouvait dans la voiture de Roy, fonçant sur l'autoroute. Trumann lui avait dit de passer chez lui prendre quelques vêtements et de filer dare-dare au bureau de Foltrigg. C'est ce qu'il avait fait. Et maintenant, il noircissait les feuilles de son carnet, l'oreille tendue.

Le conducteur, Wally Boxx, était diplômé en droit, mais ne savait que faire. Officiellement substitut du procureur général, tout comme Fink, il servait en réalité à Foltrigg d'homme à tout faire. Il conduisait sa voiture, portait sa serviette, écrivait ses discours, s'occupait des médias, ce qui prenait la moitié de son temps, car son patron était extrêmement soucieux de son image de marque. Boxx n'était pas idiot, habile aux manœuvres politiques, prompt à défendre son patron, d'une fidélité absolue à l'homme et à sa mission. Il savait que Foltrigg avait de l'avenir et que le jour viendrait où il se promènerait avec lui au Capitole, en chuchotant d'un air important.

Boxx n'ignorait pas l'importance de l'affaire Boyette. Ce serait le plus gros procès de l'illustre carrière de Foltrigg, le procès dont il avait rêvé, celui qui le mettrait sous les feux des projecteurs, à l'échelle de la nation. Il savait que Barry Muldanno faisait perdre le sommeil au patron.

Larry Trumann termina sa conversation et raccrocha. C'était un agent chevronné, la quarantaine bien sonnée, à dix ans de la retraite. Foltrigg attendit son rapport.

– Ils essaient de convaincre la police de Memphis de nous remettre le véhicule pour que nous puissions le passer au peigne fin. Cela ne devrait pas prendre plus d'une heure. Ils ont du mal à leur faire comprendre l'importance de Clifford, Boyette et toute l'affaire, mais c'est en bonne voie. Le chef de notre bureau de Memphis, Jason McThune, un dur, très persuasif, est en train de discuter avec le chef de la police. McThune a appelé Washington, qui a appelé Memphis, et nous devrions avoir la voiture dans deux heures. Une seule balle a été tirée, provoquant une blessure mortelle à la tête, volontaire sans aucun doute. Il semble qu'il ait d'abord essayé de s'asphyxier avec un bout de tuyau d'arrosage dans le pot d'échappement, mais, sans que l'on sache pourquoi, cela n'a pas marché. Il avait pris du Dalmane et de la codéine, le tout arrosé de Jack Daniel's. Nous n'avons rien sur l'arme, mais il est encore trop tôt. Memphis s'en occupe. Un 38, une arme médiocre. Il a cru pouvoir avaler une balle.

– Le suicide ne fait aucun doute ? demanda Foltrigg.

– Aucun.

– Où a-t-il fait ça ?

– Au nord de la ville. Il est entré dans un bois avec sa Lincoln et a fait sa petite affaire.

– J'imagine qu'il n'y a pas de témoins.

– Bien sûr que non. Deux gamins ont découvert le corps dans un endroit isolé.

– Combien de temps après sa mort ?

– Pas longtemps. L'autopsie sera bientôt pratiquée et nous permettra d'établir l'heure de la mort.

– Pourquoi est-il allé à Memphis ?

– Personne ne le sait. S'il y a une raison, on ne la connaît pas encore.

Foltrigg réfléchit longuement en sirotant son jus de tomate. Fink prenait des notes. Scherff écrivait fébrilement. Wally Boxx ne perdait pas un mot de la conversation.

– Et cette lettre qu'il a laissée ? reprit Foltrigg, la tête tournée vers la vitre.

– Cela pourrait être intéressant. Nos agents de Memphis s'en sont procuré une copie, pas très bonne, qu'ils vont essayer de nous faxer dans quelques minutes. Une lettre manuscrite, à l'encre noire, écriture assez lisible. Quelques paragraphes d'instructions pour sa secrétaire, sur la manière de disposer de son corps – il veut être incinéré – et du mobilier de son cabinet. La lettre indique aussi où trouver son testament. Pas un mot sur Boyette, bien entendu. Pas un mot sur Muldanno. Il semble avoir essayé d'ajouter quelque chose, au stylo à bille bleu, mais n'a pu terminer, l'encre lui a manqué. Des mots gribouillés, difficiles à lire.

– Qui parlent de quoi ?

– Nous ne le savons pas. La police de Memphis est encore en

possession de la lettre, de l'arme, des pilules, des preuves matérielles découvertes dans le véhicule. McThune essaie de les récupérer.
On a trouvé dans la voiture un bic, sans encre, qui semble être le
stylo avec lequel il a commencé à ajouter quelque chose à sa lettre.

– Ils l'auront quand nous arriverons, n'est-ce pas ? demanda
Foltrigg d'un ton qui ne laissait aucun doute sur le fait qu'il comptait fermement tout avoir dès son arrivée à Memphis.

– Ils s'en occupent, répondit Trumann.

En théorie, il n'était pas sous les ordres de Foltrigg, mais de
l'enquête on était passé aux poursuites, et c'était le révérend qui
dirigeait l'affaire.

– Jerome Clifford s'est donc rendu à Memphis pour se faire sauter la cervelle, reprit Foltrigg, s'adressant à la vitre. Quatre semaines avant le procès. Quelle histoire ! Qu'est-ce qui pourrait bien
encore nous tomber sur la tête ?

Il n'attendait pas de réponse. Le trajet se poursuivit en silence.

– Où est Muldanno ? demanda Foltrigg au bout d'un moment.

– A La Nouvelle-Orléans. Nous le surveillons.

– Il aura un nouvel avocat avant la fin de la nuit et, dès demain
midi, il formera une dizaine de demandes d'ajournement, alléguant que la mort tragique de Jerome Clifford porte gravement
atteinte au droit que lui garantit la constitution d'un jugement
équitable, avec l'assistance d'un avocat. Nous nous y opposerons,
bien entendu, et le juge décidera qu'une audience préliminaire se
tiendra la semaine prochaine. Nous aurons notre audience, nous
perdrons et il faudra attendre six mois avant que ne s'ouvre le procès. Six mois ! C'est vraiment incroyable !

Trumann secoua la tête avec dégoût.

– Cela nous donnera au moins un peu de temps pour retrouver
le corps, fit-il.

Assurément, et cela n'avait pas échappé à Roy. Il avait besoin de
temps, bien sûr, mais ne pouvait le reconnaître, car il était le ministère public, l'avocat du peuple, le gouvernement luttant contre le
crime et la corruption. Il incarnait le bien, il avait la justice de son
côté, il devait être prêt à combattre le mal à tout moment, en tout
lieu. Il avait fait des pieds et des mains pour obtenir un procès rapide et il obtiendrait sa condamnation. Les États-Unis d'Amérique
gagneraient le procès ! Roy Foltrigg serait l'artisan de cette victoire ! Il imaginait les manchettes, il sentait l'odeur de l'encre d'imprimerie.

Mais il lui fallait absolument découvrir le corps de Boyd Boyette,
sans quoi il n'y aurait ni condamnation, ni photos à la une, ni inter-
views sur CNN, ni ascension fulgurante vers le Capitole. Il était parvenu à convaincre son entourage qu'un verdict de culpabilité était

possible, même sans cadavre. Mais il ne tenait pas à courir ce risque ; il voulait le corps.

– Nous croyons que Clifford savait où le corps est caché, lança Fink, se tournant vers Trumann. Étiez-vous au courant ?

A l'évidence, Trumann ne l'était pas.

– Qu'est-ce qui vous fait croire ça ?

– Romey et moi, nous nous connaissions depuis longtemps, expliqua Fink en posant ses documents. Nous avons fait notre droit ensemble, à Tulane, il y a vingt ans. Il était un peu timbré, à l'époque, mais très intelligent. Il y a huit jours, il a appelé chez moi pour me dire qu'il voulait parler de l'affaire Muldanno. Complètement soûl, la langue pâteuse, il tenait des propos incohérents. Il répétait qu'il ne pourrait pas aller jusqu'au procès, ce qui m'a étonné de la part d'un type raffolant de ces affaires à sensation. Nous avons parlé une heure. Il radotait, il bafouillait...

– Il a même pleuré, coupa Foltrigg.

– Oui, comme un enfant. J'ai d'abord été surpris, mais, en fait, rien ne pouvait vraiment m'étonner de la part de Jerome Clifford. Pas même un suicide. Il a fini par raccrocher et m'a rappelé le lendemain, au bureau, à 9 heures du matin. Il avait la trouille d'avoir laissé échapper quelque chose. Complètement paniqué, il laissait entendre qu'il savait où se trouvait le corps et cherchait à savoir si l'alcool lui avait un peu trop délié la langue. Je suis entré dans son jeu et je l'ai remercié pour ce qu'il m'avait révélé au téléphone, c'est-à-dire rien. Je l'ai remercié à deux autres reprises et j'ai senti que cela lui donnait des sueurs froides. Il m'a rappelé deux fois au bureau, dans la journée, puis chez moi, le soir, encore fin soûl. C'en était presque comique. Mais je me suis dit que, si je continuais à le faire marcher, il finirait peut-être par manger le morceau. J'ai dit que j'en avais parlé à Roy, qu'il avait alerté le FBI et que les fédéraux le filaient jour et nuit.

– Ça lui a vraiment fichu la trouille, glissa obligeamment Foltrigg.

– Oui, il m'a engueulé comme du poisson pourri, mais m'a rappelé le lendemain. Nous avons déjeuné ensemble. Il était à bout de nerfs, trop effrayé pour me demander franchement si nous savions où était le corps. Je lui ai dit calmement que nous étions certains de le retrouver, bien avant le procès, et l'ai de nouveau remercié. Il était en train de craquer. Il n'avait pas dormi, ne s'était pas lavé. Il avait les yeux gonflés, injectés de sang. Il a beaucoup bu pendant le repas et a commencé à m'accuser de lui avoir joué un sale tour, de m'être comporté comme un minable et un salaud. Une scène épouvantable. J'ai réglé l'addition et je l'ai planté là. Il a rappelé chez moi le soir, dégrisé, et m'a présenté ses excuses. Je lui ai expliqué que Roy envisageait sérieusement de l'inculper pour entrave à l'action de la justice, ce qui l'a mis hors de lui. Il a crié que nous ne pouvions rien prouver. Peut-être, ai-je répliqué, mais il serait quand même inculpé, arrêté, jugé, et il ne pourrait plus représenter Barry Muldanno. Il a hurlé et juré comme un charretier pendant un quart d'heure avant de raccrocher. Je n'ai plus jamais eu de nouvelles de lui.

– Il sait, ou plutôt il savait où Muldanno a caché le corps, ajouta Foltrigg avec conviction.

– Pourquoi n'en avons-nous pas été informés ? demanda Trumann.

– Nous nous apprêtions à le faire, répondit Foltrigg avec détachement, comme si un agent du FBI n'avait pas à poser ce genre de question. J'en ai même discuté avec Thomas dans l'après-midi, peu avant d'apprendre sa mort.

Trumann lança un coup d'œil en direction de Scherff qui, les yeux rivés sur son carnet, dessinait des pistolets.

Foltrigg termina son jus de tomate et croisa les pieds.

– Il vous faudra reconstituer les mouvements de Clifford entre La Nouvelle-Orléans et Memphis. Quel itinéraire a-t-il suivi ? A-t-il des amis sur la route ? Où s'est-il arrêté ? Qui a-t-il vu à Memphis ? Il a certainement parlé à quelqu'un entre le moment où il a quitté La Nouvelle-Orléans et celui où il s'est tué. Vous ne croyez pas ?

– Si, fit Trumann avec un hochement de tête. Le trajet est long, il ne l'a certainement pas fait d'une traite.

– Il savait où est le corps et son suicide était prémédité. Il y a une chance qu'il se soit confié à quelqu'un.

– Peut-être.

– Réfléchissez, Larry. Imaginez-vous dans la peau de l'avocat : vous représentez un tueur qui a assassiné un sénateur. Imaginez que le tueur vous révèle, à vous, son défenseur, ce qu'il a fait du corps. Ce secret n'est connu que de deux personnes au monde. Vous, l'avocat, vous perdez les pédales et décidez de mettre fin à vos jours. Vous préparez votre suicide. Vous savez que vous allez mourir. Vous vous procurez des médicaments, du whisky, une arme, un tuyau d'arrosage, et vous faites cinq heures de route pour aller vous tuer. N'auriez-vous pas envie de partager votre petit secret avec quelqu'un ?

– Peut-être. Je ne sais pas.

– Il y a des chances, non ?

– De faibles chances.

– Parfait. Si elles existent, nous devons mener une enquête minutieuse. Je commencerai par son cabinet. Cherchez à établir à quelle heure il a quitté La Nouvelle-Orléans. Vérifiez les opérations de ses cartes de crédit. Où a-t-il pris de l'essence ? Où a-t-il mangé ? Où a-t-il acheté le pistolet, les pilules et l'alcool ? A-t-il de la famille entre les deux villes ? De vieux confrères sur la route ? Il y a un millier de choses à vérifier.

— Appelle le bureau, fit Trumann en tendant le téléphone à Scherff. Demande à parler à Hightower.

Ravi de voir les agents du FBI lui obéir comme de bons toutous, Foltrigg sourit à Fink d'un air avantageux. Entre eux, sur le plancher, se trouvait un carton bourré de dossiers, de pièces à conviction et de documents relatifs à l'affaire « États-Unis d'Amérique contre Barry Muldanno ». Il y en avait quatre autres au bureau. Fink en connaissait le contenu par cœur, pas Roy. Il prit un dossier, commença à le feuilleter. C'était une épaisse requête formulée deux mois auparavant par Jerome Clifford, à laquelle le juge n'avait pas encore répondu. Il reposa le dossier, tourna la tête vers la vitre derrière laquelle défilait dans la nuit le paysage du Mississippi. Ils approchaient de la sortie Bogue Chitto. Mais où diable allaient-ils pêcher ces noms ?

Il ne comptait pas rester longtemps à Memphis. Il lui fallait obtenir confirmation de la mort de Clifford et établir le suicide. Il devait aussi découvrir si l'avocat avait laissé des indices en route, des confidences à des amis, des paroles imprudentes à des étrangers, peut-être des notes qui pourraient être utiles. Les chances étaient minimes. Les recherches pour retrouver le corps de Boyd Boyette et son assassin avaient déjà abouti dans nombre d'impasses ; ce ne serait pas la dernière.

6

Un médecin en jogging jaune franchit au pas de course la porte au fond du couloir des urgences et murmura quelques mots à la réceptionniste assise derrière le guichet coulissant. Elle indiqua du doigt Dianne, Mark et Hardy qui attendaient devant un distributeur de Coca-Cola, dans un angle du hall des admissions de l'hôpital St. Peter's. Le médecin s'avança vers eux, se présenta à Dianne – docteur Simon Greenway –, sans un regard pour Mark et le policier. Il ajouta qu'il était psychiatre, qu'il venait d'être prévenu par le docteur Sage, le pédiatre de la famille, et qu'elle devait le suivre. Hardy proposa de rester avec Mark.

Ils s'éloignèrent rapidement dans le couloir, se faufilant entre infirmières et aides-soignantes, contournant des lits en attente, et disparurent par la porte battante. Il n'y avait pas un siège libre dans le hall des admissions, rempli de dizaines de futurs patients. Des proches remplissaient des formulaires, personne ne se pressait. Un interphone invisible, crachotant sans discontinuer, appelait cent médecins à la minute.

Il était un peu plus de 19 heures.

– As-tu faim, Mark ? demanda Hardy.

– Peut-être un peu, répondit Mark qui avait envie de changer d'air.

– Allons à la cafétéria. Je vais t'acheter un cheeseburger.

Ils suivirent un couloir encombré, descendirent un étage jusqu'au sous-sol où allait et venait une foule de gens nerveux. Un autre couloir débouchait dans une vaste salle et ils se trouvèrent soudain dans la cafétéria, plus bruyante et animée que le réfectoire de l'école. Hardy indiqua la seule table libre en vue ; Mark alla l'y attendre.

La préoccupation majeure de Mark était naturellement l'état de son petit frère, qui suscitait en lui une vive inquiétude, même si

Hardy lui avait assuré que la vie de Ricky n'était pas en danger. Le sergent avait dit que des médecins parleraient à Ricky pour essayer de le remettre d'aplomb, mais cela pouvait prendre du temps. Il avait aussi dit qu'il était de la plus haute importance pour ces médecins de savoir exactement ce qui s'était passé, de connaître la vérité, toute la vérité, et que, si on ne la leur disait pas, cela risquait d'être très préjudiciable à la santé mentale de Ricky. Il pourrait être interné plusieurs mois, même des années, si les garçons ne disaient pas aux médecins la vérité sur ce dont ils avaient été témoins.

Hardy était sympa, pas très futé, et il commettait l'erreur de parler à Mark comme à un gamin de cinq ans. Il avait décrit une cellule aux murs matelassés, en roulant exagérément les yeux, évoqué des patients enchaînés à leur lit, comme on raconte une histoire d'épouvante devant un feu de camp. Mark en avait assez.

Il ne pouvait penser qu'à Ricky, se demandait quand il allait ôter son pouce de sa bouche et se mettre à parler. Il le souhaitait de toutes ses forces, mais voulait être le premier à lui parler, quand il ne serait plus en état de choc. Ils avaient des choses à se dire.

Pourvu que les médecins, et surtout les flics, ne soient pas les premiers à l'interroger, pour qu'il leur raconte ce qu'il avait vu et que tout le monde sache que Mark avait menti ! Que lui ferait-on, si on le prenait en flagrant délit de mensonge ? On ne croirait peut-être pas Ricky. Comme il était resté un certain temps hors circuit, on aurait peut-être tendance à croire Mark. Il préférait ne pas penser aux contradictions des deux versions.

Étonnant de voir comment un mensonge peut en amener un autre. On commence par un petit mensonge de rien du tout, qui paraît facile à cacher, on se sent coincé, on en commet un autre. Et ainsi de suite. Au début, les gens vous croient, ils agissent en fonction de ces mensonges et on se prend à regretter de ne pas avoir dit la vérité. Mark aurait pu dire la vérité aux flics et à sa mère. Il aurait pu expliquer en détail ce que Ricky avait vu. Et son secret serait encore protégé, puisque Ricky n'était pas au courant.

Les choses s'enchaînaient si rapidement qu'il n'avait pas le temps de s'organiser. Il aurait voulu entraîner sa mère dans une pièce fermée à clé et déballer toute l'histoire, arrêter avant que cela ne devienne plus grave. S'il ne trouvait pas une solution, on l'enverrait peut-être en prison et Ricky serait expédié dans un asile pour enfants.

Hardy revint avec un plateau rempli de frites et trois cheeseburgers, deux pour lui, un pour Mark. Il disposa soigneusement les assiettes sur la table et rapporta le plateau.

Mark grignota une frite, Hardy se jeta sur son assiette.

– Alors, demanda le sergent en dévorant un cheeseburger à belles dents, qu'est-ce que tu as à la figure ?

Mark porta la main à sa bosse et se rappela qu'il avait reçu un coup dans une bagarre.

– Rien. Je me suis battu à l'école, c'est tout.

– Avec qui ?

Merde ! Les flics ne lâchent jamais prise. Encore un mensonge pour couvrir le précédent. Il n'en pouvait plus de mentir.

– Vous ne le connaissez pas, répondit-il, avant d'attaquer son cheeseburger.

– J'aurai peut-être besoin de lui parler.

– Pourquoi ?

– Est-ce que cette bagarre t'a valu une punition ? Est-ce que ton professeur t'a emmené dans le bureau du principal ou quelque chose de ce genre ?

– Non, ça s'est passé après l'école.

– Je croyais que tu t'étais battu à l'école.

– Oui, ça a commencé à l'école. On s'est d'abord un peu frottés à midi, pendant la récré, et on a décidé de s'attendre à la sortie.

Hardy tira longuement sur la paille de son milk-shake. Il déglutit, s'éclaircit la voix.

– Comment s'appelle-t-il ?

– Pourquoi voulez-vous le savoir ?

Cette réponse eut le don d'irriter Hardy qui cessa de mastiquer. Refusant d'affronter son regard, Mark baissa la tête, les yeux fixés sur le ketchup.

– Je suis policier, petit. C'est mon boulot de poser des questions.

– Je suis obligé de répondre ?

– Évidemment. A moins que tu ne caches quelque chose, que tu n'aies peur de répondre. Si c'est le cas, il faudra que j'en parle à ta mère et peut-être que je vous emmène tous deux au commissariat pour t'interroger plus longuement.

– M'interroger sur quoi ? Que voulez-vous savoir, exactement ?

– Comment s'appelle le garçon avec qui tu t'es battu aujourd'hui ?

Mark mordilla interminablement le bout d'une frite. Hardy passa au second cheeseburger, une tache de mayonnaise au coin des lèvres.

– Je ne voudrais pas qu'il ait des ennuis, dit Mark.

– Il n'en aura pas.

– Alors, pourquoi voulez-vous savoir qui c'est ?

– Je veux le savoir, c'est tout. C'est mon boulot.

– Vous croyez que je mens, hein ? fit Mark, levant des yeux malheureux vers le visage joufflu.

– Je ne sais pas, répondit Hardy. Il y a plein de lacunes dans ton histoire.

– Je ne me souviens pas de tout, poursuivit Mark, la mine contrite. Tout s'est passé si vite. Vous voudriez que je vous donne tous les détails, mais je ne peux pas.

Hardy enfourna une bouchée de frites.

– Finis ton assiette. Il faut y aller.

– Merci pour le repas.

Ricky occupait une chambre individuelle, au neuvième étage. Un grand panneau près de l'ascenseur indiquait « Service de psychiatrie », et c'était beaucoup plus calme. L'éclairage était plus doux, les voix plus basses, les allées et venues plus lentes. Le bureau des infirmières se trouvait près de l'ascenseur ; ceux qui en sortaient étaient dévisagés. Un gardien bavardait avec les infirmières en surveillant les couloirs. De l'autre côté de l'ascenseur, à l'opposé des chambres, il y avait une petite salle d'attente obscure, avec télévision, distributeurs de boissons non alcoolisées, revues et bibles.

Mark et Hardy étaient seuls dans ce salon. Mark sirotait un Sprite, son troisième, en regardant une rediffusion de *Hill Street Blues* sur une chaîne câblée, tandis que le policier somnolait par à-coups sur le canapé beaucoup trop petit. Il était près de 21 heures, une demi-heure s'était écoulée depuis que Dianne avait accompagné Mark jusqu'à la chambre de son frère, où il avait juste jeté un coup d'œil. Ricky paraissait tout petit dans le lit. Dianne expliqua que la perfusion servait à le nourrir, car il refusait de s'alimenter. Elle l'assura que tout irait bien, mais Mark observa ses yeux et y lut l'inquiétude. Le docteur Greenway allait bientôt revenir, et il voulait parler à Mark.

– Il a dit quelque chose ? demanda Mark, les yeux fixés sur le goutte-à-goutte.

– Rien. Pas un mot.

Elle lui prit la main dans le couloir faiblement éclairé et le conduisit dans la salle d'attente. A cinq reprises, Mark faillit se soulager de ce qui pesait sur lui. En passant devant une chambre vide, près de celle de Ricky, il voulut entraîner sa mère à l'intérieur pour confesser la vérité. Mais il n'en fit rien. Plus tard, se répéta-t-il, je lui dirai plus tard.

Hardy ne posait plus de questions. Son service s'achevait à 22 heures et il était évident qu'il en avait assez de Mark, de Ricky et de l'hôpital. Il avait hâte de changer d'air.

Une jolie infirmière en jupe courte passa devant l'ascenseur et fit signe à Mark de la suivre. Il se leva lentement, avec sa boîte de Sprite. Quand elle lui prit la main, il eut un frisson d'excitation.

Elle avait des ongles longs, avec du vernis rouge, une peau hâlée et douce. Elle avait les cheveux blonds, un merveilleux sourire, et elle était jeune. Elle s'appelait Karen. Quand elle lui serra la main un peu plus fort qu'il n'était nécessaire, le cœur de Mark bondit dans sa poitrine.

– Le docteur Greenway veut te parler, dit-elle en se penchant, sans ralentir le pas.

Son parfum flottait autour d'elle ; Mark n'avait jamais rien senti d'aussi enivrant. Devant la chambre de Ricky, la 943, elle lui lâcha la main. La porte était fermée. Elle frappa un coup discret et ouvrit. Mark entra lentement, Karen l'encouragea d'une tape sur l'épaule. Il la regarda s'éloigner par la porte entrouverte.

Le docteur Greenway portait une chemise et une cravate, sous une blouse blanche ouverte. Une plaque d'identité était accrochée à sa poche gauche. Maigre, avec ses lunettes rondes et sa barbe noire, il paraissait trop jeune pour faire ce qu'il faisait.

– Entre, Mark, dit-il, quand le garçon fut arrivé au pied du lit. Assieds-toi là, ajouta-t-il d'une voix très douce, presque un murmure, en indiquant un fauteuil en plastique, près d'un lit de camp déplié sous la fenêtre.

En jean et pull-over, assise en tailleur sur le lit, Dianne s'était débarrassée de ses chaussures. Elle gardait les yeux fixés sur Ricky, un tube dans le bras. La seule source de lumière était une lampe sur une table, près de la porte de la salle de bains. Le store était tiré.

Mark s'installa dans le fauteuil, le docteur Greenway prit place sur le bord du lit de camp, à cinquante centimètres. Les yeux et le front plissés, il avait une mine si sinistre que Mark songea fugitivement qu'ils allaient tous mourir.

– Il faut que nous parlions de ce qui s'est passé, commença le psychiatre.

Il ne murmurait plus. A l'évidence, Ricky n'avait pas conscience de ce qui l'entourait et il ne craignait pas de le réveiller. Derrière Greenway, Dianne continuait de fixer sur le lit un regard vide de toute expression. Mark aurait voulu être seul avec elle pour pouvoir parler et se sortir de cette situation, mais elle était assise derrière le médecin, dans la pénombre, et ne le regardait même pas.

– A-t-il dit quelque chose ? demanda Mark.

Il avait essuyé un feu roulant de questions pendant les trois heures passées avec Hardy et l'habitude était prise.

– Non.

– C'est grave, ce qu'il a ?

– Très, répondit Greenway, ses petits yeux noirs et brillants rivés sur Mark. Qu'a-t-il vu, cet après-midi ?

– Vous garderez le secret ?

– Oui. Tout ce que tu me diras restera strictement confidentiel.

– Et si la police veut savoir ce que je vous ai dit ?

– Je ne pourrai pas le dire, je te le promets. C'est secret et confidentiel. Cela restera entre nous trois. Nous essayons tous d'aider Ricky et il faut que je sache ce qui s'est passé.

Peut-être qu'une bonne dose de vérité serait utile à tout le monde, surtout à Ricky. Mark considéra la petite tête blonde ébouriffée sur l'oreiller. Pourquoi, mais pourquoi n'avaient-ils pas pris leurs jambes à leur cou en voyant arriver la voiture noire ? Un brusque sentiment de culpabilité l'envahit, il en fut terrifié. Tout était de sa faute. Jamais il n'aurait dû se mêler des affaires d'un cinglé.

Ses lèvres se mirent à trembler et les larmes lui montèrent aux yeux. Il avait froid. Le moment était venu de tout leur raconter. Il ne savait plus quoi inventer comme mensonges et Ricky avait besoin d'aide. Greenway ne le quittait pas des yeux.

C'est à ce moment-là que Hardy passa lentement dans le couloir. Il s'arrêta devant la porte, son regard croisa celui de Mark et il disparut. Mark savait qu'il n'était pas loin. Greenway ne l'avait pas vu.

Mark commença son récit par les cigarettes. Sa mère le regarda avec attention, mais, si elle était en colère, elle n'en laissa rien paraître. Elle secoua une ou deux fois la tête, sans mot dire. A voix basse, les yeux allant et venant entre le médecin et la porte, Mark décrivit l'arbre et la corde, la clairière dans le bois. Puis il raconta l'arrivée de la voiture. Il passa sous silence une bonne partie de l'histoire, mais reconnut, d'une voix douce et en confidence, qu'il avait rampé une fois jusqu'à la voiture pour retirer le tuyau du pot d'échappement. En le regardant faire, Ricky s'était mis à brailler et avait fait pipi dans sa culotte. Il l'avait supplié de ne pas y aller. Mark sentit que Greenway était content d'entendre cela. Dianne écoutait, le visage sans expression.

Hardy repassa devant la porte, Mark fit comme s'il ne l'avait pas vu. Il s'interrompit quelques secondes, reprit le fil de son récit au moment où l'homme, descendant comme un fou de la voiture, avait vu le tuyau d'arrosage dans l'herbe et avait grimpé sur le coffre pour se tirer une balle dans la bouche.

– A quelle distance se trouvait Ricky ? demanda Greenway.

Mark parcourut la chambre des yeux et tendit le bras.

– Vous voyez la porte, de l'autre côté du couloir ? A peu près à cette distance.

Greenway tourna la tête en se frottant la barbe.

– Une douzaine de mètres, fit-il. Ce n'est pas très loin.

– Nous étions tout près.

– Qu'a fait exactement ton frère quand l'homme a tiré ?

Dianne écoutait attentivement. Elle semblait juste avoir remarqué que cette version était différente de la première. Le front plissé, elle regardait fixement son aîné.

– Désolé, maman. J'avais trop peur pour avoir les idées claires. Ne m'en veux pas.

– Tu as réellement vu cet homme se tirer une balle dans la tête ? demanda-t-elle, l'air incrédule.

– Oui.

– Pas étonnant, poursuivit-elle, tournant la tête vers Ricky.

– Comment Ricky a-t-il réagi au coup de feu ?

– Je ne regardais pas dans sa direction. C'est l'homme que je regardais.

– Mon pauvre bébé, soupira Dianne.

Greenway leva la main pour demander le silence.

– Ricky était-il près de toi ?

Mark jeta un coup d'œil vers la porte et expliqua d'une voix faible que Ricky était resté pétrifié, puis qu'il avait pris ses jambes à son cou, mais en courant maladroitement, les bras le long du corps, en poussant une sorte de gémissement continu. Il fit un récit d'une grande exactitude, sans omettre aucun détail, du coup de feu à l'arrivée de l'ambulance. Les yeux fermés, il revivait chaque pas, chaque mouvement. C'était si bon de dire la vérité.

– Pourquoi ne m'as-tu pas dit que vous aviez vu cet homme se tuer ? demanda Dianne.

– Je vous en prie, madame Sway, coupa Greenway avec irritation, sans quitter Mark des yeux, vous aurez le temps d'en parler avec lui. Quel a été le dernier mot prononcé par Ricky ?

Mark réfléchit, en surveillant la porte. Le couloir était vide.

– Je ne m'en souviens pas.

Dans la salle d'attente, à côté des distributeurs de boissons, le sergent Hardy discutait avec son lieutenant et l'agent spécial du FBI, Jason McThune. Un autre agent fédéral traînait d'une manière suspecte près de l'ascenseur, sous le regard courroucé du garde chargé de la sécurité.

Le lieutenant expliqua rapidement à Hardy que l'affaire était maintenant entre les mains du FBI, à qui la police de Memphis avait remis la voiture et les autres preuves matérielles, que les spécialistes relevant les empreintes à l'intérieur de la voiture en avaient trouvé un certain nombre, trop petites pour être celles d'un adulte, qu'ils devaient savoir si Mark avait laissé échapper quelque chose ou modifié sa déclaration.

– Non, fit Hardy, mais je ne suis pas persuadé qu'il dise la vérité.

– A-t-il touché quelque chose que nous pourrions emporter ?

demanda vivement McThune, sans marquer le moindre intérêt pour les théories et les convictions du sergent.

– Que voulez-vous dire ?

– Nous le soupçonnons fortement de s'être trouvé dans la voiture avant la mort de Clifford. Il faut relever ses empreintes sur un objet et les comparer avec celles de la voiture.

– Qu'est-ce qui vous fait croire qu'il était dans la voiture ? demanda Hardy, avide d'en savoir plus long.

– Je vous expliquerai, répondit le lieutenant.

Hardy parcourut la salle du regard et montra la corbeille à papier, près du siège que Mark avait occupé.

– Là ! La boîte de Sprite ! Il a bu un Sprite dans ce fauteuil.

McThune s'assura que le couloir était désert et enveloppa soigneusement la boîte vide dans un mouchoir. Il glissa le tout dans la poche de sa veste.

– Je suis sûr que c'est la sienne, reprit Hardy. Il n'y a qu'une corbeille et je ne vois pas d'autre Sprite.

– Je vais la remettre à nos spécialistes des empreintes, fit McThune. Savez-vous s'il passe la nuit ici ?

– Je crois, répondit Hardy. On a installé un lit de camp dans la chambre du petit. J'ai l'impression qu'ils vont tous dormir ici. Pourquoi le FBI s'intéresse-t-il à Clifford ?

– Je vous expliquerai, fit de nouveau le lieutenant. Vous resterez encore une heure ici.

– Normalement, j'ai terminé dans dix minutes.

– Vous compterez cela en heures supplémentaires.

Assis dans le fauteuil en plastique, près du lit, le docteur Greenway étudiait ses notes.

– Je vais partir dans une minute, dit-il, mais je reviendrai demain matin, de bonne heure. Son état est stationnaire et je n'attends pas d'évolution pendant la nuit. Les infirmières s'assureront régulièrement que tout va bien. Appelez-les s'il se réveille.

Il tourna une page d'une chiquenaude, se pencha pour déchiffrer ses pattes de mouches et tourna la tête vers Dianne.

– C'est un cas grave de dysfonctionnement post-traumatique aigu, déclara-t-il.

– Qu'est-ce que ça veut dire ? demanda Mark.

Dianne se massa les tempes, sans ouvrir les yeux.

– Parfois une personne assiste à quelque chose de terrible et ne peut le supporter. En retirant le tuyau du pot d'échappement, tu as fait très peur à Ricky et, quand il a vu l'homme se suicider, il a vécu une expérience terrifiante qu'il n'a pu supporter. Cela a provoqué une réaction en lui, quelque chose s'est brisé. Le cerveau et le corps ont reçu un choc. Il a réussi à rentrer chez lui en courant, ce qui est étonnant, car, normalement, une personne ayant subi un traumatisme aussi violent est paralysée par le choc émotionnel.

Le psychiatre s'interrompit, posa ses notes sur le lit.

– Il n'y a pas grand-chose à faire dans l'immédiat, reprit-il. Je pense qu'il reviendra à lui dans la journée de demain, au plus tard après-demain, et je commencerai à parler avec lui. Il se peut que cela prenne du temps. Il fera des cauchemars, il revivra la scène. Il niera que ce soit arrivé et s'en voudra de le nier. Il se sentira isolé, trahi, hébété, peut-être même déprimé. On ne peut pas savoir.

– Quel traitement emploierez-vous ? demanda Dianne.

– Nous devons faire en sorte qu'il se sente en sécurité. Vous ne devez absolument pas vous éloigner de lui. Vous m'avez bien dit que son père ne peut être d'aucune utilité ?

– Empêchez-le de voir Ricky, déclara Mark avec gravité.

Dianne approuva de la tête.

– Il n'y a pas de grands-parents ou d'autres membres de la famille qui vivent à proximité ?

– Non.

– Très bien. Il faut absolument que vous quittiez cette chambre le moins possible pendant les jours qui viennent. Ricky doit se sentir protégé, en sécurité. Il aura besoin de votre présence physique, de votre soutien affectif. Je m'entretiendrai avec lui plusieurs fois par jour. Il faudra que Mark et son frère parlent de la scène. Il devront partager et comparer leurs réactions.

– Quand pourrons-nous rentrer à la maison, à votre avis ? demanda Dianne.

– Dès que possible, mais je ne puis vous dire quand. Ricky aura besoin de la sécurité que lui apportera le cadre familier de sa chambre. Peut-être une semaine, peut-être deux. Cela dépendra de la rapidité de sa réaction.

– J'ai... euh... j'ai un travail, fit Dianne en ramenant les pieds sous elle. Je ne sais pas quoi faire.

– Je demanderai à mon secrétariat de prendre contact avec votre employeur, demain matin, à la première heure.

– Mon employeur est un exploiteur. Ce n'est pas une de ces boîtes où il fait bon travailler, avec primes et bienveillance des chefs. On n'enverra pas de fleurs. Je crains que mon patron ne comprenne pas.

– Je ferai de mon mieux.

– Et l'école ? demanda Mark.

– Ta mère m'a donné le nom du principal. J'appellerai demain matin, je lui parlerai.

Dianne recommença à se masser les tempes. Une infirmière, pas la jolie Karen, frappa et entra. Elle tendit à Dianne deux comprimés et un verre d'eau.

– Du Dalmane, dit Greenway. Cela devrait vous aider à dormir. Sinon, appelez le bureau des infirmières, elles vous apporteront quelque chose de plus fort.

L'infirmière sortit, Greenway se leva et posa la main sur le front de Ricky.

– A demain matin, fit-il. Essayez de dormir.

Il sourit, pour la première fois, et sortit à son tour.

Ils étaient seuls, la petite famille Sway, du moins ce qu'il en restait. Mark se rapprocha de sa mère, appuya la tête sur son épaule. Ils contemplèrent la petite tête sur le gros oreiller.

– Tout ira bien, Mark, fit-elle en lui tapotant le bras. Nous avons traversé de plus sales moments.

Elle le serra contre elle et il ferma les yeux.

– Pardon, maman, dit-il, les larmes aux yeux. Pardon pour tout.

Elle accentua la pression de son bras, l'étreignit longuement, tandis qu'il sanglotait doucement, le visage enfoui dans son corsage.

Elle s'étendit lentement, sans lâcher Mark, et ils se pelotonnèrent sur l'étroit matelas de caoutchouc mousse du lit de camp. Celui de Ricky était plus haut de cinquante centimètres. L'éclairage était faible. Mark cessa de pleurer ; de toute façon, il n'était pas très doué pour ça.

Le Dalmane faisait son effet, Dianne s'abandonnait à la fatigue. Neuf heures passées à emballer des lampes en plastique dans des cartons, cinq heures d'attente anxieuse et maintenant le Dalmane. Elle était près de sombrer dans le sommeil.

– On va te renvoyer, maman ? demanda Mark, qui se préoccupait autant qu'elle des finances de la famille.

– Je ne crois pas. Nous aurons le temps de nous en inquiéter demain.

– Il faut que nous parlions, maman.

– Je sais. Mais nous verrons cela demain matin.

– Pourquoi pas maintenant ?

Elle relâcha son étreinte, inspira longuement, incapable d'ouvrir les yeux.

– Je suis très fatiguée, Mark, j'ai sommeil. Je te promets que demain matin, au réveil, nous aurons une longue conversation. Je crois que tu as des réponses à donner à un certain nombre de questions. Va te brosser les dents, et puis nous essaierons de dormir.

Soudain, Mark sentit lui aussi le poids de la fatigue. A travers le matelas trop mince, une barre de métal de l'armature du lit faisait saillie. Il se rapprocha du mur et remonta le drap. Sa mère lui caressa le bras. Les yeux fixés sur le mur, à quelques centimètres de son visage, il se dit qu'il ne pourrait jamais dormir une semaine dans ces conditions.

La respiration de sa mère était beaucoup plus profonde et elle demeurait parfaitement immobile. Il pensa à Romey. Où était-il maintenant ? Où était le petit bonhomme grassouillet au crâne déplumé ? Il revit la sueur perlant sur le front luisant, coulant sur tout le visage, gouttant des sourcils, trempant le col de la chemise. Jusqu'aux oreillles, qui étaient mouillées. Qui récupérerait sa voiture ? Qui se chargerait de la nettoyer et de laver le sang ? Qui garderait le pistolet ? Mark se rendit compte que la détonation qui l'avait assourdi dans la voiture ne résonnait plus dans ses oreilles. Hardy était-il encore dans la salle d'attente, en train de somnoler ? Les flics reviendraient-ils le lendemain pour continuer à le cuisiner ? Et s'ils l'interrogeaient sur le tuyau d'arrosage ? Et s'ils lui posaient des centaines de questions ?

Il se sentit complètement éveillé, les yeux fixés sur le mur. La lumière de l'extérieur filtrait à travers le store. Le Dalmane était efficace, sa mère respirait très lentement, très profondément. Ricky n'avait pas bougé. Mark regarda la petite lampe allumée sur la table et ses pensées revinrent à Hardy et à la police. Était-il sous surveillance, comme les suspects à la télé ? Certainement pas.

Il les regarda dormir vingt minutes, finit par s'en lasser. Il était temps de partir en exploration. Quand il avait sept ans, son père était rentré tard, un soir, complètement soûl, et avait commencé à faire à Dianne une scène de tous les diables. Ils s'étaient battus, à faire trembler le mobile home, et Mark était sorti en se glissant par la fenêtre déglinguée de sa chambre. Il avait fait une longue balade autour du lotissement et dans le bois voisin. La nuit était chaude et moite, le ciel rempli d'étoiles. Il s'était reposé sur une butte dominant le lotissement et avait prié pour qu'il n'arrive rien à sa mère. Il avait demandé à Dieu une famille où chacun pourrait dormir sans crainte de recevoir des coups. Pourquoi ne pouvaient-ils former une famille normale ? Il s'était promené deux heures. A son retour, tout était silencieux. C'est ainsi qu'il avait pris l'habitude de ces escapades nocturnes qui lui procuraient beaucoup de plaisir et une grande paix.

Mark était une nature soucieuse et, quand il ne parvenait pas à trouver le sommeil, il partait pour une longue promenade secrète. Il apprenait beaucoup. En vêtements sombres, il se déplaçait furtivement, tel un voleur, dans l'enceinte du lotissement. Il était témoin de nombre de larcins et d'actes de vandalisme, mais n'en parlait jamais. Il voyait des amants se glisser par les fenêtres. Il aimait surtout, par une nuit claire, s'asseoir au sommet de la butte dominant le terrain et fumer paisiblement une cigarette. La peur de se faire surprendre par sa mère s'était évanouie depuis des années. Elle travaillait dur et dormait profondément.

Il n'avait pas peur des endroits inconnus. Il remonta le drap sur l'épaule de sa mère, fit de même pour Ricky et sortit en refermant silencieusement la porte. Le couloir était sombre et vide. La splendide Karen était occupée à écrire dans le bureau des infirmières. Elle s'interrompit en le voyant et lui adressa un sourire radieux. Il dit qu'il allait chercher un jus d'orange à la cafétéria, qu'il connaissait le chemin, qu'il en avait pour deux minutes. Karen sourit de nouveau et Mark sentit son cœur chavirer.

Hardy n'était plus là. Dans la salle d'attente vide, la télévision restait allumée. Mark prit l'ascenseur pour descendre au sous-sol.

La cafétéria était déserte. Un homme dans un fauteuil roulant, les deux jambes plâtrées, était assis à une table. Les plâtres étaient propres et luisants. Il avait un bras en écharpe, un épais bandage entourait le sommet de son crâne qui donnait l'impression d'être rasé. Il devait être affreusement mal.

Mark prit un grand verre de jus de fruits et alla s'asseoir à une table voisine de celle de l'homme qui grimaçait de douleur en avalant sa soupe avec agacement. Il but ensuite du jus de fruits, avec une paille, remarqua le garçon près de lui.

– Comment ça va ? demanda Mark en souriant.

Il était capable de lier conversation avec n'importe qui et ce type lui faisait pitié.

L'homme lui lança un regard peu amène, puis détourna les yeux. Avec une nouvelle grimace, il changea la position de ses jambes. Mark coula vers lui un regard qu'il espérait discret.

Un homme en chemise blanche et cravate apparut brusquement, un plateau à la main, et prit place à une table, de l'autre côté du type aux jambes plâtrées. Il ne sembla pas remarquer la présence de Mark.

– Vous êtes drôlement amoché, fit-il avec un grand sourire. Qu'est-ce qui vous est arrivé ?

– Accident de voiture, répondit l'homme aux plâtres d'une voix où perçait la souffrance. Percuté par un camion-citerne Exxon. Ce tordu a brûlé un stop.

Le sourire du nouveau venu s'élargit.

– C'est arrivé quand ? demanda-t-il, sans un regard pour le contenu de son plateau.

– Il y a trois jours.

– Vous avez bien dit un camion Exxon ? fit l'homme à la chemise blanche en se levant.

Il s'avança rapidement vers son voisin en prenant quelque chose dans sa poche. Il tira une chaise, s'assit à quelques centimètres des deux plâtres.

– Oui, grogna l'accidenté, l'air méfiant.

– Je m'appelle Gill Teal, fit l'homme à la chemise blanche en tendant une carte. Je suis avocat, spécialisé dans les accidents de la circulation, en particulier lorsqu'un poids lourd est en cause.

Gill Teal avait débité cela à toute vitesse, comme si, ayant ferré un gros poisson, il devait enfoncer l'hameçon plus profondément, de crainte de le perdre.

– C'est ma spécialité, reprit-il. Les affaires de poids lourds. Semi-remorques, engins de terrassement, camions-citernes. Tout ce que vous pouvez imaginer, j'en fais mon affaire. Je m'appelle Gill Teal, ajouta-t-il en tendant prestement la main au-dessus de la table.

Par bonheur, le bras valide de l'accidenté était le droit. Il l'avança mollement vers l'importun.

– Joe Farris, articula-t-il.

Teal lui secoua furieusement la main, avide de porter le coup de grâce.

– Qu'avez-vous exactement ? Deux jambes cassées, commotion, lésions diverses ?

– Et une fracture de la clavicule.

– Parfait ! Nous plaiderons l'invalidité. Quel genre de boulot faites-vous ?

– Grutier.

– Syndiqué ?

– Oui.

– Super ! Vous dites que le camion-citerne a brûlé un stop ? Aucun doute sur la responsabilité du chauffeur ?

Joe secoua la tête, la mine renfrognée, changea de nouveau de position, et Mark comprit que cette intrusion commençait à l'agacer.

Gill griffonna fébrilement quelques chiffres sur une serviette en papier et redressa la tête en souriant.

– Je pense obtenir au moins six cent mille dollars, annonça-t-il. Je ne retiens qu'un tiers, il vous en reste quatre cents. Minimum. Quatre cent mille dollars, exonérés, bien entendu. Nous engageons les poursuites dès demain.

Joe fit celui qui connaissait la chanson. Gill quêta son approbation, la bouche ouverte, fier de lui, plein d'assurance.

– J'ai parlé à d'autres avocats, fit Joe.

– Je peux obtenir plus que n'importe qui. C'est comme ça que je gagne ma vie, uniquement avec des affaires de poids lourds. J'ai déjà poursuivi Exxon, je connais tous leurs avocats et la direction régionale. Je les terrorise, ils savent que je vais les saigner à blanc.

C'est la guerre, Joe, et je suis le meilleur à Memphis. Je connais leurs sales tours. Je viens d'obtenir près d'un demi-million pour une autre affaire de poids lourd. Ils ont offert une fortune à mon client quand ils ont su qui le défendait. C'est pas pour me vanter, Joe, mais, pour ce genre d'affaire, je suis le meilleur.

– Un avocat m'a appelé ce matin pour me dire qu'il pourrait obtenir un million.

– Il a menti. Qui était-ce ? McFay ? Ragland ? Snodgrass ? Je les connais, ces types, je les coiffe au poteau à tous les coups. De toute façon, j'ai dit six cent mille minimum. Cela peut aller beaucoup plus loin. S'ils vont jusqu'au procès, qui sait combien un jury nous accordera ? Je suis au Palais tous les jours et, croyez-moi, je ne fais pas de cadeaux. Six cent mille minimum. Avez-vous déjà pris quelqu'un ? Signé un contrat ?

– Pas encore, répondit Joe en secouant la tête.

– Merveilleux ! Je suppose que vous avez une femme et des gosses ?

– Ex-femme. Trois enfants.

– Vous payez donc une pension alimentaire. Quel est le montant de cette pension ?

– Cinq cents par mois.

– Ce n'est pas beaucoup. Et il y a les factures. Voici ce que je vais faire : je vais vous avancer mille dollars par mois, jusqu'au règlement de l'affaire. S'il a lieu dans trois mois, je retiens trois mille. S'il faut attendre deux ans – ce ne sera pas le cas, mais on ne sait jamais –, je retiendrai vingt-quatre mille dollars. Ce sont des exemples. Vous me suivez, Joe ? En liquide, tout de suite.

Joe bougea ses jambes, les yeux baissés sur la table.

– Un autre avocat est venu me voir, hier, dans ma chambre. Il a dit qu'il pouvait m'avancer deux mille tout de suite et qu'il me verserait deux mille par mois.

– Qui était-ce ? Scottie Moss ? Rob LaMoke ? Je les connais, Joe, ce sont des tocards, pas fichus de trouver leur salle d'audience. Il ne faut pas faire confiance à ces gars-là, ils sont incompétents. Tenez, je vous offre la même chose : deux mille tout de suite et deux mille par mois.

– C'est qu'il y en a eu un autre, envoyé par un gros cabinet, qui m'a proposé dix mille dollars pour commencer et un crédit illimité.

Gill accusa le coup, il lui fallut au moins dix secondes pour retrouver sa voix.

– Écoutez-moi, Joe, ce qui compte n'est pas le montant de l'avance, mais de savoir combien Exxon peut vous verser. Et personne, je dis bien personne, ne pourra obtenir plus que moi. Personne. Je vous propose cinq mille dollars maintenant et je mets à votre disposition tout ce dont vous aurez besoin pour les factures. Ça marche ?

– Je vais réfléchir.

– Il n'y a pas de temps à perdre, Joe. Nous devons agir très vite. Les preuves disparaissent, les témoins perdent la mémoire. Ces grandes entreprises sont lentes à réagir.

– J'ai dit que j'allais réfléchir.

– Puis-je vous appeler demain ?

– Non.

– Pourquoi ?

– Je ne peux pas dormir à cause de tous ces foutus avocats qui téléphonent sans arrêt. Je ne peux pas prendre un repas sans être dérangé par des avocats. Il y en a plus que de médecins dans cet hôpital !

– Il y a des tas de requins qui rôdent ici, répliqua Gill, imperturbable. Des avocats minables qui bousilleront votre dossier. Notre profession est encombrée et certains confrères passent leur temps à chercher du travail. Faites le bon choix, Joe. Prenez des renseignements sur moi, consultez les pages jaunes. J'ai une annonce pleine page, en couleurs. « Avec Gill Teal, vous tombez pile. » Vous verrez.

– Je vais réfléchir.

L'avocat fit apparaître une autre carte qu'il tendit à Joe. Il prit congé, sans avoir touché au contenu de son plateau.

Joe souffrait. Il saisit la roue de son fauteuil de la main droite et s'éloigna lentement. Mark eut envie de lui proposer son aide, mais préféra ne rien dire. Les deux cartes de l'avocat étaient restées sur la table. Mark termina son jus de fruits, jeta un coup d'œil autour de lui et en ramassa prestement une.

Mark expliqua à sa chère Karen qu'il n'avait pas sommeil et qu'on le trouverait devant la télévision, si on avait besoin de lui. Il s'installa sur le canapé de la salle d'attente et feuilleta l'annuaire en regardant des rediffusions de *Cheers*. Il but un autre Sprite. Ce brave Hardy lui avait donné huit pièces de vingt-cinq cents, après le dîner.

Karen lui apporta une couverture et en replia le bord sous ses jambes. Elle lui tapota le bras d'une longue main fine et se retira silencieusement. Il la suivit des yeux jusqu'à ce qu'elle disparaisse.

Gill Teal avait effectivement une annonce pleine page, à la rubrique « Avocats » des pages jaunes de l'annuaire de Memphis, comme une douzaine de ses confrères. Une jolie photo le montrait devant le palais de justice, dans une attitude désinvolte, en bras de chemise, manches retroussées. « Je me bats pour vos droits ! » disait le texte sous la photo dont le haut était barré de grandes lettres rouge vif : « Victime d'un accident ? » La réponse venait juste au-dessous, en épais caractères verts : « Si oui, appelez-moi. Avec Gill Teal, vous tombez pile. » Plus bas, en caractères bleus, Gill énumérait les types d'affaires dont il se chargeait. Il y en avait une multitude. Tondeuses à gazon, électrocutions, bébés mal formés à la naissance, explosions de chauffe-eau. Dix-huit ans d'expérience du prétoire. Dans un angle, un petit plan guidait le client vers son cabinet, en face du tribunal.

Mark reconnut une voix familière et Gill Teal en personne apparut sur l'écran du téléviseur, devant l'entrée des urgences d'un hôpital, discourant sur les êtres chers accidentés et la malhonnêteté des compagnies d'assurances. Des lumières rouges clignotaient à l'arrière-plan, des infirmiers passaient en courant. Mais Gill Teal avait la situation en main. La défense de ses clients était assurée sans bourse délier. Pas d'honoraires s'il n'obtenait pas gain de cause.

Comme le monde était petit ! En deux heures, Mark avait vu l'avocat en chair et en os, ramassé une de ses cartes, découvert sa photo dans les pages jaunes et, maintenant, le même homme s'adressait à lui sur le petit écran.

Mark referma l'annuaire, le posa sur la table encombrée. Il remonta la couverture et décida de dormir.

Le lendemain, il appellerait peut-être Gill Teal.

7

Foltrigg aimait avoir une escorte. Il appréciait tout particulièrement ces moments précieux où les caméras tournaient en attendant son entrée majestueuse dans la salle des pas perdus ou sa descente des marches du palais de justice, précédé de son pitbull Wally
Boxx, flanqué de Thomas Fink ou d'un autre substitut chargé
d'écarter les journalistes aux questions idiotes. Il passait de longs
moments paisibles à regarder des cassettes vidéo le montrant entrer
et sortir des tribunaux, entouré d'une petite cour. Ses entrées
étaient parfaites, sa démarche étudiée. Il levait patiemment les
mains, comme s'il regrettait vivement de ne pouvoir répondre aux
questions, l'importance de sa tâche ne lui en laissant pas le loisir.
Peu après, Wally conviait les journalistes à une conférence de presse au cours de laquelle le grand homme en personne s'arrachait à
un emploi du temps surchargé pour passer quelques minutes sous
les projecteurs. Une petite bibliothèque des appartements du procureur général avait été aménagée en salle de presse, avec éclairage
et sonorisation. Roy enfermait des produits de maquillage dans une
armoire dont il gardait la clé.

Peu après minuit, il pénétra dans l'immeuble fédéral de Main
Street, à Memphis, avec une escorte composée de Wally Boxx, Fink
et des agents Trumann et Scherff, mais en l'absence de journalistes
impatients. En fait, il ne vit pas âme qui vive avant d'entrer dans les
locaux du FBI où Jason McThune buvait du café tiède en compagnie de deux collègues. Quelle entrée !

Les présentations expédiées, ils se tassèrent dans le bureau exigu
de McThune, où Foltrigg s'empara du seul siège libre. McThune,
vingt ans d'ancienneté, expédié à Memphis quatre ans auparavant
contre son gré, comptait les mois avant son départ pour le nord de
la côte Pacifique. Il était fatigué, irrité par l'heure tardive. Il avait

entendu parler de Foltrigg, ne l'avait jamais rencontré, mais savait qu'il était catalogué comme un imbécile prétentieux.

Un agent qui n'avait pas été présenté ferma la porte ; McThune se laissa tomber dans son fauteuil. Il reprit les faits essentiels : la découverte de la voiture, son contenu, l'arme du suicide, l'heure de la mort, etc.

– Le gosse s'appelle Mark Sway. Il a déclaré à la police avoir découvert le corps par hasard en se promenant avec son petit frère et aussitôt prévenu les autorités. Ils habitent à moins d'un kilomètre, dans un lotissement de mobile homes. Le plus jeune a été hospitalisé, souffrant, semble-t-il, d'un choc traumatique. Mark et sa mère, Dianne, divorcée, dorment aussi à l'hôpital. Le père, domicilié à Memphis, a un casier : condamnations pour divers délits mineurs, scandales sur la voie publique, rixes. Race blanche, milieu défavorisé. Quoi qu'il en soit, le gamin ment.

– Je n'ai pas pu lire la lettre, coupa Foltrigg, mourant d'envie de dire quelque chose. Le fax était mauvais.

Comme si McThune et le FBI local étaient ineptes, puisque lui, Roy Foltrigg, avait reçu un fax de mauvaise qualité sur le télécopieur de sa voiture.

McThune lança un coup d'œil en direction de Trumann et Scherff, adossés à un mur, avant de poursuivre.

– Je vais y venir dans une minute. Nous savons donc que le gamin ment, car il prétend que Clifford était déjà mort quand ils sont arrivés sur le lieu du drame. Cela semble très douteux. Nous avons relevé des empreintes de Mark sur la voiture, à l'intérieur comme à l'extérieur. Sur le tableau de bord, la portière, la bouteille de whisky, le pistolet, partout. Nous nous sommes procuré une de ses empreintes, il y a deux heures, et j'ai mis une équipe sur la voiture. Ils ne termineront que demain, mais il est évident que le gamin est monté dedans. Pourquoi, nous n'en savons rien. Nous avons aussi relevé des empreintes autour des feux arrière, juste au-dessus du tuyau d'échappement. Et il y avait trois mégots de cigarettes sous un arbre, près de la voiture. Des Virginia Slim, la marque de Dianne Sway. Notre idée est que les garçons, comme tous les enfants, piquent des cigarettes à leur mère et vont fumer dans le bois. Ils sont bien tranquilles, quand ils voient arriver Clifford. Ils se cachent pour l'observer ; c'est facile derrière les arbres. Peut-être s'approchent-ils discrètement de la voiture pour retirer le tuyau d'arrosage. Nous ne le savons pas et ils n'ont rien dit. Le petit est incapable de parler et Mark ment, ça saute aux yeux. Quoi qu'il en soit, le tuyau n'a pas rempli son office. Nous essayons d'y relever des empreintes, mais la tâche est difficile. Impossible, peut-être.

J'aurai demain matin des photos qui montreront où se trouvait le tuyau quand la police est arrivée.

McThune prit un carnet jaune dans le fouillis qui encombrait son bureau.

– Clifford a tiré au moins un coup de feu à l'intérieur de la voiture, reprit-il, le nez sur son carnet, sans regarder Foltrigg. La balle est sortie presque au centre de la vitre du passager avant, qui est fêlée, mais n'a pas volé en éclats. Aucune idée de la raison pour laquelle il a tiré, ni du moment où il l'a fait. Nous avons les résultats de l'autopsie qui vient de se terminer : Clifford était bourré de Dalmane, de codéine et de Percodan. Le taux d'alcool dans son sang était de 2,2 grammes : il était plein comme une barrique, comme on dit par ici. Non seulement il était assez détraqué pour se tirer une balle dans la tête, mais complètement soûl et défoncé. Difficile d'y voir clair quand on n'a pas affaire à un esprit rationnel.

– C'est ce que j'avais cru comprendre, fit Roy avec impatience.

Wally Boxx se tenait derrière lui, comme un terrier bien dressé.

– Le pistolet, poursuivit imperturbablement McThune, est un calibre 38, acheté illégalement à un prêteur sur gages de Memphis. Nous l'avons interrogé, mais il ne répondra qu'en présence de son avocat. Nous attendrons donc demain matin, tout à l'heure, devrais-je dire. Une facture Texaco indique que Clifford a pris de l'essence à Vaiden, Mississippi, à une heure et demie de route de Memphis. La pompiste, une jeune fille, croit se rappeler qu'il est passé à la station-service vers 13 heures. Pas de trace d'un autre arrêt. D'après sa secrétaire, il a quitté son cabinet vers 9 heures en disant qu'il avait une course à faire, et elle est restée sans nouvelles de lui jusqu'à notre visite. Pour être franc, elle ne paraissait pas bouleversée par sa disparition. Nous pouvons donc supposer qu'il a quitté La Nouvelle-Orléans peu après 9 heures, qu'il est arrivé cinq ou six heures plus tard à Memphis, qu'il s'est arrêté une fois pour prendre de l'essence, une autre pour acheter l'arme, et qu'il est allé dans un bois se tirer une balle dans la tête. Peut-être s'est-il arrêté pour déjeuner, peut-être pour acheter le whisky, peut-être pour autre chose ? Nous poursuivons les recherches.

– Pourquoi Memphis ? demanda Wally Boxx.

Foltrigg hocha la tête, trouvant à l'évidence la question pertinente.

– Parce que c'est là qu'il est né, répondit solennellement McThune, les yeux rivés sur Foltrigg, comme si tout un chacun préférait mourir là où il a vu le jour.

L'humour de la réponse formulée avec gravité échappa à Foltrigg. McThune avait entendu dire que ce n'était pas une lumière.

— Sa famille a déménagé pendant son enfance, expliqua-t-il après un silence. Il a fait ses études à Rice et son droit à Tulane.

— Nous étions condisciples, glissa fièrement Fink.

— Je vous en félicite. La lettre qu'il a laissée était manuscrite et datée d'aujourd'hui, ou plutôt d'hier. Écrite au feutre noir, mais nous n'avons retrouvé le stylo ni sur lui ni dans la voiture.

McThune prit une feuille de papier et se pencha sur le bureau.

— Tenez, dit-il. C'est l'original, prenez-en soin.

Wally Boxx saisit prestement la feuille et la tendit à Foltrigg, qui l'étudia.

— Des dispositions funéraires, poursuivit McThune en se frottant les yeux, et des instructions pour sa secrétaire. Regardez en bas. On dirait qu'il a essayé d'ajouter quelque chose au stylo à bille bleu, mais le stylo n'avait plus d'encre.

Le nez de Foltrigg se rapprocha de la feuille.

— Il a écrit : « Mark, Mark, où sommes... », mais je ne distingue pas la suite.

— Exact. L'écriture est affreuse, le stylo n'avait plus d'encre, mais notre expert dit la même chose. « Mark, Mark, où sommes... » Il pense que Clifford était ivre ou défoncé, pas dans son état normal, quand il a écrit ça. Nous avons retrouvé le stylo dans la voiture. Une pointe bic de mauvaise qualité. C'est celui qu'il a utilisé, aucun doute. Clifford n'avait ni enfants, ni neveux, ni frères, oncles ou cousins du nom de Mark. Nous vérifions parmi ses intimes – d'après sa secrétaire, il n'en avait pas –, mais nous n'avons pas trouvé de Mark.

— Alors, comment expliquer cela ?

— Je n'ai pas terminé. Le sergent Hardy, de la police municipale, a conduit Mark Sway à l'hôpital, il y a quelques heures. Dans la voiture, il a laissé échapper que Romey avait dit ou fait quelque chose. Romey. Le diminutif de Jerome Clifford, d'après sa secrétaire. Elle a même déclaré qu'on l'appelait plus souvent Romey que Jerome. Comment le gamin aurait-il pu connaître ce diminutif si Clifford ne le lui avait pas dit lui-même ?

Foltrigg écoutait, bouche bée.

— Qu'en pensez-vous ? demanda-t-il.

— Eh bien, voici ma théorie. Le gamin est dans la voiture avant que l'avocat ne se suicide, il y passe un certain temps, comme l'indiquent les nombreuses empreintes relevées, et ils discutent, Clifford et lui. Puis le gamin s'en va, Clifford essaie d'ajouter quelque chose à sa lettre, et il se suicide. Le gamin a très peur, son petit frère est en état de choc, et voilà où nous en sommes.

— Pourquoi mentirait-il ?

– Un, il a peur. Deux, c'est un enfant. Trois, Clifford a pu lui dire quelque chose qu'il n'avait pas besoin de savoir.

Articulation parfaite, chute dramatique, silence pesant dans la pièce. Foltrigg pétrifié, Boxx et Fink bouche bée, les yeux fixés sur le bureau. Voyant son patron muet, Wally Boxx vola à son secours et posa une question stupide.

– Qu'est-ce qui vous fait croire ça ?

Les procureurs généraux et leurs larbins avaient épuisé la patience de McThune depuis une vingtaine d'années. Ils les avait vus se succéder, il avait appris à entrer dans leur jeu et à ménager leur amour-propre. Il savait que le meilleur moyen de ne pas s'arrêter à leurs banalités était encore de répondre.

– A cause de la lettre, des empreintes, des mensonges. Le pauvre gosse ne sait pas quoi faire.

Foltrigg posa la feuille sur le bureau et s'éclaircit la voix.

– Lui avez-vous parlé ?

– Non. Je suis allé à l'hôpital, il y a deux heures, mais je ne l'ai pas vu. Le sergent Hardy l'a interrogé.

– Comptez-vous le faire ?

– Oui, dans la matinée. J'irai à l'hôpital avec Trumann, vers 9 heures, nous parlerons au gamin, et à sa mère, peut-être. J'aimerais aussi parler au petit frère, mais il me faudra l'autorisation de la Faculté.

– J'aimerais vous accompagner, déclara Foltrigg, comme tout le monde s'y attendait.

– Pas une bonne idée, répliqua McThune en secouant la tête. Nous nous en chargeons.

Le ton brusque ne laissait subsister aucun doute : c'est lui qui menait le jeu. On était à Memphis, pas à La Nouvelle-Orléans.

– Et le médecin du petit ? Vous lui avez parlé ?

– Pas encore. Nous essaierons de le voir dans la matinée, mais je doute qu'il ait grand-chose à dire.

– Croyez-vous que les gamins se soient confiés à lui ? demanda innocemment Fink.

McThune leva les yeux au plafond et regarda Trumann, comme pour lui dire : « Qu'est-ce que c'est que ces abrutis que tu m'as amenés ? »

– Je n'ai pas de réponse à cette question. J'ignore ce que savent les enfants, je ne connais même pas le nom du médecin. Je ne sais ni s'il leur a parlé ni s'ils lui diront quelque chose.

Foltrigg se tourna vers Fink, qui se recroquevilla sous son regard réprobateur. McThune jeta un coup d'œil à sa montre et se leva.

– Messieurs, il est tard. Nos hommes auront terminé l'inspection de la voiture à midi. Je propose de nous retrouver à ce moment-là.

– Mark Sway doit nous dire tout ce qu'il sait, déclara Roy, sans faire mine de bouger. Il était dans la voiture et Clifford lui a parlé.

– Je sais.

– Oui, monsieur McThune, mais il y a certaines choses que vous ignorez. Clifford savait où se trouve le corps du sénateur et il en parlait.

– Il y a beaucoup de choses que j'ignore, monsieur Foltrigg, car cette affaire est du ressort de La Nouvelle-Orléans, alors que ma juridiction est Memphis. Je ne tiens pas à en savoir plus sur le pauvre sénateur Boyette et le pauvre Me Clifford. J'ai mes propres cadavres, à ne savoir qu'en faire. Il est 1 heure du matin et je suis encore dans mon bureau, à répondre à vos questions sur une affaire qui ne relève pas de ma compétence. Je travaillerai sur cette affaire jusqu'à demain midi, après quoi je la passerai à Larry Trumann. Terminé pour moi.

– A moins, bien sûr, que vous ne receviez un coup de fil de Washington.

– Bien sûr. Dans ce cas, je suivrai les ordres de M. Voyles.

– Je le vois toutes les semaines, vous savez ?

– Félicitations.

– D'après ce qu'il m'a dit, l'affaire Boyette est à l'heure actuelle une priorité absolue pour le FBI.

– Il paraît.

– Je suis sûr que M. Voyles appréciera votre bonne volonté.

– J'en doute.

Roy se leva lentement, les yeux rivés sur McThune.

– Il faut absolument que Mark Sway nous dise tout ce qu'il sait. Vous saisissez ?

McThune soutint son regard, sans répondre.

8

Karen alla voir Mark plusieurs fois dans la nuit et lui apporta un jus d'orange à 8 heures. Il était seul dans la petite salle. Elle le réveilla doucement.

Malgré les problèmes qui s'accumulaient, Mark était en train de s'éprendre follement de la belle infirmière. En sirotant son jus de fruits, il plongea son regard dans les yeux bruns et pétillants. Elle tapota la couverture repliée sur les pieds du garçon.

– Quel âge avez-vous ? demanda-t-il.

– Vingt-quatre ans, répondit-elle avec un sourire épanoui. Treize de plus que toi. Pourquoi cette question ?

– Par habitude. Vous êtes mariée ?

– Non.

Elle tira délicatement la couverture, commença à la plier.

– Le canapé était confortable ?

Mark se leva et s'étira sans la quitter des yeux.

– Plus que cette espèce de lit où maman a dormi. Vous avez travaillé toute la nuit ?

– De 8 heures du soir à 8 heures du matin. Nous assurons un service de douze heures. Suis-moi, le docteur Greenway est dans la chambre et veut te voir.

Elle lui prit la main, ce qui facilita énormément les choses, et ils gagnèrent la chambre de Ricky. Karen ressortit aussitôt.

Dianne avait l'air fatigué. Elle se tenait au pied du lit de Ricky, une cigarette non allumée dans sa main tremblante. Mark s'avança vers elle et elle le prit par l'épaule. Ils regardèrent Greenway masser le front de Ricky en lui parlant. Les yeux restaient fermés, il n'avait aucune réaction.

– Il ne vous entend pas, docteur, dit enfin Dianne qui en avait assez d'écouter le psychiatre parler en langage de bébé.

Il ne répondit pas. Elle essuya furtivement une larme. Mark sentit une bonne odeur de savon et remarqua qu'elle avait les cheveux mouillés. Elle s'était changée, mais pas maquillée, et son visage paraissait différent.

Greenway se redressa.

– Un cas extrêmement préoccupant, fit-il avec franchise, presque pour lui-même, le regard fixé sur les paupières closes.

– Qu'allez-vous faire ? demanda Dianne.

– Attendre. Les signes vitaux sont stationnaires, il n'y a donc rien à craindre sur le plan physique. Il reviendra à lui et, quand cela se produira, il est indispensable que vous soyez dans sa chambre.

Greenway s'était tourné vers eux et se grattait la barbe, l'air absorbé.

– Il faut qu'il voie sa mère en ouvrant les yeux, reprit-il. Vous avez bien compris ?

– Je ne bougerai pas.

– Toi, Mark, tu peux aller et venir, un peu, mais il vaut mieux que tu restes ici, aussi longtemps que possible.

Mark acquiesça de la tête en silence. L'idée de passer une minute de plus dans cette chambre lui était insupportable.

– Les premiers instants peuvent être décisifs. En regardant autour de lui, il sera terrifié. Il aura besoin de voir et de sentir sa mère. Prenez-le dans vos bras pour le rassurer. Appelez tout de suite l'infirmière, je laisserai des instructions. Comme il aura très faim, nous essaierons de l'alimenter. L'infirmière enlèvera le goutte-à-goutte, pour lui permettre de se promener dans la chambre. Mais le plus important, c'est de le serrer bien fort.

– Quand pensez-vous... ?

– Je n'en sais rien. Demain ou après-demain, sans doute. On ne peut rien prédire.

– Avez-vous déjà vu des cas comme le sien ?

Greenway regarda Ricky et décida de ne rien cacher de la vérité.

– Pas aussi graves, répondit-il en secouant la tête. Il est presque comateux, ce qui est assez inhabituel. En temps normal, après une bonne période de repos, ils se réveillent et commencent à s'alimenter. Mais je ne suis pas inquiet, poursuivit-il avec un sourire contraint. Ricky se remettra. Cela prendra du temps, c'est tout.

Ricky sembla entendre ces paroles. Il se retourna en grognant, mais garda les yeux fermés. Ils l'observèrent attentivement, espérant un mot, un murmure. Mark préférait que son petit frère garde le silence sur ce qu'il avait vu jusqu'à ce qu'ils en discutent seul à seul, mais il souhaitait de toutes ses forces que Ricky se réveille et se mette à parler, d'autre chose. Il en avait assez de le voir recroquevillé sur son oreiller, avec ce pouce dans la bouche.

Greenway ouvrit sa serviette pour y prendre un journal. Le

Memphis Press, le quotidien du matin. Il le posa sur le lit et tendit une carte à Dianne.

– Mon bureau est dans le bâtiment voisin. Je vous donne mon numéro, à tout hasard. N'oubliez surtout pas, dès qu'il se réveille, d'appeler les infirmières. On me préviendra aussitôt. D'accord ?

Dianne prit la carte et hocha la tête. Greenway déplia le journal sur le lit.

– Avez-vous vu ça ?

– Non.

A la une, en bas de page, un article parlait de Romey.

« Suicide d'un avocat de La Nouvelle-Orléans à Memphis - Nord. »

Sous le titre s'étalait une grande photo de Jerome Clifford, accompagnée d'un sous-titre, en plus petits caractères :

« L'avocat pénal soupçonné de liens avec la mafia. »

Le mot « mafia » sauta au visage de Mark. Il regarda fixement la photo de Romey et fut pris d'un haut-le-cœur.

– Il semble, fit Greenway en se penchant sur le journal et en baissant la voix, que ce monsieur Clifford était assez connu à La Nouvelle-Orléans. Il était impliqué dans l'affaire du sénateur Boyette. Si j'ai bien compris, c'était le défenseur de l'homme inculpé de l'assassinat. Avez-vous suivi cette affaire ?

Dianne glissa la cigarette non allumée entre ses lèvres et fit non de la tête.

– Elle a fait du bruit. Le premier sénateur américain assassiné dans l'exercice de ses fonctions. Vous lirez l'article quand je serai parti. La police et le FBI attendent en bas. Ils étaient déjà là quand je suis arrivé, il y a une heure.

Mark agrippa un barreau du lit.

– Ils veulent parler à votre fils, poursuivit Greenway, et ils souhaitent naturellement que vous assistiez à l'entretien.

– Pourquoi ?

– L'affaire Boyette est compliquée, répondit le psychiatre en regardant sa montre. Je pense que vous comprendrez mieux après avoir lu l'article. Je leur ai dit que Mark et vous ne pourriez pas leur parler avant d'avoir eu mon accord. Ai-je bien fait ?

– Oui, lâcha Mark. Je ne veux pas leur parler.

Dianne et Greenway se tournèrent vers lui.

– Je finirai peut-être comme Ricky si ces flics continuent à m'embêter.

Mark se doutait que la police avait encore des tas de questions à lui poser, qu'ils n'en avaient pas fini avec lui. Mais la photo à la une et la mention du FBI le firent frissonner et il éprouva le besoin de s'asseoir.

– Tenez-les à distance pour l'instant, fit Dianne.

– Ils m'ont demandé s'ils pourraient vous voir à 9 heures, j'ai dit non. Mais ils ne veulent pas partir. Je reviendrai à midi, poursuivit-il en regardant de nouveau sa montre. Nous pourrions peut-être leur parler à ce moment-là ?

– Je m'en remets à vous.

– Très bien. Je vais les faire patienter jusqu'à midi. Ma secrétaire a appelé votre employeur et l'école. Essayez de ne pas vous faire de souci pour ça. Restez tranquillement au chevet de Ricky jusqu'à mon retour.

Il quitta la chambre en ébauchant un sourire.

Dianne se précipita dans la salle de bains pour allumer sa cigarette. Mark actionna la télécommande sur la table de chevet jusqu'à ce qu'il trouve les informations locales à la télé. Rien que la météo et du sport.

Quand Dianne eut terminé l'article sur Clifford, elle posa le journal par terre, sous le lit de camp. Mark l'observa avec anxiété.

– Son client a tué un sénateur, fit-elle, l'air impressionné.

Sans blague ! Mark savait qu'on allait l'interroger sans ménagement et il fut saisi d'une fringale. Il était 9 heures passées. Ricky n'avait pas bougé. Les infirmières les avaient oubliés, Greenway n'était plus qu'un vieux souvenir. Les agents du FBI étaient à l'affût dans l'ombre. La chambre semblait se rétrécir de minute en minute et cette saleté de lit de camp lui faisait mal au dos.

– Je me demande pourquoi il a fait ça, murmura-t-il, ne trouvant rien d'autre à dire.

– D'après l'article, Jerome Clifford aurait des liens avec la mafia de La Nouvelle-Orléans et son client en ferait partie.

Il avait vu *Le Parrain* sur une chaîne câblée. En fait, il avait même vu la suite du *Parrain* et savait tout sur la mafia. Des scènes des deux films passèrent fugitivement devant ses yeux. Ses douleurs d'estomac se firent plus aiguës, son cœur se mit à battre plus fort.

– J'ai faim, maman. Pas toi ?

– Pourquoi ne m'as-tu pas dit la vérité, Mark ?

– Parce qu'il y avait ce flic à la maison et que ce n'était pas le moment de parler. Je regrette, tu sais. Je te promets que je regrette. J'avais l'intention de t'en parler dès qu'on serait seuls, je te le promets.

– Tu ne me mens jamais, Mark, fit-elle d'une voix infiniment triste, en se massant les tempes.

Tout peut arriver.

– Tu ne veux pas qu'on en parle plus tard, maman ? J'ai vraiment faim. Donne-moi deux dollars et je file à la cafet' acheter des beignets. J'ai une envie folle d'un beignet. Je t'apporterai un café.

Il s'avança, la main tendue. Par bonheur, sa mère n'était pas d'humeur à avoir une conversation sérieuse sur la franchise et le reste. L'effet du Dalmane se faisait encore sentir, son esprit fonctionnait au ralenti. La tête lui élançait. Elle ouvrit son sac, lui donna un billet de cinq dollars.

– Où est la cafétéria ?

– Au sous-sol de l'aile Madison. J'y suis allé deux fois.

– Tu m'étonnes ! Je suppose que tu as déjà fait le tour des bâtiments.

Mark prit le billet, le fourra dans la poche de son jean.

– Oui, maman. Nous sommes à l'étage le plus tranquille. Les bébés sont en bas et c'est un vrai cirque.

– Fais attention.

Il sortit. Dianne attendit un peu, puis elle prit dans son sac le flacon de Valium que Greenway lui avait fait remettre.

Mark dévora quatre beignets pendant la diffusion de *Donahue* et regarda sa mère essayer de sommeiller sur le lit de camp. Il l'embrassa sur le front et dit qu'il avait besoin d'aller faire un tour. Elle lui recommanda de ne pas sortir de l'hôpital.

Mark reprit l'escalier, imaginant que Hardy, le FBI et les autres traînaient au rez-de-chaussée, dans l'espoir de le voir apparaître.

Comme la plupart des hôpitaux publics des grandes villes, St. Peter's avait été agrandi au fil du temps, à mesure que des crédits étaient dégagés, sans souci de symétrie. Assemblage tentaculaire et déroutant d'ajouts et d'ailes qu'un dédale de couloirs, de corridors et d'entresols tentait désespérément de relier. Ascenseurs et escaliers roulants partout où c'était possible. A un moment donné, quelqu'un avait pris conscience de la difficulté d'aller d'un endroit à un autre sans se perdre dans ce labyrinthe et une profusion de pancartes de couleur avait fleuri sur les murs. De nouvelles ailes avaient été construites, mais personne n'avait songé à retirer les pancartes, qui ne faisaient qu'ajouter à la pagaille.

Mark se dirigea d'un pas sûr dans les couloirs devenus familiers et quitta l'hôpital par une petite sortie donnant dans Monroe Avenue. Il avait étudié dans l'annuaire un plan du centre de la ville et savait qu'il pouvait facilement aller à pied jusqu'au cabinet de Gill Teal, à quatre rues de l'hôpital, au troisième étage d'un immeuble. Il marcha d'un bon pas. C'était un mardi, il ne voulait pas se faire surprendre faisant l'école buissonnière. Il était le seul enfant dans la rue et savait qu'il n'aurait pas dû s'y trouver.

Une nouvelle stratégie était en train de mûrir. Qu'y aurait-il de mal, se dit-il, les yeux rivés sur le trottoir, évitant les regards des passants, à passer un coup de fil anonyme à la police ou au FBI pour leur révéler où se trouvait précisément le corps ? Le secret ne pèserait plus uniquement sur lui. Si Romey n'avait pas raconté d'histoires, on trouverait le corps et l'assassin irait en prison.

Mais il y avait des risques. Son coup de téléphone de la veille avait été désastreux. La personne à qui il s'adresserait saurait que c'était un enfant qui parlait. L'appel serait enregistré, le FBI analyserait sa voix. Les gens de la mafia n'étaient pas idiots.

Ce n'était peut-être pas une très bonne idée.

Il tourna dans la 3e Rue et se faufila dans la tour Sterick. Un immeuble ancien, très haut. L'entrée était dallée de marbre. Il prit l'ascenseur avec une foule de grandes personnes, appuya sur le bouton du troisième. Quatre autres étages furent demandés par des gens bien habillés, un porte-documents sous le bras. Ils discutaient calmement, de la voix étouffée que l'on prend dans un ascenseur.

Le premier arrêt de la cabine était à son étage. Il s'avança dans le petit hall d'où partaient trois couloirs. Il choisit celui de gauche, la démarche dégagée, s'efforçant de paraître calme, comme si la recherche d'un avocat était une tâche coutumière. L'immeuble grouillait d'avocats. Les noms étaient gravés sur d'élégantes plaques de bronze vissées sur les portes, couvertes pour certaines de noms assez longs et intimidants, avec des tas d'initiales, suivies d'un point. J. Winston Buckner. F. MacDonald Durston. I. Hempstead Crawford. Plus Mark lisait de noms, plus il avait envie de voir les deux petits mots : Gill Teal.

Il trouva ce qu'il cherchait au fond du couloir. Il n'y avait pas de plaque de bronze. Les mots « GILL TEAL—L'AVOCAT DU PEUPLE », peints en grosses lettres noires, s'étalaient du haut en bas de la porte. Trois personnes attendaient dans le couloir.

Mark prit son courage à deux mains et entra. Il y avait un monde fou. La petite salle d'attente était bourrée de gens à l'air triste, victimes de toutes sortes d'accidents. Il y avait des béquilles dans tous les coins et deux fauteuils roulants. Pas un seul siège libre, un pauvre homme portant une minerve était assis sur un coin de la table basse, la tête ballottant en tous sens, comme celle d'un nouveau-né. Une dame au pied emprisonné dans un plâtre sale sanglotait doucement. Une petite fille au visage affreusement brûlé s'agrippait à sa mère. La guerre n'aurait pas suscité spectacle plus pitoyable. C'était pire que la salle des urgences de l'hôpital.

Gill Teal savait s'y prendre pour racoler des clients. Au moment où Mark décidait de repartir, une femme s'adressa à lui avec brusquerie.

— Qu'est-ce que tu cherches ?

C'était une grosse dame, derrière le guichet de la réception.

– Toi, petit, tu veux quelque chose ?

La voix résonna dans la pièce, mais personne n'y prêta attention. Chacun restait replié sur sa souffrance. Mark s'avança vers le guichet et leva les yeux vers le visage laid et renfrogné.

– Je voudrais voir M. Teal, fit-il doucement en coulant un regard dans la pièce bondée.

– Vraiment ? lança-t-elle en saisissant une feuille qu'elle parcourut des yeux. As-tu pris rendez-vous ?

– Non, madame.

– Comment t'appelles-tu ?

– Euh... Mark Sway. C'est une affaire très confidentielle.

– Je n'en doute pas, fit-elle, le toisant des pieds à la tête. Quel genre d'accident ?

Il pensa au camion-citerne, à l'excitation de Gill Teal, mais comprit qu'il ne lui ferait pas avaler ça.

– Euh... Je n'ai pas eu d'accident.

– Alors, ce n'est pas la bonne adresse. Pourquoi as-tu besoin d'un avocat ?

– C'est une longue histoire.

– Écoute, petit, tu vois tous ces gens ? Ils ont tous rendez-vous avec M. Teal. C'est un homme très pris, qui ne s'occupe que de victimes d'accidents.

– Je vois.

Mark commença à reculer en songeant au terrain miné par les cannes et les béquilles qu'il devait traverser.

– Allez, sois gentil, va embêter quelqu'un d'autre.

– Pas de problème. Si je me fais renverser par un camion, je reviendrai vous voir.

Il descendit par l'escalier et explora le deuxième étage. Des avocats, partout. Sur une porte, il compta vingt-deux noms couchés sur leur plaque de bronze. Une montagne d'avocats. Il y en avait bien un qui pourrait l'aider. Il en croisa quelques-uns dans le couloir, trop absorbés pour le voir.

Un gardien apparut, s'avança lentement vers lui. Mark tourna la tête vers la porte la plus proche. Il vit l'inscription « Reggie Love – avocat », en petits caractères, tourna la poignée d'un air détaché et entra. La réception exiguë était vide et silencieuse. Pas un client en vue. Deux fauteuils et un canapé étaient disposés autour d'une table de verre, sur laquelle des revues étaient soigneusement empilées. Une musique douce venait du plafond, un beau tapis couvrait le parquet. Un jeune homme en chemise et cravate se leva d'un bureau caché par des plantes en pot et fit quelques pas dans sa direction.

– Que puis-je faire pour toi ? demanda-t-il d'un ton affable.

– J'ai besoin de voir un avocat.

– Tu n'es pas un peu jeune pour avoir besoin d'un avocat ?

– Si, mais j'ai des problèmes. Vous êtes Reggie Love ?

– Non, elle est dans son bureau. Je suis secrétaire. Comment t'appelles-tu ?

Il était le secrétaire, l'avocat était une femme.

– Euh... Mark Sway. Vous êtes secrétaire ?

– Et assistant juridique, entre autres. Et toi, pourquoi n'es-tu pas à l'école ?

D'après la plaque sur son bureau, il s'appelait Clint Van Hooser.

– Alors, vous n'êtes pas avocat ?

– Non, l'avocat, c'est Reggie.

– Alors, c'est à elle qu'il faut que je parle.

– Elle est occupée, mais tu peux t'asseoir, fit Clint en indiquant le canapé.

– Elle en a pour longtemps ? demanda Mark.

– Je ne sais pas, répondit le jeune homme, amusé par ce gamin qui avait besoin d'un avocat. Je vais lui dire que tu attends. Elle pourra peut-être t'accorder une minute.

– C'est très important.

Le gamin était nerveux et sincère. Il lança un regard furtif vers la porte, comme s'il craignait d'être suivi.

– Tu as des ennuis, Mark ?

– Oui.

– Quel genre d'ennuis ? Il faut que tu m'en parles un petit peu, sinon Reggie ne voudra pas te recevoir.

– Je dois parler au FBI à midi et je crois que j'ai besoin d'un avocat.

Ce fut suffisant pour Clint.

– Assieds-toi, dit-il. Je reviens tout de suite.

Mark se laissa glisser dans un fauteuil. Dès que Clint eut disparu, il ouvrit l'annuaire par professions et chercha la rubrique avocats. Il retrouva Gill Teal, sa photo en couleurs. Des pages et des pages d'inscriptions en caractères énormes, sollicitant les victimes d'accidents. Des photos d'hommes et de femmes, l'air affairé et important, un gros bouquin de droit à la main ou assis à un grand bureau, un écouteur collé à l'oreille. Puis des annonces sur une demi-page, sur un quart de page. Toujours pas de Reggie Love. Quel genre d'avocat était-elle donc ?

Il y en avait des milliers dans les pages jaunes de Memphis. Elle ne devait pas être très cotée si l'annuaire lui accordait si peu de place. L'idée de s'enfuir de son cabinet traversa l'esprit de Mark. Mais il pensa à Gill Teal, l'avocat du peuple, la vedette des pages jaunes, assez célèbre pour passer à la télévision, et au spectacle de ce cabinet qu'il venait de quitter. Non, décida-t-il, je vais tenter ma chance avec Reggie Love. Elle a peut-être besoin de clients. Elle aura peut-être plus de temps à me consacrer. L'idée d'avoir une femme pour avocat lui plut, il lui revint en mémoire un épisode de *La Loi de Los Angeles* où une avocate avait ridiculisé des flics. Il referma l'annuaire et le replaça soigneusement dans le porte-revues, près du fauteuil. La pièce était fraîche, agréable et silencieuse.

Clint referma la porte et s'avança sur le tapis persan, vers le bureau où Reggie, au téléphone, écoutait plus qu'elle ne parlait. Clint posa trois messages devant elle et lui fit le signe convenu pour indiquer que quelqu'un attendait à la réception. Il s'assit sur un coin du bureau, arrangea quelques papiers sans la quitter des yeux.

Le cuir était absent de la pièce. Les murs étaient tapissés d'un papier à motifs floraux dans les tons rose pâle. Un bureau de verre et d'acier chromé immaculé occupait un angle du tapis. Les fauteuils aux lignes pures étaient recouverts d'un tissu bordeaux. C'était, à n'en pas douter, le bureau d'une femme. Une femme très soigneuse.

À cinquante-deux ans, Reggie Love exerçait depuis moins de cinq ans. De taille moyenne, elle avait des cheveux gris très courts, dont la frange tombait presque au ras des lunettes rondes, cerclées de noir. Ses yeux verts fixés sur Clint se mirent à pétiller, comme si elle venait d'entendre quelque chose de drôle. Elle les leva au plafond et secoua la tête.

– Au revoir, Sam, dit-elle enfin, avant de raccrocher.

– J'ai un nouveau client pour vous.

– Je n'ai pas besoin de nouveaux clients, Clint. Ce que je veux, ce sont des clients qui peuvent payer. Comment s'appelle-t-il ?

– Mark Sway. C'est un enfant, une dizaine d'années, pas plus de douze. Il a dit qu'il devait voir des agents du FBI à midi et avait besoin d'un avocat.

– Il est seul ?

– Oui.

– Comment a-t-il atterri ici ?

– Aucune idée. Je ne suis que votre secrétaire. Vous lui poserez la question vous-même.

Reggie se leva et fit le tour du bureau.

– Faites-le entrer. Et venez me délivrer dans un quart d'heure. J'ai des tas de choses à faire, ce matin.

– Suis-moi, Mark.

Il suivit Clint qui poussa une porte étroite donnant dans un couloir. Sur la porte du cabinet en verre coloré une petite plaque de cuivre portait la même inscription : « Reggie Love – avocat ». Clint ouvrit et fit signe à Mark d'entrer.

Mark fut d'abord frappé par ses cheveux. Gris, plus courts que les siens ; ras au-dessus des oreilles et sur la nuque, plus épais sur le crâne, avec une longue frange. Jamais il n'avait vu une femme avec des cheveux gris coupés si court. Elle n'était pas vieille, mais pas jeune non plus.

Elle lui sourit en l'accueillant sur le seuil.

– Bonjour, Mark, je suis Reggie Love.

Elle tendit une main qu'il prit en hésitant, serra vigoureusement la sienne. Il n'avait pas l'habitude de donner une poignée de main à une femme. Elle n'était ni grande ni petite, ni mince ni grosse. Elle portait une robe droite et noire, des bracelets noir et or aux deux poignets. Il les entendit cliqueter.

– Je suis ravi de faire votre connaissance, fit-il d'une voix faible.

Elle l'entraîna vers un angle de la pièce où deux fauteuils moelleux étaient disposés devant une table avec des livres illustrés.

– Assieds-toi, dit-elle. Je n'ai pas beaucoup de temps.

Mark s'assit au bord d'un siège et se sentit brusquement terrifié. Il avait menti à sa mère. Il avait menti à la police. Il avait menti au docteur Greenway. Il s'apprêtait à mentir au FBI. Romey était mort depuis moins de vingt-quatre heures et il mentait effrontément à tous ceux qui l'interrogeaient. Il continuerait certainement à mentir au prochain qui lui poserait des questions. Le moment était peut-être venu de dire la vérité, pour changer un peu. Cela pouvait faire peur de dire la vérité, mais, en général, on se sentait mieux après. L'idée de tout déballer à une inconnue avait pourtant de quoi glacer le sang.

– Veux-tu boire quelque chose ?

– Non, madame.

– Tu t'appelles Mark Sway, c'est bien ça ? demanda-t-elle en croisant les jambes. Et ne m'appelle pas madame, s'il te plaît. Je ne veux pas entendre de « Madame Love » ni quoi que ce soit. Reggie tout court. Je suis assez âgée pour être ta grand-mère, mais appelle-moi Reggie, d'accord ?

– D'accord.

– Quel âge as-tu, Mark ? Parle-moi un peu de toi.

– J'ai onze ans. Je suis en huitième à Willow Road.

– Pourquoi n'es-tu pas allé à l'école, ce matin ?

– C'est une longue histoire.

– Je vois. Et tu es ici à cause de cette longue histoire ?

– Oui.

– As-tu envie de me la raconter, ton histoire ?

– Je crois.

– Clint a dit que tu devais voir des agents du FBI à midi. C'est vrai ?

– Oui. Ils veulent m'interroger, à l'hôpital.

Elle prit un bloc sur la table et griffonna quelques mots.

– Quel hôpital ?

– Cela fait partie de la longue histoire. Je peux vous demander quelque chose, Reggie ?

C'était drôle d'appeler cette femme d'âge mûr par un prénom de joueur de base-ball. Il avait vu un mauvais téléfilm sur la vie de Reggie Jackson et se souvenait de la foule scandant « Reggie ! Reggie ! » à l'unisson.

– Bien sûr.

Elle souriait beaucoup, manifestement ravie d'être avec cet enfant qui cherchait un avocat. Mark savait que le sourire s'effacerait s'il lui racontait toute l'histoire. Elle avait de jolis yeux, et ils pétillaient.

– Si je vous raconte quelque chose, vous le répéterez ?

– Bien sûr que non. C'est confidentiel, secret professionnel.

– Qu'est-ce que ça veut dire ?

– Simplement que je n'ai pas le droit de répéter un mot de ce que tu me dis, sauf si tu m'en donnes l'autorisation.

– Jamais ?

– Jamais. C'est comme si tu parlais à ton médecin ou à un prêtre. Les conversations ont lieu sous le sceau du secret. Tu comprends ?

– Je crois. En aucun cas...

– En aucun cas je ne peux répéter à quiconque ce que tu me dis.

– Et si je vous dis quelque chose que personne ne sait ?

– Je n'ai pas le droit de le répéter.

– Quelque chose que la police tient vraiment à savoir ?

– Je n'ai pas le droit.

Au début, ces questions l'amusèrent, mais la détermination du gamin la poussa à s'interroger.

– Quelque chose qui pourrait vous attirer des tas d'ennuis ?

– Je n'ai pas le droit.

Mark la regarda une longue minute, sans ciller, et se persuada qu'il pouvait avoir confiance en elle. Son visage était chaleureux, ses yeux réconfortants. Elle était détendue, on lui parlait facilement.

– As-tu d'autres questions ?

– Oui. Pourquoi vous appelez-vous Reggie ?

– J'ai changé de prénom, il y a plusieurs années. Avant, je m'appelais Regina, j'étais mariée avec un médecin, et puis il m'est arrivé des tas de choses désagréables et j'ai décidé de m'appeler Reggie.

– Vous êtes divorcée ?

– Oui.

– Mes parents aussi.

– J'en suis désolée.

– Ce n'est pas la peine. Mon frère et moi, on a été très heureux quand ils ont divorcé. Mon père buvait beaucoup et nous battait. Il battait maman aussi. On l'a toujours détesté, Ricky et moi.

– Ricky est ton frère ?

– Oui. C'est lui qui est à l'hôpital.

– Qu'est-ce qu'il a ?

– Cela fait partie de la longue histoire.

– Quand voudras-tu me la raconter, cette histoire ?

Mark hésita, quelques pensées lui traversèrent l'esprit. Il n'était pas encore prêt à tout dire.

– Combien prenez-vous ?

– Je ne sais pas. De quel genre d'affaire s'agit-il ?

– De quoi vous occupez-vous ?

– Surtout d'enfants maltraités ou délaissés. Des enfants abandonnés aussi. Beaucoup d'adoptions. Quelques cas de négligence médicale avec des nourrissons. Mais surtout des mauvais traitements. J'ai des cas assez graves.

– Tant mieux, parce que celui-ci est vraiment grave. Une personne est morte, une autre à l'hôpital. La police et le FBI veulent m'interroger.

– Écoute, Mark, je suppose que tu n'as pas beaucoup d'argent pour prendre un avocat. Je me trompe ?

– Non.

– En principe, tu dois me verser quelque chose à titre d'avance sur honoraires. Dès que c'est fait, je deviens ton avocat et nous examinons la situation. As-tu un dollar sur toi ?

– Oui.

– Alors, pourquoi ne me le donnes-tu pas, comme acompte ?

Mark sortit un billet d'un dollar de sa poche et le lui tendit.

– C'est tout ce que j'ai.

Reggie ne voulait pas de l'argent de l'enfant, mais elle l'accepta, par souci de la déontologie, et parce que ce serait sans doute le seul et unique versement. Et il était fier d'avoir pris un avocat. Elle trouverait bien un moyen de le lui rendre.

– Très bien, dit-elle en posant le billet sur la table. Maintenant, je suis l'avocat et tu es le client. Je peux écouter ton histoire.

Il plongea de nouveau la main dans sa poche et lui tendit l'article découpé dans le journal que Greenway leur avait donné.

– Avez-vous lu ça ? demanda-t-il. C'était dans le journal de ce matin.

Sa main et le bout de papier tremblaient.

– As-tu peur, Mark ?

– Un peu, oui.

– Essaie de te détendre, tu veux ?

– D'accord, je vais essayer. Avez-vous lu ça ?

– Non, je n'ai pas encore lu le journal.

Elle prit le papier, lut attentivement l'article. Mark suivit les mouvements de ses yeux.

– Bon, fit-elle, quand elle eut terminé.

– L'article dit que le corps a été découvert par deux garçons. Ricky et moi.

– L'expérience a dû être horrible, mais ce n'est pas un crime de découvrir un cadavre.

– Tant mieux. Ce n'est pas tout, loin de là.

Le sourire de Reggie avait disparu, son stylo était prêt.

– Je veux entendre ton histoire maintenant.

Mark respira profondément, très vite. Les quatre beignets lui restaient sur l'estomac. Il avait peur, mais il savait aussi qu'il se sentirait mieux quand ce serait terminé. Il s'enfonça dans le fauteuil, prit une longue inspiration et baissa les yeux.

Il commença par son expérience de fumeur surpris par son frère. Puis le bois, la voiture, le tuyau d'arrosage, le gros bonhomme du nom de Jerome Clifford. Il parlait lentement, car il tenait à ne rien laisser de côté, et pour permettre à son avocat de tout noter.

Clint essaya de les interrompre au bout d'un quart d'heure, mais Reggie lui fit les gros yeux et il ressortit rapidement.

Ce premier récit, entrecoupé de rares questions de Reggie, prit vingt minutes. Il y avait des blancs, des lacunes, pas à cause de Mark, juste des passages à éclaircir sur lesquels elle revint au long de la deuxième relation, d'une même durée de vingt minutes. Ils s'interrompirent pour prendre un café et un verre d'eau glacée apportés par Clint, puis Reggie décida de poursuivre la conversation à son bureau, étala ses notes et s'apprêta à écouter une troisième fois cette étonnante histoire. Elle remplit un bloc, en commença un autre. L'heure n'était plus aux sourires. La conversation à bâtons rompus entre grand-mère et petit-fils avait fait place à des questions précises, cherchant à établir des faits, éclaircir les détails.

Les seuls que Mark lui cacha avaient trait à l'endroit exact où se trouvait le corps du sénateur Boyd Boyette, du moins à ce que Romey lui avait confié à ce sujet. Au fil de la conversation placée sous le sceau du secret professionnel, il devint évident à Reggie que

Mark savait où le corps avait été dissimulé et elle entreprit, avec habileté et prudence, d'obtenir ce renseignement. Peut-être lui poserait-elle la question, peut-être pas. Ce serait, en tout état de cause, la dernière chose dont ils parleraient.

Au bout d'une heure, elle fit une nouvelle pause pour relire l'article, deux fois de suite. Puis une troisième. Cela semblait coller. Il connaissait trop de détails pour mentir. Une telle histoire ne pouvait être le produit d'un cerveau hyperactif. Et le pauvre gosse mourait de peur.

Clint fit une nouvelle apparition à 11 h 30 pour informer Reggie que son client suivant attendait depuis une heure. Sans lever le nez de ses notes, elle lui demanda d'annuler le rendez-vous. Clint se retira, Mark fit quelques pas dans la pièce pendant qu'elle lisait. Il se planta devant la fenêtre et regarda les voitures dans la 3ᵉ Rue. Puis il regagna son siège et attendit.

Son avocat avait l'air profondément troublé. Il eut envie de la plaindre. Tant de noms, tant de visages dans les pages jaunes, et il avait fallu que ce soit entre les mains de Reggie Love qu'il dépose cette bombe à retardement.

– De quoi as-tu peur, Mark ? demanda-t-elle en se frottant les yeux.

– D'un tas de choses. J'ai menti à la police et je crois qu'ils le savent. J'ai la trouille. Mon petit frère est dans le coma à cause de moi, par ma faute. J'ai raconté des histoires au médecin. Je ne sais pas quoi faire et je suppose que c'est pour ça que je suis ici. Dites-moi ce que je dois faire.

– Est-ce que tu m'as tout dit ?

– Presque.

– Est-ce que tu m'as menti ?

– Non.

– Sais-tu où le corps est caché ?

– Je crois. Si ce que m'a dit Jerome Clifford est vrai.

L'espace d'un instant, Reggie redouta qu'il ne laisse échapper son secret. Mais il n'en fut rien et ils se regardèrent un long moment.

– Veux-tu me dire où il est ? demanda-t-elle enfin.

– Voulez-vous que je vous le dise ?

– Je n'en suis pas sûre. Qu'est-ce qui te retient de le dire ?

– J'ai peur. Je ne veux pas que quelqu'un d'autre sache ce que je sais, parce que Romey a dit que son client avait déjà tué des tas de gens et qu'il avait l'intention de le tuer aussi. Si c'est vrai et s'il croit que je connais son secret, il va essayer de me retrouver. Si je raconte tout aux flics, il sera obligé de le faire. Il fait partie de la mafia, c'est ça qui me fiche la trouille. Vous n'auriez pas peur, vous, à ma place ?

– Je crois que si.

– Les flics m'ont menacé si je ne leur dis pas la vérité. De toute façon, ils pensent que je mens. Je ne sais pas quoi faire. Vous croyez que je devrais parler au FBI et à la police ?

Reggie se leva et se dirigea lentement vers la fenêtre. Elle n'avait pas d'avis très clair sur la question. Si elle suggérait à son nouveau client de vider son sac au FBI et s'il suivait son conseil, sa vie pouvait réellement être en danger. Aucune loi ne l'obligeait à parler. Entrave à l'action de la justice, peut-être, mais c'était encore un enfant. Ils ne pouvaient être certains de ce qu'il savait et, tant qu'ils resteraient incapables de le prouver, il ne risquait rien.

– Voici ce que je te propose, Mark. Tu ne me dis pas où est le corps, pas tout de suite. Plus tard, peut-être, mais pas maintenant. Nous verrons les agents du FBI, nous les écouterons. Tu n'auras pas à ouvrir la bouche, c'est moi qui parlerai. Quand ce sera terminé, nous déciderons ensemble de ce qu'il faut faire.

– Ça me va.

– Ta mère sait que tu es ici ?

– Non. Il faut que je l'appelle.

Reggie chercha dans l'annuaire et composa le numéro de l'hôpital. Mark expliqua à Dianne qu'il était allé faire un tour et qu'il revenait tout de suite. Reggie remarqua qu'il mentait avec aisance. Il écouta un moment, l'air troublé.

– Comment va-t-il ? Bon, j'arrive.

Il raccrocha et se tourna vers Reggie.

– Maman est inquiète. Ricky est en train de sortir du coma et elle ne trouve pas le docteur Greenway.

– Je t'accompagne jusqu'à l'hôpital.

– Ce serait sympa.

– Où le FBI veut-il te rencontrer ?

– A l'hôpital, je crois.

Elle regarda sa montre et glissa deux carnets pour prendre des notes dans son porte-documents. La nervosité la gagnait. Mark attendit à la porte.

9

Le deuxième avocat engagé par Barry Muldanno pour le défendre contre cette odieuse inculpation d'assassinat était un autre homme de main sans scrupules, du nom de Willis Upchurch, une étoile montante parmi ces avocats au pénal avides d'attirer l'attention sur eux, qui parcouraient le pays au bénéfice des truands et des caméras. Upchurch avait un cabinet à Chicago, un à Washington et un dans toute grande ville où il décrochait une affaire qui faisait couler de l'encre. Dès la fin de la conversation téléphonique avec Muldanno, il sauta dans un avion à destination de La Nouvelle-Orléans pour organiser dans un premier temps une conférence de presse avant de mettre au point une défense tapageuse avec son nouveau et célèbre client. Après avoir amassé une petite fortune et bâti sa réputation à Chicago sur sa défense véhémente des tueurs de la mafia et des trafiquants de drogue, depuis une dizaine d'années il était très sollicité par les chefs mafieux. Ses résultats étaient moyens, mais ce n'était pas la proportion des réussites et des échecs qui attirait les clients. C'était son visage ardent, ses cheveux en broussaille, sa voix tonitruante. Upchurch aimait se montrer dans les revues, les articles de presse, la rubrique des échos, les livres écrits à la va-vite, sans oublier les plateaux de télévision. Il avait des opinions tranchées, n'hésitait pas à faire des prédictions. Catégorique, il ne mâchait pas ses mots, ce qui faisait de lui un invité recherché des programmes télévisés les plus bas de gamme.

Il n'acceptait que les affaires au parfum de sensationnel, avec manchettes et caméras. Il préférait les clients fortunés, mais si un tueur en série avait besoin d'un coup de main, Upchurch arrivait avec un contrat lui donnant l'exclusivité des droits littéraires et cinématographiques.

Upchurch tirait un immense plaisir de cette notoriété et recevait des louanges mesurées de l'extrême gauche pour sa défense vigoureuse d'assassins indigents, mais finalement il n'était qu'un avocat de la mafia, qui se servait de lui à son gré et le payait quand bon lui semblait. On lui lâchait un peu la bride, on le laissait pérorer, mais il accourait dès qu'on le sifflait.

Quand Johnny Sulari, l'oncle de Barry, appela à 4 heures du matin, Upchurch accourut. L'oncle lui fit part en quelques mots du suicide inopportun de Jerome Clifford. Upchurch saliva quand Sulari lui demanda de sauter dans le premier avion à destination de La Nouvelle-Orléans. Il se rua dans la salle de bains, émoustillé à l'idée de défendre Barry Muldanno devant tant de caméras. Il sifflota sous la douche en songeant à toute l'encre que cette affaire avait déjà fait couler et à la perspective de tenir la vedette. Il se sourit dans le miroir en nouant sa cravate à quatre-vingt-dix dollars et en se disant qu'il allait passer six mois à La Nouvelle-Orléans, la presse à ses genoux.

C'est pour cela qu'il avait fait son droit !

La scène avait de quoi faire peur. La perfusion avait été retirée ; Dianne, dans le lit, serrait Ricky dans ses bras en lui massant le front. Elle l'étreignait avec force, les jambes enroulées autour des petites jambes de son fils. Il gémissait, grognait et s'agitait, le corps parcouru de soubresauts. Ses yeux s'ouvraient, se refermaient. Dianne appuya sa tête contre la sienne et lui parla doucement, d'une voix entrecoupée de sanglots.

– Tout va bien, mon bébé. Tout va bien. Maman est là. Maman est là.

Greenway se tenait près du lit, les bras croisés, caressant sa barbe. Il paraissait perplexe, comme s'il n'avait jamais vu ça. Une infirmière attendait de l'autre côté du lit.

Mark entra lentement dans la chambre, sans se faire remarquer. Reggie s'était arrêtée au bureau des infirmières. Il était près de midi, l'heure du FBI et des questions, mais Mark comprit aussitôt qu'aucun des occupants de la chambre ne se souciait le moins du monde de la police.

– Tout va bien, mon bébé. Tout va bien. Maman est là.

Mark s'avança à pas de loup jusqu'au pied du lit pour mieux voir. Dianne esquissa un sourire, puis ferma les yeux et se remit à chuchoter dans l'oreille de Ricky.

Au bout de plusieurs minutes, Ricky ouvrit les yeux, sembla remarquer la présence de sa mère et la reconnaître. Il cessa de s'agiter. Elle l'embrassa une douzaine de fois sur le front. L'infirmière tapota l'épaule de Ricky en souriant et susurra quelques mots.

Greenway se tourna vers Mark, indiqua la porte de la tête. Mark le suivit dans le couloir désert. Ils se dirigèrent lentement vers le fond, s'éloignant du bureau des infirmières.

– Il a repris conscience il y a à peu près deux heures, expliqua le psychiatre. Il semble que le réveil soit assez lent.

– Il a dit quelque chose ?

– A quoi penses-tu ?

– Vous savez bien, sur ce qui s'est passé hier.

– Non. Il a beaucoup marmonné, ce qui est bon signe, mais n'a pas encore articulé un seul mot.

C'était réconfortant, dans un sens. Mark serait obligé de ne pas s'éloigner de la chambre, au cas où il parlerait.

– Alors, il va guérir ?

– Je n'ai pas dit ça.

Le chariot du déjeuner s'arrêta au milieu du couloir ; ils le contournèrent.

– Je crois qu'il guérira, reprit le médecin, mais cela peut prendre du temps.

Pendant le long silence qui suivit, Mark se demanda avec inquiétude si le docteur Greenway attendait qu'il dise quelque chose.

– Est-ce que ta mère est forte ?

– Assez, je crois. On en a bavé, tous les deux.

– Où habite le reste de ta famille ? Elle aura besoin d'être bien entourée.

– Il n'y a pas de famille. Elle a bien une sœur, au Texas, mais elles ne s'entendent pas. Et sa sœur a ses problèmes, elle aussi.

– Tu as des grands-parents ?

– Non. Mon ex-père était orphelin. Ses parents ont dû l'abandonner quelque part, quand ils ont vu à qui ils avaient affaire. Le père de ma mère est mort, sa mère vit au Texas. Elle est tout le temps malade.

– Je suis navré.

Ils s'arrêtèrent au fond du couloir, devant une fenêtre sale donnant sur les immeubles du centre de Memphis. La tour Sterick dominait les autres.

– Le FBI commence à me casser les pieds, fit Greenway.

Vous n'êtes pas le seul, songea Mark.

– Où sont-ils, en ce moment ?

– Salle 28. Une petite salle de conférences, au deuxième étage, rarement utilisée. Ils nous attendent, ta mère, toi et moi, à midi pile. Et ils n'ont pas l'air de plaisanter.

Greenway regarda sa montre et repartit vers la chambre.

– Ils sont assez nerveux.

– Je suis prêt à les affronter, fit crânement Mark.

– Que veux-tu dire ? demanda Greenway, l'air perplexe.

96

– J'ai pris un avocat.
– Quand ?
– Ce matin. Elle est là, dans le couloir.
Greenway regarda devant lui, mais un coude du couloir l'empêchait de voir le bureau des infirmières.
– Ton avocat est ici ? fit-il d'un ton incrédule.
– Ouais.
– Comment as-tu trouvé un avocat ?
– C'est une longue histoire. Mais je l'ai payée avec mon argent.
Le psychiatre réfléchit en avançant d'un pas traînant.
– Tu sais, reprit-il, que ta mère ne doit en aucun cas quitter Ricky. Et je ne peux pas me permettre de m'éloigner.
– Pas de problème. Je m'occupe de tout avec l'avocat.
Ils s'arrêtèrent devant la porte de la chambre de Ricky, que Greenway poussa après un instant d'hésitation.
– Je peux les faire patienter jusqu'à demain. En fait, je peux même leur ordonner de quitter l'hôpital.
Il essayait de jouer les durs, mais Mark ne fut pas dupe.
– Merci, dit-il, mais ils ne partiront pas. Occupez-vous de Ricky et de maman. Je me charge du FBI avec l'avocat.

Reggie avait déniché une chambre libre au huitième étage. Ils descendirent l'escalier quatre à quatre ; ils avaient déjà dix minutes de retard.
– Relève ta chemise, dit-elle en refermant la porte.
Mark s'immobilisa et lui lança un regard étonné.
– Relève ta chemise ! répéta-t-elle.
Pendant qu'il commençait à remonter le sweat-shirt des Memphis State Tigers, elle ouvrit son porte-documents, y prit d'abord un petit magnétophone noir, puis une bande élastique munie d'une fermeture Velcro. Elle s'assura que la microcassette était en place et enfonça plusieurs touches. Mark suivit tous ses mouvements. A l'évidence, elle avait souvent utilisé l'appareil qu'elle appuya contre son estomac.
– Tiens-le comme ça, dit-elle.
Elle fit passer la bande dans une boucle du magnétophone, l'enroula autour de la taille de Mark, une fois dans chaque sens, et la fixa solidement par le Velcro.
– Respire à fond, dit-elle.
Mark respira et rentra le sweat-shirt dans son jean. Reggie fit un pas en arrière, les yeux fixés sur son estomac.
– Parfait, fit-elle.
– Et s'ils me fouillent ?
– Ils ne te fouilleront pas. En route.

Elle saisit son porte-documents et ils sortirent.

– Comment pouvez-vous savoir qu'ils ne me fouilleront pas ? insista Mark, très inquiet, en pressant le pas pour ne pas se laisser distancer, sous le regard soupçonneux d'une infirmière.

– Parce qu'ils veulent te poser des questions, pas t'arrêter. Fais-moi confiance.

– Je vous fais confiance, mais j'ai la trouille.

– Tu te débrouilleras très bien, Mark. Mais n'oublie pas ce que je t'ai dit.

– Vous êtes sûre qu'ils ne verront pas votre machin ?

– Absolument.

Elle poussa d'un coup d'épaule une porte donnant dans la cage d'escalier et commença à dévaler les marches de ciment peintes en vert, Mark sur ses talons.

– Et si un bip se déclenche, s'ils piquent une crise et sortent leur pétard ? Qu'est-ce que je fais ?

– Il n'y a pas de bip.

Elle lui prit la main, la serra très fort et ne la lâcha pas avant le deuxième étage.

– Ils ne tirent pas sur les enfants, tu sais.

– Si, j'ai déjà vu ça dans un film.

Construit bien des années avant le neuvième, le deuxième étage, gris et sale, avait des couloirs étroits grouillant d'une foule affairée d'infirmières, de médecins, d'agents hospitaliers et d'aides-soignants poussant des chariots, de patients en fauteuil roulant, de familles égarées, marchant sans but précis. Ces couloirs partant en tous sens se croisaient en embranchements chaotiques et formaient un labyrinthe inextricable. Reggie demanda à trois infirmières de lui indiquer où se trouvait la salle 28 ; l'une d'elles répondit en montrant une direction, sans ralentir le pas. Dans un couloir mal entretenu – moquette usée, éclairage insuffisant –, la sixième porte sur la droite était celle qu'ils cherchaient. Une porte de bois léger, sans vitre.

– J'ai peur, Reggie, souffla Mark, pétrifié.

Elle accentua l'étreinte de sa main. Si elle était nerveuse, elle n'en laissait rien paraître. Son visage était détendu, sa voix chaude, rassurante.

– Fais simplement ce que je t'ai dit, Mark. Je sais ce que je fais.

Ils firent quelques pas en arrière et Reggie ouvrit une porte identique, celle de la salle 24. C'était une ancienne salle d'attente, transformée en réserve.

– Je t'attendrai là, dit-elle. Va frapper à la porte, Mark.

– J'ai peur, Reggie.

Elle palpa soigneusement le magnétophone, fit courir ses doigts autour de l'appareil jusqu'à ce qu'elle trouve la touche Enregistrement.

– Vas-y, ordonna-t-elle en montrant le couloir.

Mark respira un grand coup et frappa. Il entendit des bruits de chaises à l'intérieur.

– Entrez, répondit une voix peu engageante.

Il ouvrit lentement la porte et franchit le seuil. La pièce était longue et étroite, de la même forme que la table qui en occupait le centre. Pas de fenêtre. Pas de sourire sur le visage des deux hommes assis de chaque côté de la table. Ils pouvaient passer pour des jumeaux : chemise blanche à col boutonné, cravate rouge et bleu, pantalon noir, cheveux courts.

– Tu dois être Mark, dit l'un des deux tandis que le regard de l'autre demeurait fixé sur la porte.

Mark hocha la tête, incapable de parler.

– Où est ta mère ?

– Euh... Qui êtes-vous ? parvint à articuler Mark.

– Jason McThune, FBI, Memphis, annonça celui de droite en tendant une main que Mark serra mollement. Content de faire ta connaissance, Mark.

– Tout le plaisir est pour moi.

– Je m'appelle Larry Trumann, fit le second. FBI, La Nouvelle-Orléans.

Mark échangea avec Trumann une poignée de main aussi mollasse que l'autre. Les agents fédéraux se regardèrent avec nervosité. Il y eut un silence gêné, ni l'un ni l'autre ne sachant par où commencer.

– Prends un siège, Mark, dit enfin Trumann en montrant la chaise au bout de la table.

McThune approuva de la tête et ébaucha un sourire. Mark s'assit avec précaution, terrifié à l'idée que le Velcro lâche et que son attirail se défasse. Ils sauteraient sur lui pour lui passer les menottes, l'embarqueraient vite fait dans leur voiture, et il ne reverrait jamais sa mère. Que ferait Reggie, après ça ? Les chaises se rapprochèrent, les calepins glissèrent vers lui, sur la table. Mark comprit que cela faisait partie du jeu. Il ne put retenir un petit sourire. Ils voulaient être tout près de lui, parfait : le petit magnéto ne raterait rien, les voix seraient claires.

– Nous... euh... nous pensions que ta mère et le docteur Greenway t'accompagneraient, fit Trumann avec un regard furtif en direction de son collègue.

– Ils sont restés avec mon frère.

– Comment va-t-il ? demanda McThune, l'air grave.

– Pas trop bien. Maman ne peut pas quitter sa chambre en ce moment.

– Nous pensions qu'elle serait avec toi, répéta Trumann en se tournant vers McThune, comme s'il hésitait sur la marche à suivre.

– Eh bien, suggéra Mark, nous pouvons attendre un ou deux jours, jusqu'à ce qu'elle puisse se libérer.

– Non, Mark, nous devons absolument parler maintenant.

– Je peux aller la chercher ?

– Non, fit Trumann en prenant un stylo dans la poche de sa chemise, nous allons discuter quelques minutes. Rien que nous trois. Tu te sens nerveux ?

– Un peu. Qu'est-ce que vous voulez ?

Il était encore transi de peur, mais respirait plus facilement. Le magnétophone n'avait pas émis de signal sonore ni de décharge électrique.

– Nous voulons te poser quelques questions sur ce qui s'est passé hier.

– J'ai besoin d'un avocat ?

Les deux hommes se tournèrent l'un vers l'autre d'un même mouvement, la bouche ouverte, et au moins cinq secondes s'écoulèrent avant que McThune ne réponde, la tête légèrement penchée.

– Bien sûr que non.

– Pourquoi ?

– Parce que... nous voulons juste te poser quelques questions. C'est tout. Si tu estimes avoir besoin de ta mère, nous irons la chercher. Si c'est possible. Mais pas d'avocat. Nous avons quelques questions, c'est tout.

– La police m'a déjà interrogé. Je leur ai déjà parlé hier soir, un bon moment.

– Nous ne sommes pas la police, mais des agents du FBI.

– C'est bien ce qui me fait peur. C'est pour ça que je pense qu'il me faudrait peut-être un avocat, pour protéger mes droits et tout ça.

– Tu regardes trop la télé, petit.

– Je m'appelle Mark. Pouvez-vous au moins m'appeler par mon prénom ?

– D'accord, excuse-moi. Mais tu n'as pas besoin d'un avocat.

– C'est vrai, approuva Trumann, les avocats ne font que compliquer les choses. Il faut leur donner de l'argent et ils protestent contre tout.

– Vous ne croyez pas qu'il vaudrait mieux attendre que ma mère vienne ?

Les agents fédéraux échangèrent un petit sourire complice.

– Pas vraiment, Mark, répondit McThune. Nous pourrions attendre, si tu le souhaites, mais tu es un garçon intelligent, nous sommes réellement très pressés et nous n'avons que quelques questions rapides à te poser.

– D'accord. Si je ne peux pas faire autrement.

Trumann regarda son calepin et ouvrit le feu.

– Tu as déclaré à la police de Memphis que Jerome Clifford était déjà mort quand tu as découvert la voiture, avec ton frère. Dis-moi, Mark, est-ce bien la vérité ?

Sa question s'acheva en une sorte de ricanement, comme s'il savait pertinemment que non.

Mark se tortilla sur sa chaise, les yeux fixés droit devant lui.

– Suis-je obligé de répondre à cette question ?

– Bien sûr.

– Pourquoi ?

– Parce que nous devons connaître la vérité, Mark. Nous sommes des agents du FBI, nous enquêtons sur cette affaire et nous devons connaître la vérité.

– Que se passera-t-il si je ne réponds pas ?

– Des tas de choses. Nous serons peut-être obligés de te conduire dans nos locaux, à l'arrière de notre voiture, mais sans menottes, pour te cuisiner sérieusement. Et peut-être d'emmener ta mère.

– Qu'arrivera-t-il à ma mère ? Elle peut avoir des ennuis ?

– Peut-être.

– Quel genre ?

Ils gardèrent le silence, échangèrent des regards nerveux. Ils s'étaient engagés sur un terrain glissant et le danger se précisait à chaque phrase. Il est interdit d'interroger un enfant sans avoir d'abord parlé à ses parents.

Mais qu'est-ce que ça pouvait faire ? Sa mère n'était pas venue et il n'avait pas de père. C'était un pauvre gosse et il était seul. Une situation idéale. Ils n'auraient pu espérer mieux. Juste quelques questions rapides.

McThune s'éclaircit la voix, les sourcils froncés.

– Mark, demanda-t-il, as-tu entendu parler d'entrave à l'action de la justice ?

– Je ne crois pas.

– Eh bien, cela constitue un délit, mon garçon. Puni par les tribunaux fédéraux. Toute personne qui détient des renseignements sur un crime et refuse de les communiquer au FBI ou à la police peut en être reconnue coupable.

– Et que se passe-t-il ?

– Eh bien, si elle est reconnue coupable, cette personne peut être punie. Envoyée en prison, par exemple, quelque chose comme ça.

– Donc, si je ne réponds pas à vos questions, je peux aller en prison et ma mère aussi ?

McThune battit légèrement en retraite et se tourna vers son collègue. Le terrain devenait de plus en plus glissant.

– Pourquoi ne veux-tu pas répondre à cette question, Mark ? interrogea Trumann. Tu as quelque chose à cacher ?

– J'ai peur, c'est tout. Et puis ça ne me paraît pas correct ; je n'ai que onze ans, vous travaillez pour le FBI et ma mère n'est pas là. Je ne sais vraiment pas quoi faire.

– Tu ne peux donc pas répondre à ces questions sans la présence de ta mère ? Tu as vu quelque chose hier, Mark, et ta mère n'était pas avec toi. Elle ne peut pas t'aider à répondre. Tout ce que nous voulons, c'est savoir ce que tu as vu.

– Si vous étiez à ma place, vous exigeriez un avocat ?

– Certainement pas, répondit McThune. Pardonne mon langage, petit, mais les avocats sont des emmerdeurs. De la pire espèce. Si tu n'as rien à cacher, tu n'as pas besoin d'un avocat. Réponds sans mentir à nos questions et tout se passera bien.

Il devenait méchant, ce qui n'étonna pas Mark. Il fallait que l'un des deux le soit. Ce numéro du gentil et du méchant, il l'avait vu cent fois à la télé. McThune se ferait menaçant, Trumann sourirait beaucoup et irait jusqu'à marquer ostensiblement sa désapprobation envers son collègue, ce qui le ferait bien voir de Mark. McThune finirait par sortir en prenant un air dégoûté et Mark serait prêt à se mettre à table.

Trumann se pencha vers lui avec un sourire hypocrite.

– Dis-moi, Mark, Jerome Clifford était-il déjà mort quand vous l'avez découvert, Ricky et toi ?

– J'invoque le cinquième amendement.

Le sourire s'effaça. McThune s'empourpra et secoua la tête, contenant mal son irritation.

Dans le silence qui suivit, les deux agents se regardèrent longuement. Mark vit une fourmi traverser la table et disparaître sous un calepin.

C'est Trumann, le gentil, qui reprit la parole.

– Je crains que tu n'aies trop regardé la télévision, Mark.

– Vous voulez dire que je ne peux pas invoquer le cinquième amendement pour refuser de répondre ?

– Voyons voir, ricana McThune, je parie que tu regardes *La Loi de Los Angeles*.

– Toutes les semaines.

– Pas possible ! As-tu l'intention de répondre à nos questions, Mark ? Si tu ne veux pas, il nous faudra employer d'autres moyens.

– Lesquels ?

– Nous adresser à la justice. Expliquer l'affaire à un juge. Le convaincre d'exiger de toi que tu répondes. Tu passeras un mauvais quart d'heure.

– Il faut que j'aille aux toilettes, déclara Mark en écartant sa chaise de la table.

– Bien sûr, Mark, fit Trumann, redoutant soudain qu'il ne soit malade à cause d'eux. Je crois que c'est un peu plus loin, dans le couloir.

Mark était déjà arrivé à la porte.

– Prends le temps qu'il te faut, nous attendrons. Prends tout ton temps.

Il sortit et referma doucement la porte.

Pendant dix-sept minutes, les agents fédéraux firent la causette en jouant avec leur stylo, sans inquiétude. Ils étaient des agents chevronnés, ils avaient plus d'un tour dans leur sac. Ils étaient déjà passés par là : le gamin parlerait.

On frappa, McThune dit d'entrer. La porte s'ouvrit, une femme séduisante, la cinquantaine, entra comme dans son bureau.

– Restez assis, dit-elle, les voyant se lever précipitamment.

– Nous sommes en réunion, déclara Trumann.

– Vous vous êtes trompée de salle, lança McThune avec insolence.

Elle posa son porte-documents sur la table et tendit une carte à chaque agent.

– Je ne pense pas. Je m'appelle Reggie Love, je suis avocate et je représente Mark Sway.

Ils ne réagirent pas tout de suite. McThune examina la carte tandis que Trumann, bras ballants, cherchait quelque chose à dire.

– Quand vous a-t-il engagée ? demanda McThune en lançant à son collègue un regard où perçait le désarroi.

– Je ne vois pas en quoi cela vous regarde. Il ne m'a pas engagée, mais consultée. Asseyez-vous.

Elle se glissa avec grâce sur un siège qu'elle approcha de la table. Ils reprirent gauchement le leur, restant à bonne distance.

– Où est... où est Mark ? demanda Trumann.

– Il est parti, il invoque le cinquième amendement. Puis-je voir vos plaques d'identité, je vous prie ?

Ils portèrent instantanément la main à leur veste, fouillèrent fébrilement dans une poche et sortirent simultanément leur plaque. Elle les prit, les étudia attentivement, griffonna quelque chose sur un bloc de bureau. Quand elle eut terminé, elle fit glisser les plaques sur la table.

– Avez-vous, oui ou non, essayé d'interroger cet enfant sans que sa mère soit présente ?

– Non, répondit Trumann.

– Bien sûr que non, fit McThune, l'air outré.

– C'est pourtant ce qu'il m'a dit.

– Il est perturbé, affirma McThune. Nous nous sommes d'abord adressés au docteur Greenway qui a donné son accord pour une réunion à laquelle il devait participer en compagnie de Mark et Dianne Sway.

– Mais le petit est venu tout seul, ajouta vivement Trumann, impatient de tout expliquer. Quand nous lui avons demandé où était sa mère, il a répondu qu'elle ne pouvait se libérer dans l'immédiat. Nous avons pensé qu'elle allait sans doute venir, un peu plus tard, et nous avons commencé à bavarder avec le gosse.

– C'est ça, approuva McThune. En attendant Mme Sway et le médecin. Où étiez-vous pendant ce temps ?

– Ne posez pas de questions hors de propos. Avez-vous incité Mark à se faire assister par un avocat ?

Les agents fédéraux se regardèrent, cherchant mutuellement de l'aide dans les yeux de l'autre.

– Nous n'en avons pas parlé, fit Trumann avec un haussement d'épaules désinvolte.

En l'absence du gamin, il était plus facile de mentir. Ce n'était qu'un petit garçon effrayé, aux idées embrouillées, elle finirait bien par les croire, en leur qualité d'agents du FBI.

McThune s'éclaircit la voix.

– Si, Larry, souviens-toi, à un moment, Mark a parlé, à moins que ce ne soit moi, de *La Loi de Los Angeles,* et il a dit qu'il aurait peut-être besoin d'un avocat, mais il blaguait plus ou moins... C'est comme ça que nous l'avons pris, moi, en tout cas. Tu ne t'en souviens pas ?

– Mais oui, c'est vrai ! fit Larry, retrouvant la mémoire. Il a parlé de *La Loi de Los Angeles,* mais c'était pour plaisanter.

– En êtes-vous sûr ? demanda Reggie.

– Naturellement, protesta Trumann.

Le front plissé, McThune approuva son collègue d'un vigoureux hochement de tête.

– Il ne vous a pas demandé s'il avait besoin d'un avocat ?

Ils secouèrent la tête, fouillant désespérément dans leur mémoire.

– Je ne m'en souviens pas, fit McThune. Ce n'est qu'un enfant, il a eu très peur et cela l'a perturbé.

– L'avez-vous informé de ses droits ?

Cette question arracha un sourire à Trumann, qui se sentit plus sûr de lui.

– Bien sûr que non. Ce n'est pas un suspect, juste un gamin à qui nous avions quelques questions à poser.

– Vous n'avez pas essayé de l'interroger en l'absence de sa mère et sans son consentement ?

– Non.

– Bien sûr que non.

– Vous ne lui avez pas conseillé d'éviter les avocats, quand il vous a demandé votre avis ?

– Non, maître.

– Absolument pas. S'il vous a dit le contraire, il a menti.

Reggie ouvrit lentement son porte-documents, en sortit le petit magnétophone et la microcassette. Elle les plaça devant elle et posa le porte-documents au pied de sa chaise. Les yeux écarquillés, les agents spéciaux McThune et Trumann semblèrent se ratatiner sur leur siège.

Reggie les gratifia d'un sourire vachard.

– Je crois que nous savons qui ment.

McThune fit courir deux doigts le long de l'arête de son nez. Trumann se frotta les yeux. Elle les laissa mariner un moment dans un silence pesant.

– Tout est sur cette bande, messieurs. Vous avez essayé d'interroger un enfant en l'absence et sans le consentement de sa mère. Il vous a explicitement demandé s'il ne valait pas mieux attendre qu'elle puisse se libérer et vous avez répondu non. Vous avez essayé d'user de contrainte sur l'enfant en le menaçant de poursuites, non seulement contre lui, mais contre sa mère. Il vous a dit qu'il avait peur et, par deux fois, a demandé s'il avait besoin d'un avocat. Vous lui avez conseillé de ne pas en prendre, alléguant, entre autres raisons, que les avocats sont des emmerdeurs. Messieurs, l'emmerdeuse est devant vous.

Ils se tassèrent un peu plus sur leur chaise. McThune porta quatre doigts à son front et le massa doucement. Trumann considérait la cassette d'un air incrédule, en prenant soin de ne pas croiser le regard de l'avocate. L'idée lui vint de la saisir, de la mettre en lambeaux et de la piétiner, car elle pouvait lui coûter sa carrière, mais, au plus fort de son désarroi, il eut la conviction qu'elle avait fait une copie.

Se faire prendre en flagrant délit de mensonge était déjà assez grave, mais leurs ennuis pouvaient prendre une autre ampleur. Ils encouraient des mesures disciplinaires. Un blâme. Une mutation. Des éclaboussures sur leur dossier. Trumann eut la conviction que cette femme savait tout sur les sanctions infligées aux agents du FBI qui sortent du droit chemin.

– Notre conversation a été enregistrée, fit doucement Trumann, sans s'adresser à personne en particulier.

– Pourquoi pas ? Ce n'est pas un crime. Vous êtes des agents du FBI, vous vous y entendez en écoutes.

La garce, elle avait réponse à tout ! Pas étonnant, de la part d'une avocate. McThune se pencha vers la table, fit craquer ses jointures et décida de se rebiffer.

– Écoutez, maître Love, nous...

– Appelez-moi donc Reggie.

– D'accord, comme vous voulez. Écoutez, Reggie, nous sommes désolés. Nous, euh... nous nous sommes un peu laissé entraîner et... et nous nous excusons.

– *Un peu laissé entraîner* ? Cela pourrait vous coûter votre poste.

Pas question d'argumenter contre elle. Elle avait probablement raison et, même s'il était possible de discuter, ils n'en avaient pas le courage.

– Enregistrez-vous cette conversation ? demanda Trumann.

– Non.

– Bon, fit-il, incapable de la regarder en face, nous sommes allés trop loin. Acceptez nos excuses.

Reggie glissa lentement la bande dans la poche de sa veste.

– Regardez-moi donc, messieurs.

Ils levèrent les yeux vers elle, très lentement.

– Vous m'avez déjà prouvé que vous êtes capables de mentir avec aisance. Pourquoi devrais-je vous faire confiance ?

Trumann frappa du plat de la main sur la table, se leva bruyamment en affectant une attitude scandalisée et marcha à grands pas jusqu'au bout de la table.

– C'est incroyable ! lança-t-il, les mains levées. Nous sommes juste venus poser quelques questions à ce gamin, pour faire notre boulot, et nous voilà obligés de nous bagarrer avec vous ! Il ne nous a pas dit qu'il avait un avocat. S'il l'avait fait, nous n'aurions pas insisté. Pourquoi avez-vous fait ça ? Pourquoi avez-vous délibérément cherché à nous piéger ? C'est insensé !

– Que lui voulez-vous, à ce gosse ?

– Qu'il nous dise la vérité. Il a menti sur ce qu'il a vu hier. Nous le savons. Nous savons qu'il a parlé à Jerome Clifford avant sa mort. Nous savons que Mark est monté dans la voiture. Je peux comprendre qu'il ait menti. Ce n'est qu'un enfant, il a eu peur. Mais nous devons savoir ce qu'il a vu et entendu.

– Que croyez-vous qu'il ait vu et entendu ?

Accablé à l'idée de tout devoir expliquer à Foltrigg, Trumann s'appuya au mur. C'est précisément pour cela qu'il avait les gens de loi en horreur : Foltrigg, Reggie, tous dans le même sac. Ils rendaient la vie si compliquée.

– Vous a-t-il tout raconté ?

– Nos conversations sont couvertes par le secret professionnel.

– Je le sais. Mais, vous, savez-vous qui était Clifford, et Muldanno, et Boyd Boyette ? Connaissez-vous l'histoire ?

– J'ai lu le journal, ce matin. J'ai suivi ce qui se passe à La Nouvelle-Orléans. Vous devez retrouver le corps, n'est-ce pas ?

– On peut dire ça, reconnut Trumann. Mais, dans l'immédiat, ce qui compte pour nous, c'est de parler à votre client.

– Je vais y réfléchir.

– Quand prendrez-vous une décision ?

– Je ne sais pas. Êtes-vous libre dans l'après-midi ?

– Pourquoi ?

– Je dois encore m'entretenir avec mon client. Disons que nous pourrions nous voir à 15 heures, à mon cabinet.

Elle prit son porte-documents, y glissa la cassette, indiquant de la manière la plus claire que la réunion était terminée.

– Je garde la bande pour mon usage personnel, ajouta-t-elle. Ce sera notre petit secret.

McThune acquiesça de la tête, mais il savait que ce n'était pas tout.

– Si j'ai quelque chose à vous demander, messieurs, si j'ai besoin de la vérité ou d'une réponse franche, j'entends l'obtenir. Si je vous reprends à mentir, je me servirai de la bande.

– C'est du chantage, soupira Trumann.

– Précisément, fit-elle en se levant. Vous n'avez qu'à engager des poursuites. Nous nous revoyons à 15 heures, ajouta-t-elle, la main sur la poignée de la porte.

– Écoutez, Reggie, fit McThune, il y a quelqu'un qui voudra probablement assister à cette réunion. Il s'appelle Roy Foltrigg, il est...

– M. Foltrigg est à Memphis ?

– Oui. Il est arrivé cette nuit, il voudra participer à cette réunion.

– J'en suis très flattée. Invitez-le donc à se joindre à nous.

10

A la une du *Memphis Press*, l'article relatant la mort de Jerome Clifford était signé Slick Moeller, un journaliste chevronné, qui couvrait depuis trente ans les affaires criminelles et policières. Alfred de son vrai nom, ce que personne ne savait, car c'était sa mère qui l'avait surnommé Slick. Trois épouses et une centaine de maîtresses l'avaient appelé ainsi. Slick n'était pas particulièrement élégant, n'avait pas fait de bonnes études et n'avait pas un sou vaillant. Ce n'était ni un apollon ni un athlète, il conduisait une Mustang et se montrait incapable de garder une femme.

Le monde du crime était toute sa vie. Il connaissait les dealers et les macs, buvait dans les bars topless, discutait avec les videurs. Il s'intéressait de près aux bandes de motards qui approvisionnaient la ville en drogue et strip-teaseuses. Il se baladait sans crainte dans les cités les plus chaudes dont il connaissait toutes les bandes. Il avait permis de démanteler une bonne douzaine de filières de trafic de voitures en tuyautant la police. Il connaissait les anciens détenus, les récidivistes. Il flairait le recel simplement en regardant la vitrine d'un prêteur sur gages. Dans son appartement en pagaille, un pan de mur était couvert de matériel de détection et de radios de la police. Dans sa Mustang, mieux équipée qu'une voiture de police, il ne manquait qu'un pistolet à laser, parce qu'il n'en voulait pas.

Slick Moeller était comme un poisson dans l'eau dans les bas-fonds de Memphis. Il arrivait souvent sur le lieu d'un crime avant les flics. Il avait ses entrées dans les morgues, les hôpitaux, les funérariums. Il entretenait une multitude de contacts et de sources qui savaient que ce qui était dit sous le sceau du secret restait confidentiel. Jamais un informateur n'était compromis. Un tuyau ne s'ébruitait pas. Slick était un homme de parole, même les chefs des bandes le savaient.

Il tutoyait la quasi-totalité des policiers de la ville, dont un grand nombre le surnommaient avec admiration la Taupe. La Taupe Moeller a fait ceci, la Taupe Moeller a dit cela. Comme Slick était devenu son prénom usuel, ce nouveau surnom ne le dérangeait pas. Pas grand-chose ne le dérangeait. Il buvait des cafés avec les flics dans tous les snacks de nuit, allait les voir jouer au softball, savait quand leur femme demandait le divorce et quand ils recevaient un blâme. Il donnait l'impression de passer au moins vingt heures par jour au commissariat central et il n'était pas rare qu'un flic l'aborde pour lui demander de le mettre au courant. Qui s'était fait descendre ? Où avait eu lieu le braquage ? Le conducteur était-il ivre ? Combien de victimes y avait-il ? Slick leur disait tout ce qu'il pouvait, les aidait dans la mesure du possible. Son nom était souvent cité dans les cours de l'École de police de Memphis.

Personne ne s'étonna donc de voir Slick passer la matinée au commissariat central, en quête de renseignements. Il avait donné quelques coups de fil à La Nouvelle-Orléans et connaissait l'essentiel de l'histoire. Il savait que Roy Foltrigg et le FBI de La Nouvelle-Orléans avaient débarqué, et qu'ils avaient pris les choses en main. Il y avait de quoi être intrigué. Ce n'était pas un simple suicide : trop de visages impénétrables, de refus de tout commentaire. Une lettre avait été retrouvée, mais des dénégations suivaient aussitôt toutes les questions à ce propos. Slick avait appris à lire sur le visage de ces flics, il le faisait depuis des années. Il était au courant pour les deux garçons, savait que le plus jeune était hospitalisé. On avait relevé des empreintes, trouvé des mégots de cigarettes.

Il sortit de l'ascenseur au neuvième étage, prit la direction opposée au bureau des infirmières. Il connaissait le numéro de la chambre de Ricky, mais ne tenait pas à semer la pagaille avec ses questions dans le service de psychiatrie. Il ne voulait faire peur à personne, surtout pas à un gosse de huit ans en état de choc. Slick glissa deux pièces de vingt-cinq cents dans le distributeur de boissons et commença à siroter un Coca light, comme s'il avait passé toute la nuit dans les couloirs. Un agent hospitalier en blouse bleu clair, poussant un chariot de produits de nettoyage, s'approcha de l'ascenseur. Jeune, vingt-cinq ans au plus, les cheveux longs, probablement rebuté par son travail ingrat.

Slick se dirigea vers l'ascenseur ; la porte s'ouvrit, il suivit le jeune homme dans la cabine. Le prénom Fred était cousu sur la blouse, au-dessus de la poche. Ils étaient seuls.

– Vous travaillez au neuvième ? demanda Slick, de l'air de quelqu'un qui s'ennuie, mais avec un sourire.

– Oui, répondit Fred, sans le regarder.

– Je suis Slick Moeller, du *Memphis Press,* je prépare un article sur Ricky Sway, chambre 943. Vous savez, cette histoire de suicide.

Il avait appris dès le début de sa carrière qu'il était préférable de se présenter et d'aller droit au but.

Fred manifesta aussitôt de l'intérêt. Il se redressa, lança à Slick un regard qui voulait dire : « Je sais des tas de choses, mais ne comptez pas sur moi pour vous en parler. » Fred, le nettoyeur de toilettes, se mua en un instant en détenteur d'une information sensationnelle.

— Ouais, fit-il posément.

— Avez-vous vu le petit ? poursuivit nonchalamment Slick en regardant les chiffres s'allumer l'un après l'autre au-dessus de la porte.

— Oui, j'en sors.

— Il paraît qu'il souffre d'un grave choc traumatique.

— Sais pas, fit Fred de l'air suffisant de celui qui détient un secret considérable.

Mais il brûlait de parler, ce qui n'avait jamais cessé d'étonner Slick. Il suffit de dire au premier venu qu'on est journaliste et, neuf fois sur dix, il se sent obligé de parler. Plus précisément, il est avide de parler, de divulguer ses secrets les plus intimes.

— Pauvre petit bonhomme, murmura Slick, les yeux baissés, comme si Ricky était en phase terminale.

Il garda le silence plusieurs secondes. C'en était trop pour Fred. Drôle de journaliste ! Pourquoi ne posait-il pas de questions ? Il connaissait le gamin, il sortait de sa chambre, il venait de parler à sa mère. Il fallait compter avec lui.

— C'est sûr, marmonna Fred, regardant lui aussi le plancher, il est dans un sale état.

— Encore dans le coma ?

— Ça va, ça vient. Il faudra sans doute un bon moment.

— C'est ce que j'ai entendu dire.

L'ascenseur s'arrêta au cinquième, mais le chariot de Fred bloquait le passage. Personne n'entra. La porte se referma.

— Il n'y a pas grand-chose à faire pour un gamin dans cet état-là, reprit Slick. J'en ai vu des tas comme lui. Un gamin voit quelque chose d'horrible, reçoit un choc émotionnel, et il faut des mois pour le sortir de là. Des tas de psys, toutes sortes de traitements. C'est triste de voir ça. J'espère que ce ne sera pas aussi grave pour le petit Sway.

— Je ne crois pas. Le docteur Greenway pense qu'il s'en sortira dans un ou deux jours. Il lui faudra des soins, mais tout ira bien. J'en ai vu défiler, des gosses comme lui. Je me demande si je ne vais pas faire ma médecine.

— Les flics sont venus fourrer leur nez par ici ?

Les yeux de Fred firent le tour de la cabine, comme si un micro pouvait y être caché.

– Oui, le FBI n'a pas décollé de la journée. La famille Sway a pris un avocat.

– Pas possible !

– Ouais, les flics s'intéressent de très près à l'affaire, ils veulent interroger le grand frère. Mais il y a un avocat qui s'en mêle.

L'ascenseur s'arrêta au deuxième, Fred s'apprêta à sortir.

– Comment s'appelle-t-il ? demanda Slick.

La porte s'ouvrit, Fred commença à pousser son chariot.

– Reggie je ne sais quoi. Je ne l'ai pas encore vu.

– Merci, lança Slick à Fred qui s'éloignait.

La cabine se remplit. Il monta au neuvième et se mit en quête d'une autre proie.

Dès la fin de la matinée, Roy Foltrigg et ses acolytes, Boxx et Fink, empoisonnaient tout le personnel des bureaux du procureur général du district ouest du Tennessee. George Ord était en poste depuis sept ans et il n'avait aucune sympathie pour Roy Foltrigg. Ce n'est pas lui qui l'avait invité à Memphis. Il l'avait souvent rencontré à l'occasion de ces nombreux colloques et séminaires où les représentants du ministère public se réunissent pour mettre discrètement au point des moyens de protéger le gouvernement. Foltrigg avait coutume de prendre la parole dans ces forums, toujours avide de faire connaître ses opinions, ses stratégies et ses grandes victoires.

A leur retour de l'hôpital, McThune et Trumann firent part de leur échec avec Mark et de la présence irritante d'une avocate à ses côtés. Foltrigg, accompagné de Boxx et Fink, s'était de nouveau installé dans le bureau de George Ord pour analyser les derniers développements de l'affaire. Dans le gros fauteuil de cuir de son bureau massif, Ord écouta Foltrigg interroger les agents fédéraux et aboyer de loin en loin un ordre à Boxx.

– Que savez-vous sur cette femme ? demanda-t-il à Ord.

– Jamais entendu parler d'elle.

– Il y a bien quelqu'un de chez vous qui a eu affaire à elle, insista Foltrigg.

Il mettait ni plus ni moins son collègue au défi de trouver quelqu'un qui savait tout sur Reggie Love. Ord sortit se renseigner auprès d'un assistant. Les recherches commencèrent.

Les deux agents du FBI restèrent silencieux dans un coin du bureau. Ils avaient décidé de ne parler de la bande à personne, du moins dans l'immédiat. Plus tard, peut-être. Jamais, ils l'espéraient.

Une secrétaire apporta des sandwiches qu'ils mangèrent en bavardant et en échangeant des hypothèses gratuites. Foltrigg était impatient de rentrer à La Nouvelle-Orléans, mais encore plus de voir Mark Sway. Le fait que le gosse se fasse assister d'un avocat était extrêmement ennuyeux. Il avait peur de parler. La conviction de Foltrigg que Clifford lui avait confié quelque chose se renforçait au fil des heures. Il n'était pas dans la nature de Roy d'hésiter avant d'arriver à une conclusion. Les sandwiches terminés, il avait persuadé les autres que Mark Sway savait exactement où Boyette était enterré.

David Sharpinski, l'un des nombreux substituts d'Ord, vint les informer qu'il avait fait son droit à l'université de Memphis avec Reggie Love. Il prit le siège de Wally Boxx, près de Foltrigg, pour répondre à ses questions. Il avait du travail et aurait préféré se consacrer à une autre affaire.

– Nous avons terminé nos études il y a quatre ans, commença Sharpinski.

– Elle n'exerce donc pas depuis plus de quatre ans, fit vivement Foltrigg. Quelle est sa spécialité ? Le droit criminel ? En fait-elle beaucoup ? Connaît-elle les ficelles du métier ?

McThune lança un coup d'œil furtif à Trumann. Ils s'étaient fait piéger par une quasi-débutante.

– Un peu de droit criminel, répondit Sharpinski. Nous sommes assez liés, nous nous voyons de temps à autre. Elle s'occupe surtout d'enfants maltraités. Elle... euh... disons qu'elle en a vu des vertes et des pas mûres.

– Qu'entendez-vous par là ?

– Une longue histoire, monsieur le procureur. Reggie est une personne très complexe, qui vit une seconde vie, en quelque sorte.

– Vous la connaissez bien, semble-t-il.

– En effet. Nous avons étudié trois ans ensemble, par périodes.

– Comment cela, *par périodes* ?

– Eh bien, elle a dû interrompre ses études, en raison de... disons de problèmes affectifs. Dans sa première vie, elle était l'épouse d'un médecin très en vue, un gynécologue-obstétricien. Fortune et réussite sociale. Mondanités, œuvres de bienfaisance, country clubs, tout ce qu'on peut imaginer. Une grande maison à Germantown, chacun sa Jaguar. Elle siégeait au conseil d'administration de toutes sortes d'associations. Elle avait travaillé comme institutrice pour permettre à son mari de terminer ses études de médecine, mais, après quinze ans de vie conjugale, il décida de la changer pour un modèle plus récent, si je puis dire. Il se mit à courir le jupon et eut une liaison avec une infirmière qu'il finit par épouser en secondes noces. A l'époque, Reggie s'appelait Regina Cardoni. Elle le prit très mal, engagea une procédure de divorce, les choses s'envenimèrent. Cardoni se conduisit comme un salaud et elle finit par craquer. Il lui en fit voir de toutes les couleurs. La procédure de divorce n'en finissait pas, elle se sentait publique-ment humiliée. Ses amies, toutes des femmes de médecins, se défilaient. Elle fit même une tentative de suicide. Tout cela figure dans les minutes de la procédure de divorce, au greffe du tribunal. Cardoni avait une armée d'avocats. Ils usèrent de leur influence pour la faire interner. Elle se retrouva sur la paille.

– Des enfants ?

– Deux, garçon et fille. Ils étaient adolescents, et, bien sûr, c'est lui qui a obtenu leur garde. Il leur a laissé la bride sur le cou, donné tout l'argent qu'ils voulaient, et ils ont tourné le dos à leur mère. Pendant deux ans, Cardoni et ses avocats l'ont trimballée d'hôpital en clinique psychiatrique. Quand elle en est sortie, tout était terminé. Il avait la maison, les enfants, l'épouse flambant neuve, tout.

Cette évocation du passé tragique de son amie émut Sharpinski, manifestement gêné d'en faire le récit à Foltrigg. Mais c'était en grande partie de notoriété publique.

– Comment a-t-elle pu devenir avocate ?

– Ce ne fut pas facile. L'ordonnance du juge lui refusait le droit de visite aux enfants. Elle habitait chez sa mère, qui, probablement, lui a permis de s'accrocher à la vie. Je n'en suis pas certain, mais le bruit a couru que la mère avait hypothéqué sa maison pour payer un traitement psychanalytique assez lourd. Il lui fallut des années, mais elle réussit à reconstruire sa vie, elle s'en sortit. Ses enfants quittèrent Memphis ; le garçon fit de la prison pour trafic de stupé-fiants, la fille vit en Californie.

– Quel genre d'étudiante était-elle ?

– Elle pouvait se montrer très astucieuse. Résolue à se prouver qu'elle pouvait devenir une bonne avocate. Mais elle continuait à lutter contre la dépression. L'alcool, les médicaments l'ont obligée à abandonner ses études en cours de route. Puis elle les a reprises, pour de bon, cette fois.

Selon leur habitude, Fink et Boxx écrivaient fiévreusement, s'efforçant de ne pas oublier un mot, comme si Foltrigg devait ulté-rieurement les presser de questions sur les notes qu'ils prenaient. Ord écoutait, mais il était surtout préoccupé par la pile de papiers en souffrance sur son bureau. Plus le temps passait, plus il avait de la peine à supporter Foltrigg et cette intrusion. Il était aussi occupé et aussi important que son collègue.

– Quel genre d'avocat est-elle devenue ? poursuivit Roy.

Capable de toutes les vacheries, se dit McThune. D'une habileté diabolique, songea Trumann. Très douée pour l'électronique.

– Elle travaille beaucoup, ne gagne pas énormément d'argent, mais je ne crois pas que ce soit important pour elle.

– Où diable a-t-elle pêché ce nom de Reggie ? demanda Foltrigg avec perplexité.

Cela doit venir de Regina, se dit Ord.

Sharpinski s'apprêtait à répondre, mais il changea d'avis au dernier moment.

– Il faudrait des heures pour vous dire tout ce que je sais sur elle et je n'ai pas vraiment envie de le faire. Ce n'est pas important.

– Peut-être que si, répliqua sèchement Boxx.

Sharpinski lui lança un regard noir avant de se tourner vers Foltrigg.

– Quand elle a commencé ses études de droit, elle a essayé d'effacer son passé, surtout les années noires. Elle a repris son nom de jeune fille, Love, et je pense que Reggie vient de Regina, mais je ne lui ai jamais posé la question. Elle l'a fait d'une manière tout à fait légale, et il ne reste plus trace de l'ancienne Regina Cardoni, du moins sur le papier. Elle ne parlait jamais du passé à l'école de droit, mais elle était le sujet d'un tas de conversations. Elle s'en fichait complètement.

– Elle ne boit plus du tout ?

Foltrigg cherchait à remuer la boue, ce qui irrita profondément Sharpinski. McThune et Trumann, eux, l'avait trouvée d'une sobriété parfaite.

– Vous le lui demanderez vous-même, monsieur le procureur.

– La voyez-vous souvent ?

– Une fois par mois, parfois deux. Nous nous téléphonons de temps en temps.

– Quel âge a-t-elle ?

Foltrigg avait posé la question d'un ton soupçonneux, comme si Sharpinski et Reggie Love pouvaient fricoter ensemble.

– Il faudra le lui demander aussi. Disons la cinquantaine.

– Pourquoi ne l'appelleriez-vous pas pour demander de ses nouvelles, histoire de papoter ? Peut-être parlera-t-elle de Mark Sway.

Sharpinski lança à Foltrigg un regard plein d'aigreur. Puis il se tourna vers son patron, comme pour dire : « Vous entendez ce cinglé ? » Ord leva les yeux au ciel et entreprit de remplir une agrafeuse.

– Elle n'est pas tombée de la dernière pluie, répondit Sharpinski. C'est même une fine mouche et, si j'appelle, elle saura aussitôt pourquoi.

– Vous avez peut-être raison.

– Certainement.

– J'aimerais que vous nous accompagniez à son cabinet, à 15 heures. Si vous pouvez vous libérer, bien entendu.

Sharpinski tourna un regard implorant vers Ord, trop absorbé par son agrafeuse pour le voir.

– Je ne peux pas, je suis très pris. Autre chose ?

– Non, lança Ord, vous pouvez vous retirer. Merci, David.

– J'ai vraiment besoin qu'il m'accompagne, dit Foltrigg à Ord, quand Sharpinski fut sorti.

– Il a dit qu'il était très pris, Roy. Mes gars ont du travail, ajouta-t-il en regardant Fink et Boxx.

Une secrétaire entra. Elle remit un fax de deux pages à Foltrigg, qui le lut avec Boxx.

– Cela vient de mon bureau, expliqua-t-il à Ord, comme s'il était le seul au monde à disposer d'un tel joyau de la technologie.

– Connaissez-vous un certain Willis Upchurch ? reprit Foltrigg quand il eut terminé sa lecture.

– Oui, un défenseur réputé, de Chicago. Travaille beaucoup pour la mafia. Qu'a-t-il fait ?

– J'apprends qu'il vient de donner une conférence de presse télévisée à La Nouvelle-Orléans. Il a annoncé qu'il assurait la défense de Barry Muldanno, que l'affaire serait renvoyée, que son client serait acquitté, etc.

– C'est lui tout craché. Comment se fait-il que vous n'ayez jamais entendu parler d'Upchurch ?

– Il n'est jamais venu à La Nouvelle-Orléans, déclara Foltrigg, péremptoire, comme s'il gardait le souvenir de tous les avocats osant s'aventurer sur son territoire.

– Votre affaire va tourner au cauchemar.

– Merveilleux. Absolument merveilleux.

11

Dans la pénombre de la chambre au store baissé, Dianne sommeillait, recroquevillée au pied du lit de Ricky. Après l'espoir suscité dans la matinée par ses paroles inarticulées et son agitation, il avait retrouvé après déjeuner la position devenue familière : ramassé en chien de fusil, la perfusion dans le bras, le pouce dans la bouche. Greenway avait assuré à Dianne, à plusieurs reprises, qu'il ne souffrait pas. Mais après l'avoir serré dans ses bras et couvert de baisers quatre heures durant, elle était persuadée que son fils avait mal. Elle se sentait à bout de forces.

Assis sur le lit de camp, sous la fenêtre, le dos contre le mur, Mark regardait son frère et sa mère. Lui aussi était épuisé, mais incapable de trouver le sommeil. Il passait et repassait dans son esprit le film des événements et s'efforçait de mettre de l'ordre dans ses idées. Que faire maintenant ? Pouvait-il avoir confiance en Reggie ? Il avait vu à la télé des tas d'émissions et de films avec des avocats et avait dans l'idée que l'on pouvait se fier à la moitié d'entre eux, mais que les autres étaient des faux jetons. Quand faudrait-il tout raconter à sa mère et au docteur Greenway ? S'il leur disait tout, cela aiderait-il Ricky ? Assis sur le lit, percevant dans le couloir les voix étouffées des infirmières vaquant à leurs tâches, il réfléchit longuement pour savoir ce qu'il devait raconter.

La pendule digitale de la table de chevet indiquait 14 h 32. Impossible de croire que cette sale histoire s'était déroulée en moins de vingt-quatre heures. Il se gratta les genoux, prit la décision de raconter à Greenway tout ce que Ricky avait vu et entendu. Il contempla la touffe de cheveux blonds dépassant du drap et se sentit mieux. Il allait vider son sac, cesser de mentir, faire tout son possible pour aider Ricky. Ce que Romey lui avait confié dans la voiture, personne d'autre ne l'avait entendu et, dans un premier temps, après avoir pris conseil de son avocat, il le garderait pour lui.

Mais pas longtemps. Tout cela devenait lourd à porter. Il ne s'agissait pas d'une partie de cache-cache dans les bois, avec les copains du lotissement, ni d'une petite escapade, par la fenêtre de sa chambre, pour faire un tour au clair de lune. C'est un vrai pistolet que Romey s'était fourré dans la bouche. De vrais agents du FBI qu'il avait vus, avec de vraies plaques, comme dans les reportages à la télé. Il avait pris un vrai avocat qui lui avait fixé un vrai magnétophone sur le ventre pour piéger le FBI. L'assassin du sénateur, un professionnel du meurtre, qui, d'après Romey, en avait tué des tas d'autres, appartenait à la mafia, et ces gens-là n'hésiteraient pas à éliminer un enfant de onze ans.

C'était trop pour lui. A cette heure-ci, il aurait dû être à l'école, à faire des maths, une matière qu'il détestait, mais qui soudain lui manquait. Il allait avoir une longue conversation avec Reggie. Elle prendrait rendez-vous avec le FBI et il répéterait dans les moindres détails ce que Romey lui avait balancé. On lui assurerait une protection. On lui donnerait peut-être des gardes du corps, en attendant que le tueur soit derrière les barreaux, ou alors on l'arrêterait immédiatement et il n'y aurait plus de risques. Peut-être.

Mark se souvint d'un film où un type qui avait donné quelqu'un de la mafia, croyant que le FBI le protégerait, avait été obligé de prendre la fuite. Des balles sifflaient à ses oreilles, des bombes explosaient partout où il allait, le FBI ne répondait pas à ses coups de téléphone, parce que quelque chose leur avait déplu dans sa déposition. Vingt fois au moins, pendant le film, un personnage disait : « La mafia n'oublie jamais. » Dans la scène finale, la voiture du héros explosait en mille morceaux au moment où il tournait la clé de contact et il était projeté à cinq cents mètres, les jambes arrachées. En rendant le dernier soupir, il voyait une silhouette sombre se dresser au-dessus de lui et il entendait : « La mafia n'oublie jamais. » Le film ne valait pas grand-chose, mais le message parut soudain très clair à Mark.

Il avait besoin de boire un Sprite. Le sac à main de sa mère était sous le lit ; il l'ouvrit doucement. Il y avait trois flacons de pilules. Il trouva aussi deux paquets de cigarettes, résista à la tentation fugitive d'en chiper. Il prit de la petite monnaie et sortit.

Dans la salle d'attente une infirmière parlait à l'oreille d'un vieillard. Mark ouvrit sa boîte de Sprite et se dirigea vers les ascenseurs. Greenway lui avait demandé de rester dans la chambre aussi longtemps que possible, mais il en avait assez d'être enfermé, assez de Greenway, et il semblait y avoir peu de chances que Ricky se réveille bientôt. Il entra dans la cabine, enfonça le bouton du sous-sol. Il allait jeter un coup d'œil dans la cafet', voir ce que faisaient les avocats.

Un homme entra juste avant que les portes ne se referment. Il le dévisagea longuement, un peu trop.

– Tu t'appelles Mark Sway ?

Toujours la même chose. Depuis Romey, il avait rencontré, en moins de vingt-quatre heures, plus d'inconnus que dans les six mois précédents. Il était certain de ne jamais avoir vu ce type.

– Qui êtes-vous ? demanda-t-il d'un ton méfiant.

– Slick Moeller, du *Memphis Press*. Tu sais, le journal. Tu es bien Mark Sway ?

– Comment le savez-vous ?

– Un journaliste est censé savoir ces choses-là. Comment va ton frère ?

– Très bien. Pourquoi me demandez-vous ça ?

– Je prépare un article sur le suicide et toute cette histoire, et ton nom revient sans cesse. D'après les flics, tu en sais plus long que tu ne veux bien le dire.

– Il sera publié quand, votre article ?

– Je ne sais pas. Demain, peut-être.

Mark sentit ses jambes vaciller. Il se détourna.

– Je ne réponds à aucune question.

– Comme tu voudras.

La porte de la cabine s'ouvrit, un groupe entra, lui cachant le journaliste. Quelques secondes plus tard, l'ascenseur s'arrêta au cinquième. Mark se glissa entre deux médecins, fila vers l'escalier et remonta au sixième.

Il avait semé le journaliste. Il s'assit sur une marche, dans la cage d'escalier déserte, et se mit à pleurer.

Foltrigg, McThune et Trumann se présentèrent, comme convenu, dans le petit salon de réception, décoré avec goût, du cabinet de Me Reggie Love à 15 heures précises. Ils furent accueillis par Clint, qui les invita à s'asseoir et leur proposa un café ou un thé. Ils refusèrent avec froideur. Foltrigg informa Clint, comme il convenait, qu'il était le procureur général du district sud de la Louisiane, à La Nouvelle-Orléans, qu'il avait rendez-vous et aucunement l'intention de faire le pied de grue. Ce fut une erreur.

Il attendit trois quarts d'heure. Tandis que les agents fédéraux feuilletaient des revues sur le canapé, Foltrigg arpenta la pièce, contenant mal sa colère, lançant des regards tantôt impatients à sa montre, tantôt courroucés à Clint, qu'il apostropha par deux fois, et s'entendit répondre à deux reprises que Reggie était au téléphone pour une affaire d'importance. Comme si l'affaire qui l'amenait n'était pas importante ! Il mourait d'envie de se retirer, mais ne pouvait se le permettre. Il lui fallut subir cet affront subtil sans pouvoir se rebiffer.

Clint leur demanda enfin de le suivre dans une petite salle de conférences aux murs garnis de rayonnages remplis d'ouvrages juridiques. Il les invita à s'asseoir et expliqua que Reggie allait arriver d'une minute à l'autre.

– Elle en a déjà quarante-cinq de retard, protesta Foltrigg.

– Ce n'est pas beaucoup pour Reggie, répliqua Clint en se retirant, le sourire aux lèvres.

Foltrigg prit place à un bout de la table, encadré par les deux agents du FBI. Ils attendirent.

– Vous savez, Roy, commença Trumann d'un ton hésitant, il faut faire attention avec cette femme. Elle pourrait enregistrer notre conversation.

– Qu'est-ce qui vous fait croire ça ?

– Euh... on ne sait jamais...

– Les avocats de Memphis font souvent des enregistrements, ajouta McThune. Je ne sais pas comment ça se passe chez vous, mais, ici, c'est une pratique courante.

– Si elle enregistre la conversation, elle est obligée de nous en informer, non ? demanda Foltrigg, qui, à l'évidence, n'en savait rien.

– Ne comptez pas trop là-dessus, fit Trumann. Il vaut mieux être prudent.

La porte s'ouvrit, Reggie entra, avec quarante-huit minutes de retard.

– Restez assis, dit-elle, tandis que Clint refermait la porte.

Elle tendit la main à Foltrigg, à demi levé.

– Reggie Love. Vous devez être Roy Foltrigg.

– Oui. Ravi de vous connaître.

– Asseyez-vous, je vous en prie.

Elle se tourna en souriant vers McThune et Trumann, allusion silencieuse à l'épisode de la cassette.

– Excusez mon retard, reprit-elle en allant s'asseoir à l'autre bout de la table, à deux mètres cinquante des trois hommes serrés les uns contre les autres, comme une couvée de poussins craintifs.

– Pas de problème, articula Foltrigg d'une voix forte, donnant à entendre le contraire.

Reggie prit un gros magnétophone dans un tiroir caché de la table et le posa devant elle.

– Me permettez-vous d'enregistrer notre petite conversation ? demanda-t-elle en branchant le micro.

La petite conversation serait enregistrée, que cela leur plaise ou non.

– Je me ferai un plaisir de vous envoyer une copie de la bande.

– Je n'y vois pas d'objection, fit Foltrigg, comme s'il avait le choix.

McThune et Trumann gardèrent les yeux fixés sur l'appareil. Comme c'était aimable à elle de demander la permission ! Elle leur sourit, ils lui sourirent, puis ils sourirent tous les trois en regardant le magnétophone. Ils la voyaient venir avec ses gros sabots. Cette saleté de microcassette ne devait pas être loin.

– Alors, où en sommes-nous ? demanda-t-elle en enfonçant une touche.

– Où est votre client ?

Foltrigg se pencha en avant pour montrer qu'il serait le seul interlocuteur.

– A l'hôpital. Le médecin lui a demandé de rester dans la chambre, auprès de son frère.

– Quand pourrons-nous le voir ?

– Vous présupposez donc que vous pourrez le voir.

Reggie posa sur Foltrigg un regard très assuré. Elle avait des cheveux gris, coupés à la garçonne, des sourcils noirs et des lèvres d'un rouge tendre, soigneusement fardées. Une peau lisse, au maquillage léger. C'était un joli visage, marqué par la vie, aux yeux brillant d'une fermeté tranquille. En la regardant, Foltrigg songea à tout le malheur et aux souffrances qu'elle avait endurés. Elle le cachait bien.

McThune ouvrit une chemise, commença à en feuilleter le contenu. En deux heures, ils avaient constitué un dossier épais de cinq centimètres sur Reggie Love, alias Regina L. Cardoni. Ils avaient fait des copies des papiers du divorce et des demandes d'internement, au greffe du tribunal du comté. L'hypothèque et les documents cadastraux de la maison de sa mère se trouvaient dans la chemise. Deux agents de Memphis essayaient de se procurer son dossier universitaire.

Foltrigg raffolait de la boue. En toutes circonstances, quel que fût l'adversaire, il cherchait des relents de scandale. McThune prit connaissance des pièces de procédure du divorce, des allégations d'adultère, d'usage d'alcool et de stupéfiants, d'incompatibilité d'humeur et, pour finir, de la tentative de suicide. Il lut attentivement le dossier, sans se faire remarquer. Il voulait à tout prix éviter de susciter la colère de cette femme.

– Nous devons parler à votre client, maître.

– Appelez-moi Reggie. D'accord, Roy ?

– Comme vous voudrez. Nous croyons qu'il sait quelque chose, je vous le dis franchement.

– A quoi pensez-vous ?

– Eh bien, nous sommes persuadés que le jeune Mark se trouvait dans la voiture en compagnie de Jerome Clifford avant la mort de ce dernier. Nous croyons qu'il y a passé un certain temps. Clifford avait manifestement préparé son suicide et nous avons des raisons de penser qu'il voulait révéler à quelqu'un l'endroit où son client, Barry Muldanno, a dissimulé le corps du sénateur Boyette.

– Qu'est-ce qui vous fait croire qu'il avait envie de le révéler ?

– Ce serait trop long à expliquer, mais sachez qu'il avait pris contact, à deux reprises, avec l'un de mes assistants et laissé entendre qu'il était disposé à passer un marché pour se tirer d'affaire. Il avait peur, buvait beaucoup. Son comportement était très bizarre. Il filait un mauvais coton et voulait décharger sa conscience.

– Pourquoi croyez-vous qu'il se serait confié à mon client ?

– Ce n'est qu'une possibilité, mais il nous faut suivre toutes les pistes. Vous devez comprendre cela.

– Je vous sens un peu désemparé.

– Beaucoup, Reggie. Je vais être franc avec vous : nous savons qui a tué Boyette, mais je ne veux pas m'engager dans un procès si je n'ai pas le corps du sénateur.

Il s'interrompit, lui adressa un sourire chaleureux. Malgré ses nombreux défauts, Roy avait passé de longues heures à plaider devant des jurys et savait quand et comment donner une impression de sincérité.

Elle avait passé de longues heures en analyse et était capable de flairer un imposteur.

– Je n'ai pas dit que vous ne pouvez pas interroger Mark Sway. Vous ne le verrez pas aujourd'hui, mais peut-être demain. Ou après-demain. Tout va très vite, le corps de Jerome Clifford n'est pas encore froid. Ralentissons un peu le mouvement et prenons les choses l'une après l'autre, voulez-vous ?

– D'accord.

– Maintenant, à vous de me convaincre que Mark était dans la voiture avant que Jerome Clifford ne se suicide.

Pas de problème. Les yeux baissés sur son carnet, Foltrigg énuméra les nombreux endroits où ses empreintes avaient été relevées. Feux arrière, coffre, taquet et poignée de portière avant droite, tableau de bord, pistolet, bouteille. Il y en avait aussi sur le tuyau d'arrosage, mais pas assez nettes. Le FBI travaillait dessus. A l'aise dans la peau du procureur, Foltrigg bâtissait son argumentation sur des preuves incontestables.

Reggie prenait de pleines pages de notes. Elle savait que Mark était monté dans la voiture, sans soupçonner qu'il y avait laissé tant de traces de sa présence.

– La bouteille de whisky ?

Foltrigg tourna une page pour retrouver les détails.

– Oui, trois empreintes nettes. Aucun doute n'est possible.

Mark avait parlé à Reggie du pistolet, pas de la bouteille.

– Cela semble curieux, non ?

– Qu'est-ce qui ne l'est pas, à ce stade de l'enquête ? Les officiers de police qui l'ont interrogé n'ayant pas remarqué qu'il sentait l'alcool, je ne pense pas qu'il ait bu. Je suis sûr qu'il pourrait fournir une explication, si seulement nous pouvions lui parler.

– Je lui poserai la question.

– Il ne vous avait donc pas parlé de la bouteille ?

– Non.

– Pour le pistolet, quelle explication a-t-il donnée ?

– Je ne puis divulguer les explications de mon client.

Cette réponse agaça prodigieusement Foltrigg, à l'affût d'un indice. Trumann attendit, haletant d'impatience. McThune interrompit sa lecture du rapport d'un psychiatre désigné par le tribunal.

– Il ne vous a donc pas tout dit ? demanda Foltrigg.

– Il m'en a dit beaucoup. Il est possible qu'il ait passé quelques détails sous silence.

– Ces détails peuvent être cruciaux.

– Il m'appartiendra de juger de ce qui est crucial ou non. Qu'avez-vous d'autre ?

– Montrez-lui la lettre, ordonna Foltrigg à Trumann.

L'agent spécial ouvrit une chemise et tendit la lettre à Reggie.

Elle la lut lentement, la relut. Mark ne lui en avait pas parlé.

– Il a utilisé deux stylos, cela saute aux yeux, expliqua Foltrigg. Nous avons retrouvé le bleu dans la voiture, un bic qui n'avait plus d'encre. On peut supposer que Clifford a voulu ajouter quelque chose quand Mark est descendu. Le mot « où » semble indiquer que le garçon était parti. Il est évident qu'ils ont parlé, qu'ils se sont appelés par leur prénom et que le gosse est resté assez longtemps dans la voiture pour poser les mains partout.

– Pas d'empreintes là-dessus ? demanda Reggie en agitant la feuille.

– Aucune, nous avons vérifié. Le gosse ne l'a pas touchée.

Elle posa calmement la lettre à côté de son bloc de bureau et joignit les mains.

– Eh bien, Roy, il me semble que la grande question est la suivante : comment avez-vous fait pour comparer les empreintes de Mark avec celles de la voiture ? Comment vous êtes-vous procuré ses empreintes ?

Elle posa la question avec la même assurance méprisante que lorsqu'elle avait montré la cassette à Trumann et à McThune.

– Très simple. Nous en avons relevé une hier soir, à l'hôpital, sur une boîte de soda.

– Avez-vous demandé la permission à Mark Sway ou à sa mère ?

– Non.

– Vous avez donc porté atteinte à la vie privée d'un mineur de onze ans.

– Non. Nous cherchons des indices.

– Des indices ? Des indices de quoi ? Pas d'un crime, j'imagine. Le crime a été commis et on s'est débarrassé du corps. Mais vous n'arrivez pas à le retrouver. Quel autre crime avons-nous ici ? Un suicide ? Être témoin d'un suicide ?

– Il a été témoin du suicide ?

– Je ne suis pas en mesure de vous dire ce qu'il a fait ni ce qu'il a vu, car il s'est confié à son avocate. Nos conversations sont protégées par le secret professionnel, vous le savez, Roy. Qu'avez-vous pris d'autre à cet enfant ?

– Rien.

Elle émit un petit ricanement, comme si elle n'en croyait rien.

– Avez-vous autre chose ?

– Ça ne vous suffit pas ?

– Je veux tout savoir.

Foltrigg, sur des charbons ardents, tourna les feuilles de son carnet.

– Vous avez vu son œil gauche tuméfié et la bosse sur son front. D'après le rapport de police, il y avait des traces de sang sur sa lèvre quand on l'a surpris sur le lieu du suicide. L'autopsie de Clifford a révélé la présence d'une tache de sang sur le dos de la main droite, mais pas de son groupe sanguin.

– Laissez-moi deviner : c'est celui de Mark.

– Probablement. Il s'agit du même groupe.

– Comment connaissez-vous son groupe sanguin ?

Foltrigg laissa tomber son carnet et se prit la tête entre les mains. Les défenseurs les plus efficaces sont ceux qui maintiennent l'affrontement loin des vraies questions. Ils protestent à tout propos, chicanent sur des vétilles, dans l'espoir de distraire l'attention du ministère public et du jury de la culpabilité manifeste de leur client. Quand ils ont quelque chose à cacher, ils harcèlent la partie adverse sur des arguments de droit. Foltrigg songea qu'ils devraient être en train d'établir ce que Clifford, s'il s'était épanché, avait révélé à Mark. Cela aurait dû être si simple. Mais le gamin avait pris un avocat et ils étaient maintenant contraints d'expliquer de quelle manière ils étaient entrés en possession de renseignements cruciaux. Relever, sans sa permission, les empreintes de quelqu'un sur une boîte de soda n'avait rien de répréhensible. Mais, dans la bouche d'un avocat, le boulot bien fait d'un policier devenait une odieuse atteinte à la vie privée. Reggie allait bientôt brandir la menace d'un procès. Et maintenant, le sang.

Elle était bonne. Foltrigg avait du mal à croire qu'elle n'exerçait que depuis quatre ans.

— Grâce au dossier d'admission de son frère, à l'hôpital.

— Et comment vous êtes-vous procuré ce dossier ?

— Nous avons des moyens d'action.

Trumann baissa la tête, dans l'attente d'une volée de bois vert. McThune se cacha derrière la chemise cartonnée. Ils avaient été échaudés : elle les avait fait bafouiller et bredouiller, elle leur en avait fait voir de toutes les couleurs. Au tour de ce vieux Roy d'encaisser quelques coups. C'était presque drôle.

Mais elle garda son calme. Elle déplia lentement un doigt fin, à l'ongle vernis de blanc, et le pointa vers Roy.

— Si vous vous approchez encore de mon client, si vous essayez d'obtenir quoi que ce soit de lui sans ma permission, j'engage des poursuites contre vous et le FBI. Je porte plainte pour violation de l'éthique professionnelle auprès des barreaux de Louisiane et du Tennessee, je vous traîne devant le tribunal pour enfants de Memphis et je demande au juge de vous coller derrière les barreaux.

Elle avait parlé d'une voix égale, sans émotion, mais avec une telle détermination que tous ceux qui se trouvaient dans la pièce, y compris Roy Foltrigg, comprirent qu'elle ferait exactement ce qu'elle annonçait.

— Très bien, fit-il avec un sourire, en inclinant la tête. Je regrette que nous soyons allés un peu trop loin, mais le temps nous est compté et nous devons voir votre client.

— M'avez-vous dit tout ce que vous savez sur Mark ?

Foltrigg et Trumann regardèrent leurs notes.

— Oui, je crois.

— Qu'est-ce que c'est ? reprit Reggie, montrant le dossier dans la lecture duquel McThune était plongé.

Il en était à la tentative de suicide, par absorption de cachets, et lisait, dans les conclusions faites sous serment, que Reggie avait passé quatre jours dans le coma avant de s'en sortir. Le docteur Cardoni, son ex-mari, à l'évidence une belle ordure, ne manquait ni d'argent ni d'avocats. Regina/Reggie avait à peine avalé ses médicaments qu'il se précipitait au tribunal pour déposer une flopée de requêtes visant à obtenir la garde des enfants. En regardant les dates portées sur les documents, McThune constata que le bon docteur adressait des requêtes et sollicitait une audience pendant que son épouse luttait contre la mort.

McThune ne s'affola pas.

– De la paperasse à usage interne, fit-il en la regardant d'un air innocent.

Ce n'était pas un mensonge : il avait peur de lui mentir. Elle avait conservé la bande et leur avait fait jurer de ne rien lui cacher.

– Cela concerne mon client ?

– Non, pas du tout.

– Prenons rendez-vous pour demain, fit-elle en étudiant son agenda.

Ce n'était pas une suggestion, mais une injonction.

– Nous sommes vraiment pressés, Reggie, implora Foltrigg.

– Pas moi. Et je pense que je mène le jeu, non ?

– Je suppose.

– Il me faut un peu de temps pour mettre de l'ordre dans tout cela et discuter avec mon client.

Ce n'était pas ce qu'ils voulaient, mais il n'était que trop évident qu'ils n'auraient rien de plus. D'un geste théâtral, Foltrigg vissa le capuchon de son stylo et glissa ses notes dans son porte-documents. Trumann et McThune suivirent son exemple et, pendant une minute, la table trembla tandis qu'ils rassemblaient papiers et dossiers.

– A quelle heure, demain ? demanda Foltrigg en fermant d'un coup sec son porte-documents et en repoussant son siège.

– Dix heures. A mon cabinet.

– Mark Sway sera-t-il présent ?

– Je ne sais pas.

Les trois hommes se levèrent et sortirent en file indienne.

12

Foltrigg avait quarante-sept substituts sous ses ordres, à La Nouvelle-Orléans, qui combattaient le crime sous toutes ses formes et protégeaient les intérêts du gouvernement. Wally Boxx téléphonait tous les quarts d'heure pour transmettre les directives du patron. Outre Thomas Fink, trois autres collègues travaillaient sur l'affaire Muldanno, et Wally se sentait obligé de les appeler sans arrêt pour leur communiquer instructions et dernières informations. A midi, tout le monde avait entendu parler de Mark Sway et de son petit frère. Les bureaux bruissaient de rumeurs. Que savait exactement le gamin ? Finirait-il par les conduire jusqu'au corps ? Les premières heures, ces questions firent l'objet de conversations à voix feutrée entre les trois substituts concernés, mais dès le milieu de l'après-midi, les secrétaires échangèrent devant un café les suppositions les plus folles sur le contenu de la lettre et ce que Clifford avait pu confier à Mark avant d'avaler du plomb. Dans l'attente du prochain appel de Wally Boxx, tout ce qui n'avait pas trait à l'affaire Boyette était relégué au second plan.

Foltrigg avait déjà eu des fuites à déplorer dans ses services. Il avait renvoyé des collaborateurs soupçonnés de ne pas savoir tenir leur langue, soumis au détecteur de mensonges tous les avocats, assistants, enquêteurs et secrétaires travaillant pour lui. Il gardait sous clé les documents sensibles, sermonnait, menaçait le personnel.

Roy Foltrigg n'était certes pas le genre d'homme à inspirer une fidélité à toute épreuve. Il n'était guère apprécié de son entourage. Il avait des visées politiques, mettait sa fonction au service d'une ambition dévorante. Il monopolisait les projecteurs, s'attribuait le mérite du travail bien fait, reprochait les échecs à ses subordonnés. Il lançait des inculpations litigieuses contre des élus pour voir son nom dans les journaux, enquêtait sur ses ennemis, jetait leur nom en pâture à la presse. Adepte du piston politique, il avait pour unique talent d'exhorter les jurys à coups de citations des Saintes Écritures. Nommé par Reagan, il était en poste encore pour un an. La plupart de ses collaborateurs comptaient les jours et l'encourageaient à briguer un mandat. N'importe quel mandat.

Les journalistes de La Nouvelle-Orléans commencèrent à appeler dès 8 heures du matin. Ils voulaient une déclaration officielle des services de Foltrigg sur l'affaire Clifford. Ils durent s'en passer. Leurs rangs grossirent après la conférence donnée par Willis Upchurch à 14 heures, Muldanno à ses côtés, le regard mauvais. Les appels téléphoniques à destination ou en provenance de Memphis se comptèrent par centaines.

Les rumeurs commencèrent à se propager.

Debout au fond du couloir du neuvième étage, ils regardaient par la vitre sale les encombrements de l'heure de pointe. Dianne alluma nerveusement une Virginia Slim et souffla un gros nuage de fumée.

– Qui est cette avocate ?

– Elle s'appelle Reggie Love.

– Comment l'as-tu trouvée ?

Il montra la tour Sterick qui se dressait devant eux.

– Je suis allé dans son cabinet, dans cet immeuble, et je lui ai parlé.

– Pourquoi as-tu fait ça, Mark ?

– Ces flics me fichent la trouille, maman. Il y a des policiers et des agents du FBI partout. Et des journalistes. Il y en a un qui m'est tombé sur le dos dans l'ascenseur. Je pense que nous avons besoin d'être conseillés.

– Les avocats ne travaillent pas à l'œil, Mark. Tu sais bien que nous n'avons pas de quoi payer un avocat.

– C'est déjà fait, répliqua-t-il en se rengorgeant.

– Quoi ? Comment as-tu fait pour la payer ?

– Elle n'a demandé qu'un petit acompte, je le lui ai donné. Un dollar, sur les cinq que j'ai pris ce matin pour les beignets.

– Elle travaille pour un dollar ? Ça doit être une sacrée avocate !

– Elle est très forte, tu sais. J'avoue qu'elle m'a impressionné.

Dianne secoua la tête, elle n'en croyait pas ses oreilles. Pendant les moments les plus pénibles de son divorce, Mark, neuf ans à l'époque, n'avait cessé de critiquer son avocat. Il passait des heures à regarder des rediffusions de *Perry Mason* et ne manquait jamais un épisode de *La Loi de Los Angeles*. Elle avait renoncé, depuis des années, à avoir gain de cause dans leurs discussions.

– Qu'a-t-elle fait jusqu'ici ? reprit Dianne, comme si, au sortir des ténèbres d'une grotte, elle retrouvait enfin la lumière.

– Elle a rencontré des agents du FBI à midi et les a embobinés en beauté. Elle les a revus plus tard, à son cabinet, mais je n'ai pas de nouvelles.

– A quelle heure doit-elle venir ?

– Vers 6 heures. Elle veut te rencontrer et parler au docteur Greenway. Tu l'aimeras beaucoup, maman.

Dianne aspira la fumée de sa cigarette et la souffla par le nez.

– Mais pourquoi aurions-nous besoin d'elle, Mark ? Je ne vois pas ce qu'elle vient faire dans cette histoire. Tu n'as rien fait de mal. Ricky et toi, vous avez vu la voiture, vous avez essayé d'aider cet homme, mais il a fini par se tirer une balle dans la tête. Vous avez assisté à la scène, c'est tout. Pourquoi as-tu besoin d'un avocat ?

– Eh bien, j'ai menti aux flics au début, et c'est ce qui me fait peur. Je craignais qu'on ait des ennuis, parce qu'on n'a pas réussi à l'empêcher de se suicider. Ça m'a fichu la trouille, tu sais.

Pendant cette explication, elle le regarda avec attention, mais il se déroba. Il y eut un long silence.

– Tu m'as tout dit ? demanda-t-elle lentement, comme si elle connaissait la réponse.

Il avait d'abord menti dans le mobile home, quand Hardy tournait autour d'eux, écoutant de toutes ses oreilles. La veille au soir, dans la chambre de Ricky, en réponse aux questions de Greenway, il avait donné une première version de la vérité. Il se souvenait de la tristesse de sa mère, quand elle avait entendu ce second récit, et de ce qu'elle avait dit, un peu plus tard : « Ne me mens jamais, Mark. »

Ils en avaient pourtant partagé, de sales moments, mais il continuait à tourner autour du pot. Il éludait ses questions et s'était même plus confié à Reggie qu'à sa propre mère. Cela le dégoûtait.

– Tout s'est passé si vite, hier, reprit-il. J'avais les idées très embrouillées, mais, depuis, j'ai eu le temps de réfléchir. J'ai beaucoup réfléchi. J'ai tout repassé dans ma tête, minute après minute, et les souvenirs me reviennent.

– Par exemple ?

– Tu vois comment Ricky a été traumatisé par ce qu'il a vu. Je crois que c'est un peu la même chose pour moi. En moins grave, bien sûr, mais je commence seulement à me souvenir de certaines choses qui auraient dû me revenir hier soir, quand j'ai parlé avec le docteur Greenway. Ça se tient, ce que je dis ?

Oui, cela se tenait. Dianne sentit l'inquiétude la gagner. Deux garçons assistent à la même scène. L'un est en état de choc. On peut raisonnablement imaginer que l'autre aussi est bouleversé. Cela ne lui était pas venu à l'esprit.

– Tu te sens bien, Mark ? demanda-t-elle en se penchant vers lui.

Il comprit que c'était dans la poche.

– Je crois, répondit-il, le front plissé, comme si une migraine venait de se déclarer.

– Qu'est-ce qui t'est revenu ? demanda-t-elle prudemment.

– Eh bien, fit-il en respirant profondément, je me rappelle...

Greenway apparut brusquement derrière eux et toussota. Mark pivota sur lui-même.

– Il faut que j'y aille, fit le psychiatre, en manière d'excuse. Je repasserai dans deux heures.

Dianne hocha la tête en silence. Mark décida d'en finir.

– Vous savez, docteur, j'étais en train de dire à maman qu'il y a des choses qui commencent à me revenir.

– Sur le suicide ?

– Oui. Toute la journée, des images, des détails me sont remontés à l'esprit. Je crois qu'il y a des choses importantes.

– Allons discuter dans la chambre, fit Greenway en lançant un coup d'œil à Dianne.

Ils regagnèrent la chambre et écoutèrent Mark essayer de reconstituer l'histoire. Il garda les yeux fixés sur le sol, mais c'est avec un profond soulagement qu'il entreprit d'extirper ces scènes pénibles d'un cerveau traumatisé, profondément marqué. C'était pure comédie, il s'en sortit avec finesse. Il s'interrompit souvent, longs silences pendant lesquels il cherchait ses mots pour décrire ce qui était gravé dans sa mémoire. Il lança de loin en loin un regard vers Greenway, l'air impénétrable, vers sa mère qui ne semblait pas trop déçue et dont le visage n'exprimait qu'une inquiétude maternelle.

Quand il en arriva au moment où Clifford l'avait poussé dans la voiture, il les vit réagir. Il garda la tête baissée. Dianne soupira quand il mentionna le pistolet. Greenway secoua la tête à l'évocation de la balle tirée dans la vitre. Mark avait parfois l'impression qu'il allait se faire attraper pour leur avoir menti, mais poursuivait son récit laborieux, entrecoupé de silences embarrassés et de moments de réflexion.

Il repassa consciencieusement tout ce que Ricky avait pu voir et entendre. Les seuls détails qu'il garda pour lui furent les confidences de Clifford. Il avait un souvenir vif des termes exacts de son délire : « En route pour le pays des songes. Allons voir le magicien. »

Quand il eut terminé, Dianne, assise sur le lit de camp, la tête entre les mains, demanda un Valium. Greenway, dans son fauteuil, écouta jusqu'au bout, en silence.

– Tu n'as rien oublié, Mark ?

– Je ne sais pas, c'est tout ce dont je me souviens, marmonna-t-il, comme s'il avait une rage de dents.

– Tu es donc monté dans cette voiture ? demanda Dianne, sans ouvrir les yeux.

– Tu vois ça, fit Mark en montrant son œil gauche légèrement enflé. C'est le coup qu'il m'a donné quand j'ai essayé de m'échapper. Je suis resté longtemps étourdi. J'ai peut-être perdu connaissance, je ne sais pas.

– Tu m'as dit que tu t'étais battu à l'école.

– Je ne me souviens pas de ça, maman, mais, si je te l'ai dit, c'est peut-être à cause du choc.

Zut ! Encore piégé par un mensonge !

– Ricky a vu Clifford t'empoigner et te pousser dans la voiture, fit Greenway en caressant sa barbe. Et il a entendu le coup de feu. Cela fait beaucoup.

– Oui, tout me revient maintenant. Je suis désolé d'avoir attendu si longtemps, mais c'est comme si j'avais eu la tête vide. Un peu comme Ricky.

– Franchement, Mark, reprit Greenway après un long silence, il m'est difficile de croire que rien de tout cela ne t'est revenu en mémoire hier soir.

– Fichez-moi la paix, maintenant ! Regardez Ricky. Il a vu ce qui m'est arrivé et il est hors circuit. On a parlé de ça, hier soir ?

– Je t'en prie, Mark ! fit Dianne.

– Bien sûr que nous en avons parlé, dit Greenway, le front sillonné de quatre plis profonds.

– Oui, sans doute, mais je ne me souviens pas de grand-chose.

Le psychiatre se tourna vers Dianne et ils échangèrent un long regard. Mark entra dans la salle de bains, but un peu d'eau dans un gobelet en carton.

– Ça ira, fit Dianne. As-tu parlé de ça à la police ?

– Non, je viens de retrouver la mémoire. Tu as déjà oublié ?

Dianne secoua la tête en silence et réussit à ébaucher un petit sourire. Elle avait les yeux plissés et Mark ne put soutenir ce regard. Elle croyait tout ce qu'il venait de raconter sur le suicide, mais ne se laissait pas duper par ces prétendus souvenirs. Elle réglerait cela avec lui, plus tard.

Greenway était sceptique, lui aussi, mais il lui importait avant tout de traiter son patient, pas de réprimander Mark. Il caressa lentement sa barbe, les yeux fixés sur le mur. Il y eut un long silence.

– J'ai faim, dit Mark.

Reggie arriva avec une heure de retard et s'excusa. Greenway était déjà parti. Mark fit les présentations en bafouillant. Reggie sourit chaleureusement à Dianne en lui serrant la main et prit place à côté d'elle, sur le lit. Elle posa une dizaine de questions sur

Ricky, comme une vieille amie de la famille, inquiète, s'intéressant à tout. Le travail de Dianne ? L'école de Mark ? L'argent ? Les vêtements ?

Dianne se sentait fatiguée, vulnérable. Elle trouva agréable de parler à une femme, elle s'épancha. Elles discutèrent un moment de ce que Greenway avait dit, d'un tas de choses sans rapport avec Mark, son témoignage et le FBI, les seules raisons de la présence de l'avocate.

Reggie avait apporté dans un sac des sandwiches et des chips que Mark disposa sur une table encombrée, au chevet de Ricky. Elles ne le virent même pas sortir pour chercher des boissons.

Il prit deux Dr Pepper au distributeur de la salle d'attente, regagna la chambre sans se faire arrêter par un flic, un journaliste ou un tueur de la mafia. Les deux femmes étaient plongées dans une conversation sur la manière dont McThune et Trumann avaient essayé de tirer les vers du nez de Mark. Reggie racontait l'histoire de telle manière que Dianne ne pouvait que se défier du FBI. Elles étaient toutes deux scandalisées. Pour la première fois depuis bien longtemps, Mark vit sa mère retrouver de l'animation.

Jack Nance et associés, spécialistes de la sécurité, était une société discrète, composée en tout et pour tout de deux détectives privés. Sa publicité dans les pages jaunes était l'une des plus petites de Memphis. L'agence ne recherchait pas ces banales affaires d'adultère où l'un des conjoints trompait l'autre qui voulait des photos pour sa demande de divorce. L'agence ne possédait pas de détecteur de mensonges, n'enlevait pas les enfants, ne démasquait pas les employés indélicats.

Jack Nance, un ancien détenu au casier très chargé, avait réussi, depuis dix ans, à éviter les ennuis. Son associé s'appelait Cal Sisson, ancien détenu lui aussi ; il avait monté un coup génial avec une entreprise bidon spécialisée dans les toitures. Ils gagnaient confortablement leur vie, en se salissant les mains pour le compte des riches. Ils avaient un jour brisé les deux mains d'un adolescent qui avait giflé sa petite amie, la fille d'un riche client. Ils avaient déprogrammé deux adeptes de la secte Moon, les enfants d'un autre client; ils ne reculaient pas devant la violence. Il leur était même arrivé de mettre le feu à la garçonnière où l'épouse d'un client retrouvait son amant.

Il existait un marché pour ce type de travail et, dans certains milieux très fermés, ils avaient la réputation d'hommes efficaces et sans scrupules. Ils avaient des résultats stupéfiants et n'acceptaient un client qu'avec une recommandation.

Jack Nance était dans son bureau encombré, à la nuit tombée, quand il entendit frapper. La secrétaire était partie. Cal Sisson filait un dealer de crack qui avait accroché le fils d'un client. Nance, la quarantaine, pas très grand, était râblé et extrêmement agile. Il traversa le bureau de la secrétaire, ouvrit la porte. Le visage qu'il découvrit lui était inconnu.

– Je cherche Jack Nance.

– C'est moi.

Ils échangèrent une poignée de main.

– Je m'appelle Paul Gronke. Je peux entrer ?

Nance s'écarta et fit signe à Gronke d'entrer. Ils s'arrêtèrent devant le bureau de la secrétaire. Gronke parcourut du regard la petite pièce en désordre.

– Il est tard, fit Nance. Que voulez-vous ?

– J'ai du travail pour vous. C'est urgent.

– De la part de qui venez-vous ?

– J'ai entendu parler de vous en bien.

– Donnez-moi un nom.

– J.L. Grainger. Vous l'avez aidé à conclure une affaire, je crois. Il a aussi mentionné un certain Schwartz qui était très satisfait de vos services.

Nance réfléchit un instant, tout en étudiant Gronke. Costaud, large de poitrine, il approchait de la quarantaine, était mal habillé mais ne le savait pas. A sa voix traînante, à sa manière d'avaler les syllabes, Nance sut immédiatement qu'il venait de La Nouvelle-Orléans.

– Je demande un acompte de deux mille dollars, non remboursable et en espèces, avant d'écouter un seul mot.

Gronke prit une liasse de billets dans sa poche, en compta vingt de cent dollars. Nance se détendit. C'était l'acompte le plus rapidement encaissé en dix ans de carrière.

– Asseyez-vous, dit-il en prenant l'argent. Je vous écoute.

Gronke prit une coupure de journal dans sa veste, la tendit à Nance.

– Avez-vous vu ça dans le journal d'aujourd'hui ?

Nance regarda l'article découpé.

– Oui, j'ai lu. En quoi cela vous concerne-t-il ?

– Je suis de La Nouvelle-Orléans. Barry Muldanno est un vieux pote à moi et il est très perturbé de voir son nom apparaître dans un journal de Memphis. D'après cet article, il aurait des liens avec la mafia et tout. On ne peut vraiment pas croire un mot de ce qu'écrivent ces pisseurs de copie. La presse sera la ruine de notre pays.

– Clifford était son avocat ?

– Oui, mais il en a un nouveau. Ce n'est pas important, ça. Je vais vous dire ce qui le préoccupe : il a appris de bonne source que ces deux gamins savent quelque chose.

– Où sont-ils ?

– Le petit est à l'hôpital, dans le coma ou quelque chose de ce genre. Il a disjoncté quand Clifford s'est fait sauter le caisson. Son frère est monté dans la voiture avec Clifford et nous avons peur qu'il n'ait appris quelque chose. Le gamin a déjà pris un avocat et refuse de répondre aux questions du FBI. Tout ça paraît louche.

– Qu'attendez-vous de moi ?

– Nous avons besoin de quelqu'un qui ait des relations à Memphis. Nous devons voir ce gamin, savoir tout ce qu'il fait.

– Comment s'appelle-t-il ?

– Mark Sway. Nous pensons qu'il est à l'hôpital, avec sa mère. Ils ont passé la nuit dernière dans la chambre du plus jeune, Ricky Sway. St. Peter's, neuvième étage, chambre 943. Nous vous demandons de trouver le gamin et de le surveiller.

– Ce n'est pas sorcier.

– Pas sûr. Des flics et probablement des agents fédéraux le tiennent à l'œil. Il y a du monde qui s'intéresse à lui.

– Je prends cent dollars de l'heure, en espèces.

– Je sais.

Elle se faisait appeler Amber, le prénom le plus courant, avec Alexis, chez les effeuilleuses et les prostituées du Vieux Carré. Elle répondit au téléphone, transporta l'appareil jusqu'à la petite salle de bains où Barry Muldanno se brossait les dents.

– C'est Gronke, dit-elle en lui tendant le combiné.

Il le prit et ferma le robinet en admirant le corps nu qui se glissait dans les draps. Il s'avança dans l'encadrement de la porte.

– Allô ! fit-il.

Une minute plus tard, il reposa le récepteur sur la table de chevet et se sécha. Il s'habilla rapidement. Amber était sous les draps.

– A quelle heure travailles-tu ? demanda-t-il en nouant sa cravate.

– Dix heures. Quelle heure est-il ?

Il vit apparaître sa tête entre les oreillers.

– Pas loin de 9 heures. J'ai une course à faire, je reviens.

– Pour quoi faire ? Tu as eu ce que tu voulais.

– J'en voudrai peut-être encore. N'oublie pas, mon ange, que c'est moi qui paie le loyer.

– Tu parles d'un loyer ! Qu'est-ce que tu attends pour me sortir de ce taudis ? Pour me trouver un chouette appart ?

Il tira ses manches de chemise pour les faire dépasser de la veste, s'admira dans le miroir. Parfait. Absolument parfait.

– Je me plais bien ici, fit-il en souriant.

– C'est un taudis, répéta Amber. Si tu tenais un peu à moi, tu me trouverais quelque chose de bien.

– D'accord, d'accord. A plus tard, mon ange.

Il claqua la porte en sortant. Ces filles ! On leur trouve un boulot, puis un logement, on leur achète des fringues, on leur offre de bons repas et, dès qu'elles sont dégrossies, elles ont des exigences. C'était une habitude coûteuse, mais il ne pouvait s'en passer.

Ses mocassins en alligator volèrent sur les marches de l'escalier. Il ouvrit la porte donnant dans Dumaine Street, regarda à droite, puis à gauche, certain d'être observé, et suivit le trottoir jusqu'au carrefour de Bourbon Street. Il marcha dans l'ombre, traversa et retraversa la rue, tourna à plusieurs carrefours pour revenir sur ses pas. Après avoir zigzagué un bon moment, il s'engouffra Chez Randy, dans Decatur Street. S'ils continuaient à lui filer le train, c'étaient des surhommes.

Chez Randy était un sanctuaire. Un restaurant d'huîtres à l'ancienne mode, long et étroit, sombre et bondé, inconnu des touristes, acheté et tenu par la famille. Il grimpa l'escalier étroit menant à l'étage où les réservations obligatoires étaient l'apanage de quelques privilégiés. Il salua un serveur de la tête, sourit à un malfrat corpulent, entra dans un salon particulier de quatre tables. Trois étaient libres. A la quatrième, dans une quasi-obscurité, une silhouette solitaire lisait à la lueur d'une bougie. Barry s'approcha, s'arrêta, attendit d'être invité à s'asseoir. L'homme le vit, lui indiqua une chaise. Barry s'assit docilement.

Johnny Sulari était le frère de la mère de Barry et le chef incontesté de la famille. Il était le propriétaire de l'établissement et d'une centaine d'autres affaires de toutes sortes. Comme à son habitude, il travaillait ce soir-là, lisant des pièces comptables à la lueur d'une bougie, en attendant que son repas soit servi. Le mardi était une soirée au bureau comme les autres. Le vendredi, il serait à la même table, en compagnie d'une Amber, d'une Alexis ou d'une Sabrina. Le samedi, il y dînerait avec sa femme.

Johnny n'apprécia pas d'être interrompu dans son travail.

– Qu'est-ce que tu veux ? demanda-t-il.

Barry se pencha vers lui, tout à fait conscient de ne pas être le bienvenu.

– Je viens de parler à Gronke, à Memphis. Le gamin a pris un avocat et refuse de voir le FBI.

– Tu sais, Barry, ta bêtise m'étonnera toujours.

– Nous avons déjà parlé de ça, il me semble.

– Je sais. Et nous en reparlerons. Tu es vraiment con, Barry, et je tiens à ce que tu saches ce que je pense de toi.

– D'accord, je suis con, mais il faut faire quelque chose.

– Quoi ?

– Il faut envoyer Bono et quelqu'un d'autre. Pirini ou bien le Taureau, ça m'est égal, mais il faut envoyer deux hommes à Memphis. Sans perdre une minute.

– Tu veux liquider le gamin ?

– Peut-être, nous verrons. Il faut absolument découvrir ce qu'il sait. S'il en sait trop long, nous serons peut-être obligés de nous débarrasser de lui.

– Je déplore que nous soyons unis par les liens du sang, Barry. Tu es bête à manger du foin.

– D'accord. Mais il faut agir vite.

Johnny saisit un pile de papiers, commença à lire.

– Envoie Bono et Pirini, mais je ne veux plus d'initiatives stupides. Tu es un idiot, Barry, un crétin, et tu ne feras rien là-bas avant que je donne le feu vert. C'est compris ?

– Oui, mon oncle.

– Laisse-moi seul, fit Johnny avec un petit signe de la main.

Barry obéit avec empressement.

13

Le mardi soir, George Ord et son équipe avaient réussi à circonscrire les activités de Foltrigg, Boxx et Fink entre les quatre murs de la vaste bibliothèque située au centre de leurs locaux. Foltrigg et ses hommes s'y étaient retranchés, avec deux téléphones à leur disposition. Ord leur avait prêté une secrétaire et un avocat stagiaire. Les substituts avaient pour consigne de se tenir à l'écart de la bibliothèque. Foltrigg avait étalé ses papiers et son bazar sur la table de conférences de cinq mètres. Trumann était autorisé à entrer et à sortir. La secrétaire allait chercher du café et des sandwiches dès que le Révérend lui en donnait l'ordre.

Foltrigg, qui avait été un étudiant médiocre, s'attachait depuis quinze ans à fuir la corvée des recherches. Cette aversion pour les bibliothèques lui était venue pendant ses études. Il fallait laisser les recherches aux têtes d'œuf, telle était sa théorie. Le prétoire restait le domaine des vrais avocats, capables de plaider devant un jury et de le convaincre.

C'est par pur désœuvrement qu'il se trouvait dans la bibliothèque, en compagnie de Boxx et de Fink. Rien d'autre à faire que d'attendre que cette Reggie Love claque des doigts. Voilà pourquoi le grand Roy Foltrigg était plongé dans un gros ouvrage de droit, entouré d'une dizaine d'autres pavés. Fink, la tête d'œuf de service, était par terre, en chaussettes, entre deux étagères garnies de livres, au milieu des ouvrages qu'il consultait. Boxx, lui aussi un poids plume en matière de connaissances juridiques, parcourait les requêtes, à l'autre bout de la table. Il n'avait pas ouvert un livre de droit depuis des années, mais, dans l'immédiat, il n'y avait rien d'autre à faire. Il espérait de toutes ses forces qu'ils quitteraient Memphis le lendemain.

La question première, l'axe de leurs recherches, était de déterminer par quels moyens ils pourraient forcer Mark Sway à divulguer des renseignements contre son gré. Si quelqu'un détient des renseignements vitaux pour une enquête criminelle et décide de ne pas parler, comment les obtenir ? Foltrigg voulait en outre savoir si Reggie Love pouvait être contrainte à divulguer ce que Mark lui avait confié. L'avocat est lié à son client par le sacro-saint secret professionnel, mais Foltrigg tenait à s'assurer qu'il était inviolable.

La discussion visant à établir si Mark Sway savait quelque chose s'était achevée par une victoire indiscutable de Foltrigg. Le gamin était monté dans la voiture. Clifford déraillait et avait besoin de s'épancher. Mark avait menti à la police. S'il avait pris un avocat, c'est qu'il savait quelque chose qui lui faisait peur. Pourquoi ne vidait-il pas son sac ? Pourquoi ? Tout simplement parce qu'il avait peur de l'assassin de Boyd Boyette.

Fink avait encore des doutes, mais était las de discuter. Son patron n'était pas une lumière, mais il avait la tête dure et quand il se butait, c'était définitif. De plus, ses arguments ne manquaient pas de valeur. Le gamin avait un comportement étrange, surtout pour un gamin.

Boxx s'était évidemment rangé à l'avis du patron et acceptait tout, les yeux fermés. Si Roy affirmait que le petit savait où se trouvait le corps, c'était parole d'évangile. A la suite de l'un de ses innombrables coups de téléphone à La Nouvelle-Orléans, une demi-douzaine de substituts effectuaient les mêmes recherches qu'eux.

Vers 22 heures, ce mardi soir, Larry Trumann entra dans la bibliothèque. Il avait passé la majeure partie de la soirée dans le bureau de McThune. Conformément aux instructions de Foltrigg, ils avaient entrepris les premières démarches visant à assurer la sécurité de Mark Sway dans le cadre du Programme fédéral de protection des témoins. Ils avaient téléphoné une dizaine de fois à Washington, s'étaient entretenus à deux reprises avec F. Denton Voyles, le directeur du FBI. Si Mark Sway ne donnait pas dans la matinée les réponses dont Foltrigg avait besoin, ils seraient en mesure de lui faire une proposition très alléchante.

Foltrigg pensait que l'affaire se ferait sans difficulté, le gamin n'ayant rien à perdre. Ils proposeraient à sa mère un boulot intéressant dans une nouvelle ville de son choix. Elle gagnerait plus que les six malheureux dollars de l'heure qu'elle touchait dans sa fabrique de lampes. Sa famille serait logée dans une maison en dur, pas un mobile home. On lui offrirait de l'argent, une voiture peut-être.

Assis dans l'obscurité, sur le matelas trop mince du petit lit, Mark regardait sa mère endormie près de Ricky. Il se leva. Il en avait par-dessus la tête de cette chambre, de cet hôpital. Le lit de camp lui démolissait le dos. A son désespoir, la belle Karen n'était pas de service. Les couloirs étaient déserts, personne n'attendait l'ascenseur.

Dans la salle d'attente un homme feuilletait une revue, sans un regard pour l'épisode de *MASH* diffusé à la télévision. Il occupait le canapé sur lequel Mark avait prévu de passer la nuit. Le garçon glissa deux pièces de vingt-cinq cents dans la fente du distributeur et prit son Sprite. Il s'installa dans un fauteuil, les yeux rivés sur l'écran. L'homme, la quarantaine, avait l'air fatigué et soucieux. Dix minutes s'écoulèrent, *MASH* s'acheva. Gill Teal apparut, comme par magie, sur le lieu d'un accident de voiture. L'avocat du peuple parlait posément de droits à défendre, de lutte contre les compagnies d'assurances. Avec Gill Teal, vous tombez pile.

Jack Nance ferma sa revue, en prit une autre. Il tourna la tête vers Mark pour la première fois et lui sourit.

— Salut ! fit-il cordialement, avant de se plonger dans sa lecture.

Mark fit un signe de tête. Il tenait avant tout à éviter l'intrusion dans sa vie d'un inconnu de plus. Il but une gorgée en priant pour que l'autre se taise.

— Qu'est-ce que tu fais là ?

— Je regarde la télé, répondit Mark d'une voix à peine audible.

Le sourire de l'homme s'effaça, il commença à lire un article. En ouverture du journal de la nuit, il y avait un long sujet en direct sur un typhon, au Pakistan. Le reportage montrait des cadavres d'hommes et d'animaux jetés à la côte, comme du bois flotté. Des images à ne pas manquer.

— C'est affreux, souffla Jack Nance, sans quitter des yeux l'écran où un hélicoptère tournait au-dessus d'une pile de débris humains.

— Dégoûtant, fit Mark, évitant de se montrer trop aimable.

Comment savoir si ce type n'était pas, lui aussi, un avocat prêt à bondir sur une proie blessée ?

— Vraiment dégoûtant, approuva-t-il en secouant la tête devant un si grand malheur. On peut s'estimer heureux de vivre ici. Mais on ne pense pas à ça quand on est dans un hôpital.

La tristesse se peignit sur son visage. Il regarda Mark d'un air malheureux.

— Qu'est-ce qui vous arrive ? ne put s'empêcher de demander Mark.

— C'est mon fils, répondit l'homme en lançant la revue sur la table et en se frottant les yeux. Il est mal en point.

— Qu'est-ce qu'il a ? dit Mark, touché par la tristesse de l'inconnu.

— Accident de voiture. Le conducteur était ivre, mon fils a été éjecté.

— Où est-il ?

– En réanimation, au rez-de-chaussée. Je n'ai pas pu rester. C'est un vrai cirque, tout le monde crie et pleure.

– Je suis vraiment désolé.

– Il n'a que huit ans.

Mark crut percevoir des sanglots dans sa voix, sans en être sûr.

– Mon petit frère aussi a huit ans. Il est dans une chambre, à cet étage.

– Qu'est-ce qu'il a ? demanda l'homme sans le regarder.

– Il est en état de choc.

– Que s'est-il passé ?

– C'est une longue histoire, loin d'être terminée. Mais il s'en sortira. Votre fils aussi, je l'espère.

Jack Nance regarda sa montre et se leva brusquement.

– Il faut que j'aille le voir, fit-il. Bonne chance. Au fait, comment t'appelles-tu ?

– Mark Sway.

– Bonne chance, Mark. Il faut que je me dépêche.

Il se dirigea vers les ascenseurs et disparut dans une cabine.

Mark prit sa place sur le canapé. Trois minutes plus tard, il dormait.

14

Les photographies à la une de l'édition du mercredi du *Memphis Press* étaient les photos de classe de l'école primaire de Willow Road. Celles de l'année précédente ; Mark avait dix ans, Ricky sept. Elles occupaient, côte à côte, le tiers inférieur de la page. Sous les visages souriants figuraient les deux noms. Mark Sway. Ricky Sway. A gauche des photos un article relatait le suicide de Jerome Clifford et ses suites fâcheuses pour les garçons. L'article, signé Slick Moeller, présentait l'affaire d'une manière troublante. Le FBI s'y intéressait de près ; Ricky était en état de choc ; son frère avait fait le 911, en refusant de donner son nom ; la police l'avait interrogé, mais il n'avait rien dit ; la famille avait pris un avocat, Mᵉ Reggie Love ; des empreintes de Mark avaient été relevées partout dans la voiture, y compris sur l'arme. Cet article semblait faire de Mark l'auteur d'un meurtre commis de sang-froid.

Karen lui apporta le journal, à 6 heures, dans la chambre à deux lits où il s'était installé, juste en face de celle de Ricky. Il regardait des dessins animés en essayant de trouver le sommeil. Greenway avait exigé que Ricky reste seul avec sa mère. Une heure plus tôt, il avait ouvert les yeux et demandé à aller aux toilettes. Il s'était recouché et murmurait des paroles inarticulées, où il était question de cauchemars et de manger une glace.

— Te voilà célèbre, annonça Karen en tendant le journal à Mark, avant de poser son jus d'orange sur la table.

— Qu'est-ce que ça veut dire ? fit-il en découvrant sa photo en noir et blanc. C'est pas vrai !

— Un article qui parle de toi. J'aimerais que tu me signes un autographe, quand tu auras le temps.

Très drôle ! Karen sortie, il lut lentement l'article. Reggie lui avait parlé des empreintes et de la lettre. Il avait rêvé du pistolet, mais oublié qu'il avait touché la bouteille de whisky. Un trou de mémoire compréhensible.

Il éprouva un sentiment d'injustice. Il était encore un enfant, il ne demandait rien à personne, mais sa photo apparaissait en première page et des soupçons pesaient sur lui. Comment un journaliste peut-il se procurer de vieilles photos de classe et les publier quand bon lui semble ? Pourquoi ne respectait-on pas sa vie privée ?

Il jeta le journal par terre, s'avança vers la fenêtre. Une aube bruineuse se levait, le centre de Memphis s'animait lentement. A la fenêtre de la chambre vide, devant la forêt d'immeubles, il fut saisi d'un profond sentiment de solitude. Dans l'heure qui venait, un demi-million de citadins liraient l'histoire de Mark et Ricky Sway en prenant leur petit déjeuner. Les grands bâtiments encore plongés dans l'obscurité se rempliraient bientôt d'une foule pressée, échangeant des cancans, émettant les hypothèses les plus farfelues sur Mark Sway et la mort violente de l'avocat. Ils prendraient l'article de Slick Moeller pour argent comptant, comme si un journaliste avait la science infuse.

Ce n'était pas juste qu'un enfant lise un tel article sur lui sans pouvoir se réfugier derrière ses parents. Un enfant dans cette situation avait droit à la protection d'un père, à l'affection pleine et entière d'une mère. Il avait besoin d'un rempart contre les policiers, les agents du FBI, les journalistes et surtout la mafia. Il avait onze ans, il était seul, il mentait, disait une partie de la vérité, continuait de s'empêtrer dans ses mensonges, sans savoir quelle conduite adopter. La vérité peut coûter la vie. Il avait vu cela dans un film et y pensait toujours, quand il lui paraissait nécessaire de mentir. Comment faire pour sortir de là ?

Il ramassa le journal, ouvrit la porte de la chambre. Sur celle de Ricky, une note punaisée par Greenway interdisait l'accès à tout le monde, y compris les infirmières. Dianne avait mal aux reins à force de bercer Ricky, assise sur son lit, et Greenway avait fait apporter des pilules pour la soulager.

Mark entra dans le bureau des infirmières et tendit le journal à Karen.

– Bon article, non ? fit-elle en souriant.

Le charme était rompu. Elle était toujours aussi belle, mais elle avait mis une distance entre eux, et il n'avait pas le courage de la combler.

– Je vais acheter un beignet, dit-il. Vous en voulez un ?

– Non, merci.

Il s'arrêta devant les ascenseurs, appuya sur le bouton d'appel. La porte de la cabine du milieu s'ouvrit.

A cet instant précis, Jack Nance se retourna dans la pénombre de la salle d'attente et murmura quelques mots dans son émetteur.

La cabine était vide. Il était un peu plus de 6 heures du matin, une bonne demi-heure avant l'affluence. L'ascenseur s'arrêta au huitième. La porte s'ouvrit, un homme entra. Blouse blanche, jean, tennis et casquette de base-ball. Mark ne regarda même pas son visage. Il en avait assez de tous ces inconnus qu'il rencontrait.

La porte à peine refermée, l'homme empoigna Mark, le plaqua contre la paroi, dans un angle de la cabine, lui serrant la gorge d'une main. Il fléchit le genou, prit quelque chose dans sa poche. Son visage était à quelques centimètres de celui de Mark. Un visage hideux. Sa respiration était précipitée.

– Écoute-moi bien, Mark Sway, commença-t-il d'une voix sourde.

Mark entendit un claquement et vit brusquement apparaître la lame luisante d'un couteau à cran d'arrêt. Une très longue lame. L'ascenseur se remit en marche.

– Je ne sais pas ce que t'a dit Jerome Clifford, poursuivit l'homme d'un ton pressant, mais si tu répètes un seul mot à qui que ce soit, même à ton avocate, je te tue. Je tuerai aussi ta mère et ton petit frère. Tu saisis ? Il est dans la chambre 943. J'ai vu votre mobile home, j'ai vu ton école. Tu saisis ?

Son haleine était chaude, elle sentait le café crème et il la lui soufflait dans la figure.

– Tu m'as bien compris ? ricana-t-il avec un sourire mauvais.

L'ascenseur s'arrêta, l'homme se plaça près de la porte, le couteau caché par une jambe. Paralysé de terreur, Mark pria pour que quelqu'un entre dans la cabine. Il était évident que l'autre n'allait pas le laisser partir comme ça. Ils attendirent dix secondes au sixième étage, personne n'entra. La porte se referma, l'ascenseur se remit en marche.

L'homme bondit derechef sur Mark, la lame à cinq centimètres de son nez. Il le coinça dans l'angle avec son avant-bras et avança brusquement le couteau vers la taille du garçon. D'un petit coup sec et précis, il trancha net un passant du pantalon. Puis un second. Il s'était acquitté de son message, maintenant il enfonçait le clou.

– Je te crèverai le ventre, tu as compris ? lança-t-il à Mark avant de le lâcher.

Mark inclina la tête en silence. Une boule de la grosseur d'une balle de golf lui obstruait la gorge. Les larmes lui montèrent aux yeux.

– Je te tuerai. Tu me crois ?

Le regard fixé sur le couteau, Mark hocha de nouveau la tête.

– Et si tu parles de moi à quelqu'un, je te retrouverai. Compris ?

Mark continua d'acquiescer de la tête, de plus en plus vite.

L'homme glissa le couteau dans une de ses poches et sortit de sa blouse une photo en couleurs pliée, de format 20 × 24, qu'il colla devant les yeux de Mark.

– Ça te rappelle quelque chose ? demanda-t-il en souriant.

C'était un portrait de Mark, fait trois ans plus tôt, dans un grand magasin et qui, depuis, était accroché dans le salon, au-dessus du téléviseur. Mark écarquilla les yeux.

– Tu reconnais ça ? cria l'homme.

Mark hocha la tête. Il n'y avait pas deux photos comme celle-ci au monde.

L'ascenseur s'arrêta, l'homme s'écarta, se plaça de nouveau près de la porte. A la dernière seconde, deux infirmières entrèrent et Mark respira enfin. Il resta dans son coin, agrippé à la main courante, priant pour qu'un miracle se produise. Le couteau à cran d'arrêt s'était rapproché à chaque assaut et il ne se sentait pas capable d'en supporter un de plus. Au troisième étage, trois autres personnes entrèrent et se placèrent entre Mark et son agresseur. Au moment où la porte se referma, l'homme au couteau disparut.

– Tu ne te sens pas bien ?

Une infirmière le regardait d'un air très inquiet. L'ascenseur se remit en marche avec une secousse. Elle posa la main sur le front de Mark, sentit la sueur entre ses doigts. Il avait les larmes aux yeux.

– Tu es tout pâle.

– Ça va, murmura Mark d'une voix ténue, en s'appuyant contre la paroi.

Du fond de la cabine, l'autre infirmière l'observait aussi avec inquiétude.

– Tu en es sûr ?

La porte de l'ascenseur s'ouvrit au deuxième étage. Mark se faufila entre les passagers et s'élança dans un couloir étroit, encombré de lits et de fauteuils roulants. Ses baskets usagées crissaient sur le linoléum. Il poussa une porte surmontée d'un écriteau Sortie, donnant dans la cage d'escalier. Il saisit la rampe, grimpa les marches deux par deux. Il commença à avoir mal aux cuisses au sixième étage, mais cela lui fit accélérer l'allure. Il croisa un médecin au huitième, sans ralentir. Il gravit toutes les volées jusqu'au quinzième étage, où l'escalier s'arrêtait, et se laissa tomber par terre, sous un tuyau d'incendie. Il resta immobile dans la pénombre, jusqu'à ce qu'il voie le jour filtrer à travers un vasistas.

Conformément à ce qui était convenu avec Reggie, Clint ouvrit le cabinet à 8 heures précises. Il alluma les lumières, fit le café. C'était un mercredi, le jour du *Southern Pecan*. Il ouvrit le réfrigérateur, trouva ce qu'il cherchait parmi les innombrables sacs d'une livre de café en grains, mesura quatre doses qu'il versa dans la cafetière. Elle saurait immédiatement s'il s'était trompé d'une demi-cuillère dans le dosage. Elle boirait la première gorgée comme un connaisseur déguste un vin, ferait claquer ses lèvres comme un lapin et rendrait son verdict. Il versa la quantité précise d'eau, mit la cafetière en marche et attendit que les premières perles noires coulent dans le récipient. L'arôme était délicieux.

Clint aimait le café, presque autant que sa patronne, et ce rituel méticuleux l'amusait.

Tous les matins, ils en buvaient une tasse en organisant la journée de travail et en discutant du courrier. Ils s'étaient rencontrés onze ans auparavant, dans un centre de désintoxication. Elle avait quarante et un ans, lui dix-sept. Ils avaient commencé leurs études de droit en même temps, mais Clint s'était fait recaler après avoir replongé dans la coke. Il ne prenait plus rien depuis cinq ans, elle depuis six. Ils s'étaient entraidés en maintes occasions.

Clint tria le courrier, le disposa en piles sur le bureau dégagé. Il se versa une première tasse de café dans la cuisine et lut avec un vif intérêt l'article à la une du *Memphis Press* sur le dernier client de Reggie. Comme d'habitude, Slick exposait des faits ; comme d'habitude, il les forçait, y injectait une bonne dose de sous-entendus. Les deux garçons se ressemblaient, mais les cheveux de Ricky étaient un ton plus clair. Son sourire découvrait une bouche où manquaient plusieurs dents.

Clint plia le journal et le plaça au centre du bureau de Reggie.

Les jours où elle n'allait pas au tribunal, Reggie arrivait rarement avant 9 heures au cabinet. Longue à se mettre en train, elle n'atteignait son rythme de croisière qu'en milieu d'après-midi et préférait travailler tard.

Sa mission en tant qu'avocate était de protéger les enfants maltraités et négligés. Elle s'y employait avec passion et une grande compétence. Les tribunaux pour enfants faisaient régulièrement appel à elle pour représenter ceux qui avaient besoin d'un avocat, mais ne le savaient pas. Elle défendait avec zèle de jeunes clients incapables de dire merci. Elle avait poursuivi des pères pour attentat à la pudeur sur la personne de leur fille, des oncles pour le viol de leur nièce, des mères pour mauvais traitements infligés à leur bébé. Elle avait enquêté sur des parents coupables d'avoir laissé leurs enfants face aux méfaits de la drogue. Elle servait de tutrice légale à plus de vingt mineurs. Elle était désignée auprès du tribunal pour enfants pour défendre les délinquants. Elle travaillait gracieusement pour ceux qui devaient être placés dans un établissement psychiatrique. Elle gagnait bien sa vie, mais ce n'était pas important. Elle avait eu de l'argent, avant, beaucoup d'argent, et cela avait fait son malheur.

Elle goûta le café, le déclara bon et prépara la journée de travail avec Clint. Encore un rituel qu'ils respectaient aussi souvent que possible.

Au moment où elle prenait le journal, le bourdonnement de l'interphone annonça une arrivée. Clint bondit de son siège pour aller voir. Il trouva Mark Sway à la réception, trempé, hors d'haleine.

– Bonjour, Mark. Tu es tout mouillé.

– Il faut que je voie Reggie.

Les mèches collées sur le front, le nez humide, il avait l'air hébété.

– Bien sûr, fit Clint en allant chercher un gant de toilette. Suis-moi, dit-il à Mark après lui avoir essuyé le visage.

Reggie attendait devant son bureau. Clint les laissa seuls.

– Que se passe-t-il ? demanda Reggie.

– Il faut que je vous parle.

Elle lui fit signe de s'asseoir. Il s'installa dans une bergère, elle sur le canapé.

– Alors, Mark, qu'est-ce qui t'arrive ?

Il avait les yeux battus et fixait les fleurs de la table basse.

– Ricky est sorti du coma, ce matin.

– Merveilleux ! A quelle heure ?

– Il y a deux heures.

– Tu as l'air fatigué. Veux-tu une tasse de chocolat ?

– Merci. Avez-vous lu le journal, ce matin ?

– Oui, j'ai vu. Ça te fait peur ?

– Bien sûr que ça me fait peur.

Clint apporta une tasse de chocolat. Mark le remercia et la prit à deux mains. Il avait froid, la chaleur de la tasse lui fit du bien. Clint ressortit aussitôt.

– Quand devons-nous voir les agents du FBI ?

– Dans une heure. Pourquoi ?

Il but une gorgée de chocolat qui lui brûla la langue.

– Je ne suis pas sûr d'avoir envie de les voir.

– Comme tu voudras. Rien ne t'y oblige. Je t'ai déjà expliqué tout ça.

– Je sais. Je peux vous demander quelque chose ?

– Bien sûr, Mark. On dirait que tu as peur.

– J'ai eu un début de journée difficile.

Il prit deux petites gorgées de chocolat avant de poursuivre.

– Que m'arriverait-il si je ne racontais jamais à personne ce que je sais ?

– Tu me l'as raconté.

– Oui, mais vous ne pouvez pas le répéter. Et je ne vous ai pas tout dit.

– C'est vrai.

– Je vous ai dit que je savais où se trouve le corps, mais pas...

– D'accord, Mark, je ne sais pas où il est. La différence est d'importance, j'en suis consciente.

– Voulez-vous le savoir ?

– Veux-tu me le dire ?

– Pas vraiment. Pas tout de suite.

Elle fut soulagée, mais n'en laissa rien paraître.

– Dans ce cas, je ne veux pas le savoir.

– Alors, que m'arrivera-t-il si je ne dis rien ?

Elle s'était longuement posé la question, mais n'avait pas de réponse. Après avoir rencontré Foltrigg et l'avoir vu ronger son frein, elle était persuadée qu'il userait de tous les moyens légaux pour arracher à son client les renseignements qu'il voulait. Quoi qu'il lui en coûtât, elle ne pouvait conseiller à Mark de mentir.

Un mensonge ferait l'affaire. Un simple mensonge, et Mark Sway pourrait couler des jours tranquilles, sans se préoccuper de ce qui se passait à La Nouvelle-Orléans. Pourquoi se tracasserait-il pour Muldanno, Foltrigg et feu le sénateur Boyette ? Ce n'était qu'un enfant, il n'avait commis ni crime ni péché.

– Je crois qu'ils feront tout pour t'obliger à parler.

– Que feront-ils ?

– Je ne sais pas très bien, le cas est extrêmement rare. Je pense qu'un tribunal peut prendre des mesures pour te contraindre à témoigner. J'ai fait des recherches avec Clint.

– Je sais ce que Clifford m'a dit, mais je ne sais pas si c'est la vérité.

– Mais tu crois que c'est la vérité, n'est-ce pas ?

– Oui, je crois. Je ne sais pas quoi faire.

Il parlait entre ses dents, d'une voix à peine audible, refusant de la regarder en face.

– Tout est possible, reprit-elle avec prudence, mais, oui, je crois qu'il se pourrait bientôt qu'un juge décide de te faire parler.

– Et si je refuse ?

– Bonne question, Mark. Nous sommes dans le flou. Quand un adulte refuse d'obtempérer à l'injonction d'un juge, il commet un outrage à magistrat et risque d'être incarcéré. Mais je ne sais pas ce que l'on fait avec un enfant. Je n'ai jamais eu connaissance d'un tel cas.

– Et le détecteur de mensonges ?

– Que veux-tu dire ?

– Eh bien, imaginons qu'on me traîne devant un juge, qu'il m'ordonne de vider mon sac et que je raconte mon histoire en laissant de côté le plus important. Imaginons qu'ils soient sûrs que je mens. Que se passe-t-il ? Est-ce qu'ils m'attacheront sur le fauteuil pour me cuisiner ? J'ai vu ça dans un film, un jour.

– Tu as vu un enfant soumis au détecteur de mensonges ?

– Non, c'est un flic qu'on avait surpris à mentir. Je voudrais savoir si on peut me faire la même chose.

– J'en doute. A ma connaissance, non, et je me battrai de toutes mes forces pour empêcher ça.

– Mais cela pourrait se faire.

– Je n'en suis pas certaine, mais j'en doute.

Devant ce feu roulant de questions délicates, elle devait se montrer prudente. Les clients avaient une fâcheuse propension à n'entendre que ce qu'ils voulaient entendre.

– Je dois quand même te prévenir, Mark, que, si tu mens à la barre du tribunal, tu peux avoir de gros ennuis.

– Si je dis la vérité, ils seront encore plus gros, répliqua-t-il après quelques secondes de réflexion.

– Pourquoi ?

Elle attendit un long moment. Toutes les quinze ou vingt secondes, Mark prenait une gorgée de chocolat. Il ne semblait pas avoir l'intention de répondre. Le silence ne le gênait pas. Il gardait les yeux fixés sur la table, mais les pensées tourbillonnaient dans sa tête.

– Mark, reprit-elle, tu as dit hier soir que tu étais disposé à répondre aux questions du FBI et à raconter ton histoire. Il est évident que tu as changé d'avis. Pourquoi ? Que s'est-il passé ?

Sans un mot, il reposa délicatement la tasse sur la table, se cacha les yeux derrière ses poings, rentra la tête dans les épaules et se mit à pleurer.

La porte de la réception s'ouvrit, un coursier de Federal Express entra avec une boîte en carton. C'était une femme. Souriante, efficace, elle la tendit à Clint et lui indiqua où signer. Elle le remercia, lui souhaita une bonne journée et se retira.

Clint attendait ce colis. Il était envoyé par Print Research, une petite boîte sensationnelle de Washington dont les activités consistaient uniquement à passer au crible deux cents quotidiens publiés sur le territoire national et à classer les articles. Tout était agrafé, photocopié, saisi sur ordinateur et disponible en vingt-quatre heures, pour qui y mettait le prix. Reggie avait accepté en renâclant, mais elle avait besoin de documentation sur Boyette et consorts. Clint avait passé la commande la veille, dès le départ de Mark, le dernier client de Reggie. Les recherches avaient été limitées aux quotidiens de La Nouvelle-Orléans et de Washington.

Clint ouvrit le colis qui contenait un paquet de photocopies d'articles, de titres et de photos, classées par ordre chronologique, soigneusement reproduites, parfaitement nettes.

Boyette était un vieux démocrate de La Nouvelle-Orléans, qui avait rempli dans l'anonymat plusieurs mandats à la Chambre des représentants. Quand le sénateur Dauvin, vestige de la guerre de Sécession, mourut subitement à l'âge de quatre-vingt-onze ans, Boyette usa de son influence, exerça des pressions et, dans la grande tradition des politiciens de Louisiane, réunit des fonds et leur trouva la destination adéquate. Il fut nommé par le gouverneur pour achever le mandat de Dauvin. Le raisonnement était simple : un homme assez sensé pour amasser tant d'argent ferait à coup sûr un sénateur présentable.

Boyette entra dans le club le plus fermé du monde ; avec le temps, il prouva qu'il avait les qualités requises. Au fil des ans, il échappa de justesse à plusieurs mises en accusation et en tira la leçon. A deux reprises, il fut réélu de justesse, mais il finit par arriver à ce qu'obtenaient la plupart des sénateurs du Sud : on le laissa mener sa barque à sa guise. Avec les années, le ségrégationniste bon teint se mua en libéral à l'esprit ouvert. Mal en cour auprès de trois gouverneurs successifs, il se mit à dos les sociétés pétrolières et chimiques qui avaient causé des ravages écologiques en Louisiane.

C'est ainsi que Boyd Boyette devint un protecteur acharné de l'environnement, position sans précédent chez les politiciens du Sud. Il guerroya contre l'industrie du pétrole, qui jura d'avoir sa peau. Il tint des réunions dans les villages les plus reculés des bayous dévastés par la fièvre de l'or noir, se fit des ennemis dans les bureaux directoriaux de La Nouvelle-Orléans. Il plongea passionnément dans l'étude et la défense de l'écologie menacée de son cher État.

Six ans auparavant, quelqu'un avait lancé un projet concernant l'implantation d'une décharge de déchets toxiques sur le territoire de la paroisse de Lafourche, à cent trente kilomètres au sud-ouest de La Nouvelle-Orléans. Projet rapidement rejeté, tout d'abord par les autorités locales. Comme la plupart des idées ayant germé dans le cerveau d'un dirigeant de l'industrie, celle-ci ne mourut pas, mais revint l'année suivante avec une présentation différente, un groupe de consultants différents, de nouvelles promesses d'emplois pour la main-d'œuvre locale et un nouveau porte-parole. Elle fut repoussée une deuxième fois, mais avec un résultat beaucoup plus serré. Une autre année s'écoula, de l'argent changea de mains, on apporta des modifications superficielles au projet qui fut examiné une troisième fois. La population locale s'y opposait farouchement. Une rumeur insistante voulait que la mafia de La Nouvelle-Orléans soit derrière le projet et qu'elle ne baisserait pas les bras tant qu'il ne serait pas devenu une réalité. Il allait sans dire que des millions de dollars étaient en jeu.

Les journaux de La Nouvelle-Orléans s'attachèrent à révéler les liens existant entre la mafia et le projet de décharge. Une douzaine d'entreprises y étaient mêlées, des noms et des adresses conduisaient à des personnages dont l'appartenance au milieu était de notoriété publique.

Le décor était planté, l'affaire entendue, la décharge allait être autorisée, quand le sénateur Boyd Boyette débarqua avec une armée de contrôleurs fédéraux. Il brandit la menace d'enquêtes menées par une dizaine d'agences fédérales. Il organisa une conférence de presse hebdomadaire, fit des discours dans tout le sud de la Louisiane. Les promoteurs de la décharge se mirent à l'abri. Les entreprises intéressées publièrent des communiqués laconiques indiquant qu'elles n'avaient aucune déclaration à faire. Boyette les avait à sa merci et s'en délectait.

La nuit de sa disparition, le sénateur avait participé à une réunion houleuse dans le gymnase bourré à craquer d'un lycée de Houma. Il partit tard, seul, comme à son habitude, pour un trajet d'une heure jusqu'à son domicile près de La Nouvelle-Orléans. Boyette ne supportait plus depuis de longues années les bavardages incessants et les flagorneries de ses assistants, et il préférait rentrer seul quand c'était possible. Il étudiait le russe, sa quatrième langue, et aimait écouter ses cassettes dans la solitude de sa Cadillac.

La disparition du sénateur fut établie le lendemain, à midi. L'affaire fit la une des quotidiens locaux. Le *Washington Post* évoqua l'hypothèse d'un assassinat. Les jours passèrent, les nouvelles restèrent rares. On ne retrouvait pas le corps. Les journaux exhumèrent et publièrent des dizaines de vieilles photos du sénateur. L'intérêt s'émoussait quand le nom de Barry Muldanno fit les gros titres ; il semblait lié à la disparition. La presse se déchaîna contre la mafia. Une photo d'identité assez effrayante du jeune Muldanno apparut à la une du quotidien de La Nouvelle-Orléans. Le journal republia ses articles sur la décharge et les activités de la mafia dont Barry la Lame était un des tueurs patentés, au casier chargé.

Roy Foltrigg se fit remarquer en annonçant devant les caméras l'inculpation de Barry Muldanno pour l'assassinat du sénateur Boyette. Il eut droit à sa photo à la une, lui aussi, à La Nouvelle-Orléans comme à Washington. Clint se souvint d'avoir vu la même dans le journal de Memphis. Les gros titres, mais toujours pas de corps. Cela n'entama en rien l'ardeur de Foltrigg. Il vitupéra contre le crime organisé, se déclara certain de sa victoire, récita des textes soigneusement préparés, avec le métier d'un comédien chevronné. Il refusa toute déclaration sur l'absence de cadavre, mais laissa entendre qu'il savait quelque chose qu'il ne pouvait divulguer et déclara qu'il ne faisait aucun doute que les restes du défunt sénateur seraient retrouvés.

Photos et articles resurgirent quand Barry Muldanno fut arrêté, ou plutôt se constitua prisonnier, dans les locaux du FBI. Il passa trois jours en détention préventive, avant que le montant de la caution ne soit fixé. Il y eut d'autres photos de lui, à sa sortie, en complet noir, souriant. Il clama son innocence, cria à la vendetta.

Il y eut encore des photos de bulldozers, prises au téléobjectif, quand les engins du FBI retournèrent le sol détrempé de La Nouvelle-Orléans pour retrouver le corps. D'autres de Foltrigg en représentation devant la presse. De nouvelles enquêtes sur l'histoire déjà riche du crime organisé à La Nouvelle-Orléans. Les recherches demeurèrent infructueuses, l'intérêt retomba.

Le gouverneur de l'État, un démocrate, nomma une vieille connaissance pour les dix-huit mois restants du mandat de Boyette. Le quotidien local passa en revue les politiciens impatients de poser leur candidature aux élections sénatoriales. Foltrigg était l'un des deux républicains à qui la rumeur publique prêtait cette intention.

Assis près de Reggie sur le canapé, Mark essuya ses larmes. Il s'en voulait terriblement de pleurer, mais n'avait pu s'en empêcher. Un bras autour de ses épaules, elle lui tapotait le dos.

– Tu n'es pas obligé de me dire quoi que ce soit, fit-elle d'une voix douce.

– Je n'ai vraiment pas envie. Plus tard, peut-être, si je ne peux pas faire autrement, mais pas maintenant. D'accord ?

– D'accord, Mark.

On frappa. Reggie dit d'entrer, juste assez fort pour être entendue. Clint apparut, des papiers à la main, le doigt pointé vers sa montre.

– Désolé de vous interrompre. Il est près de 10 heures, M. Foltrigg va arriver d'une minute à l'autre.

Il posa les papiers sur la table basse, devant sa patronne.

– Vous avez demandé à voir ça avant la réunion.

– Dites à M. Foltrigg que nous n'avons rien à nous dire.

L'air perplexe, Clint regarda Mark, assis tout près de Reggie, comme s'il avait besoin de protection.

– Vous n'allez pas le recevoir ?

– Informez-le que la réunion est annulée, que nous n'avons rien à dire, répondit-elle en adressant un petit signe de tête à Mark.

Clint regarda sa montre et recula maladroitement jusqu'à la porte.

– Je vois, fit-il en souriant, comme si la perspective d'envoyer promener Foltrigg l'amusait beaucoup.

– Tu te sens mieux ? demanda Reggie, quand Clint fut sorti.

– Pas vraiment.

Elle se pencha sur la table et commença à feuilleter les articles photocopiés. Mark était dans le cirage, épuisé, à bout de forces, encore effrayé malgré cette discussion avec son avocat. Reggie parcourut les titres et tira les photos vers elle. Au tiers de la pile, elle s'arrêta brusquement et se laissa aller en arrière dans le canapé. Elle tendit à Mark un gros plan de Barry Muldanno, souriant au photographe, découpé dans le quotidien de La Nouvelle-Orléans.

– C'est cet homme-là ?

Mark regarda la photo, sans toucher la feuille.

– Non. Qui est-ce ?

– Barry Muldanno.

– Ce n'est pas celui qui m'a agressé. Il doit avoir des tas d'amis.

Elle reposa la feuille sur la pile et lui tapota le genou.

– Qu'allez-vous faire ? demanda Mark.

– Passer quelques coups de fil. Je vais appeler l'administrateur de l'hôpital pour lui demander de placer la chambre de Ricky sous surveillance.

– Vous ne pouvez pas lui parler de ce type, Reggie. Ils vont nous tuer. Il ne faut en parler à personne.

– Ne t'inquiète pas. J'expliquerai à l'hôpital qu'il y a eu des menaces. C'est très courant dans les affaires criminelles. Ils placeront quelques gardes au neuvième étage, autour de la chambre.

– Je ne veux pas non plus que maman le sache. Elle est déjà stressée à cause de Ricky, elle prend des pilules pour dormir, des pilules pour ceci, pour cela. Je ne crois pas qu'elle soit capable de supporter ça en ce moment.

– Tu as raison.

Mark était un petit dur, élevé dans la rue, très mûr pour son âge. Elle admira son courage.

– Vous croyez que maman et Ricky sont en sécurité ?

– Bien sûr, Mark. Ces gens-là sont des professionnels, ils ne feront pas une grosse bêtise. Ils resteront discrets, ils écouteront. Il est possible qu'ils bluffent, ajouta-t-elle sans grande conviction.

– Non, Reggie, ils ne bluffent pas. J'ai vu le couteau. Ils sont venus à Memphis dans un seul but : me flanquer une peur bleue. Et ça marche. Je ne dirai rien.

15

Foltrigg poussa un rugissement, un seul, puis il claqua la porte en éructant des menaces. McThune et Trumann, assurément déçus, furent embarrassés. En sortant, McThune leva les yeux au plafond, comme pour s'excuser de la conduite du révérend. Clint buvait du petit-lait. Il attendit que le calme soit revenu pour aller frapper à la porte de Reggie.

Mark avait tiré un fauteuil devant la fenêtre et regardait la pluie tomber sur la chaussée et le trottoir. Reggie, au téléphone avec l'administrateur de l'hôpital, discutait des mesures de sécurité à prendre au neuvième étage. Elle couvrit le combiné de la main. Clint lui murmura qu'ils étaient partis et alla chercher une autre tasse de chocolat pour Mark, qui n'avait pas fait un geste.

Quelques minutes plus tard, Clint reçut un appel de George Ord et prévint Reggie par l'interphone. Elle n'avait jamais rencontré le procureur de Memphis, mais ne fut pas surprise d'apprendre qu'il était en ligne. Elle le laissa en attente une bonne minute avant de prendre la communication.

– Allô !

– Maître Love, c'est...

– Appelez-moi Reggie, voulez-vous ? Reggie tout court. Je vous appellerai George, d'accord ?

Elle appelait tout le monde par son prénom, y compris les juges les plus guindés, dans leur petite salle d'audience.

– D'accord, Reggie. Roy Foltrigg est dans mon bureau et...

– Quelle coïncidence ! Il vient de sortir de mon cabinet.

– Oui, c'est pour cette raison que je vous appelle. Il n'a même pas eu l'occasion de s'entretenir avec vous et votre client.

– Veuillez lui transmettre mes excuses. Mon client n'a rien à lui dire.

Elle ne quittait pas des yeux la nuque de Mark, mais n'aurait su dire s'il écoutait la conversation. Il demeurait rigoureusement immobile devant la fenêtre.

– Je pense, Reggie, qu'il serait souhaitable que vous rencontriez M. Foltrigg, même seule.

– Je n'ai nullement envie de le voir, mon client non plus.

Elle se représenta Ord, au téléphone, la mine grave, tandis que Foltrigg marchait de long en large dans son bureau, bouillant d'impatience.

– Vous savez que nous n'en resterons pas là ?

– Dois-je prendre cela comme une menace, George ?

– Disons plutôt une promesse.

– Parfait. Dites à Roy et à son équipe que, si l'un d'eux tente d'entrer en contact avec mon client ou un membre de sa famille, je leur botterai les fesses. Vous avez bien compris, George ?

– Je transmettrai le message.

George Ord trouva cela d'autant plus drôle que l'affaire n'était pas de son ressort, mais il n'avait pas vraiment envie de rire. Il raccrocha en réprimant un sourire.

– Elle dit qu'elle refuse de vous voir, le gamin aussi. Si vous ou un de vos hommes le contacte, lui ou sa famille, elle vous bottera les fesses, selon son expression.

Foltrigg se mordit les lèvres, ponctuant chaque mot d'un hochement de tête, comme pour dire : « Très bien, je vais lui montrer de quel bois je me chauffe. » Il avait recouvré son sang-froid et mettait déjà en œuvre une stratégie de rechange. Il continua de faire les cent pas, l'air absorbé. McThune et Trumann se tenaient près de la porte, telles deux sentinelles. Des sentinelles qui s'ennuyaient ferme.

– Je veux qu'on fasse suivre le gamin, lança enfin Foltrigg à McThune. Nous repartons à La Nouvelle-Orléans et je veux que vous lui filiez le train vingt-quatre heures sur vingt-quatre. Je veux savoir tout ce qu'il fait, mais il faut surtout qu'il soit protégé de Muldanno et de ses sbires.

McThune n'avait pas d'ordres à recevoir d'un procureur fédéral et il commençait à en avoir par-dessus la tête de Roy Foltrigg. L'idée d'affecter trois ou quatre agents surchargés de travail à la filature d'un garçon de onze ans était parfaitement stupide. Mais cela ne valait pas la peine de provoquer un affrontement. Foltrigg était en contact permanent avec Denton Voyles, le directeur du FBI, qui tenait presque autant que lui à retrouver le corps et à faire condamner le coupable.

– D'accord, soupira-t-il. Nous nous en occupons.

– Paul Gronke est déjà là, ajouta Foltrigg, comme s'il venait d'apprendre la nouvelle.

Ils connaissaient le numéro de son vol, savaient qu'il était arrivé onze heures auparavant, mais avaient réussi à perdre sa trace dès son départ de l'aéroport. Ils en avaient discuté pendant deux heures, dans la matinée, Ord, Foltrigg et une douzaine d'agents. En ce moment même, ils étaient huit à essayer de retrouver Gronke dans Memphis.

– Nous le trouverons, fit McThune. Et nous surveillerons le gamin.

– Je prépare la voiture, annonça Trumann d'un ton solennel, comme s'il s'agissait de l'avion du président.

– Nous partons, George, déclara Foltrigg en s'immobilisant devant le bureau de son collègue. Désolé pour le dérangement. Je reviendrai probablement dans quarante-huit heures.

Excellente nouvelle, songea Ord en se levant pour serrer la main de Foltrigg.

– Quand vous voulez, fit-il. Si vous avez besoin de nous, passez un coup de fil.

– Je verrai le juge Lamond, demain à la première heure. Je vous tiendrai au courant.

Ils échangèrent une dernière poignée de main, et Foltrigg se dirigea vers la porte.

– Méfiez-vous de ces truands, conseilla-t-il à McThune. Je ne pense pas qu'il soit assez bête pour s'en prendre au gamin, mais qui sait ?

McThune ouvrit la porte et fit signe à Foltrigg de passer. Ord lui emboîta le pas.

– Muldanno a eu vent de quelque chose, poursuivit Foltrigg en traversant l'antichambre où attendaient Wally Boxx et Thomas Fink, et ils sont venus fureter par ici. Tenez-les à l'œil, George. Ces types sont réellement dangereux. Ne lâchez pas le gamin d'une semelle et surveillez son avocate. Merci pour tout. J'appellerai demain. Où est la voiture, Wally ?

Au bout d'une heure passée à contempler les trottoirs en buvant du chocolat et en écoutant son avocat au téléphone, Mark était prêt à changer d'air. Reggie avait appelé Dianne, lui avait expliqué que Mark tuait le temps dans son cabinet en l'aidant à classer ses papiers. Ricky allait beaucoup mieux, il venait de se rendormir. Il avait englouti près de deux litres de glace, pendant que Greenway l'interrogeait.

A onze heures, Mark se posta devant le bureau de Clint et inspecta le matériel servant à la dictée du courrier. Reggie recevait une cliente résolue à demander le divorce, et elles avaient besoin d'une heure pour préparer une stratégie. Clint tapait à la machine et répondait au téléphone qui sonnait toutes les cinq minutes.

– Comment êtes-vous devenu secrétaire ? demanda Mark, qui s'ennuyait prodigieusement.

Clint se tourna vers lui en souriant.

– Par hasard.

– Vous vouliez être secrétaire quand vous étiez petit ?

– Non. Je voulais construire des piscines.

– Comment est-ce arrivé ?

– Je ne sais pas. J'ai eu des problèmes avec la drogue, j'ai failli laisser tomber le lycée, j'ai fait quatre ans de fac, puis l'école de droit.

– Il faut faire une école de droit pour devenir secrétaire dans un cabinet d'avocat ?

– Non. Je n'ai pas terminé mon droit. Reggie m'a proposé ce boulot qui est assez amusant.

– Comment l'avez-vous connue ?

– Cela remonte à un certain temps. Nous nous sommes connus à l'école de droit, nous sommes de vieux amis. Elle t'en parlera sans doute quand tu rencontreras Momma Love.

– Qui ?

– Momma Love. Reggie ne t'a pas parlé d'elle ?

– Non.

– C'est sa mère. Elles vivent ensemble, et Momma Love adore faire la cuisine pour les enfants que Reggie représente en justice. Elle fait de fabuleux ravioli, des lasagnes aux épinards, de succulents plats italiens. Tout le monde adore sa cuisine.

Pour Mark qui se nourrissait depuis quarante-huit heures de beignets et de desserts chimiques, l'évocation de bons plats au fromage, cuisinés à la maison, était follement appétissante.

– Quand est-ce que je vais rencontrer Momma Love, à votre avis ?

– Je ne sais pas. Reggie invite la plupart de ses clients chez elle, surtout les plus jeunes.

– Elle a des enfants ?

– Deux. Ils sont adultes et ne vivent plus à Memphis.

– Où habite Momma Love ?

– En ville, pas loin d'ici. Dans une vieille maison qui lui appartient depuis des années. La maison où Reggie a grandi.

Le téléphone sonna. Clint prit un message et recommença à taper à la machine. Mark ne perdit pas un de ses gestes.

– Comment avez-vous appris à taper si vite ?

Clint s'immobilisa et se tourna lentement vers Mark.

155

– En fac, répondit-il en souriant. Mon prof se comportait comme un sergent instructeur. Tout le monde la détestait, mais elle avait des résultats. Tu sais taper, toi ?

– Un peu. J'ai fait trois ans d'informatique à l'école.

Clint montra son Apple, à côté de la machine à écrire.

– Nous avons plein d'ordinateurs, fit-il.

Mark jeta un coup d'œil indifférent. Qui n'avait pas un ordinateur ?

– Alors, comment êtes-vous devenu secrétaire ?

– Ce n'était pas une vocation. Quand Reggie a terminé ses études, elle ne voulait pas travailler pour quelqu'un. Elle a donc ouvert ce cabinet, il y a quatre ans. Il lui fallait une secrétaire, je me suis proposé. Avais-tu déjà vu *un* secrétaire ?

– Non, je ne savais pas qu'un homme pouvait faire ce métier. Vous êtes bien payé ?

– Je n'ai pas à me plaindre, répondit Clint avec un petit rire. Quand Reggie fait un bon mois, moi aussi. Nous sommes associés, en quelque sorte.

– Elle gagne beaucoup d'argent ?

– Pas vraiment. Elle ne cherche pas à en gagner beaucoup. Il y a quelques années, elle était mariée avec un médecin. Ils avaient une grande maison et beaucoup d'argent. Puis sa vie est devenue un enfer, en grande partie à cause de l'argent. Elle t'en parlera probablement, un de ces jours. Elle est très franche là-dessus.

– Elle est avocate et l'argent ne l'intéresse pas ?

– C'est peu ordinaire, hein ?

– Comme vous dites ! J'ai vu des tas de débats télévisés avec des avocats, et tout ce qu'ils savent faire, c'est parler d'argent. De sexe et d'argent.

Nouvelle sonnerie du téléphone. C'était un juge, Clint se fit très aimable et bavarda cinq bonnes minutes. Il raccrocha et se remit à taper avec entrain.

– Qui est cette femme ? demanda Mark.

Clint s'interrompit net, regarda fixement ses touches et se tourna lentement vers Mark en faisant grincer sa chaise.

– Celle qui est avec Reggie ? demanda-t-il avec un petit sourire forcé.

– Oui.

– Norma Thrash.

– C'est quoi, son problème ?

– Elle en a des tas. Elle est en instance de divorce, son mari est un beau salaud.

Mark était curieux de voir si Clint en savait long.

– Est-ce qu'il la bat ?

– Je ne crois pas.

– Ils ont des enfants ?

– Deux. Je ne peux pas te dire grand-chose. C'est confidentiel, tu sais ?

– Oui, je sais. Vous devez être au courant de tout, puisque vous tapez le courrier.

– Je suis au courant d'une grande partie de ce qui se passe, bien sûr. Mais Reggie ne me dit pas tout. Je n'ai pas la moindre idée, par exemple, de ce que tu lui as raconté. Je suppose que c'est assez grave, mais elle l'a gardé pour elle. J'ai lu le journal, j'ai vu le FBI et Foltrigg, mais je ne connais pas les détails.

C'était exactement ce que Mark voulait entendre.

– Connaissez-vous Robert Hackstraw ? demanda-t-il. On l'appelle Hack.

– C'est un avocat, si je ne me trompe.

– Oui. C'est lui qui a assisté ma mère pour son divorce, il y a deux ans. Un crétin fini.

– Il ne t'a pas fait une bonne impression ?

– Je le détestais, il nous traitait comme des rien du tout, nous faisait poireauter deux heures dans son cabinet. Après, il nous accordait dix minutes et disait qu'il était pressé, qu'il devait aller au Palais pour une affaire très importante. J'ai essayé de convaincre maman de changer d'avocat, mais elle était trop angoissée.

– Ils sont allés jusqu'au procès ?

– Oui. Mon ex-père pensait avoir la garde d'un des enfants. Lequel, il s'en fichait un peu, mais il préférait Ricky, parce qu'il savait que je le détestais. Il a pris un avocat pour le procès et, pendant deux jours, mes parents se sont lancé des accusations à la figure pour prouver que l'autre était indigne de garder les enfants. Hack était un tocard, mais l'avocat de mon ex-père encore plus nul. Le juge, qui ne pouvait pas les sentir, a dit qu'il n'avait pas l'intention de nous séparer. Le deuxième jour, j'ai demandé à témoigner. Le juge a réfléchi pendant l'interruption du déjeuner et a décidé qu'il voulait m'entendre. J'en avais parlé à Hack, il m'avait répondu que j'étais trop jeune et trop bête pour témoigner. Quelque chose comme ça.

– Mais tu l'as fait ?

– Oui, pendant trois heures.

– Comment cela s'est-il passé ?

– Je dois dire que j'ai été assez bon. J'ai parlé des raclées, des bleus, des points de suture. J'ai expliqué au juge que je haïssais mon père. Il était au bord des larmes.

– Ça a marché ?

– Mon père voulait un droit de visite et j'ai passé pas mal de temps à expliquer au juge que je n'avais aucune envie de le revoir quand le jugement serait rendu. Que Ricky était terrorisé. Non seulement le juge a refusé tout droit de visite à mon père, mais il lui a ordonné de ne pas chercher à nous voir.

– L'as-tu revu ?

– Non, mais ça viendra. Un jour, quand je serai assez grand, je le coincerai avec Ricky, et on le tabassera à notre tour. Œil pour œil, dent pour dent. On en parle tout le temps, avec Ricky.

Clint ne trouvait plus du tout cette conversation ennuyeuse. Il écoutait de toutes ses oreilles ce gamin qui projetait avec un tel détachement de tabasser son père.

– Tu pourrais aller en prison, tu sais ?

– Il n'y est pas allé, lui, quand il nous battait. Il n'est pas allé en prison le jour où il a arraché les vêtements de ma mère et l'a jetée à la rue, couverte de sang. C'est ce jour-là que je l'ai frappé avec la batte de base-ball.

– Comment ?

– Un soir, il buvait à la maison et on a compris qu'il allait dérailler. On le connaissait bien. A un moment, il est parti acheter de la bière. Je suis sorti en vitesse et j'ai emprunté une batte en aluminium à Michael Moss. Je l'ai cachée sous mon lit et je me rappelle avoir prié pour qu'il ait un accident de voiture et ne rentre pas. Mais il est rentré. Maman était dans la chambre, elle espérait qu'il s'endormirait comme une masse, comme d'habitude. Ricky et moi, on s'est enfermés dans notre chambre en attendant l'explosion.

Nouvelle sonnerie du téléphone. Clint prit rapidement un message et revint au récit de Mark.

– Une heure plus tard, les cris et les injures ont commencé. Le mobile home tremblait. On a fermé notre porte à clé. Ricky s'est réfugié sous le lit, il pleurait. Et puis maman a commencé à crier mon nom. J'avais sept ans, elle m'appelait au secours. Il était en train de la dérouiller, il la bousculait, lui donnait des coups de pied, arrachait son chemisier, la traitait de putain, de salope. Je ne savais même pas ce que ça voulait dire. Je me suis avancé dans la cuisine, j'avais trop peur pour aller plus loin. Il m'a vu et m'a lancé une boîte de bière à la tête. Maman a essayé de s'enfuir, mais il l'a rattrapée et a déchiré sa culotte. Il la frappait avec une violence... Vous ne pouvez pas savoir. Elle avait la lèvre éclatée, du sang partout. Il l'a jetée dehors, entièrement nue, il l'a traînée dans la rue, devant tous les voisins. Il s'est moqué d'elle et l'a laissée recroquevillée dans la rue. C'était horrible.

Penché sur son bureau, Clint ne perdait pas un mot du récit articulé d'une voix monocorde, où ne transparaissait aucune émotion.

158

– La porte du mobile home était restée ouverte, je l'attendais. J'avais tiré une chaise de cuisine sur le côté et j'ai bien failli lui arracher la tête avec la batte de base-ball. Un coup parfait, en plein sur le nez. Je pleurais, j'étais mort de trouille, mais je n'oublierai jamais le bruit de la batte s'écrasant sur sa figure. Il est tombé sur le canapé, je lui ai flanqué un autre coup dans l'estomac. J'essayais de viser entre les jambes, je me disais que c'est là que ça ferait le plus mal. Vous voyez ce que je veux dire ? J'étais comme fou. Je l'ai encore frappé sur l'oreille, et ça s'est terminé là.

– Que s'est-il passé ? demanda Clint avec impatience.

– Il s'est relevé, m'a balancé une gifle qui m'a projeté par terre et s'est mis à jurer en me bourrant de coups de pied. J'avais si peur que je ne pouvais même pas me défendre. Il avait la figure en sang ; il puait l'alcool. Il grognait en me giflant et en arrachant mes habits. Je me suis débattu quand il a voulu enlever mon slip. Il a réussi et m'a poussé dehors. J'étais tout nu. Il devait vouloir que je rejoigne ma mère, mais, pendant ce temps, elle était revenue et elle m'a protégé de son corps.

Il raconta toute l'histoire avec un calme effrayant, comme un scénario appris par cœur et répété cent fois. Pas la moindre émotion, rien que des faits se succédant en phrases courtes. Il faisait aller et venir son regard du bureau à la porte, sans interrompre le fil de son récit.

– Et après ? fit Clint, haletant d'impatience.

– Un des voisins avait appelé la police. Comme on entend ce qui se passe d'une caravane à l'autre, nos voisins avaient suivi toute la scène. Ce n'était pas la première dispute, loin de là. J'ai vu des lumières bleues au bout de la rue et il a disparu dans le mobile home. On s'est relevés en vitesse, maman et moi, pour aller se rhabiller. Des voisins m'avaient quand même vu tout nu. On a essayé de nettoyer le sang avant l'arrivée des flics. Mon père s'était un peu calmé, il a été très aimable avec eux. J'attendais dans la cuisine, avec maman. Son nez était gros comme un ballon de football et les deux flics s'intéressaient plus à lui qu'à nous deux. Il en a appelé un Frankie, comme si c'était un copain. Frankie l'a emmené dans la chambre pour l'aider à se calmer, pendant que l'autre s'installait avec maman à la table de la cuisine. Ça se passait toujours comme ça. Je suis retourné dans ma chambre, j'ai aidé Ricky à sortir de dessous le lit. Maman m'a raconté plus tard que mon père avait copiné avec les flics. Il leur a dit que c'était juste une scène de ménage, rien de grave, en grande partie de ma faute, parce que je l'avais frappé, sans raison, avec une batte de base-ball. Les flics ont parlé de tapage nocturne, une fois de plus. Il n'y a pas eu de poursuites. Ils l'ont conduit à l'hôpital, où il a passé la nuit. Pendant quelque jours, il a porté un masque blanc, très laid.

– Que t'a-t-il fait ?

– Pendant un long moment, il n'a pas bu. Il s'est excusé, nous a promis que cela ne se reproduirait pas. Il pouvait être sympa quand il ne buvait pas. Puis les choses sont allées de mal en pis. Il a recommencé à tabasser maman, jusqu'à ce qu'elle se décide à demander le divorce.

– Et il a essayé d'obtenir la garde...

– Oui. Il a menti au tribunal, et il était très habile. Comme il ne savait pas que j'allais témoigner, il a nié une grande partie des faits et a prétendu que maman avait menti pour le reste. Il était très sûr de lui, très décontracté, et notre abruti d'avocat n'a rien pu faire. Mais j'ai témoigné, j'ai parlé de la batte de base-ball, de mes vêtements arrachés, et c'est là que le juge a eu les larmes aux yeux. Il s'est emporté contre mon père, l'a accusé de mentir à la barre. Il a dit qu'il mériterait d'être jeté en prison pour avoir menti. Moi, j'ai dit que c'est exactement ce qu'il fallait lui faire.

Mark s'interrompit. Son débit ralentissait, il s'essoufflait. Clint restait comme fasciné.

– Bien entendu, reprit Mark, Hack s'attribua tout le mérite de cette brillante victoire. Il menaça d'intenter un procès à maman si elle ne le payait pas. Elle avait des piles de factures et ce crétin l'appelait deux fois par semaine pour réclamer le reste de ses honoraires. Elle a dû se déclarer insolvable. Et puis elle a perdu son emploi.

– Après le divorce, il y a donc eu constat d'insolvabilité.

– Oui. L'avocat était un drôle de type aussi.

– Mais tu aimes bien Reggie ?

– Elle est super.

– Cela fait plaisir à entendre.

Le téléphone sonna, Clint décrocha. C'était un avocat auprès du tribunal pour enfants, qui voulait des renseignements sur un client. La conversation s'éternisa, Mark alla chercher une tasse de chocolat. Il passa devant la salle de conférences, aux murs couverts de jolis livres, trouva la petite cuisine, à côté des toilettes.

Il y avait une boîte de Sprite dans le réfrigérateur. Clint était ébahi par son histoire, il l'avait bien senti. Il avait laissé de côté de nombreux détails, mais tout était vrai. Il en était fier, d'une certaine manière, fier d'avoir défendu sa mère.

Le souvenir de l'agression dans l'ascenseur revint à l'esprit du petit dur à la batte de base-ball. Il revit la photo pliée de la pauvre famille sans père. Il pensa à sa mère, seule, sans protection, dans la chambre d'hôpital. La peur le reprit.

Il essaya d'ouvrir un paquet de biscuits salés, mais ses mains tremblaient, le plastique ne se déchirait pas. Les tremblements s'accentuèrent malgré ses efforts pour les maîtriser. Il se laissa tomber par terre et renversa la boîte de Sprite.

16

La pluie fine avait cessé juste avant la ruée des secrétaires pour la pause de midi, par petits groupes de trois ou quatre, sur les trottoirs mouillés. Le ciel était gris, la chaussée luisante. Chaque voiture qui passait dans la 3ᵉ Rue soulevait une gerbe d'eau accompagnée d'un chuintement de pneus. Reggie et son client tournèrent dans Madison Street. Elle marchait d'un pas vif, sa serviette dans la main gauche, tenant de l'autre celle de Mark pour le guider dans la foule.

Dans une camionnette Ford blanche garée juste en face de la tour Sterick, Jack Nance, qui les suivait des yeux, mit sa radio en marche. Il garda le poste collé à son oreille quand ils disparurent dans Madison Street. Cal Sisson, son associé, appela dès qu'il les repéra. Ils se dirigeaient vers l'hôpital, comme il fallait s'y attendre. Cinq minutes plus tard, ils entrèrent dans le bâtiment.

Nance verrouilla sa portière et traversa la rue en se faufilant entre les voitures. Il pénétra dans la tour Sterick, prit l'ascenseur jusqu'au deuxième étage, tourna délicatement le bouton de la porte sur laquelle étaient peints les mots : « Reggie Love – avocat. » Il eut l'agréable surprise de constater qu'elle n'était pas fermée à clé. Il était midi passé de onze minutes. Pratiquement tous les avocaillons de Memphis exerçant seuls fermaient leur cabinet en partant déjeuner. Nance poussa la porte et entra. Une sonnerie affreuse se déclencha au-dessus de sa tête. Merde ! Il avait espéré crocheter la serrure, un exercice dans lequel il était passé maître, et fureter dans les dossiers sans être dérangé. L'enfance de l'art. La plupart de ces petites boîtes ne se préoccupaient pas de sécurité. Pour les grosses, c'était une autre affaire, mais Nance pouvait s'introduire pendant la pause de midi dans n'importe quel cabinet de Memphis et trouver ce qu'il cherchait. Il l'avait fait au moins une douzaine de fois. Il y avait deux choses dont les cabinets de ces avocats obscurs étaient dépourvus : de l'argent liquide et un système de sécurité. Ils fermaient leur porte à clé, c'était tout.

Un jeune homme apparut dans l'encadrement de la porte du fond.

– Puis-je vous aider ? demanda-t-il en s'avançant.

– Oui, répondit Jack Nance, avec l'air sérieux de celui qui fait son boulot et ne trouve pas toujours ça drôle. Je travaille pour le *Times-Picayune*, vous savez, le quotidien de La Nouvelle-Orléans. Je cherche Reggie Love.

Clint s'arrêta à trois mètres de lui.

– Elle n'est pas là.

– Savez-vous quand elle rentrera ?

– Aucune idée. Avez-vous une pièce d'identité ?

– Vous voulez dire un de ces cartons que les avocats distribuent un peu partout ? demanda Nance en se dirigeant vers la porte. Non, mon vieux, je n'ai pas de cartes de visite. Je suis journaliste.

– Très bien. Comme vous appelez-vous ?

– Arnie Carpentier. Dites-lui que je la verrai plus tard.

Quand il ouvrit la porte, la sonnerie retentit de nouveau. Il sortit. Pas très fructueuse, cette visite, mais il avait fait la connaissance de Clint et vu la réception. La prochaine serait plus longue.

Ils prirent l'ascenseur jusqu'au neuvième sans encombre. Reggie lui tenait la main, ce qui, en temps normal, l'eût agacé, mais était plutôt réconfortant en ces circonstances. Il garda les yeux fixés sur ses pieds pendant toute la montée, redoutant l'arrivée de nouveaux inconnus s'il levait la tête. Il serra très fort la main de Reggie.

Ils avaient à peine fait dix pas dans le hall du neuvième étage que trois hommes, sortant de la salle d'attente, se précipitèrent vers eux.

– Maître Love ! Maître Love !

Passé le premier instant de surprise, Reggie étreignit la main de Mark, sans ralentir l'allure. Le premier des trois poursuivants brandissait un micro, le deuxième un bloc-notes, le dernier un appareil photo.

– Juste quelques questions, Maître Love ! lança l'homme au bloc-notes.

Reggie et Mark pressèrent le pas en direction du bureau des infirmières.

– Je n'ai rien à déclarer.

– Est-il vrai que votre client refuse de collaborer avec le FBI et la police ?

– Rien à déclarer, répéta Reggie, le regard fixé droit devant elle.

La petite meute restait sur leurs talons. Elle se pencha vers Mark.

— Ne les regarde pas, n'ouvre pas la bouche, lui souffla-t-elle à l'oreille.

— Est-il vrai que le procureur fédéral de La Nouvelle-Orléans s'est rendu ce matin dans votre cabinet ?

— Rien à déclarer.

Médecins, infirmières, patients, tout le monde s'écarta pour laisser passer Reggie et son célèbre client, suivis par les glapissements des journalistes.

— Votre client a-t-il parlé à Jerome Clifford avant sa mort ?

Elle serra un peu plus fort la petite main, accéléra encore le pas.

— Rien à déclarer.

Avant d'arriver au fond du couloir, le type à l'appareil photo bondit devant eux, s'agenouilla en reculant et parvint à prendre une photo avant de tomber à la renverse. Les infirmières éclatèrent de rire. Un garde chargé de la sécurité sortit du bureau et leva les bras pour arrêter le groupe glapissant. Ils avaient déjà fait connaissance.

— Est-il vrai, cria l'un des poursuivants au moment où Reggie et Mark arrivaient à un angle du couloir, que votre client sait où est caché le corps de Boyette ?

Elle marqua une légère hésitation. Ses épaules se redressèrent, elle se cambra imperceptiblement. Elle se maîtrisa rapidement et s'éloigna avec son client.

Deux malabars en uniforme étaient assis sur des chaises pliantes, près de la porte de Ricky. Mark remarqua tout de suite qu'ils avaient un pistolet sur les genoux. Un des deux lisait un journal, qu'il baissa promptement en les voyant approcher. L'autre se leva.

— Je peux vous aider ? demanda-t-il à Reggie.

— Oui, je suis l'avocat de la famille, et voici Mark Sway, le frère du patient.

La réponse fusa d'une voix basse et tranquille, comme pour faire comprendre que, contrairement à eux, elle avait le droit d'être là et qu'elle était pressée.

— Le docteur Greenway nous attend, ajouta-t-elle en frappant à la porte.

Mark s'avança derrière elle, sans quitter des yeux le pistolet le plus proche, étrangement semblable à celui de Romey.

Le garde reprit son siège, son collègue la lecture du journal. Greenway ouvrit la porte et sortit dans le couloir, suivi de Dianne, les yeux gonflés de larmes. Elle serra Mark dans ses bras et le prit par l'épaule.

— Il dort, fit doucement Greenway. Il y a un mieux sensible, mais il est très fatigué.

— Il a demandé à te voir, murmura Dianne à Mark.

Il regarda les yeux humides de sa mère.

– Qu'est-ce qui t'arrive, maman ?

– Rien. Nous en parlerons plus tard.

– Dis-moi ce qui s'est passé.

Le regard de Dianne se posa successivement sur Greenway et Reggie avant de revenir à Mark.

– Ce n'est rien, fit-elle.

– Ta mère s'est fait renvoyer ce matin, Mark, expliqua Greenway. Ils ont fait porter une lettre par coursier pour l'informer de son licenciement, poursuivit-il en s'adressant à Reggie. C'est incroyable. La lettre a été remise au bureau des infirmières de l'étage, il y a une heure.

– Montrez-moi cette lettre, fit Reggie.

Dianne la prit dans sa poche. Reggie la déplia, commença à la lire lentement.

– Ça ira, Mark, fit Dianne en serrant son fils contre elle. Nous avons déjà connu ça. Je trouverai un autre boulot.

Mark se mordit les lèvres et refréna son envie de pleurer.

– Puis-je la conserver ? demanda Reggie en fourrant la lettre dans sa serviette.

Dianne acquiesça de la tête.

Greenway regarda longuement sa montre, comme s'il avait beaucoup de mal à déterminer l'heure.

– Je vais manger un morceau, je serai de retour dans vingt minutes. Je veux passer deux heures seul avec Ricky et Mark.

– Je reviendrai vers 4 heures, dit Reggie. Il y a des journalistes dans les couloirs ; je vous demande, à tous, de ne pas leur répondre.

– Oui, ajouta Mark pour se rendre utile, il suffit de dire qu'on n'a rien à déclarer. C'est drôle !

– Que cherchent-ils ? demanda Dianne qui ne voyait pas ce que cela avait de drôle.

– Ils ont lu le journal, les rumeurs se multiplient. Ils ont flairé le gros coup et sont prêts à tout pour obtenir des renseignements. J'ai vu une camionnette de la télévision dans la rue, je les soupçonne de ne pas être très loin. Je pense qu'il est préférable que vous restiez ici, avec Mark.

– Comme vous voulez, fit Dianne.

– Où puis-je téléphoner ? demanda Reggie.

Greenway indiqua le bureau des infirmières.

– Suivez-moi, je vais vous montrer.

– Nous nous revoyons à 4 heures, lança Reggie à Dianne et à Mark. Pas un mot à quiconque, n'oubliez pas. Et ne vous éloignez pas de la chambre.

Elle disparut dans le couloir avec Greenway. Les gardes somnolaient.

Mark et sa mère entrèrent dans la chambre sombre, s'assirent au bord du lit de camp. Un beignet rassis attira le regard de Mark qui le dévora en quatre bouchées.

Reggie appela son cabinet, Clint répondit aussitôt.

– Vous souvenez-vous de cette plainte que nous avons déposée l'an dernier, pour le compte de Penny Patoula ? demanda-t-elle à voix basse en se retournant pour s'assurer qu'il n'y avait pas un journaliste aux aguets. Discrimination et harcèlement sexuels, renvoi injustifié et tout le tremblement. Je crois que nous avons fait le grand jeu. En première instance, oui, c'est ça. Sortez le dossier. Changez le nom, remplacez Penny Patoula par Dianne Sway. L'accusé est Ark-Lon Fixtures. Je veux que le président soit cité à titre personnel. Il s'appelle Chester Tanfill. Oui, faites-le inculper, lui aussi. Citez-le pour renvoi injustifié, infraction au code du travail, harcèlement sexuel, ajoutez non-respect de l'égalité des droits et demandez un ou deux millions de dommages et intérêts. Faites ça tout de suite. Préparez une sommation, un chèque pour les droits d'enregistrement, et filez au Palais. Je passerai prendre le tout dans une demi-heure, alors ne perdez pas de temps. Je le remettrai en main propre à M. Tanfill.

Elle raccrocha, remercia l'infirmière la plus proche. Les journalistes traînaient autour du distributeur de boissons. Elle poussa la porte donnant dans l'escalier avant qu'ils ne la voient.

Ark-Lon Fixtures était composé d'une suite de constructions métalliques reliées entre elles, dans une rue bordée de bâtiments du même type, au cœur d'une zone industrielle proche de l'aéroport. Sur la construction principale, d'un orange passé, des ajouts partaient dans toutes les directions. Derrière, des camions attendaient près d'une plate-forme de chargement. Une clôture à mailles métalliques protégeait des rouleaux d'acier et d'aluminium.

Reggie gara sa voiture près de l'entrée, sur un emplacement réservé aux visiteurs. Sa serviette à la main, elle poussa la porte, se dirigea vers une brune à la poitrine plantureuse, une longue cigarette à la bouche, qui poursuivit sa conversation téléphonique sans lui accorder un regard. Reggie se planta devant elle, sans dissimuler son impatience. La pièce était sale, poussiéreuse, pleine de fumée bleuâtre. Des photographies encadrées de chiens de chasse ornaient les murs. La moitié des tubes au néon étaient grillés.

– Je peux vous aider ? demanda la réceptionniste en écartant le récepteur de son oreille.

– Je dois voir Chester Tanfill.

– Il est en réunion.

– Je sais. C'est un homme très occupé, mais j'ai quelque chose pour lui.

– Je vois, fit la réceptionniste en posant le combiné sur son bureau. Puis-je vous demander de quoi il s'agit ?

– Cela ne vous regarde absolument pas. Je dois voir Chester Tanfill, c'est urgent.

Cela mit hors d'elle la réceptionniste, Louise Chenault, d'après la plaque de son bureau.

– Urgent ou non, madame, je m'en fiche. On ne débarque pas comme ça dans une entreprise en exigeant d'être reçu par le président.

– Je viens d'engager contre cette entreprise, qui exploite honteusement ses employés, une procédure pour obtenir deux millions de dollars de dommages et intérêts. Je réclame la même somme à Chester Tanfill et vous prie d'aller le chercher et de le faire venir immédiatement.

Louise se dressa d'un bond et s'écarta de son bureau.

– Vous ne seriez pas une sorte d'avocat, par hasard ?

Reggie prit la sommation et la plainte dans sa serviette.

– En effet, je suis avocate, répondit-elle. Je dois remettre ces papiers à Chester Tanfill. Allez le chercher. S'il n'est pas là dans cinq minutes, je change la somme, je demande cinq millions.

Louise fila comme une flèche vers une porte à deux battants. Reggie attendit quelques secondes avant de la suivre. Elle traversa une salle remplie de boxes exigus. De la fumée de cigarette semblait filtrer de toutes les ouvertures. La moquette à longues fibres était vieille et usée. Elle aperçut le gros derrière de Louise au moment où elle s'engouffrait dans une pièce, sur la droite. Reggie prit cette direction.

Chester Tanfill était en train de se lever quand Reggie fit irruption dans son bureau. Louise en fut interloquée.

– Vous pouvez vous retirer, fit Reggie sans aménité. Reggie Love, avocate, ajouta-t-elle en tournant vers Tanfill un regard dur.

– Chester Tanfill, dit-il sans lui tendre la main qu'elle aurait refusée. Cette intrusion frise la grossièreté, maître.

– Appelez-moi Reggie. D'accord, Chester ? Dites à Louise de sortir.

Il inclina la tête, la réceptionniste sortit avec soulagement, les laissant seuls.

– Que voulez-vous ? fit sèchement Tanfill.

Sec et nerveux, la cinquantaine, il avait le visage couperosé et des yeux gonflés, partiellement dissimulés par des lunettes à monture métallique. Il boit trop, songea-t-elle en regardant le cou cramoisi. Il doit s'habiller chez Sears ou Penney's.

Elle lança les documents sur le bureau.

– Voici la plainte que j'ai déposée contre vous.

Il eut le petit sourire narquois de celui qui n'a pas peur des avocats ni de leurs manigances.

– A quel sujet ?

– Je représente Dianne Sway. Vous l'avez licenciée ce matin et nous intentons une action dès cet après-midi. Qui parle de lenteur de la justice ?

Les yeux plissés, Tanfill considéra les documents.

– C'est une plaisanterie ?

– Ne croyez pas ça, vous feriez une grosse bêtise. Tout est écrit, noir sur blanc, Chester. Renvoi injustifié, harcèlement sexuel, tout. Deux millions de dollars de dommages et intérêts. J'ai l'habitude de déposer des plaintes, mais je dois avouer que celle-ci me réjouit particulièrement. Cette pauvre femme vient de passer quarante-huit heures à l'hôpital, auprès de son fils. Le médecin lui a interdit de quitter son chevet. Ce même médecin vous a téléphoné pour expliquer la situation, mais vous n'avez rien trouvé de plus malin à faire que de la renvoyer pour absentéisme. Je meurs d'impatience d'exposer cela à un jury.

Il fallait parfois deux jours à l'avocat de Chester pour répondre à un coup de téléphone, alors que Dianne Sway, quelques heures après son renvoi, lui faisait remettre une plainte en bonne et due forme. Il prit lentement les documents, étudia la première page.

– Je suis cité à titre personnel ? demanda-t-il, comme s'il y avait de quoi être blessé dans son amour-propre.

– C'est vous qui l'avez virée, Chester. Ne vous inquiétez pas, quand le jury établira votre culpabilité personnelle, vous serez sur la paille.

Il s'assit lentement à son bureau.

– Prenez donc un siège, fit-il en indiquant un fauteuil.

– Merci. Qui est votre avocat ?

– Euh... le cabinet Findley et Baker. Mais attendez un peu, laissez-moi étudier ça.

Il tourna une page, continua de parcourir les documents.

– Harcèlement sexuel ?

– Oui, c'est assez payant, ces temps-ci. Il semble que l'un de vos contremaîtres ait fait des avances à ma cliente. Des allusions répétées à ce qu'ils pourraient faire dans les toilettes, pendant l'heure du déjeuner. Des histoires cochonnes, des propos salaces. Tout sera dévoilé au tribunal. Qui dois-je demander, chez Findley et Baker ?

– Une minute, voulez-vous ?

Il continua de feuilleter les documents, puis reposa le tout sur le bureau. Reggie resta debout, le visage fermé.

– Je n'avais pas besoin de ça, fit-il en se massant les tempes.

– Ma cliente non plus.

– Que demande-t-elle ?

– Un peu de dignité. Vous exploitez vos employés, vous choisissez des femmes seules qui gagnent à peine de quoi nourrir leurs enfants avec le salaire de misère que vous leur versez, et ne sont pas en situation de se plaindre.

– Épargnez-moi vos sermons, voulez-vous ? fit Chester en se frottant les yeux. Non, je n'ai vraiment pas besoin de ça. Cette plainte pourrait me valoir des ennuis.

– Je me contrefiche de vous et de vos ennuis, Chester. Une copie de cette plainte sera portée dans l'après-midi au *Memphis Press* et, j'en suis sûre, publiée dès demain. Les Sway ont fait couler beaucoup d'encre, ces derniers jours.

– Que demande-t-elle ?

– Essayez-vous de négocier ?

– Peut-être. Je ne pense pas que vous puissiez gagner ce procès, Maître Love, mais je préfère éviter les complications.

– Il ne s'agit pas de complications, croyez-moi. Dianne Sway a un salaire brut de neuf cents dollars par mois, il lui en reste six cent cinquante. Cela fait onze mille dollars par an et je vous promets que les frais de justice seront cinq fois plus élevés. J'obtiendrai l'accès à votre fichier du personnel. Je prendrai la déposition d'autres employées. Je ferai ouvrir vos livres de comptes. Je ferai produire tous vos dossiers. Si je relève la moindre irrégularité, j'en aviserai la Commission pour l'égalité de l'emploi, le Bureau national du travail, le fisc et tout autre organisme susceptible d'être concerné. Je vous ferai perdre le sommeil, Chester. Vous vous repentirez amèrement d'avoir renvoyé ma cliente.

– Allez-vous me dire ce qu'elle demande ! s'écria-t-il en frappant des deux mains sur son bureau.

Reggie prit sa serviette et se dirigea vers la porte.

– Elle veut retrouver son emploi. Une augmentation serait la bienvenue, disons de six à neuf dollars de l'heure, si vous pouvez vous le permettre. Si vous ne pouvez pas, faites-le quand même. Affectez-la à un autre poste, où elle échappera à ce cochon de contremaître.

Chester écouta attentivement. Ce n'était pas trop mal.

– Elle restera quelques semaines à l'hôpital, poursuivit Reggie. Elle aura des factures à payer et je veux qu'elle continue à toucher sa paie. En fait, Chester, je veux que les chèques soient remis à l'hôpital, comme vous avez fait remettre ce matin la lettre de licenciement. Un chèque tous les vendredis, voilà ce que je veux. D'accord ?

Il acquiesça lentement de la tête.

– Vous avez trente jours pour répondre à la plainte. Si vous vous conduisez bien, si vous faites ce que j'ai dit, je la retirerai le trentième jour. Vous avez ma parole. Il n'est pas nécessaire d'en informer vos avocats. Marché conclu ?

– Marché conclu.

– A propos, ajouta Reggie en ouvrant la porte, vous pourriez lui envoyer des fleurs. Chambre 943. Avec une petite carte, ce serait bien. Envoyez-lui donc des fleurs toutes les semaines, Chester. D'accord ?

Il continua à hocher mécaniquement la tête.

Elle claqua la porte et sortit des bureaux miteux d'Ark-Lon Fixtures.

Assis au pied du lit de camp, Mark et Ricky avaient les yeux levés vers le visage barbu, à l'expression animée, du docteur Greenway, à moins d'un mètre d'eux. Enroulé dans une couverture, Ricky portait un vieux pyjama de Mark. Il avait froid, comme d'habitude, il avait peur, il était dérouté de s'aventurer pour la première fois hors de son lit, qu'il pouvait pourtant toucher. Il aurait préféré que sa mère soit présente, mais le médecin avait gentiment insisté pour s'entretenir en privé avec les garçons. Cela faisait maintenant près de douze heures que Greenway s'efforçait de gagner la confiance de Ricky. Mark savait qu'il allait s'embêter avant même que cette petite conversation ne commence.

Greenway se pencha vers eux, les coudes sur les genoux.

– J'aimerais, Ricky, que nous parlions maintenant de ce qui s'est passé l'autre jour, quand tu es allé fumer une cigarette dans le bois, avec ton frère. Tu veux bien ?

Ricky sentit la peur l'étreindre. Comment Greenway savait-il qu'ils étaient allés fumer ? Mark se rapprocha légèrement de lui.

– Pas de problème, fit-il. Je leur en ai déjà parlé. Maman n'est pas fâchée.

– Te rappelles-tu avoir fumé ? demanda Greenway.

Ricky hocha lentement la tête.

– Oui, docteur.

– Pourquoi ne me racontes-tu pas ce qui s'est passé quand vous êtes allés fumer cette cigarette ?

Ricky s'enveloppa plus étroitement dans la couverture, la plaqua des deux mains sur son ventre.

– J'ai très froid, murmura-t-il en claquant des dents.

– Ricky, il fait plus de 25°C dans cette chambre. Tu as une couverture et un pyjama en laine. Essaie de te dire que tu as chaud.

Il essaya, mais sans résultat. Mark passa délicatement le bras autour de ses épaules, cela lui fit du bien.

– Te souviens-tu de cette cigarette que tu as fumée ?

– Je crois. Oui.

Le regard de Mark passa de Greenway à son frère.

– Très bien, reprit le psychiatre. Te rappelles-tu avoir vu la grosse voiture noire s'arrêter au milieu des herbes ?

Ricky cessa brusquement de frissonner et baissa les yeux vers le sol.

– Oui, articula-t-il d'une voix à peine audible.

Il n'allait plus prononcer un autre mot pendant vingt-quatre heures.

– Que faisait la grosse voiture noire quand tu l'as vue ?

Ricky avait pris peur à l'évocation de la cigarette, mais l'image de la voiture noire et la terreur qui s'y attachait lui furent insupportables. Il se plia en deux et posa la tête sur les genoux de Mark. Les yeux fermés, il se mit à sangloter, sans verser une larme.

– Tout va bien, Ricky, tout va bien, répéta Mark en lui caressant les cheveux. Mais nous devons parler de ça.

Greenway demeura imperturbable. Il croisa ses longues jambes, fourragea dans sa barbe. Il s'attendait à cette réaction et avait prévenu Mark et Dianne que cette première séance ne serait guère fructueuse. Mais c'était très important.

– Écoute-moi, Ricky, fit-il en prenant une voix d'enfant. Tout va bien, je veux simplement te parler. N'aie pas peur.

Ricky avait eu sa dose de thérapie pour la journée. Il commença à se rouler en boule sous la couverture et Mark comprit qu'il n'allait pas tarder à prendre son pouce. Greenway lui fit un signe de tête, comme si tout était normal. Il se leva, souleva délicatement Ricky et le déposa sur le lit.

17

Wally Boxx arrêta la Chevrolet dans Camp Street, au beau milieu de la circulation, indifférent aux coups de klaxon et aux insultes, pour laisser descendre son patron, Fink et les agents du FBI sur le trottoir de l'immeuble fédéral. Précédant son escorte, Foltrigg gravit les marches d'un air important. Dans le hall, deux journalistes désœuvrés le reconnurent et le pressèrent de questions, mais il prit un air affairé et se refusa en souriant à toute déclaration.

Quand Foltrigg pénétra dans les bureaux du procureur fédéral du district sud de la Louisiane, les secrétaires s'activèrent brusquement. Son domaine était composé d'une suite de petits bureaux reliés par des couloirs, de vastes salles où officiaient les subalternes et d'autres, plus exiguës, où des boxes apportaient un peu d'intimité. En tout, quarante-sept substituts travaillaient sous les ordres du révérend Roy. D'autres petites mains, au nombre de trente-huit, ployaient sous les corvées : paperasserie, recherches fastidieuses, soins attentifs aux plus petits détails, dans le seul but de protéger les intérêts juridiques de l'unique client de Roy, les États-Unis d'Amérique.

Foltrigg occupait évidemment le plus vaste des bureaux, luxueusement décoré de bois précieux et de cuir épais. Contrairement à la plupart des juristes qui ne s'autorisent qu'un seul mur personnalisé, où ils arborent photos, diplômes, récompenses et certificats d'adhésion au Rotary Club, Roy en avait couvert trois de photographies encadrées et d'attestations de présence à d'innombrables congrès juridiques. Il lança sa veste sur le canapé de cuir bordeaux et fila droit à la bibliothèque principale où il était attendu pour une réunion.

Il avait téléphoné six fois et envoyé trois fax durant le trajet de Memphis à La Nouvelle-Orléans. Six assistants attendaient autour de la table de conférences couverte d'ouvrages juridiques et d'une quantité de blocs-notes. Tout le monde était en bras de chemise.

Il salua ses collaborateurs, prit un siège au milieu de la table. Chacun avait un exemplaire du résumé des découvertes du FBI à Memphis. La lettre, les empreintes, le pistolet, tout. Foltrigg et Fink n'avaient rien de nouveau à leur apprendre, sauf que Gronke était à Memphis, ce qui ne les concernait pas.

– Où en sommes-nous, Bobby ? lança Foltrigg d'une voix théâtrale, comme si l'avenir du système judiciaire américain dépendait du résultat de ses recherches. Bobby était le doyen des assistants, trente-deux ans de carrière, un rat de bibliothèque qui détestait les prétoires. En période de crise, quand il fallait des réponses à des questions complexes, tout le monde se tournait vers Bobby.

Il passa la main dans sa toison grisonnante, ajusta ses lunettes cerclées de noir. Plus que six mois avant la retraite, avant d'être débarrassé de Foltrigg et de ses semblables. Bobby avait vu défiler une douzaine de procureurs, dont la plupart n'avaient plus jamais donné de nouvelles.

– Eh bien, fit-il, je crois que le champ de nos recherches s'est restreint.

Des sourires s'épanouirent autour de la table. Bobby commençait par la même phrase chacun de ses rapports. Les travaux de recherche consistaient pour lui à débarrasser la question la plus simple du fatras juridique qui la recouvrait, de manière à mettre en lumière ce qui pouvait être immédiatement compris par un juge et des jurés. Bobby s'attachait à restreindre le champ des recherches.

– Il y a deux solutions, reprit-il, pas très attrayantes, certes, mais qui peuvent marcher. Je propose d'abord le tribunal pour enfants de Memphis. Selon le code des mineurs du Tennessee, il est possible d'adresser à cette instance une requête invoquant une infraction commise par l'enfant. Il en existe différentes catégories, et la requête doit présenter l'enfant soit comme un délinquant, soit comme un mineur ayant besoin d'assistance. Lors d'une audience, les faits sont présentés au juge qui statue sur le cas de l'enfant. La même procédure s'applique dans les affaires de négligence ou mauvais traitements à l'égard des enfants. Même procédure, même juridiction.

– Qui peut présenter cette requête ? demanda Foltrigg.

– C'est très flou, on peut même dire qu'il y a une terrible lacune dans le code. Il est clairement énoncé qu'une requête peut être présentée par – je cite – « toutes les parties intéressées ». Fin de citation.

– Cela nous concerne-t-il ?

– Peut-être. Cela dépend du contenu de la requête. C'est là que les choses se compliquent : il nous faudra invoquer une faute de sa part, une violation quelconque de la loi. La seule infraction que l'on puisse lui reprocher est évidemment l'entrave à l'action de la justice. Nous serons donc obligés d'invoquer des choses dont nous ne sommes pas sûrs, le fait qu'il sache où se trouve le corps, par exemple. Nous n'en avons pas la certitude, c'est délicat.

— Le gamin sait où se trouve le corps, déclara posément Foltrigg.

Le regard fixé sur ses notes, Fink fit celui qui n'avait pas entendu, mais les six autres se répétèrent intérieurement la phrase. Foltrigg savait-il quelque chose dont il ne leur avait pas encore fait part ? Le silence se fit autour de la table tandis que l'affirmation du procureur faisait son chemin dans les esprits.

— Nous avez-vous tout dit ? demanda Bobby en jetant un coup d'œil à ses collègues.

— Oui, répondit Foltrigg. Mais j'affirme que le gamin est au courant. J'en suis intimement persuadé.

Du Foltrigg tout craché : l'intuition lui tenait lieu de preuve et il demandait à ses subordonnés de le suivre les yeux fermés.

— Une sommation à comparaître devant le tribunal pour enfants est notifiée à la mère, poursuivit Bobby, et l'audience se tient dans les sept jours. L'enfant doit se faire assister d'un avocat, ce qui, si je ne me trompe, est déjà le cas. L'enfant a le droit d'être présent à l'audience et de témoigner, s'il décide de le faire. C'est assurément, conclut Bobby en griffonnant quelques mots, le moyen le plus rapide de lui faire dire ce qu'il sait.

— Et s'il refuse de déposer en tant que témoin ?

— Excellente question, fit Bobby, comme un professeur encourageant un étudiant de première année. La décision est laissée à la discrétion du juge. Si nous présentons un dossier bien ficelé et parvenons à le convaincre que le gamin sait quelque chose, il a le pouvoir de lui ordonner de parler. Si le gamin refuse, il risque l'outrage à magistrat.

— Admettons que cela se produise. Que se passe-t-il ?

— Difficile à dire. Il n'a que onze ans, mais le juge pourrait, en dernier ressort, le placer dans un centre d'éducation surveillée jusqu'à ce qu'il ait purgé sa peine.

— En d'autres termes, jusqu'à ce qu'il se mette à table ?

Il fallait toujours mâcher le travail à Foltrigg.

— Exactement. Mais ce sont les mesures les plus sévères qu'il puisse ordonner. Nous n'avons pas encore trouvé de précédent à l'incarcération d'un garçon de onze ans pour outrage à magistrat. Nous n'avons pas encore terminé nos recherches les cinquante États, mais il n'en reste plus beaucoup.

— Il ne sera pas nécessaire d'aller jusque-là, affirma calmement Foltrigg. Si nous adressons une requête en tant que partie intéressée, si nous remettons une sommation à la mère pour l'obliger à comparaître, si nous le traînons devant le juge, avec son avocat, je pense qu'il aura assez peur pour vider son sac. Qu'en dites-vous, Thomas ?

— Oui, cela devrait marcher. Sinon, que risquons-nous ?

— Pas grand-chose, répondit Bobby. Les affaires concernant les mineurs sont jugées à huis clos. Nous pouvons même demander que la requête ne soit pas divulguée. Si elle est rejetée parce que insuffisamment fondée, ou pour une autre raison, personne n'en saura rien. Si l'audience se tient et que soit le gamin accepte de parler, mais ne sait rien, soit le juge refuse de l'y contraindre, nous n'aurons rien perdu. La troisième possibilité est qu'il se mette à table par peur ou pour éviter l'outrage à magistrat. Dans ce cas, nous aurons ce que nous voulons. En supposant qu'il sache où se trouve le cadavre de Boyette.

— Il le sait, répéta Foltrigg.

— Les choses seraient plus délicates pour nous dans le cas d'une audience publique. Si nous perdons, nous donnerons l'impression de tirer nos dernières cartouches, ce serait un aveu de faiblesse. Si cette tentative se solde par un échec et si de la publicité est donnée à l'affaire, cela pourrait, à mon avis, compromettre gravement nos chances lors d'un procès à La Nouvelle-Orléans.

La porte s'ouvrit sur Wally Boxx qui avait réussi à garer la Chevrolet et parut vexé de voir qu'on avait commencé sans lui. Il prit place à côté de son patron.

— Mais vous êtes certain que l'audience se tient à huis clos ? demanda Fink.

— C'est ce que dit la loi. Je ne sais pas comment elle est appliquée à Memphis, mais la confidentialité des débats est stipulée dans les articles du Code. Des sanctions sont même prévues quand elle n'est pas respectée.

— Il nous faudra un juriste local, quelqu'un de chez Ord, glissa Foltrigg à Fink, comme si la décision avait déjà été prise. Cela me semble prometteur, poursuivit-il en s'adressant au petit groupe. En ce moment, le gamin et son avocate doivent s'imaginer que tout est terminé. Le réveil sera pénible, ils comprendront que nous ne plaisantons pas. Ils sauront que nous allons devant le juge. Nous ferons comprendre à cette avocate que nous ne baisserons pas les bras avant d'avoir entendu la vérité de la bouche du gamin. L'idée me plaît, les risques sont minimes. L'audience se tiendra à cinq cents kilomètres d'ici, hors de portée des caméras de ces crétins qui tournent autour de nous comme des mouches. Si nous échouons, ce ne sera pas un drame. Personne ne le saura. J'aime cette idée de ne pas voir de journalistes.

Il s'interrompit, avec l'air absorbé d'un général scrutant la plaine pour décider où envoyer ses blindés.

A l'exception de Boxx et Foltrigg, tout le monde apprécia l'humour de la situation. Jamais on n'avait vu le révérend dresser des plans de bataille sans y inclure l'objectif des caméras. Mais cela lui échappa. Il se mordit la lèvre, hocha la tête. Oui, oui, c'était la meilleure solution. Cela devrait marcher.

Bobby s'éclaircit la voix.

– Il existe une autre possibilité, qui ne me plaît pas, mais qui vaut la peine d'être mentionnée. Les chances sont minimes, mais, si l'on suppose que le gamin sait...

– Il le sait.

– Merci. En supposant donc qu'il le sache et qu'il se soit confié à son avocate, il serait possible d'inculper Mᵉ Love d'entrave à l'action de la justice. Je n'ai pas besoin de vous rappeler à quel point il est difficile de faire lever le secret professionnel. La chose est pratiquement impossible. Cette inculpation aurait bien entendu pour objet de la contraindre à trouver un arrangement avec nous. Les chances, je le répète, sont minimes.

Foltrigg réfléchit un moment, mais son cerveau, tout entier occupé à élaborer la première stratégie, se refusa à prendre la seconde en considération.

– Une inculpation ne serait pas facile à obtenir, glissa Fink.

– Exact, approuva Bobby. Mais ce ne serait qu'un moyen, pas une fin en soi. Cela se passerait ici, loin de chez elle, il y aurait de quoi être intimidée. La presse s'en donnerait à cœur joie, impossible de la museler. Elle serait obligée de se faire défendre par un confrère. Nous pourrions faire traîner les choses plusieurs mois. On peut même envisager de lui notifier l'inculpation sans la rendre publique et d'abandonner les poursuites si nous trouvons un terrain d'entente. Ce n'est qu'une idée.

– Une idée qui me plaît, déclara Foltrigg.

Personne n'en fut étonné. C'était le genre de manœuvre perfide propre à retenir son attention.

– Nous pouvons nous désister quand bon nous semblera.

Bien sûr ! La spécialité de Roy Foltrigg ! Lancer l'inculpation, tenir une conférence de presse, multiplier les menaces contre l'accusé, trouver un accord et renoncer discrètement à l'action en justice au bout d'un an. Il l'avait fait au moins cent fois en sept ans. Cela lui était aussi retombé sur le nez à plusieurs reprises, quand l'accusé et son défenseur refusaient tout compromis et exigeaient un procès. Dans ce cas, Foltrigg se trouvait toujours trop occupé par des affaires plus importantes et repassait le dossier à l'un des jeunes substituts qui se faisait invariablement tailler en pièces. Il faisait retomber la responsabilité de l'échec directement sur le substitut qui avait perdu le procès. Il en avait même viré un.

– Voilà notre solution de rechange, fit-il du ton de celui qui a la situation en main. Nous la gardons en réserve. Revenons à ce qui est prévu : la requête adressée au tribunal pour enfants. Combien de temps faudra-t-il pour la préparer ?

– Une heure, répondit Tank Mozingo, un grand gaillard répondant au nom délicieux de Thurston Alomar Mozingo, que tout le monde appelait Tank. Le modèle est présenté dans le Code. Il suffit de remplir les blancs.

– Occupez-vous-en. Thomas, poursuivit Foltrigg, se tournant vers Fink, vous téléphonerez à Ord pour lui demander de nous aider. Vous partirez à Memphis dès ce soir. Je veux que la requête soit déposée demain matin. Voyez d'abord le juge, expliquez-lui que c'est un cas d'urgence.

Il y eut des froissements de papier autour de la table, le groupe de travail mettait de l'ordre dans ses notes. Son boulot était terminé. Fink griffonna fébrilement, Boxx chercha un bloc. Foltrigg continua à distribuer ses instructions, tel un Salomon moderne dictant à ses scribes.

– Demandez au juge une audience rapide. Expliquez-lui que le temps nous est compté. Demandez la confidentialité absolue, le secret sur la requête et l'ensemble des conclusions. Insistez là-dessus. Je resterai près du téléphone, en cas de besoin.

– Dites-moi, Roy, fit Bobby en boutonnant ses poignets de chemise, il y a autre chose dont il faudrait parler.

– Quoi ?

– Nous ne faisons pas de cadeau à ce gosse, mais il ne faut pas oublier que sa vie est en danger. Muldanno est aux abois, il y a des journalistes partout. Il suffirait d'une fuite pour que l'on décide de supprimer le petit avant qu'il ne parle. L'enjeu est considérable.

– Je sais, Bobby, répondit Foltrigg avec une assurance souriante. Muldanno a déjà envoyé ses hommes de main à Memphis. Le FBI est sur leur piste et surveille le gamin. A mon avis, Muldanno ne sera pas assez stupide pour tenter quelque chose, mais nous ne voulons pas courir ce risque.

Sur ce, Roy se leva, souriant au petit groupe.

– Vous avez fait du bon boulot, les gars. Je vous en suis reconnaissant.

Ils marmonnèrent des remerciements et se retirèrent.

Au quatrième étage de l'hôtel Radisson, à deux rues de la tour Sterick, tout près de l'hôpital St. Peter's, Paul Gronke poursuivait une interminable partie de gin-rummy avec Mack Bono, un tueur de Muldanno. Une feuille de marque surchargée avait glissé sous la table. Ils avaient commencé à un dollar la partie, maintenant ils s'en fichaient. Gronke avait jeté ses chaussures sur le lit et déboutonné sa chemise. La fumée de leurs cigarettes montait jusqu'au plafond en épaisses volutes. Ils buvaient de l'eau minérale, car il n'était pas encore 5 heures. Plus que quelques minutes à attendre avant de faire monter des boissons alcoolisées. Gronke jeta un coup d'œil à sa montre, regarda par la fenêtre les immeubles d'Union Avenue, joua une carte.

Ami d'enfance de Muldanno, associé fidèle dans nombre de ses opérations, Gronke était propriétaire de plusieurs bars et d'une boutique de tee-shirts pour touristes dans le Vieux Carré. Il avait cassé bon nombre de jambes et aidé Barry à faire de même. Il ignorait où le corps de Boyd Boyette était caché et ne cherchait pas à le savoir, mais, s'il insistait vraiment, son ami le lui révélerait. Ils étaient très liés.

Gronke était venu à Memphis sur la demande de son ami, mais il s'ennuyait à mourir dans cette chambre d'hôtel, à jouer aux cartes en chaussettes, à boire de l'eau minérale et à manger des sandwiches, en surveillant les faits et gestes d'un gosse de onze ans.

Derrière les lits, une porte communiquait avec l'autre chambre, elle aussi à deux lits, et de la fumée tourbillonnait autour des prises d'air. Jack Nance regardait par la fenêtre, une radio et un téléphone cellulaire à portée de la main. Cal Sisson allait appeler d'une minute à l'autre de l'hôpital pour donner les dernières nouvelles de Mark. Pour tuer le temps, Nance avait passé le plus clair de l'après-midi à jouer avec son matériel d'écoute contenu dans la grosse serviette ouverte sur un lit.

Il avait un plan pour cacher un micro dans la chambre 943. Il avait vu le cabinet de l'avocate, sans serrures de sûreté, sans caméra au plafond, sans dispositif de sécurité. Ces avocats ! Ce serait un jeu d'enfant de « sonoriser » le cabinet. Cal avait inspecté le cabinet du médecin et était arrivé à la même conclusion. Une employée à la réception, des canapés et des fauteuils pour les clients attendant l'heure de leur séance, deux bureaux minables au fond d'un couloir. Pas de système de sécurité. Leur client, celui qui se faisait appeler la Lame, avait donné son accord pour la pose d'une « jarretelle » sur le téléphone des deux cabinets. Il avait aussi demandé la copie de certains dossiers. Rien de plus facile. Il avait enfin demandé qu'un micro soit placé dans la chambre de Ricky. Facile aussi, mais la difficulté était d'assurer la réception après la pose du micro. Personne ne s'en occupait.

Pour Nance, ce n'était qu'un boulot de surveillance, rien de plus, rien de moins. Il était payé au prix fort, en espèces. Si le client voulait faire suivre un gamin, c'était facile. S'il voulait faire poser des micros, pas de problème du moment qu'il payait.

Mais Nance avait lu les journaux, il avait entendu les conversations à voix basse dans l'autre chambre. Il ne s'agissait pas d'une simple filature, les joueurs de cartes ne parlaient pas de manœuvres d'intimidation. Ces gars-là ne reculeraient devant rien, et Gronke avait laissé entendre qu'il allait demander des renforts à La Nouvelle-Orléans.

Cal Sisson était prêt à prendre la tangente. Il venait d'achever une période de liberté surveillée, une nouvelle inculpation l'enverrait au trou pour dix ans. Pour complicité d'assassinat, il serait condamné à perpète. Nance avait réussi à le convaincre de tenir bon vingt-quatre heures de plus.

Le téléphone sonna, c'était Sisson. L'avocate venait d'arriver à l'hôpital et de rejoindre Mark Sway et sa mère dans la chambre 943.

Nance reposa l'appareil et traversa la chambre jusqu'à la porte de communication.

– Qui était-ce ? demanda Gronke, une Camel aux lèvres.

– Cal. Le gamin est encore à l'hôpital, avec sa mère et son avocate.

– Et le psy ?

– Il est parti il y a une heure, répondit Nance en allant se servir un verre d'eau.

– Les fédéraux ? grommela Gronke.

– Deux agents, les mêmes, traînent dans le bâtiment. Ils font la même chose que nous, je suppose. La direction de l'hôpital a mis deux hommes de faction devant la porte de la chambre et un troisième à l'étage.

– Vous croyez que le gamin a parlé de notre rencontre dans l'ascenseur ? demanda Gronke pour la centième fois.

– Il en a parlé à quelqu'un. Sinon, pourquoi auraient-ils posté des gardes autour de la chambre ?

– Ouais, mais ce ne sont pas des fédéraux. S'il en avait parlé au FBI, il y aurait des agents dans l'entrée, non ?

– Si.

Ils avaient répété les mêmes propos toute la journée. A qui le gamin avait-il mangé le morceau ? Pourquoi avait-on posté des gardes devant la porte ? Gronke ne s'en lassait pas.

Malgré son arrogance et ses manières de voyou, il ne semblait pas manquer de patience. Nance se dit que cela devait être une qualité professionnelle. Insensibilité et patience étaient indispensables à un tueur.

18

Ils quittèrent l'hôpital dans la Mazda RX7 de Reggie, la première balade de Mark en voiture de sport. Les sièges étaient en cuir, le plancher pas très propre. La voiture n'était pas neuve, mais sympa, avec un levier de vitesse qu'elle maniait avec la dextérité d'un pilote de course. Elle dit qu'elle aimait la vitesse, Mark n'avait rien contre. Malgré la circulation difficile, ils s'éloignèrent rapidement du centre-ville en direction des quartiers est. Le soir tombait, la radio diffusait en sourdine la musique légère d'une station locale.

Quand ils étaient sortis de la chambre, Ricky regardait des dessins animés sans ouvrir la bouche. Sur la table était posé un triste petit plateau-repas auquel ni Ricky ni sa mère n'avaient touché. Mark n'avait pas vu sa mère avaler trois bouchées en deux jours. Il en avait assez de la voir assise au pied du lit de Ricky en se faisant un sang d'encre. Reggie lui avait arraché un sourire en annonçant la bonne nouvelle, à propos de son boulot et de l'augmentation. Mais des larmes avaient suivi.

Mark en avait assez des crises de larmes, des plats froids, de la chambre trop petite et trop sombre. Il se sentait coupable de les avoir abandonnés, mais était ravi de cette balade qui le conduisait, du moins l'espérait-il, vers un bon plat chaud et du bon pain frais. Clint avait parlé de raviolis, de lasagnes aux épinards, et il rêvait de ces mets riches, succulents. Il y aurait peut-être aussi un gâteau et des cookies. Mais si Momma Love lui servait de la gelée aux fruits, il lui enverrait le plat à la tête.

Telles étaient les pensées qui traversaient l'esprit de Mark tandis que Reggie s'assurait qu'ils n'étaient pas pris en filature. Elle lançait de fréquents coups d'œil dans son rétroviseur, conduisait beaucoup trop vite, dépassait des voitures, changeait brusquement de file, ce qui ne dérangeait pas Mark le moins du monde.

— Croyez-vous que maman et Ricky sont en sécurité ? demanda-t-il les yeux fixés sur le véhicule qui les précédait.

— Oui, ne t'inquiète pas. La direction de l'hôpital a promis de poster des gardes à la porte.

Elle avait appelé George Ord pour lui faire part de ses inquiétudes au sujet de la famille Sway, sans faire état de menaces particulières, bien que le procureur lui eût posé la question. Elle s'était contentée d'expliquer que l'on s'intéressait de beaucoup trop près aux Sway, qu'il y avait trop de rumeurs et de racontars entretenus par les médias en mal de sensationnel. Ord avait téléphoné à McThune avant de rappeler Reggie pour lui dire que le FBI allait surveiller la chambre, mais discrètement. Elle l'avait remercié.

Ord et McThune avaient trouvé la chose amusante. Les agents du FBI, déjà sur place, étaient officiellement invités à faire leur boulot.

A un carrefour, elle tourna brusquement à droite en faisant crisser les pneus. Mark gloussa de plaisir, elle éclata de rire, comme si tout cela n'était qu'un grand jeu, mais elle avait l'estomac retourné. Ils s'engagèrent dans une rue étroite, bordée de vieilles maisons et de grands chênes.

— Voici mon quartier, annonça Reggie.

Il était nettement plus agréable que celui de Mark. Ils tournèrent de nouveau dans une rue encore plus étroite. Les maisons, un peu plus modestes, avaient un ou deux étages, de larges pelouses et des haies impeccablement taillées.

— Pourquoi emmenez-vous vos clients chez vous ? demanda Mark.

— Je ne sais pas. La plupart sont des enfants venant de foyers défavorisés. Ils me font pitié, je suppose. Et je m'attache à eux.

— Je vous fais pitié, moi aussi ?

— Un peu. Mais tu as de la chance, Mark, beaucoup de chance. Tu as une bonne mère, qui t'aime énormément.

— Oui, sans doute. Quelle heure est-il ?

— Pas loin de 6 heures. Pourquoi ?

— Jerome Clifford s'est suicidé il y a quarante-neuf heures, répondit Mark après avoir pris le temps de calculer. Je regrette de ne pas être parti en courant avec Ricky quand nous avons vu sa voiture.

— Pourquoi n'êtes-vous pas partis ?

— Je ne sais pas. C'est comme si j'avais été obligé de faire quelque chose quand j'ai compris ce qui se passait. Je ne pouvais pas m'en aller. Il allait mourir, je ne pouvais pas faire comme si je n'avais rien vu. Quelque chose m'attirait vers cette voiture. Ricky était en larmes, il me suppliait de partir, mais je ne pouvais pas. Tout est de ma faute.

— Peut-être, Mark, mais tu ne peux rien y changer. Ce qui est fait est fait.

Elle regarda dans le rétroviseur, ne vit rien.

– Croyez-vous que nous nous en sortirons, maman, Ricky et moi ? Quand tout sera terminé, est-ce que la vie reprendra comme avant ?

La voiture ralentit, s'engagea dans une allée bordée de haies touffues, mal entretenues.

– Ricky s'en sortira. Cela peut demander du temps, mais tout ira bien. Les enfants sont résistants, Mark. J'en ai des exemples tous les jours.

– Et moi ?

– Tout se passera bien, Mark, fais-moi confiance.

La Mazda s'arrêta devant une grande maison sur deux niveaux. Une véranda courait sur la façade. Du lierre en couvrait un côté, des fleurs et des arbustes montaient jusqu'aux fenêtres.

– C'est votre maison ? demanda Mark, l'air intimidé.

– Mes parents l'ont achetée il y a cinquante-trois ans, l'année d'avant ma naissance. C'est là que j'ai grandi. Mon père est mort quand j'avais quinze ans, mais Momma Love, Dieu la protège, est toujours de ce monde.

– Vous l'appelez Momma Love ?

– Tout le monde l'appelle Momma Love. Elle va sur ses quatre-vingts ans et se porte comme un charme.

Elle montra un garage derrière la maison.

– Tu vois les trois fenêtres au-dessus de ce garage ? C'est là que je vis.

Comme le bâtiment principal, le garage semblait avoir besoin d'une bonne couche de peinture. Les deux constructions avaient du charme, mais les mauvaises herbes envahissaient les parterres et poussaient entre les dalles de l'allée.

Ils entrèrent par une petite porte, et des odeurs de cuisine chatouillèrent aussitôt l'odorat de Mark. Il se sentit affamé. Une petite bonne femme aux cheveux gris en queue-de-cheval et aux yeux noirs s'avança à leur rencontre et serra Reggie dans ses bras.

– Momma Love, je te présente Mark Sway.

Ils avaient exactement la même taille. Elle le prit par les épaules, l'embrassa sur la joue. Il resta raide comme un piquet, ne sachant comment se comporter avec une femme de cet âge, qu'il voyait pour la première fois.

– Je suis contente de te rencontrer, Mark, fit-elle en plongeant les yeux dans les siens.

Sa voix ferme ressemblait beaucoup à celle de Reggie. Elle le prit par le bras pour le conduire à la table de la cuisine.

– Assieds-toi là, je vais te chercher quelque chose à boire.

Reggie lui adressa un sourire qui signifiait : « Fais ce qu'elle dit, de toute façon tu n'as pas le choix. » Elle accrocha son parapluie à une patère, derrière la porte, et posa sa serviette par terre.

Des placards et des étagères occupaient trois des murs de la petite cuisine. De la vapeur s'élevait de la cuisinière à gaz. Au-dessus de la table de bois entourée de quatre chaises, au centre de la pièce, pendaient des ustensiles de cuisine accrochés à une poutre. La cuisine était chaude et mettait immédiatement en appétit.

Mark prit une chaise et regarda Momma Love s'affairer, prendre un verre dans le buffet, ouvrir le réfrigérateur, remplir le verre de glaçons, y verser du thé.

Reggie se débarrassa de ses chaussures et entreprit de tourner quelque chose dans une casserole sur la cuisinière. Les deux femmes commencèrent à bavarder, échangeant de menus propos sur la manière dont s'était passée la journée, les coups de téléphone qu'elles avaient reçus. Un chat s'assit devant la chaise de Mark et leva la tête pour l'examiner.

– Elle s'appelle Axle, déclara Momma Love en posant devant lui le thé glacé et une serviette. Elle a dix-sept ans et elle est très gentille.

Mark commença à boire son thé, sans un regard pour Axle. Il n'aimait pas les chats.

– Comment va ton petit frère ? reprit Momma Love.

– Beaucoup mieux, répondit-il.

Il se demanda avec inquiétude ce que Reggie avait raconté à sa mère, puis se détendit en songeant que, si Clint en savait si peu, Momma Love devait en savoir encore moins long. Il but une gorgée de thé. Elle attendit des détails.

– Il a recommencé à parler aujourd'hui.

– Merveilleux ! s'écria-t-elle avec un sourire resplendissant en lui tapotant l'épaule.

Reggie se servit du thé d'un autre récipient, y ajouta un édulcorant et du citron. Elle prit place en face de Mark, Axle sauta sur ses genoux. Elle but son thé en caressant la chatte et commença à enlever lentement ses bijoux. Elle était fatiguée.

– As-tu faim ? demanda Momma Love.

Elle recommença à s'agiter, entrouvrit le four, remua le contenu de la casserole, referma un tiroir.

– Oui, madame.

– Cela fait plaisir de voir un jeune homme bien élevé, fit-elle, s'immobilisant le temps d'un sourire. La plupart des enfants que m'amène Reggie ne savent pas se conduire. Je n'avais pas entendu depuis des années un « Oui, madame » dans cette maison.

Elle se remit en mouvement, essuya une poêle, la posa dans l'évier.

– Mark prend ses repas à l'hôpital depuis trois jours, fit Reggie en lui adressant un clin d'œil. Il aimerait beaucoup savoir ce que tu prépares.

– C'est une surprise, dit Momma Love en ouvrant la porte du four, libérant une puissante odeur de viande, de fromage et de tomates. Mais je crois que tu aimeras ça, Mark.

Il en était certain. Reggie lui fit un nouveau clin d'œil et pencha la tête d'un côté et de l'autre pour retirer une paire de petites boucles d'oreilles en diamant. Une pile de bijoux s'élevait devant elle : une demi-douzaine de bracelets, deux bagues, un collier, une montre, les boucles d'oreilles. Axle regardait avec attention. Momma Love se mit à couper quelque chose sur une planche avec un grand couteau. Elle se retourna, posa devant Mark une corbeille remplie de pain beurré tout chaud.

– Je cuis le pain tous les mercredis, annonça-t-elle en lui donnant une petite tape sur l'épaule, avant de repartir vers son four.

Mark se jeta sur la plus grosse tartine, mordit à belles dents. C'était chaud, moelleux, cela ne ressemblait pas au pain qu'il connaissait. Le beurre sur le pain frotté d'ail fondait instantanément sur la langue.

– Momma Love est une Italienne pur sang, fit Reggie en caressant Axle. Ses parents ont immigré aux États-Unis en 1902. Moi, je suis à moitié italienne.

– Qui était M. Love ? demanda Mark qui dévorait sa tartine, les lèvres et les doigts couverts de beurre.

– Un jeune homme de Memphis. Ma mère l'a épousé à seize ans.

– Dix-sept, rectifia Momma Love sans se retourner.

Elle commença à mettre le couvert. Voyant que ses bijoux gênaient, Reggie les ramassa et poussa doucement la chatte pour la faire descendre.

– Dans combien de temps mangeons-nous, Momma Love ? demanda-t-elle.

– Dans une minute.

– Je vais me changer en vitesse.

Elle se leva. Axle s'installa sur le pied de Mark et se frotta le dos contre sa jambe.

– Je suis très triste de ce qui est arrivé à ton petit frère, dit Momma Love en lançant un coup d'œil vers la porte pour s'assurer que Reggie était partie.

Mark avala une grosse bouchée de pain, s'essuya la bouche avec sa serviette.

– Il va s'en sortir. Nous avons de bons médecins.

– Et tu as la meilleure avocate du monde, ajouta Momma Love avec gravité, sans l'ombre d'un sourire.

Elle attendit une confirmation.

– Aucun doute, fit lentement Mark.

Elle inclina la tête, fit deux pas vers l'évier.

– Qu'avez-vous bien pu voir, ton frère et toi ? poursuivit-elle.

Mark prit une gorgée de thé, les yeux fixés sur la queue-de-cheval grise. La soirée risquait d'être longue, les questions nombreuses. Il valait mieux y mettre le holà sans tarder.

– Reggie m'a demandé de ne pas en parler, répondit-il avant d'attaquer une deuxième tranche de pain.

– Reggie dit toujours ça. Mais tu peux me parler, tous les enfants le font.

Pendant les quarante-neuf heures qui venaient de s'écouler, Mark avait beaucoup appris sur les interrogatoires. Ne jamais laisser l'autre prendre l'avantage. Quand les questions deviennent embarrassantes, contre-attaquer par une autre question.

– Elle amène souvent des enfants chez vous ?

Elle retira la casserole du feu et réfléchit avant de répondre.

– Deux fois par mois, à peu près. Elle veut qu'ils fassent un bon repas et les amène voir Momma Love. Ils passent parfois la nuit ici. Une petite fille est même restée un mois. Elle était si pitoyable. Elle s'appelait Andrea. Le juge l'a séparée de ses parents, des adorateurs de Satan. Ils faisaient des sacrifices d'animaux, toutes ces bêtises. Elle était si triste, cette fillette. Elle dormait ici, dans l'ancienne chambre de Reggie, et elle a fondu en larmes au moment de partir. J'en étais toute retournée, moi aussi. Après ça, j'ai dit à Reggie que je ne voulais plus d'enfants à la maison. Mais elle n'en fait qu'à sa tête. Elle t'aime beaucoup, tu sais ?

– Qu'est devenue Andrea ?

– Ses parents l'ont reprise. Je prie pour elle tous les jours que Dieu fait. Vas-tu à l'église ?

– De temps en temps.

– Es-tu un bon catholique ?

– Non. En fait, je ne sais pas quelle église c'est. Mais nous ne sommes pas catholiques. Baptistes, je crois. Nous y allons de temps en temps.

Momma Love l'écouta d'un air préoccupé, profondément troublée par le fait que Mark ne savait pas à quelle Église il appartenait.

– Il faudrait peut-être que je t'emmène voir mon église, Saint-Luc. Un édifice magnifique. Les catholiques savent construire de belles églises, tu sais ?

Il acquiesça de la tête, ne trouva rien à dire. L'instant d'après, elle avait oublié les églises et s'occupait de son four. Elle ouvrit la porte, étudia le plat avec une concentration digne du docteur

Greenway, marmonna entre ses dents. A l'évidence, elle était pleinement satisfaite.

– Va te laver les mains, Mark, au fond du couloir. Aujourd'hui, les enfants ne se lavent plus les mains. Vas-y.

Mark engloutit sa dernière bouchée de pain et suivit Axle jusqu'à la salle de bains.

Quand il revint, Reggie était à table. Elle parcourait le courrier. La corbeille de pain avait été remplie. Momma Love ouvrit le four, en sortit un plat profond recouvert de papier aluminium.

– Les lasagnes, annonça Reggie avec une pointe d'impatience.

Momma Love se lança dans un bref historique du plat fumant qu'elle découpa en grosses parts à l'aide d'une grande cuillère.

– Cette recette est dans ma famille depuis plusieurs siècles, fit-elle en regardant Mark dans les yeux.

Comme si la généalogie des lasagnes pouvait l'intéresser. Tout ce qu'il voulait, c'était les avoir dans son assiette.

– Une recette du pays, poursuivit-elle, tandis que Reggie levait les yeux au plafond et faisait un petit signe à Mark. Je savais les préparer pour mon père dès l'âge de dix ans. Il y a quatre couches, chacune avec un fromage différent.

Elle servit des carrés parfaitement découpés, qui recouvraient les assiettes. Les quatre fromages coulaient et se mélangeaient entre les carrés épais des pâtes.

Le téléphone de la cuisine sonna, Reggie alla décrocher.

– Tu peux manger, Mark, si tu en as envie, fit Momma Love en posant cérémonieusement son assiette devant lui. Elle peut y rester des heures, ajouta-t-elle avec un signe de tête en direction de Reggie qui leur tournait le dos.

Reggie écoutait et parlait à voix basse. A l'évidence, elle ne voulait pas qu'ils suivent la conversation.

Mark découpa une bouchée énorme avec sa fourchette, souffla pour chasser la fumée et la porta lentement à sa bouche. Il mâcha longuement, savourant l'onctueuse sauce à la viande et les fromages fondus. Même les épinards étaient divins.

Momma Love l'observait. Elle s'était versé un deuxième verre de vin qu'elle tenait à mi-chemin entre la table et ses lèvres, en attendant sa réaction à la recette secrète de sa bisaïeule.

– Génial ! fit Mark, avant d'engloutir la deuxième bouchée. Absolument génial !

La seule fois où il avait mangé des lasagnes, un an plus tôt, il avait vu sa mère sortir du four à micro-ondes une barquette en plastique qu'elle avait posée sur la table. Un plat surgelé. Il avait gardé le vague souvenir d'un goût caoutchouteux, rien à voir avec ce qu'il avait dans la bouche.

– Tu aimes ça, déclara Momma Love en prenant une gorgée de vin.

Il hocha la tête, la bouche pleine. Elle goûta ses lasagnes.

Reggie raccrocha et revint vers la table.

– Il faut que je file. Ross Scott vient encore de se faire pincer pour vol à l'étalage. Il est en prison. Il réclame sa mère, mais on ne la trouve pas.

– Vous en avez pour longtemps ? demanda Mark, la fourchette levée.

– A peu près deux heures. Tu termines ton repas et Momma Love te fera visiter la maison. Je te conduirai à l'hôpital à mon retour.

Elle sortit en lui donnant une petite tape sur l'épaule.

– Qu'est-ce que vous avez bien pu voir, tous les deux, dans ce bois ? demanda Momma Love dès qu'elle entendit le bruit du moteur de la voiture.

Mark prit une bouchée, la mâcha interminablement, la fit couler avec une grande gorgée de thé.

– Rien, répondit-il enfin. Comment est-ce que vous préparez ça ? C'est délicieux.

– C'est une vieille recette, tu sais.

Elle se lança, en sirotant son vin, dans une explication volubile sur la sauce, puis les fromages.

Mark n'écouta pas un seul mot.

Il termina la tarte aux pêches accompagnée de glace pendant qu'elle débarrassait la table et remplissait le lave-vaisselle. Il la remercia, répéta, pour la dixième fois, que c'était délicieux et se leva. Il avait mal à l'estomac. Il venait de passer une heure assis. Un repas à la maison prenait en général une dizaine de minutes. Il mangeaient la plupart du temps des plats réchauffés au four à micro-ondes, sur un plateau, devant la télévision. Dianne était trop fatiguée en rentrant pour faire la cuisine.

Momma Love contempla avec satisfaction le plat vide et envoya Mark dans le salon pendant qu'elle finissait de ranger. Il y avait une télévision couleur sans télécommande ni chaînes câblées. Un grand portrait de famille était accroché au-dessus du canapé. Il attira l'attention de Mark qui s'en approcha. C'était une vieille photographie de la famille Love, entourée d'un cadre épais en bois veiné. M. et Mme Love étaient assis sur un petit canapé, deux garçons en chemise à col dur debout à leurs côtés. Momma Love avait des cheveux bruns et un sourire radieux. M. Love, qui la dépassait d'une bonne tête, était raide et ne souriait pas. Les garçons, l'air emprunté, ne semblaient pas apprécier d'être en cravate et chemise empesée.

Reggie se trouvait entre ses parents, au centre du portrait. Elle avait un beau sourire, un peu narquois. Il sautait aux yeux qu'elle était le centre de l'attention générale et buvait du petit-lait. Elle avait dix ou onze ans, à peu près l'âge de Mark. Il ne parvenait pas à détacher les yeux du joli minois de la fillette. Plus il la regardait, plus elle semblait se moquer de lui. Elle était pleine de malice.

– De beaux enfants, n'est-ce pas ?

Momma Love, qui s'était approchée silencieusement, s'arrêta pour admirer sa famille.

– C'était quand ? demanda Mark, le regard rivé sur le portrait.

– Il y a quarante ans, répondit-elle, une pointe de tristesse dans la voix. Nous étions jeunes et heureux à cette époque.

Elle était si près de lui que leurs bras et leurs épaules se touchaient.

– Que sont devenus les garçons ?

– Joe, celui de droite, est l'aîné. Il était pilote d'essai pour l'armée, il est mort en 1964, dans un accident d'avion. C'est un héros.

– Je suis désolé, souffla Mark.

– Bennie, celui de gauche, a un an de moins que Joe. Il est océanographe. Il vit à Vancouver et ne vient jamais voir sa mère. La dernière fois, c'était il y a deux ans, pour Noël. Il ne s'est jamais marié, mais je pense que ça va de ce côté-là. Reggie est la seule qui m'ait donné des petits-enfants.

Elle prit sur une table basse, près d'une lampe, un petit cadre renfermant deux photos de cérémonie de remise des diplômes, en costume, et le tendit à Mark. La fille était jolie, le garçon avait des cheveux en broussaille, une barbe clairsemée et une lueur haineuse dans le regard.

– Les enfants de Reggie, expliqua Momma Love sans la plus petite trace d'affection ni de fierté. La dernière fois que nous avons eu de ses nouvelles, le garçon était en prison pour trafic de drogue. C'était un bon petit gars, mais son père l'a pris avec lui et l'a complètement pourri. C'était après le divorce. La fille est en Californie, elle essaie de devenir comédienne ou chanteuse, à ce qu'elle dit, mais elle se drogue aussi et ne donne pas souvent de ses nouvelles. C'était une enfant adorable, je ne l'ai pas vue depuis près de dix ans. Mon unique petite-fille. C'est bien triste.

Elle en était à son troisième verre et le vin commençait à lui délier la langue. Après avoir longuement parlé de sa famille, elle passerait peut-être à celle de Mark. Et quand ils se seraient tout dit, ils pourraient parler de ce que les deux frères avaient vu dans le bois.

– Pourquoi ne l'avez-vous pas vue depuis dix ans ? demanda Mark, juste pour dire quelque chose.

Sa question était idiote et il savait que la réponse pouvait prendre des heures. Il avait mal à l'estomac, après ce repas fastueux, et n'avait qu'une envie, s'allonger sur le canapé et être tranquille.

– Regina... je veux dire Reggie, a perdu sa fille quand elle avait treize ans. C'était à l'époque du divorce, un vrai cauchemar. Son ex-mari courait les femmes, il avait plusieurs maîtresses, on l'a même surpris à l'hôpital avec une jolie petite infirmière. Il lui en faisait voir de toutes les couleurs et Reggie ne supportait plus cette situation. Joe était un gentil garçon quand elle l'a épousé, mais il a commencé à gagner beaucoup d'argent, à jouer au médecin arrivé, tu vois, et il a changé. L'argent lui est monté à la tête.

Elle s'interrompit pour boire une gorgée de vin.

– C'est affreux. Ils me manquent, tous les deux, mes tout-petits.

Ils n'avaient pas l'air de tout-petits. Surtout le garçon, avec sa dégaine de voyou.

– Qu'est-ce qu'il est devenu ? demanda Mark après quelques secondes de silence.

Elle soupira, comme si cela lui arrachait le cœur d'en parler, mais se résigna à le faire.

– Il avait seize ans quand il est allé vivre avec son père. Il était déjà trop gâté, faisait les quatre cents coups. Son père était gynécologue, il n'avait jamais eu de temps pour ses enfants et un garçon a besoin d'un père, tu ne crois pas ? Jeff, c'est son nom, filait déjà un mauvais coton. Son père, qui avait l'argent et les avocats, s'est débarrassé de Regina et a obtenu la garde des enfants. Jeff s'est retrouvé livré à lui-même, avec l'argent de son père, bien entendu. Il a terminé ses études secondaires à contrecœur et, six mois plus tard, il s'est fait pincer avec un gros paquet de drogue.

Elle s'arrêta brusquement, Mark crut qu'elle allait fondre en larmes. Elle prit une grande gorgée de vin.

– La dernière fois que je l'ai embrassé, reprit-elle, c'est le jour où il a eu son bac. J'ai vu sa photo dans le journal quand il a eu ses ennuis, mais jamais il n'a appelé ni envoyé un mot. Cela fait dix ans, Mark. Je sais que je mourrai sans les avoir revus.

Elle s'essuya furtivement les yeux. Mark aurait voulu se cacher dans un trou de souris.

– Viens avec moi, fit-elle en le prenant par le bras. Allons nous asseoir sous la véranda.

Ils traversèrent un petit vestibule donnant sur la véranda et prirent place dans la balancelle. Il faisait nuit, l'air était frais. Ils se balancèrent doucement, sans parler. Momma Love but un peu de vin.

Elle décida de poursuivre la saga.

– Quand Joe a eu les enfants avec lui, il les a pourris. Il leur donnait de l'argent, beaucoup trop. Il laissait ses petites amies s'installer chez lui, il s'affichait avec elles devant les enfants. Il leur a acheté des voitures. Quand Amanda s'est trouvée enceinte en terminale, il s'est occupé de l'avortement.

– Pourquoi Reggie a-t-elle changé de nom ? demanda Mark, en se disant que, lorsqu'elle aurait répondu à cette question, l'histoire de la famille prendrait fin.

– Elle a fait pendant plusieurs années des séjours en hôpital psychiatrique et, tu peux me croire, Mark, elle était dans un triste état. Toutes les nuits, je m'endormais en pleurant, je me rongeais les sangs pour ma fille. Il lui a fallu plusieurs années pour arriver au bout du tunnel. Des années d'analyse. Beaucoup d'argent. Beaucoup d'amour. Un jour, elle a décidé que le cauchemar était terminé, qu'elle allait se reprendre et se bâtir une nouvelle vie. C'est pour cela qu'elle a changé de nom. Elle l'a fait dans les formes légales. Puis elle a arrangé l'appartement au-dessus du garage et m'a donné ces photos qu'elle refuse de regarder. Elle a fait son droit. Elle est devenue une autre femme, avec une nouvelle identité.

– Elle doit être amère.

– Elle s'en défend. Elle a perdu ses enfants. Pas une mère ne peut se remettre d'une telle perte, mais elle essaie de ne pas penser à eux. Leur père leur a bourré le crâne et ils se sont détachés d'elle. Elle déteste son ex-mari, bien entendu, et cela lui est sans doute salutaire.

– C'est une très bonne avocate, dit Mark, comme s'il avait l'habitude de choisir des défenseurs et de s'en séparer.

Momma Love se rapprocha de lui, trop à son goût. Elle posa la main sur son genou, ce qui l'énerva prodigieusement. Mais ce n'était qu'un geste affectueux d'une adorable vieille dame qui avait enterré un fils et perdu ses petits-enfants. C'était une nuit sans lune. Une brise légère faisait bruire les feuilles des grands chênes dont la silhouette se découpait entre la véranda et la rue. Comme il n'était pas pressé de regagner l'hôpital, il songea que c'était bien agréable. Il sourit à Momma Love, mais elle regardait fixement devant elle, dans l'obscurité, perdue dans ses pensées.

Mark se dit qu'elle allait se débrouiller pour revenir au suicide de Jerome Clifford, ce qu'il tenait à éviter.

– Pourquoi Reggie prend-elle tant d'enfants comme clients ? demanda-t-il.

– Parce que ces enfants ont besoin d'un avocat, répondit Momma Love en lui caressant le genou, même si la plupart ne le savent pas. Et la plupart des avocats sont trop occupés à gagner de l'argent pour s'intéresser aux enfants. Elle veut se rendre utile. Elle se reproche toujours d'avoir perdu les siens et cherche à aider les autres. Elle s'efforce de protéger ses jeunes clients.

– Je ne lui ai pas donné beaucoup d'argent.

– Ne t'inquiète pas pour cela, Mark. Tous les mois, Reggie accepte au moins deux affaires qui ne lui rapportent rien. On appelle cela *pro bono*, c'est-à-dire que l'avocat ne perçoit pas d'honoraires. Si elle n'avait pas voulu s'occuper de toi, elle n'aurait pas accepté.

Il connaissait l'expression *pro bono*. La moitié des avocats qu'il voyait à la télé s'échinait sur des dossiers qui ne leur rapporteraient rien. L'autre moitié couchait avec des créatures de rêve et mangeait dans des restaurants chics.

– Reggie a une âme, Mark, une conscience, poursuivit la vieille dame.

Son verre était vide, mais l'élocution restait claire, l'esprit vif.

– Elle accepte de travailler gracieusement si elle croit à son client. La situation de certains de ces enfants a de quoi briser le cœur le plus endurci. Il m'arrive souvent de pleurer sur leur triste sort.

– Vous êtes très fière d'elle, n'est-ce pas ?

– Bien sûr. Reggie a failli mourir à l'époque du divorce. J'ai failli perdre ma fille, Mark. J'ai aussi failli me ruiner pour lui permettre de reprendre le dessus. Mais regarde ce qu'elle est devenue.

– Vous croyez qu'elle se remariera ?

– Peut-être. Elle est sortie avec deux ou trois hommes, mais rien de sérieux. L'amour n'est pas une priorité pour elle. Le travail arrive en premier. Comme ce soir. Il est presque 8 heures et elle est en train de parler avec ce petit délinquant qui s'est fait arrêter pour vol à l'étalage. Je me demande ce qu'il y aura dans le journal demain matin.

Les pages sportives, la rubrique nécrologique, comme d'habitude. Mal à l'aise, Mark changea de position. A l'évidence, c'était à lui de dire quelque chose.

– Qui sait ? murmura-t-il.

– Qu'est-ce que cela t'a fait de voir vos photos en première page ?

– Je n'ai pas aimé.

– Où ont-ils trouvé ces photos ?

– A l'école.

Il y eut un long silence. Les chaînes grinçaient tandis que la balancelle allait et venait lentement.

– Qu'est-ce que tu as ressenti en découvrant le corps de cet homme qui venait de se tuer ?

– J'ai eu une trouille bleue, mais mon médecin m'a recommandé de ne pas en parler, parce que c'est traumatisant. Regardez mon petit frère. Il vaut mieux que je ne dise rien.

– Bien sûr, fit-elle en lui pétrissant le genou. Bien sûr.

Mark poussa sur le sol de la pointe des pieds, le mouvement de la balancelle s'accéléra légèrement. Il avait l'estomac lourd, le sommeil le gagnait. Momma Love se mit à fredonner. Un souffle d'air le fit frissonner.

Reggie les découvrit dans l'obscurité de la véranda, bercés par le mouvement doux de la balancelle. Momma Love buvait un café, une main sur l'épaule de Mark. Il était roulé en boule à côté d'elle, la tête sur ses genoux, les jambes protégées par une couverture.

– Il dort depuis longtemps ? demanda Reggie à voix basse.

– Une heure. Il a eu froid, puis il s'est endormi. C'est un garçon adorable.

– Je sais. Je vais appeler sa mère à l'hôpital pour lui demander s'il peut passer la nuit ici.

– Il s'est bien rempli la panse. Je lui préparerai un bon petit déjeuner demain matin.

19

C'est Trumann qui eut l'idée, une idée géniale qui allait marcher et serait donc immédiatement reprise par Foltrigg qui en revendiquerait la paternité. Avec le révérend, la vie n'était qu'une suite d'idées volées dont il s'attribuait le mérite quand tout se passait bien. Quand elles échouaient, la responsabilité en était rejetée sur tout le monde, hors le grand homme.

Mais Trumann savait s'y prendre en douceur pour ménager l'amour-propre des vedettes médiatiques, et il en irait de même avec cet idiot de Foltrigg.

Il était tard quand l'idée lui vint, en grignotant une feuille de laitue accompagnant sa salade de crevettes, dans un coin sombre d'un bar à huîtres bondé. Il appela Foltrigg sur sa ligne directe. Pas de réponse. Il composa le numéro de la bibliothèque ; Wally Boxx décrocha. Il était 21 h 30. Wally expliqua qu'il était avec son patron, deux drogués de travail plongés dans les bouquins de droit, poursuivant leurs recherches minutieuses et y prenant plaisir. Cela faisait partie du boulot. Trumann dit qu'il serait là dans dix minutes.

Il sortit rapidement du bar bruyant, se mêla à la foule des trottoirs de Canal Street, dans la chaleur moite d'un soir de septembre à La Nouvelle-Orléans. Au deuxième carrefour, il enleva sa veste et pressa le pas. Deux rues plus loin, sa chemise trempée collait à son dos et à sa poitrine.

Il zigzagua entre les groupes de touristes armés d'appareils photos et vêtus de tee-shirts aux couleurs criardes, se demandant pour la millième fois pourquoi ces gens venaient dépenser de l'argent durement gagné dans cette ville, pour de piètres distractions et une nourriture hors de prix. Trumann imagina qu'en rentrant chez eux ces gens se vanteraient auprès de leurs amis de s'être gavés de la savoureuse cuisine de Louisiane. Il heurta une grosse dame, une petite boîte noire sur les yeux. Du bord du trottoir, elle filmait la devanture minable d'une boutique de souvenirs, où s'étalaient des panneaux indicateurs de rues. Quel genre de personne fallait-il être pour regarder une cassette vidéo montrant une boutique de souvenirs ringards du Vieux Carré ? Les Américains ne vivent plus leurs vacances, ils les filment afin de ne plus avoir à y penser le reste de l'année.

Trumann allait demander sa mutation. Il en avait plus qu'assez des touristes, des embouteillages, de l'humidité, de la criminalité, ras le bol de Roy Foltrigg. Il tourna à l'angle de Rubinstein Brothers, en direction de Poydras Street.

Foltrigg n'avait pas peur de travailler dur, c'était naturel chez lui. Il avait compris à l'école de droit qu'il n'était pas un génie, qu'il lui faudrait étudier avec plus d'acharnement que les autres pour réussir. Il avait bûché comme un dingue pour sortir dans la moyenne. Mais il avait été élu président du collège des étudiants. Un certificat attestant ce haut fait était accroché dans un cadre de chêne, sur un des murs de son bureau. Sa carrière d'animal politique avait pris son essor le jour où ses condisciples l'avaient choisi comme président, une distinction dont la plupart ignoraient l'existence et se moquaient éperdument. Son diplôme en poche, le jeune Roy n'avait pas été submergé d'offres d'emploi. Au dernier moment, il avait sauté sur une occasion de devenir substitut du procureur de La Nouvelle-Orléans. Salaire annuel : quinze mille dollars, en 1975. En deux ans, il avait réglé plus de dossiers que tous ses collègues réunis. Il avait travaillé d'arrache-pied à ce poste sans avenir, mais qui lui permettait de faire son chemin. Il était une vedette, mais personne ne s'en rendait compte.

Il se lança dans la politique, un passe-temps solitaire, dans les rangs des républicains et apprit les règles du jeu. Il rencontra des gens fortunés et influents, entra dans un cabinet juridique. Il travailla comme un forçat, devint associé. Il se maria avec une femme qu'il n'aimait pas, parce qu'elle avait des relations et lui conférait de la respectabilité. Roy faisait du chemin en posant des jalons.

Les Foltrigg étaient encore mariés, mais faisaient chambre à part. Les enfants avaient douze et dix ans. Un charmant tableau de famille.

Roy préférait le bureau au foyer, ce qui convenait parfaitement à sa femme, qui ne l'aimait pas mais appréciait son salaire.

La table de conférences était encore jonchée d'ouvrages de droit et de feuilles de notes. Wally avait enlevé veste et cravate. Des tasses à café vides traînaient partout. Les deux hommes étaient fatigués.

La loi était très claire. Tout citoyen a, envers la société, le devoir de déposer en tant que témoin afin d'aider à faire respecter la loi.

Nul n'est dispensé de témoigner parce qu'il a peur de menaces formulées contre sa vie et/ou celle de membres de sa famille. Telle était la lettre de la loi, consacrée au fil du temps par des centaines de magistrats. Elle n'admettait ni exception ni exemption. Aucune échappatoire pour un petit garçon effrayé. Roy et Wally avaient décortiqué des dizaines de cas. Un certain nombre d'affaires, photocopiées, contenant des passages soulignés, étaient disséminées sur la table. Le gamin serait obligé de parler. Si la solution du tribunal pour enfants de Memphis venait à échouer, Foltrigg avait prévu de le faire citer en qualité de témoin, devant un grand jury, à La Nouvelle-Orléans. De quoi flanquer une trouille bleue au morveux et lui délier la langue.

— Vous faites des heures supplémentaires, lança Trumann en franchissant la porte.

Wally Boxx s'écarta de la table, leva les bras et s'étira longuement.

— Oui, fit-il, il faut fouiller partout.

Malgré sa fatigue, il agita fièrement la main en direction des piles de livres et de documents.

— Asseyez-vous, dit Foltrigg en indiquant un siège. Nous avons bientôt terminé.

Il s'étira à son tour, fit craquer ses jointures. Il tenait à sa réputation : le travail avant tout, pour son seul client, l'État.

Depuis sept ans, Trumann avait les oreilles rebattues de ces journées de dix-huit heures. Le dada de Foltrigg, c'était de parler de lui, des longues journées de travail, de son corps qui n'avait pas besoin de sommeil. Les avocats arborent le manque de sommeil comme une décoration. De vraies machines, ces machos, opérationnels vingt-quatre heures sur vingt-quatre.

— J'ai une idée, déclara Trumann, s'asseyant sur le bord de la table. Vous avez parlé d'une audience à Memphis pour demain. Au tribunal pour enfants.

— Nous allons présenter une requête, rectifia Roy. J'ignore la date de l'audience. Nous demanderons que ce soit rapide.

— Bon, voici ce que j'ai à vous proposer. Juste avant de quitter le bureau, j'ai parlé à K.O. Lewis, le bras droit de Voyles.

— Je connais K.O., coupa Foltrigg.

Trumann savait qu'il dirait cela. Il s'était même interrompu une fraction de seconde pour laisser Foltrigg placer sa réplique et lui rappeler qu'il était proche de K.O. Pas Lewis, K.O. tout court.

— Eh bien, il est à Saint Louis, où il participe à un colloque. Il m'a interrogé sur l'affaire Boyette, Jerome Clifford et le petit. Je lui ai raconté ce que nous savions. Il m'a dit que nous pouvions l'appeler si nous avions besoin de lui et que M. Voyles veut un rapport quotidien.

— Je sais tout ça.

— Eh bien, je me suis dit que Saint Louis n'était qu'à une heure de vol de Memphis. Que M. Lewis pourrait se présenter au juge des enfants, demain matin, quand la requête sera déposée. Qu'il pourrait avoir une petite conversation avec lui et user de son influence. Il est quand même le numéro deux du FBI. Il peut expliquer au juge ce que nous croyons que ce gamin a appris.

Foltrigg commença à hocher lentement la tête. Voyant cela, Wally l'imita aussitôt, plus vigoureusement.

— Il y a autre chose, poursuivit Trumann. Nous savons que Gronke est à Memphis. On peut supposer sans risque d'erreur qu'il n'est pas venu se recueillir sur la tombe d'Elvis, mais qu'il a été envoyé par Muldanno. Je me suis donc dit que M. Lewis pourrait expliquer au juge que le gamin est en danger, qu'il est dans son intérêt de le placer en détention. Comme mesure de protection, vous voyez ?

— L'idée me plaît, fit doucement Foltrigg, aussitôt approuvé par Wally Boxx.

— Le gosse flanchera. Pour commencer, le juge des enfants décidera de l'incarcérer, comme n'importe quel délinquant, et il y aura déjà de quoi l'effrayer. Cela obligera peut-être aussi son avocate à réagir. Nous pouvons espérer que le juge lui ordonnera de parler. Là, il flanchera, c'est sûr. Sinon, ce sera l'outrage à magistrat. Qu'en pensez-vous ?

— Oui, ce sera l'outrage à magistrat, mais nous ne pouvons prévoir l'attitude du juge.

— Exact. M. Lewis lui parlera donc de Gronke et de ses liens avec la mafia, il lui dira que nous pensons qu'il représente une menace pour l'enfant. Dans tous les cas, il sera incarcéré et séparé de son avocate. Cette garce !

Très excité, Foltrigg griffonna quelque chose sur un bloc. Wally se leva, commença à aller et venir, l'air absorbé, comme si tout conspirait à l'obliger à prendre une grave décision.

Trumann pouvait se permettre de la traiter de garce entre les quatre murs de cette bibliothèque, mais il n'avait pas oublié la bande. Cela l'arrangeait de rester à La Nouvelle-Orléans, loin de Reggie Love. Que McThune se débrouille avec elle, à Memphis.

— Pouvez-vous joindre K.O. ? demanda Foltrigg.

— Je pense.

Trumann prit un bout de papier dans sa poche et composa un numéro pendant que Foltrigg allait retrouver Wally Boxx dans un angle de la salle.

— Voilà une excellente idée, déclara Wally. Je suis sûr que ce juge des enfants est un péquenot qui écoutera K.O. et fera ce qu'il demande. Vous n'êtes pas de cet avis ?

Foltrigg l'écouta tout en observant Trumann, en communication avec Lewis.

– Peut-être, fit-il. Quoi qu'il en soit, nous devons le traduire rapidement en justice, et il cédera. Sinon, il sera incarcéré, séparé de son avocate et nous le tiendrons à l'œil. Cela me plaît beaucoup.

Ils continuèrent à parler à voix basse, tandis que Trumann s'entretenait avec Lewis. L'agent fédéral hocha la tête en les regardant, leva le pouce pour indiquer que tout allait bien et raccrocha.

– Il a accepté, fit-il avec satisfaction. Il prendra le premier avion demain matin et retrouvera Fink à Memphis. Puis ils iront voir le juge avec George Ord.

Tout fier, Trumann s'avança vers les deux hommes.

– Imaginez la scène, reprit-il. Le procureur fédéral d'un côté, le directeur adjoint du FBI de l'autre, et Fink au milieu, qui attendent le juge à la porte de son cabinet. Le gosse ne sera pas long à se mettre à table.

Foltrigg eut un sourire mauvais. Il se délectait de ces occasions où la pleine puissance du gouvernement fédéral s'exerçait sur de petites gens sans méfiance. Un coup de téléphone avait suffi pour que le numéro deux du FBI entre en scène.

– Ça peut marcher, fit-il. Oui, ça peut marcher.

Dans un angle du petit salon au-dessus du garage, Reggie feuilletait un gros livre de droit. Il était minuit, le sommeil la fuyait. Pelotonnée sous un édredon, elle buvait un thé en lisant un livre intitulé *Témoins récalcitrants*, que Clint avait déniché. Il n'était pas très long pour un ouvrage juridique, mais la loi était très claire. Tout témoin a le devoir de venir en aide aux représentants de l'autorité chargés d'enquêter sur un crime. Il ne peut refuser de témoigner au motif qu'il se sent menacé. L'énorme majorité des affaires citées dans cet ouvrage avaient un rapport avec le crime organisé. La mafia, semblait-il, voyant d'un mauvais œil ses membres fraterniser avec les flics, avait fréquemment menacé des femmes et des enfants. La Cour suprême avait décidé à plusieurs reprises que les femmes et les enfants passeraient au second plan. Un témoin doit parler.

Dans un avenir très proche, Mark serait contraint de parler. Foltrigg pouvait envoyer une citation le sommant de comparaître devant un grand jury, à La Nouvelle-Orléans. Son avocat serait évidemment présent. Si Mark refusait de témoigner devant ce grand jury, il serait rapidement jugé en première instance et on lui ordonnerait certainement de répondre aux questions de Foltrigg. S'il refusait encore, il s'attirerait les foudres du tribunal. Aucun juge ne supporte la désobéissance, mais les magistrats fédéraux peuvent être particulièrement sévères quand on fait la sourde oreille à leurs injonctions.

Il existe des endroits pour enfermer un enfant de onze ans en difficulté avec le système. Elle avait en ce moment au moins vingt clients disséminés dans différents centres d'éducation surveillée du Tennessee. Le plus âgé avait seize ans. On les appelait naguère « maisons de correction », et des gardiens patrouillaient derrière les grilles.

Quand le juge lui ordonnerait de parler, Mark se tournerait vers elle. C'est précisément ce qui l'empêchait de dormir. En conseillant à Mark de révéler où se trouvait le corps du sénateur, elle mettrait sa vie en danger. Son frère et sa mère seraient menacés. Ils n'avaient pas une grande mobilité. Ricky pouvait rester hospitalisé plusieurs semaines. Aucune mesure de protection pour les témoins ne serait prise avant sa guérison. Dianne ferait une cible facile si Muldanno décidait de passer à l'action.

Le mieux, le plus moral, serait de lui conseiller de se montrer conciliant, et ce serait le moyen le plus simple d'en finir. Mais si on lui faisait du mal ? Il s'en prendrait à elle. Et si quelque chose arrivait à Ricky ou à Dianne ? C'est elle que l'on condamnerait.

Les enfants font des clients très difficiles. Pour eux, l'avocat devient beaucoup plus qu'un défenseur. Un enfant ne comprend pas les conseils de son avocat, il a besoin de quelqu'un qui le serre dans ses bras et prenne les décisions à sa place. Il a peur, il cherche une présence amie.

Elle en avait tenu, des petites mains, au tribunal. Elle en avait séché, des larmes.

Elle imagina la scène. La salle d'audience, vaste et vide, d'un tribunal fédéral à La Nouvelle-Orléans. Les portes fermées, gardées par deux cerbères. Mark à la barre des témoins, Foltrigg, dans toute sa gloire, allant et venant d'un air important, posant pour la galerie, ses petits substituts, un ou deux agents du FBI, le juge en robe noire. Le magistrat y met beaucoup de délicatesse, il doit exécrer Foltrigg, à qui il a trop souvent affaire. Le juge demande à Mark s'il a réellement refusé de répondre à certaines questions, le matin même, devant le grand jury, dans une salle voisine. Mark lève les yeux vers le magistrat, répond oui. Le juge demande au procureur quelle était la première de ces questions. Foltrigg est debout, des papiers à la main, il se pavane comme si la salle grouillait de journalistes. « Je lui ai demandé, Votre Honneur, si Jerome Clifford, avant de se suicider, lui a confié quelque chose à propos du sénateur Boyd Boyette. Il a refusé de répondre. Puis j'ai demandé si Jerome

Clifford lui a révélé où le corps est caché. Il a aussi refusé de répondre à cette question, Votre Honneur. » Le juge se penche vers Mark, il ne sourit pas. Mark lance un regard inquiet à son avocat, à une dizaine de mètres de lui. « Pourquoi n'as-tu pas voulu répondre ? » demande le juge. « Parce que je ne veux pas », répond Mark, et c'est presque drôle. Mais personne ne sourit. « Dans ce cas, poursuit le juge, je t'ordonne de répondre à ces questions devant le grand jury. Tu comprends, Mark ? Je t'ordonne de retourner sur-le-champ dans la salle du grand jury et de répondre à toutes les questions de M. Foltrigg. As-tu compris ? » Mark ne répond pas, ne fait pas un geste. Il garde fixés sur son avocat des yeux remplis de confiance. « Et si je ne réponds pas ? » demande-t-il enfin. Cela irrite le juge. « Tu n'as pas le choix, mon garçon. Tu dois répondre, parce que je l'ordonne. – Et si je ne le fais pas ? » demande Mark, terrifié. « Dans ce cas, je t'inculperai d'outrage à magistrat et je te ferai probablement incarcérer, jusqu'à ce que tu parles. Pendant très longtemps », gronde le juge.

Axle se frotta contre le fauteuil et la fit sursauter. Les images de la salle d'audience s'évanouirent. Elle referma son livre, s'avança vers la fenêtre. Le meilleur conseil qu'elle pourrait donner à Mark serait de mentir. De faire un gros mensonge. D'affirmer, à l'instant critique, que feu Jerome Clifford n'avait pas parlé de Boyd Boyette. Il était comme fou, ivre et défoncé, mais il n'avait rien dit. Qui aurait pu prétendre le contraire ?

Mark était capable de mentir avec aisance.

Il se réveilla dans un lit qu'il ne connaissait pas, entre un matelas moelleux et une lourde couche de couvertures. Un rai de lumière venant du couloir filtrait dans l'entrebâillement de la porte. Ses Nike usagées étaient posées sur un fauteuil, mais il avait gardé ses vêtements. Il se découvrit jusqu'aux genoux, le lit grinça. Les yeux fixés au plafond, il se souvint vaguement d'avoir été accompagné dans cette chambre par Reggie et Momma Love. Puis la mémoire lui revint : la véranda, la balancelle, le sommeil qui le gagnait.

Il fit lentement pivoter ses jambes, s'assit au bord du lit. On l'avait poussé pour lui faire monter un escalier ; les souvenirs se faisaient plus précis. Il alla s'asseoir dans le fauteuil et laça ses chaussures. Les lattes du plancher firent entendre quelques craquements tandis qu'il s'avançait vers la porte. Elle s'ouvrit d'un coup, le couloir était vide. Il vit trois autres portes, toutes fermées. Il se dirigea vers l'escalier, descendit sur la pointe des pieds, sans se presser.

Une lumière venant de la cuisine attira son attention et il pressa le pas. La pendule murale indiquait 2 h 20. Il lui revint à l'esprit que Reggie ne couchait pas dans la maison, qu'elle avait son appartement au-dessus du garage. Momma Love devait dormir dans une des chambres. Il se remit à marcher normalement, traversa le vestibule, ouvrit la porte d'entrée et s'installa sur la balancelle. Le fond de l'air était frais, la pelouse plongée dans le noir.

Pendant un moment, il s'en voulut de s'être endormi dans cette maison. Sa place était à l'hôpital, auprès de sa mère, sur l'affreux lit de camp, jusqu'à ce que Ricky reprenne ses esprits et qu'ils puissent rentrer chez eux. Il supposa que Reggie avait appelé Dianne pour lui dire de ne pas s'inquiéter. Elle devait même être contente qu'il soit resté dans cette maison, avec un bon repas chaud et un bon lit. Elles sont comme ça, les mères.

Il avait sauté deux journées d'école, d'après ses calculs. Demain matin serait jeudi. Le mercredi, il avait été agressé dans l'ascenseur par l'homme au couteau. Celui qui avait volé son portrait. L'avant-veille, le mardi donc, il avait pris Reggie comme avocat. Il avait l'impression qu'il s'était déjà écoulé un mois. Le lundi, il s'était réveillé pour partir à l'école, comme tous les garçons de son âge, sans savoir ce qui allait se passer. Il devait y avoir un million d'enfants à Memphis, et il ne comprendrait jamais ni comment ni pourquoi il avait été choisi pour faire la connaissance de Jerome Clifford quelques minutes avant qu'il ne se fourre un pistolet dans la bouche.

A cause des cigarettes. Il l'avait, la réponse ! Fumer peut nuire à votre santé. Et comment ! Il avait été puni par le bon Dieu pour avoir fumé. Il n'osait imaginer ce qui serait arrivé s'il avait été surpris en train de boire une bière.

La silhouette d'un homme apparut sur le trottoir, s'arrêta une fraction de seconde devant la maison de Momma Love. Une lueur orangée brilla fugitivement devant son visage quand il tira sur sa cigarette, et il s'éloigna très lentement. Un peu tard pour une promenade nocturne, se dit Mark.

Une minute plus tard, l'homme était de retour. Le même pas lent. La même hésitation entre les arbres, quand il regarda la maison. Mark retint son souffle. Il était dans l'obscurité et ne pouvait être vu. Mais cet homme n'était certainement pas un voisin curieux.

A 4 heures précises, une camionnette Ford blanche, sans plaques minéralogiques, tourna silencieusement dans la rue de l'Est, dans le lotissement Tucker. Les caravanes étaient plongées dans le silence et l'obscurité, les rues désertes. Le petit village dormait paisiblement et ne s'éveillerait pas avant deux heures, aux premières lueurs du jour.

La camionnette s'arrêta devant le 17. Les phares et le moteur furent coupés. Personne ne remarqua rien. Au bout d'une minute, un homme en uniforme ouvrit la portière du conducteur et descendit. L'uniforme ressemblait à celui de la police de Memphis : pantalon et chemise marine, large ceinturon noir, étui de pistolet du même type, bottes noires, mais rien sur la tête. Une bonne imitation, surtout à 4 heures du matin, quand tout le monde dort. L'homme tenait une boîte de carton rectangulaire, de la dimensions de deux boîtes à chaussures. Il lança un coup d'œil alentour, à l'affût du moindre signe de vie dans le mobile home voisin. Pas un bruit. Pas un aboiement de chien. Un petit sourire aux lèvres, il s'avança d'un pas nonchalant vers la porte du 17.

S'il percevait un mouvement dans un des mobile homes voisins, il frapperait doucement à la porte et prendrait l'attitude d'un messager déçu de ne pas trouver Mme Sway chez elle. Ce ne fut pas nécessaire. Il ne vit pas un rideau frémir. Il posa rapidement la boîte contre la porte, remonta dans la voiture qui démarra aussitôt. Il n'avait pas laissé de traces.

Trente minutes plus tard, la boîte explosa. Une explosion discrète, soigneusement contrôlée. Le sol ne trembla pas, le chambranle ne vola pas en éclats. La porte céda, les flammes se propagèrent vers l'intérieur. Des flammes rouges et jaunes, accompagnées d'une fumée noire, se répandirent dans les pièces. Les parois et le sol s'embrasèrent comme du petit-bois.

Le temps que Rufus Bibbs, le plus proche voisin, appelle les secours, il était trop tard. Le mobile home des Sway était devenu un brasier. Rufus raccrocha et courut chercher son tuyau d'arrosage. Sa femme et ses enfants, affolés, essayaient de s'habiller et de sortir au plus vite. Des cris, des hurlements retentirent dans les rues, tandis que les voisins accouraient sur le lieu du sinistre. Des tuyaux d'arrosage furent braqués sur les caravanes entourant celle des Sway. Le feu faisait rage, la foule grossissait. Plusieurs vitres de la caravane des Bibbs éclatèrent. Puis il y eut des sirènes et des lumières clignotantes.

La foule recula pour laisser agir les pompiers. Les autres caravanes furent sauvées, mais, du domicile des Sway, il ne restait qu'un tas de décombres. Le toit et la majeure partie du plancher étaient partis en fumée. Le mur arrière restait debout, avec sa fenêtre intacte.

Les curieux continuèrent d'affluer tandis que les pompiers arrosaient les ruines fumantes. Walter Deeble, une grande gueule de la rue du Sud, commença à se plaindre de la mauvaise qualité de ces foutues baraques, de l'installation électrique en aluminium, et tout. Avec les accents vibrants d'un prédicateur, il déclara qu'ils brûleraient tous comme des rats en cas d'incendie, qu'il faudrait traîner en justice ce salopard de Tucker pour l'obliger à offrir des conditions de logement décentes. Il allait en parler à son avocat. Il avait personnellement installé chez lui huit détecteurs de fumée et de chaleur, à cause de l'aluminium, et il allait en toucher un mot à son avocat.

Une petite foule s'assembla près de la caravane des Bibbs. Grâce au ciel, le feu ne s'était pas étendu.

Les pauvres Sway. Quel malheur pouvait-il encore leur arriver ?

20

Après le petit déjeuner – petits pains à la cannelle et chocolat cré-
meux –, ils prirent la route de l'hôpital. Il était 7 h 30, beaucoup
trop tôt pour Reggie, mais Dianne attendait. Ricky allait beaucoup
mieux.

– Et aujourd'hui, demanda Mark, qu'est-ce qui va arriver ?

Sans s'expliquer pourquoi, Reggie trouva cela drôle et pouffa de
rire.

– Pauvre petit, fit-elle. Tu en as vu de toutes les couleurs ces derniers jours.

– Oui, je déteste l'école, mais ça me ferait plaisir d'y retourner.
J'ai fait un drôle de rêve cette nuit.

– Que se passait-il dans ton rêve ?

– Rien. J'ai rêvé que tout était redevenu normal, qu'une journée
entière se passait sans qu'il m'arrive quelque chose. C'était génial.

– Eh bien, Mark, je crains d'avoir de mauvaises nouvelles.

– Je le savais. Je vous écoute.

– Clint a téléphoné il y a quelques minutes. Tu fais encore la une
du journal. Il y a une photo de nous deux, prise par un des types
que nous avons vus hier, à l'hôpital, en sortant de l'ascenseur.

– Génial.

– Et il y a Slick Moeller, ce journaliste du *Memphis Press*. Un personnage, tout le monde l'appelle la Taupe. Il s'occupe de la rubrique
criminelle et s'intéresse de près à l'affaire.

– C'est lui qui a écrit l'article d'hier ?

– Exact. Il a de nombreux contacts au sein des services de police.
D'après l'article, il semble que la police soit persuadée que Jerome
Clifford t'a tout raconté avant de se tuer et que tu refuses de coo-
pérer.

– C'est assez juste, non ?

– Oui, approuva-t-elle en lançant un coup d'œil dans le rétroviseur. Cela fait froid dans le dos.

– Comment peut-il savoir tout ça ?

– Les flics lui parlent, officieusement, bien entendu, et il creuse, il creuse, jusqu'à ce que les pièces du puzzle soient en place. Si elles ne s'emboîtent pas exactement les unes dans les autres, Slick Moeller s'arrange pour les faire tenir. D'après Clint, l'article cite des sources anonymes de la police municipale de Memphis, et on te soupçonne d'en savoir assez long. Puisque tu as pris un avocat, tu dois cacher quelque chose, telle est l'hypothèse généralement admise.

– Si on s'arrêtait pour acheter le journal ?

– Nous en trouverons un à l'hôpital. Nous sommes presque arrivés.

– Croyez-vous que les journalistes sont encore à l'affût ?

– Probablement. J'ai demandé à Clint de trouver une porte dérobée et de nous attendre sur le parking.

– Je commence à en avoir marre. Vraiment marre. Tous mes copains sont à l'école, ils s'amusent, ils embêtent les filles pendant la récré, ils font des blagues aux professeurs, ils vivent normalement, quoi ! Et, moi, qu'est-ce que je fais ? Je me promène dans la voiture de mon avocat, je lis le récit de mes aventures dans le journal, ma photo s'étale en première page, j'essaie d'éviter les journalistes, d'échapper au couteau des tueurs qui me poursuivent. J'ai l'impression d'être dans un film. Un mauvais film. J'en ai marre, je ne sais pas si je pourrai continuer à supporter ça.

En surveillant la circulation du coin de l'œil, elle tourna la tête vers lui. La mâchoire serrée, il regardait droit devant lui, mais ne voyait rien.

– Je suis désolée, Mark.

– Oui, moi aussi. Je peux oublier mon beau rêve.

– La journée risque d'être difficile.

– Vous m'étonnez ! Ils surveillaient la maison cette nuit, vous le savez ?

– Comment ?

– Quelqu'un surveillait la maison. J'étais sous la véranda à 2 heures du matin et j'ai vu un type sur le trottoir. Très décontracté, vous voyez, il regardait la maison en fumant une cigarette.

– C'était peut-être un voisin.

– Bien sûr. A 2 heures du matin.

– Quelqu'un qui était sorti faire un tour.

– Alors, pourquoi est-il passé trois fois devant la maison en un quart d'heure ?

Elle tourna de nouveau la tête vers lui et freina brutalement pour éviter la voiture qui les précédait.

– As-tu confiance en moi, Mark ? demanda-t-elle.

– Bien sûr que j'ai confiance en vous, Reggie, répondit-il, surpris par cette question.

– Alors, serrons-nous les coudes, fit-elle en posant la main sur son bras.

Une horreur architecturale comme l'hôpital St. Peter's avait l'avantage de disposer d'un certain nombre de portes et d'issues connues d'un petit nombre de gens. Les agrandissements successifs, les ailes ajoutées après coup avaient formé au fil du temps des recoins, des passages rarement utilisés, dont certains étaient tombés dans l'oubli.

Quand ils arrivèrent, Clint avait fureté une demi-heure autour du bâtiment, sans succès. Il avait même réussi à se perdre à trois reprises. En sueur, il s'excusa en les retrouvant sur le parking.

– Suivez-moi, dit Mark.

Ils traversèrent la rue jusqu'à l'entrée des urgences. Mark les entraîna dans le hall bondé pour les conduire à un vieil ascenseur qu'ils prirent pour descendre.

– J'espère que tu sais ce que tu fais, lança Reggie.

Manifestement perplexe, elle était obligée de trottiner pour rester à sa hauteur. Clint avait encore plus de mal à suivre.

– Pas de problème, fit Mark en ouvrant une porte donnant dans la cuisine.

– C'est la cuisine, Mark, s'étonna Reggie.

– Pas de panique ! Faites comme si c'était normal de vous trouver ici.

Il appuya sur le bouton d'appel d'un ascenseur de service, la porte s'ouvrit immédiatement. Il enfonça un autre bouton à l'intérieur de la cabine. L'ascenseur se mit en marche avec une secousse.

– Il y a dix-huit étages dans le bâtiment principal, expliqua Mark, mais cet ascenseur s'arrête au dixième. Pas au neuvième, je ne sais pas pourquoi.

Suivant des yeux les chiffres qui s'allumaient au-dessus de la porte, il débita son explication du ton blasé d'un guide.

– Et au dixième, que se passe-t-il ? demanda Clint en reprenant son souffle.

– Attendez, vous allez voir.

Quand le chiffre 10 apparut, la porte s'ouvrit dans un grand local renfermant des rangées d'étagères bourrées de serviettes et de draps. Mark s'élança, se faufila entre les meubles. Il poussa une lourde porte métallique et ils se retrouvèrent dans un couloir donnant sur des portes de chambres. Il indiqua la gauche, s'engagea dans le couloir et s'arrêta devant une sortie de secours couverte de panneaux rouge et jaune signalant une alarme. Quand il referma les mains sur la barre de métal, Reggie et Clint s'immobilisèrent.

Il poussa la porte, rien ne se passa.

— L'alarme ne marche pas, annonça-t-il d'un ton détaché, avant de dévaler les marches jusqu'à l'étage inférieur.

Il ouvrit une autre porte donnant dans un couloir silencieux et désert, tapissé d'une épaisse moquette. Mark indiqua la direction du doigt et ils se remirent en route. Passé le coude du couloir, ils arrivèrent devant le bureau des infirmières d'où ils virent au loin les journalistes faisant le pied de grue près des ascenseurs.

— Bonjour, Mark ! lança la belle Karen, sans sourire, en les voyant passer.

— Salut, Karen, répondit Mark sans ralentir l'allure.

Dianne était assise dans le couloir, sur une chaise pliante, un policier en uniforme agenouillé devant elle. Elle pleurait, et cela devait faire un moment. Les deux gardes se tenaient côte à côte, à quelques mètres. Mark vit le policier, les larmes, et s'élança vers sa mère. Elle ouvrit les bras et le serra contre elle.

— Qu'est-ce qui se passe, maman ?

Elle sanglota de plus belle.

— Mark, dit le policier, votre mobile home a brûlé cette nuit. Il y a quelques heures.

Mark lui lança un regard noir et incrédule, puis referma les bras autour du cou de sa mère. Elle essuya ses larmes et essaya de se calmer.

— Il y a de gros dégâts ? demanda Mark.

— Très gros, répondit le policier avec une figure de circonstance en se relevant, la casquette à la main. Tout est parti en fumée.

— Comment le feu a-t-il pris ? demanda Reggie.

— On ne sait pas encore. Un expert doit passer dans la matinée. Cela pourrait être d'origine électrique.

— Il faut que je parle à cet expert, déclara Reggie d'une voix ferme.

Le policier la toisa des pieds à la tête.

— Qui êtes-vous ? demanda-t-il.

— Reggie Love, l'avocat de la famille.

— Ah oui ! J'ai vu le journal ce matin.

— Veuillez demander à votre expert de m'appeler, reprit-elle en lui tendant sa carte.

— Bien sûr, euh... maître.

Il se recoiffa soigneusement, se pencha de nouveau vers Dianne, une expression de tristesse sur le visage.

– Je suis vraiment navré, madame Sway.

– Merci, fit-elle en s'essuyant les joues.

Le policier salua Reggie et Clint de la tête, et s'éloigna précipitamment. Une infirmière apparut, prête à se rendre utile.

Dianne était au centre de l'attention générale. Elle se leva, les yeux secs, et parvint même à sourire à Reggie.

– Je vous présente Clint Van Hooser, dit Reggie. Il travaille avec moi.

Dianne adressa un sourire à Clint.

– Je suis désolé, fit-il.

– Merci, articula Dianne d'une petite voix.

Il y eut un moment de silence gêné, pendant qu'elle finissait de s'essuyer le visage. Elle passa le bras autour des épaules de Mark, encore sous le choc.

– Il a été gentil ?

– Adorable, répondit Reggie. Il a mangé comme quatre.

– Tant mieux. Merci de l'avoir gardé.

– Comment va Ricky ? demanda Reggie.

– Il a passé une bonne nuit. Quand le docteur Greenway est venu ce matin, il parlait. Il semble aller bien mieux.

– Tu lui as parlé du feu ? demanda Mark.

– Non. Il ne faut rien lui dire, d'accord ?

– D'accord, maman. Je peux te parler en tête à tête ?

Dianne sourit à Reggie et à Clint, et suivit Mark dans la chambre. La porte se referma sur la petite famille Sway, qui resta seule avec tout ce qu'elle possédait au monde.

L'honorable Harry Roosevelt présidait depuis vingt-deux ans le tribunal pour enfants du comté de Shelby. Malgré la nature sordide et déprimante des affaires qui y étaient jugées, il menait sa tâche à bien avec une grande dignité. Il avait été le premier juge des enfants de race noire dans l'État du Tennessee. Lorsqu'il avait été nommé par le gouverneur au début des années soixante-dix, il était promis à un brillant avenir et on lui prédisait la conquête de juridictions plus prestigieuses.

Ces juridictions restaient à conquérir, et Harry Roosevelt rendait toujours la justice dans le bâtiment délabré portant le simple nom de tribunal pour enfants. Dans Main Street, l'immeuble fédéral, un bâtiment dernier cri, abritait des salles d'audience d'une élégance majestueuse. Ses collègues des tribunaux fédéraux disposaient de tout ce qu'on pouvait imaginer de mieux en matière d'équipements.

Quelques pâtés de maisons plus loin, le tribunal du comté de Shelby était une véritable ruche judiciaire, où des milliers d'avocats arpentaient des couloirs dallés de marbre pour gagner des salles d'audience parfaitement entretenues. Bien que plus ancien, c'était un beau bâtiment, avec des fresques et même quelques statues de-ci de-là. On avait proposé à Harry d'y prendre une salle, mais il avait refusé. Tout près se trouvait le palais de justice du comté de Shelby, avec son dédale de salles d'audience ultra-modernes et sonorisées. Harry avait aussi refusé de s'y installer.

Il restait chez lui, au tribunal pour enfants, dans les bâtiments d'un ancien lycée, à une certaine distance du centre. Les places de stationnement y étaient insuffisantes, les gardiens trop rares, les affaires soumises à chaque juge plus nombreuses que partout ailleurs. Son tribunal était l'enfant non désiré du système judiciaire. La plupart des avocats le fuyaient. La plupart des étudiants rêvaient d'un bureau luxueux dans un immeuble chic et de clients au portefeuille bien garni.

Harry avait refusé quatre postes dans des tribunaux où le chauffage fonctionnait en hiver. On les lui avait proposés parce qu'il était Noir et intelligent. Il avait refusé parce qu'il était noir et pauvre. Il touchait soixante mille dollars par an, moins que n'importe lequel de ses collègues, ce qui lui permettait de nourrir son épouse et ses quatre grands enfants, et de vivre dans une jolie maison. Mais il n'avait pas mangé tous les jours à sa faim dans son enfance, et ces souvenirs ne s'étaient jamais effacés. Il se considérerait toujours comme un pauvre Noir.

C'est précisément pour cette raison que le prometteur Harry Roosevelt était resté un simple juge des enfants. C'était, à ses yeux, le métier le plus important au monde. Selon la loi, les enfants délinquants, rebelles, sans ressources, négligés relevaient de sa compétence exclusive. Il instruisait les actions en recherche de paternité pour les enfants naturels et faisait respecter ses propres ordonnances pour assurer leur subsistance et leur éducation. Dans un comté où la moitié des bébés étaient mis au monde par une mère célibataire, cela représentait la majorité des cas. Il retirait l'autorité parentale aux parents indignes et plaçait les enfants victimes de mauvais traitements dans un nouveau foyer. Le fardeau de ses responsabilités était lourd.

Harry pesait entre cent quarante et cent soixante kilos, portait tous les jours la même tenue : complet noir, chemise de coton blanc et un nœud papillon qu'il tenait à nouer lui-même, sans grand succès. Personne ne savait s'il possédait cinquante costumes ou un seul. Il avait toujours la même allure. Le magistrat tout de noir vêtu en imposait au père indigne refusant de subvenir aux besoins de ses enfants, quand il le foudroyait du regard, par-dessus ses lunettes. Les pères indignes, qu'ils fussent noirs ou blancs, vivaient dans la crainte du juge Roosevelt. Il retrouvait toujours leur trace et les jetait en prison. Il s'adressait à leur employeur et ordonnait une saisie-arrêt sur leur salaire. Celui qui touchait aux « enfants de Harry », comme on les appelait, pouvait se retrouver devant le juge menottes aux poings, encadré par deux huissiers.

Harry Roosevelt était un personnage légendaire à Memphis. Les autorités du comté avaient jugé bon de lui adjoindre deux assesseurs supplémentaires pour l'aider à traiter les dossiers, mais son emploi du temps demeurait très chargé. Il arrivait en général avant 7 heures et faisait son café. A 9 heures, il ouvrait la première audience, tant pis pour l'avocat qui avait le malheur d'arriver en retard. Il en avait déjà fait jeter plusieurs en prison.

A 8 h 30, sa secrétaire apporta une brassée de courrier et l'informa que des gens l'attendaient et demandaient avec insistance à s'entretenir avec lui.

– C'est tout ce que vous avez à me dire ? bougonna Harry en avalant la dernière bouchée de son chausson aux pommes.

– Vous voudrez peut-être recevoir ces messieurs.

– Croyez-vous ? De qui s'agit-il ?

– L'un d'eux est George Ord, notre distingué procureur fédéral.

– Je l'ai eu comme étudiant.

– Oui, c'est ce qu'il a dit. Deux fois. Il y a aussi un assistant du procureur de La Nouvelle-Orléans, un certain Thomas Fink. Et M. Lewis, directeur adjoint du FBI, accompagné de deux agents.

Harry leva les yeux du dossier qu'il étudiait et réfléchit.

– Des visiteurs de choix. Que veulent-ils ?

– Ils n'ont pas voulu le dire.

– Bon, faites-les entrer.

Elle se retira. Quelques secondes plus tard, Ord, Fink, Lewis et McThune entrèrent à la queue leu leu dans le bureau encombré et se présentèrent. Harry et sa secrétaire enlevèrent les dossiers qui traînaient sur les fauteuils et tout le monde prit un siège. Après un échange de politesses, Harry regarda sa montre.

– Messieurs, j'ai dix-sept affaires à juger dans la journée. Que puis-je faire pour vous ?

George Ord prit la parole après s'être éclairci la voix.

– Je suis sûr, Votre Honneur, que vous avez lu dans le journal, ces deux derniers jours, les articles qui ont fait la une, sur un garçon du nom de Mark Sway.

– Une histoire fascinante.

– M. Fink exerce des poursuites contre l'assassin présumé du sénateur Boyette. L'affaire doit être jugée à La Nouvelle-Orléans dans quelques semaines.

– Je sais, j'ai lu le journal.

– Nous avons la quasi-certitude que Mark Sway en sait beaucoup plus long qu'il ne veut bien le dire. Il a menti en plusieurs occasions aux représentants de la police de Memphis. Nous pensons qu'il s'est longuement entretenu avec Jerome Clifford avant que l'avocat ne se suicide. Nous avons établi qu'il est monté dans la voiture. Nous avons essayé de l'interroger, mais il a refusé de répondre. Depuis, il a pris un avocat qui esquive nos questions.

– J'ai souvent affaire à Reggie Love. Elle est très compétente. Elle a tendance à surprotéger ses clients, mais on ne peut pas le lui reprocher.

– Nous nous méfions de ce garçon, nous sommes convaincus qu'il cache des informations importantes.

– Par exemple ?

– L'endroit où se trouve le corps du sénateur.

– Qu'est-ce qui vous permet de supposer cela ?

– Certains éléments dont nous disposons, Votre Honneur. Cela prendrait du temps pour tout expliquer.

Harry tripota son nœud papillon en lançant au procureur un de ces regards pénétrants dont il avait le secret. Il réfléchit.

– Vous voudriez donc que je fasse comparaître ce garçon et que je l'interroge ?

– En quelque sorte. M. Fink a apporté une requête l'accusant d'être un délinquant.

Cela n'eut pas l'heur de plaire à Harry. Son front luisant se creusa brusquement de plis profonds.

– Voilà une accusation assez grave. Quel genre d'infraction l'enfant a-t-il commis ?

– Entrave à l'action de la justice.

– Vraiment ?

Fink ouvrit une chemise, se leva et tendit un document au magistrat. Harry le prit et commença à lire lentement. On aurait entendu une mouche voler. K.O. Lewis n'avait pas encore ouvert la bouche, ce qui commençait à l'embêter. Il était quand même le numéro deux du FBI et ce juge semblait ne pas s'en soucier.

Harry tourna une page et regarda sa montre.

– J'écoute, fit-il à l'intention de Fink.

– Nous estimons que Mark Sway, par sa présentation déformée des faits, a fait obstacle aux investigations sur cette affaire.

– Quelle affaire ? L'assassinat ou le suicide ?

Excellente question. Fink comprit aussitôt que Harry Roosevelt ne se laisserait pas avoir facilement. Ils enquêtaient sur un assassinat, pas sur un suicide. Le suicide n'était pas contraire à la loi, en être témoin non plus.

– Nous pensons, Votre Honneur, que ce suicide est directement lié à l'assassinat de Boyd Boyette et qu'il est important d'obtenir la coopération de l'enfant.

– Et s'il ne sait rien ?

– Nous ne pouvons en être certains avant de l'avoir interrogé. Il fait obstacle à notre enquête, et, comme vous le savez, tout citoyen a le devoir d'assister les représentants d'un service chargé de faire respecter la loi.

– Je le sais parfaitement. Je vous trouve seulement un peu durs de vouloir faire de cet enfant un délinquant sans en apporter la preuve.

– Elle viendra, Votre Honneur, si nous pouvons faire témoigner l'enfant sous serment, à huis clos. C'est tout ce que nous désirons.

Harry lança le document sur une pile de papiers et enleva ses lunettes. Il mâchonna un crayon. Ord se pencha vers lui.

– Écoutez, Votre Honneur, fit-il avec gravité, si nous pouvons faire incarcérer le gamin et bénéficier d'une procédure expéditive, nous pensons que l'affaire peut être rapidement réglée. S'il déclare sous serment qu'il ignore tout de Boyd Boyette, nous abandonnons les poursuites et il rentre chez lui. C'est une pratique courante. Pas de preuves, pas de délit, pas de préjudice. Mais s'il sait quelque chose ayant trait à l'endroit où est caché le corps, nous sommes en droit d'en être informés et nous pensons que l'enfant le dira dans sa déposition.

– Il existe deux moyens de le faire parler, Votre Honneur, glissa Fink. Soit nous adressons cette requête au tribunal pour enfants afin d'obtenir une audience, soit nous l'assignons à comparaître devant un grand jury à La Nouvelle-Orléans. Le tribunal pour enfants semble être la voie la plus rapide et la plus satisfaisante, surtout pour l'enfant.

– Je ne veux pas qu'il soit assigné à comparaître devant un grand jury, déclara gravement Harry. Est-ce bien compris ?

Tout le monde acquiesça vivement de la tête. Tout le monde savait pertinemment qu'un grand jury pouvait citer Mark Sway, s'il le jugeait opportun, quels que fussent les sentiments d'un petit juge des enfants. C'était du Harry Roosevelt tout craché. Prendre instinctivement sous son aile tout enfant relevant de près ou de loin de sa juridiction.

– Je préfère de beaucoup m'occuper moi-même de cette affaire, fit-il à mi-voix, comme pour lui-même.

– Nous sommes de cet avis, Votre Honneur, dit Fink, avec l'assentiment général.

Harry prit le rôle du jour. Il contenait, comme à l'accoutumée, plus de maux qu'il ne pouvait en soulager en une journée. Il étudia le registre.

— À mon avis, vos allégations sont tirées par les cheveux, mais je ne puis vous empêcher de présenter cette requête. Je suggère d'entendre l'enfant dès que possible. S'il ne sait rien, comme je le soupçonne, je tiens à en finir au plus vite.

Tout le monde acquiesça vigoureusement.

— Faisons-le aujourd'hui, à l'heure du déjeuner. Où est l'enfant ?

— À l'hôpital, répondit Ord. Son frère doit y rester pendant une durée indéterminée. La mère ne quitte pas la chambre, mais Mark fait des escapades. Il a passé la nuit chez son avocate.

— Je la reconnais bien là, fit Harry, une pointe d'affection dans la voix. Je ne vois pas la nécessité de placer ce garçon en détention.

La détention était de la plus haute importance pour Fink et Foltrigg. Ils tenaient à ce que le gamin soit arrêté, embarqué dans un car de police, jeté en prison, en un mot, à lui faire assez peur pour qu'il parle.

— Si je puis me permettre, Votre Honneur, glissa Lewis, prenant la parole pour la première fois, nous pensons que la détention doit être ordonnée d'urgence.

— Vraiment ? Je vous écoute.

McThune tendit au juge Roosevelt une photo de format 20 × 25, tandis que Lewis commençait ses explications.

— L'homme que vous voyez sur cette photo s'appelle Paul Gronke. C'est un truand de La Nouvelle-Orléans, très lié à Barry Muldanno. Gronke est arrivé mardi soir à Memphis. Cette photo a été prise à l'aéroport de La Nouvelle-Orléans. Une heure plus tard, il était à Memphis, mais nous avons perdu sa trace à la sortie de l'aéroport.

McThune fit passer deux autres photos, de format plus petit.

— L'homme aux lunettes noires s'appelle Mack Bono, déjà jugé pour meurtre, dont les liens avec la mafia sont très étroits. L'homme au complet, Gary Pirini, un autre mafioso notoire, travaille pour la famille Sulari. Bono et Pirini sont arrivés à Memphis hier soir. Certainement pas pour déguster vos fameuses côtelettes grillées...

Il s'interrompit pour préparer son effet.

— Cet enfant court un grave danger, Votre Honneur, reprit-il. Le domicile de la famille Sway est un mobile home, dans le lotissement Tucker, à Memphis-Nord.

— Je connais bien cet endroit, fit Harry en se frottant les yeux.

— Il y a quatre heures, le mobile home a été entièrement détruit par le feu. Ce sinistre nous paraît suspect ; nous pensons qu'il pourrait s'agir d'un acte d'intimidation. L'enfant est laissé à lui-même depuis lundi soir. Il ne voit plus son père, et sa mère ne peut pas quitter le petit frère. C'est très triste, c'est aussi très dangereux.

– Vous l'avez donc mis sous surveillance ?

– Oui. Son avocate a demandé à la direction de l'hôpital de poster des gardes devant la chambre de son frère.

– Elle m'a téléphoné, ajouta Ord, pour demander de requérir la protection du FBI. La sécurité de l'enfant la préoccupe.

– Nous avons accédé à cette demande, précisa McThune. Depuis quarante-huit heures, deux agents ou plus sont postés près de la chambre. Ces gens-là sont des tueurs à la solde de Muldanno, Votre Honneur. Pendant ce temps, le gamin va et vient, sans avoir conscience du danger.

Harry les écouta attentivement. Par nature, il se méfiait de la gent policière, mais cette affaire sortait de l'ordinaire.

– La loi me permet assurément d'ordonner la mise en détention de l'enfant au vu de votre requête, fit-il, sans s'adresser précisément à personne. Mais qu'arrivera-t-il à l'enfant si l'audience ne donne pas les résultats que vous espérez, s'il n'y a pas entrave à l'action de la justice ?

– Nous y avons pensé, Votre Honneur. Jamais nous ne nous permettrions de violer le secret du huis clos, mais nous sommes en mesure de faire connaître à ces truands que l'enfant ne sait rien. S'il vide son sac et s'il ne sait rien, l'affaire sera réglée et Muldanno se désintéressera de lui. Pourquoi continuer à le menacer s'il ne sait rien ?

– Cela paraît logique, dit Harry. Mais que ferez-vous si l'enfant vous révèle ce que vous voulez savoir ? Si ces hommes sont aussi dangereux que vous le prétendez, notre jeune ami sera en danger de mort.

– Nous avons commencé à prendre des dispositions pour les faire bénéficier du programme de protection des témoins. Mark, sa mère et son frère, toute la famille.

– En avez-vous parlé avec son avocate ?

– Non, répondit Fink. Quand nous nous sommes rendus dans son cabinet, elle a refusé de nous recevoir. Elle est peu commode.

– Montrez-moi votre requête.

Fink tendit prestement le document au juge, qui chaussa ses lunettes et entreprit de le lire attentivement. Quand il eut terminé, il le rendit à Fink.

– Messieurs, je n'aime pas ça. Cela ne me dit rien de bon. J'ai eu à juger des milliers d'affaires, mais jamais je n'ai vu un mineur accusé d'entrave à l'action de la justice. Je me sens mal à l'aise.

– Vous êtes notre dernier recours, avoua Lewis d'une voix vibrante de sincérité. Nous devons découvrir ce que sait l'enfant et nous craignons pour sa sécurité. Nous jouons cartes sur table. Nous ne vous cachons rien et soyez assuré que nous ne cherchons pas à vous tromper.

– Je le souhaite vivement, répliqua Harry, la prunelle flamboyante. Il griffonna quelques mots sur une feuille. Tout le monde attendit, suivant chacun de ses gestes. Il jeta un coup d'œil à sa montre.

– Je vais signer l'ordonnance. Je veux que l'enfant soit conduit au centre de détention des mineurs et enfermé dans une cellule individuelle. Comme il sera affolé, je veux qu'on le traite avec la plus grande douceur. J'appellerai son avocat dans le courant de la matinée.

Ils se levèrent d'un même mouvement et le remercièrent. Harry indiqua la porte. Ils sortirent rapidement, sans une poignée de main, sans un mot.

21

Karen frappa un coup léger et entra dans la chambre obscure, une corbeille de fruits à la main. La carte qui l'accompagnait présentait les souhaits de prompt rétablissement de l'Église baptiste de Little Creek. L'infirmière posa les pommes, les bananes et les raisins, sous emballage de Cellophane verte, près d'un bouquet imposant envoyé par la direction d'Ark-Lon Fixtures, en témoignage de sa sollicitude.

Les stores étaient baissés, le téléviseur éteint. Quand Karen ressortit, aucun des Sway n'avait fait un mouvement. Ricky avait pourtant changé de position : couché sur le dos, il avait les pieds sur l'oreiller et la tête sur les couvertures. Il était réveillé, mais gardait depuis une heure les yeux fixés au plafond, sans dire un mot, sans bouger. C'était nouveau. Mark et Dianne, assis côte à côte, en tailleur, sur le lit de camp, échangeaient à voix basse des phrases courtes où il était question de vêtements, de jouets, de vaisselle. Il y avait certes l'assurance contre l'incendie, mais Dianne ne savait pas dans quelle mesure ils seraient couverts.

Ils étaient obligés de chuchoter. Ils ne voulaient pas annoncer la nouvelle à Ricky avant plusieurs jours, voire des semaines.

Dans la matinée, une heure après le départ de Reggie et de Clint, la violence du choc s'était atténuée et Mark avait commencé à réfléchir. C'était plus facile dans la pénombre de cette chambre où il n'y avait rien d'autre à faire. On ne pouvait allumer la télé que lorsque Ricky en avait envie. Les stores demeuraient baissés tout le temps qu'il dormait ou sommeillait. La porte était toujours fermée.

Mark était assis dans un fauteuil, sous le téléviseur, en train de grignoter un biscuit au chocolat rassis, quand l'idée lui vint que le feu n'avait pas pris accidentellement. L'homme au cran d'arrêt était parvenu à entrer dans le mobile home pour prendre le portrait. En brandissant son couteau et en montrant la photo, il avait cherché à réduire à jamais au silence le petit Mark Sway. Il avait parfaitement réussi. Et si le feu était aussi l'œuvre de l'homme au couteau ? Rien de plus facile que d'incendier un mobile home et, à quatre heures du matin, il n'y avait pas âme qui vive dans le lotissement. Mark le savait par expérience.

Quand cette pensée lui était venue, une grosse boule s'était formée dans sa gorge, sa bouche était devenue toute sèche. Dianne n'avait rien remarqué. Elle buvait du café en caressant les cheveux de Ricky.

Après avoir tourné et retourné une demi-heure cette idée dans sa tête, Mark s'était rendu au bureau des infirmières, où Karen lui avait montré le quotidien du matin.

Il n'arrivait pas à chasser cette affreuse idée de son esprit. Plus le temps passait, plus il était persuadé que le feu était d'origine criminelle.

– Qu'est-ce que l'assurance va nous rembourser ? demanda-t-il à sa mère.

– Il faut que j'appelle notre agent. Je crois me souvenir qu'il y a deux polices distinctes. L'une est payée par M. Tucker, pour le mobile home dont il est propriétaire, l'autre par nous, pour ce qu'il contient. La prime d'assurance doit être incluse dans le loyer mensuel. Je crois que ça marche comme ça.

Cela suscita chez Mark une vive inquiétude. Il avait encore présents à la mémoire les tristes souvenirs du divorce. Il se remémora l'incapacité de sa mère à parler de la situation financière de la famille. Elle ne savait absolument rien. Son ex-père payait les factures, signait les chèques, remplissait la déclaration d'impôts. Ces deux dernières années, le téléphone avait été coupé à deux reprises. Dianne avait oublié de régler la facture, du moins le prétendait-elle. Mark soupçonnait qu'elle n'avait pas eu de quoi payer.

– Mais qu'est-ce que l'assurance va nous rembourser ? insista-t-il.

– Le mobilier, les vêtements, les ustensiles de cuisine, je suppose. C'est ce qu'elles font, en général.

On frappa, mais personne n'entra. Ils attendirent. On frappa derechef, Mark alla entrouvrir la porte, vit deux visages inconnus dans l'entrebâillement.

– Oui ? fit-il.

Cette visite ne lui dit rien de bon, car les infirmières et les gardes ne laissaient passer personne. Il ouvrit un peu plus la porte.

– Nous cherchons Dianne Sway, déclara le premier homme d'une voix forte.

Dianne s'avança.

– Qui êtes-vous ? demanda Mark en faisant un pas dans le couloir.

Les deux gardes se tenaient côte à côte, sur la droite, trois infirmières étaient plantées au milieu du couloir, tous pétrifiés, comme des témoins d'une catastrophe. Dès que le regard de Mark croisa celui de Karen, il comprit qu'il allait y avoir du vilain.

– Détective Nassar, police de Memphis. Voici le détective Klickman.

Nassar portait une veste et une cravate, Klickman un jogging noir et des Nike flambant neuves. Tous deux étaient jeunes, la trentaine, et Mark pensa aussitôt aux rediffusions des vieux épisodes de *Starsky et Hutch*. Dianne ouvrit complètement la porte et resta derrière son fils.

– Êtes-vous Dianne Sway ? demanda Nassar.

– Oui.

Nassar prit des papiers dans la poche de sa veste et les lui tendit par-dessus la tête de Mark.

– Cela vient du tribunal pour enfants, madame Sway. Une assignation pour aujourd'hui, 12 heures.

Les mains de Dianne se mirent à trembler violemment, tandis qu'elle essayait désespérément de comprendre de quoi il s'agissait.

– Puis-je voir vos plaques ? demanda Mark, non sans impertinence dans de telles circonstances.

Les deux policiers fouillèrent dans leurs poches et mirent leur insigne sous le nez de Mark. Il les examina, lança un regard narquois à Nassar.

– Super-chaussures, dit-il à Klickman.

– Madame Sway, reprit Nassar en se forçant à sourire, conformément à la loi, nous devons placer immédiatement Mark en détention.

Il y eut un silence pesant de deux ou trois secondes, le temps que le mot « détention » pénètre dans le cerveau de Dianne.

– Quoi ? hurla-t-elle en lâchant les papiers.

Le cri se répercuta dans le couloir. Sa voix exprimait plus la colère que la peur.

– C'est écrit là, sur la première page, fit Nassar en ramassant les papiers. Une décision du juge.

– Vous n'avez pas le droit !

Le cri de Dianne claqua comme un coup de fouet.

– Vous ne pouvez pas emmener mon fils !

Elle avait le visage cramoisi, tous les muscles de son corps frêle étaient tendus à se rompre.

Génial, se dit Mark. Encore une balade dans une voiture de police.

– Salaud ! rugit sa mère.

– Ne crie pas, maman, fit-il d'une voix apaisante. Ricky peut entendre.

— Il faudra me passer sur le corps ! rugit-elle au visage de Nassar, en s'avançant à le toucher.

Klickman fit un pas en arrière, comme pour indiquer à son collègue qu'il lui laissait cette folle.

Mais Nassar était un pro. Il avait procédé à des milliers d'arrestations.

— Écoutez, madame Sway, je comprends ce que vous ressentez, mais j'ai des ordres.

— Des ordres de qui ?

— Ne crie pas, maman, je t'en prie, supplia Mark.

— Le juge Harry Roosevelt a signé cette ordonnance il y a une heure. Nous ne faisons que notre boulot, madame. Il n'arrivera rien à Mark, nous allons nous occuper de lui.

— Qu'est-ce qu'il a fait ? Dites-moi seulement ce qu'il a fait ! Quelqu'un peut-il m'aider ? ajouta-t-elle, s'adressant aux infirmières d'une voix implorante. Karen, faites quelque chose ! Appelez le docteur Greenway, ne restez pas plantée là !

Karen et ses collègues ne bougèrent pas. Les policiers leur avaient fait la leçon.

— Si vous voulez bien lire ces papiers, reprit Nassar en s'efforçant toujours de sourire, vous verrez qu'une requête a été adressée au tribunal pour enfants. Mark a commis un délit en refusant de collaborer avec la police et le FBI. Le juge Roosevelt veut l'entendre aujourd'hui, à midi. C'est tout.

— C'est tout ! Trou du cul de flic ! Vous vous pointez avec vos petits papiers, vous embarquez mon fils et vous dites que c'est tout !

— Pas si fort, maman, souffla Mark.

Il n'avait pas entendu des mots aussi grossiers dans sa bouche depuis l'époque du divorce.

Nassar renonça à sourire et tira sur sa moustache. Klickman braqua sur Mark un regard menaçant, comme sur un tueur en série enfin appréhendé après des années de traque. Il y eut un long silence. Dianne garda les deux mains sur les épaules de Mark.

— Vous ne pouvez pas l'emmener !

— Écoutez, madame Sway, fit Klickman, ouvrant la bouche pour la première fois, nous n'avons pas le choix. Nous devons emmener votre fils.

— Allez vous faire voir ! répliqua-t-elle. Il faudra me le prendre de force !

Klickman manquait totalement de finesse. L'espace d'un instant, il contracta les muscles de ses épaules, comme pour relever le défi. Puis il se détendit en esquissant un sourire.

— Laisse, maman, je vais y aller. Appelle Reggie et demande-lui de me rejoindre à la prison. Elle engagera aussitôt des poursuites contre eux et ils seront virés d'ici demain.

Les deux flics échangèrent un sourire. Ce garçon était charmant.

Nassar commit l'erreur funeste de s'avancer pour prendre le bras de Mark. Dianne attaqua avec la vivacité du cobra, le gifla violemment sur la joue gauche.

– Ne le touchez pas ! Ne le touchez pas !

Nassar porta la main à son visage, Klickman saisit le bras de Dianne. Elle voulut frapper une deuxième fois, mais il la fit pivoter, elle perdit l'équilibre, se prit les pieds dans ceux de Mark, et ils tombèrent tous les deux.

– Salopard ! hurla-t-elle. Ne le touchez pas !

Nassar se pencha, Dianne lui donna un coup de pied dans la cuisse. Mais elle avait les pieds nus et ne lui fit pas mal. Klickman se pencha à son tour, pendant que Mark essayait de se relever et que Dianne donnait des coups de pied en se tortillant et en hurlant. Les infirmières se précipitèrent vers eux, les deux gardes aidèrent Dianne à se remettre debout.

Klickman arracha Mark à la mêlée tandis que les gardes retenaient sa mère. Elle se débattait en sanglotant. Nassar se frottait la joue. Les infirmières essayaient de calmer, de consoler et de séparer tout le monde.

La porte de la chambre s'ouvrit sur Ricky, un lapin en peluche à la main. Son regard se posa sur les poignets de Mark maintenus par Klickman. Il se tourna vers sa mère dont les poignets étaient maintenus par les gardes. Tout le monde s'immobilisa en voyant apparaître Ricky, le visage blanc comme la craie, la chevelure ébouriffée. Il avait la bouche ouverte, mais pas un son n'en sortait.

Il commença soudain à émettre la plainte sourde et lugubre que seul Mark avait entendue jusqu'alors. Dianne se dégagea, le prit dans ses bras. Les infirmières les suivirent dans la chambre et bordèrent Ricky dans son lit. Elles lui caressèrent les bras et les jambes, sans faire cesser le gémissement. Il fourra son pouce dans sa bouche et ferma les yeux. Dianne s'allongea à côté de lui et commença à fredonner une berceuse en lui caressant le bras.

– En route, petit, dit Klickman à Mark.

– Vous me passez les menottes ?

– Non, ce n'est pas une arrestation.

– Alors, qu'est-ce que c'est, bordel ?

– Surveille ton langage, petit.

– Allez vous faire voir, pauvre taré !

Klickman s'immobilisa et fusilla Mark du regard.

– Attention à ce que tu dis, lança Nassar d'un ton menaçant.

– Vous avez vu votre tête, la vedette ? Vous allez avoir un gros bleu. Maman vous a bien arrangé. Ha, ha ! J'espère qu'elle vous a cassé les dents !

Klickman se pencha, referma les mains sur les genoux de Mark et le regarda dans les yeux.

– Tu nous suis ou tu préfères qu'on te traîne jusqu'à la voiture ?

– Vous croyez que j'ai peur de vous, hein ? ricana Mark, l'œil noir. Écoutez-moi bien, petite tête ! J'ai un avocat qui me fera sortir en dix minutes. Mon avocat est si bon que vous serez obligés de chercher un autre boulot avant la fin de la journée.

– J'en tremble de peur. Allez, en route !

Ils se mirent en marche, les deux flics encadrant le jeune délinquant.

– Où m'emmenez-vous ?

– Au centre de détention pour mineurs.

– C'est comme une prison ?

– Ça pourrait le devenir si tu ne fais pas attention à ce que tu dis.

– Vous avez jeté ma mère à terre, ne l'oubliez pas. Et ça vous coûtera votre boulot.

– Tant pis, répliqua Klickman. C'est un boulot pourri, parce que je suis obligé de m'occuper de petits merdeux comme toi.

– Peut-être, mais vous n'en trouverez pas d'autre. Personne ne voudrait d'un abruti comme vous !

Ils passèrent devant un petit groupe d'aides-soignants et d'infirmières. Mark devint instantanément une vedette, l'innocent conduit à l'échafaud. Il bomba légèrement le torse. Quand ils tournèrent l'angle du couloir, Mark se souvint des journalistes.

Eux non plus ne l'avaient pas oublié. Il fut ébloui par l'éclair d'un flash tandis que deux autres reporters, armés d'un carnet et d'un stylo, se précipitaient vers Klickman. Ils s'arrêtèrent devant les ascenseurs.

– Êtes-vous de la police ? demanda un journaliste, les yeux baissés sur les chaussures de sport fluo.

– Rien à déclarer.

– Hé ! Mark ! lança un autre pisseur de copie, juste derrière lui. Où est-ce qu'ils t'emmènent ?

– En prison, répondit-il d'une voix forte, sans se retourner, ébloui par l'éclair d'un autre flash.

– Tais-toi, petit, grogna Nassar.

Il sentit le bras de Klickman peser sur son épaule. Le photographe était à côté d'eux, tout près de la porte de l'ascenseur. Nassar leva le bras pour lui boucher la vue.

– Écartez-vous de là ! gronda-t-il.

– Es-tu en état d'arrestation, Mark ? cria une voix.

— Non, répondit sèchement Klickman, au moment où s'ouvrait la porte de la cabine.

Nassar poussa Mark à l'intérieur, tandis que son collègue se plaçait dans l'ouverture, jusqu'à ce que la porte se referme.

L'ascenseur se mit en marche. Ils étaient seuls dans la cabine.

— Ce n'est vraiment pas malin d'avoir dit ça, petit, fit Klickman en secouant la tête. Vraiment pas malin.

— Alors, arrêtez-moi.

— Pas malin du tout.

— C'est interdit par la loi de parler à la presse ?

— Tu vas la fermer, maintenant ?

— Il ne vous reste plus qu'à me tabasser, hein, petite tête ?

— Ce n'est pas l'envie qui m'en manque.

— Bien sûr, mais vous ne pouvez pas le faire. Je ne suis qu'un petit enfant, vous êtes un gros flic borné, et, si vous levez la main sur moi, vous vous ferez virer et vous aurez des ennuis avec la justice. Vous avez frappé ma mère et vous n'avez pas fini d'en entendre parler.

— Ta mère m'a giflé, répliqua Nassar.

— Elle a bien fait. Vous n'avez pas idée de ce qu'elle a enduré. Vous arrivez pour m'embarquer, vous faites comme si ce n'était rien du tout, vous présentez votre bout de papier à ma mère, et il faudrait qu'elle soit toute contente, qu'elle me laisse gentiment partir après m'avoir embrassé. Vous savez ce que vous êtes ? Des gros poulets sans cervelle !

L'ascenseur s'arrêta, la porte s'ouvrit, deux médecins entrèrent. Ils interrompirent leur discussion et regardèrent Mark. La porte de la cabine se referma.

— Imaginez-vous que ces poulets sont en train de m'arrêter ! lança-t-il aux médecins, qui posèrent sur Nassar et Klickman un regard réprobateur.

— Délinquant juvénile, expliqua Nassar.

Ce petit merdeux ne pouvait-il la fermer ?

— Celui-ci, qui a de si jolies chaussures, reprit Mark en indiquant Klickman du menton, a frappé ma mère il y a cinq minutes.

Les deux médecins regardèrent les chaussures.

— Tais-toi, Mark, ordonna Klickman.

— Ta mère va bien ? demanda l'un des médecins.

— Vachement bien. Mon petit frère est en psychiatrie, notre mobile home a brûlé cette nuit et voilà ces deux lourdauds qui viennent m'embarquer sous ses yeux. Elle a même été jetée à terre. A part ça, tout va bien.

Les médecins dévisagèrent les policiers. Nassar regarda ses pieds, Klickman ferma les yeux. L'ascenseur s'arrêta, un groupe entra. Klickman se rapprocha de Mark.

– Mon avocat va vous intenter un procès, vous le savez ? reprit Mark d'une voix forte, quand l'ascenseur se remit en marche. Dès demain, vous vous retrouverez au chômage.

Huit paires d'yeux se tournèrent vers le fond de la cabine avant de se fixer sur le visage chagrin du détective Klickman. Il y eut un moment de silence.

– Tais-toi, Mark.

– Et si je ne veux pas me taire ? Vous allez me tabasser, comme vous avez tabassé ma mère ? Me jeter à terre, me donner des coups de pied ? Vous n'êtes qu'un gros lourdaud de flic, Klickman. Un flic trop gras à qui on a donné un pistolet. Vous avez quelques kilos à perdre, vous savez ?

Le front de Klickman se couvrit de sueur. Il surprit les regards que les passagers lançaient vers lui. L'ascenseur descendait au ralenti. Il avait envie d'étrangler Mark. Tassé dans le fond de la cabine, Nassar avait des tintements d'oreilles, provoqués par la gifle. Il ne pouvait voir Mark, mais ne l'entendait que trop bien.

– Ta mère va bien ? demanda une infirmière, l'air très inquiet.

– Oui, elle passe une super-journée. Ça irait bien mieux si ces flics lui avaient fichu la paix. Vous savez qu'ils m'emmènent en prison ?

– Pourquoi ?

– Je ne sais pas. Ils ne veulent pas le dire. Je ne demandais rien à personne, j'essayais seulement de consoler ma mère, parce que notre mobile home a brûlé cette nuit et qu'on a perdu tout ce qu'on avait. Ils ont débarqué comme ça, sans prévenir, et ils me conduisent en prison.

– Quel âge as-tu ?

– Onze ans. Mais, pour eux, ça ne compte pas. Ils seraient capables d'arrêter un enfant de quatre ans.

Nassar poussa un gémissement étouffé. Klickman garda les yeux fermés.

– C'est terrible, soupira l'infirmière.

– Vous auriez dû voir la scène quand on était par terre, ma mère et moi, il y a quelques minutes, dans le service de psychiatrie. Ça passera à la télé ce soir. Lisez le journal demain matin. Ces deux lourdauds vont se faire virer. Après, ce sera le procès.

L'ascenseur s'arrêta au rez-de-chaussée. La cabine se vida.

Il insista pour monter à l'arrière, comme un vrai criminel. La voiture banalisée était une Chrysler. Il la repéra à cent mètres, sur le parking. Les deux policiers n'osaient plus lui adresser la parole. Assis à l'avant, ils n'ouvraient pas la bouche, espérant qu'il ferait de même. Ils n'eurent pas cette chance.

– Vous avez oublié de me lire mes droits, dit-il à Nassar, qui roulait aussi vite que possible.

Pas de réaction à l'avant.

– Hé ! les gars ! Vous avez oublié de me lire mes droits !

Toujours rien. Nassar appuya sur l'accélérateur.

– Savez-vous *comment* me lire mes droits ?

Toujours le silence.

– Vous, le lourdaud aux chaussures fluo, savez-vous comment faire ?

La respiration de Klickman était difficile, mais il avait décidé de ne pas répondre. Nassar ébaucha un sourire en coin, à peine visible sous sa moustache. Il s'arrêta à un feu rouge, regarda des deux côtés, fit rugir le moteur.

– Écoutez-moi bien, vous, le lourdaud. Puisque vous ne voulez pas, je le fais moi-même. J'ai le droit de garder le silence. Vous avez entendu ? Et tout ce que je dis pourra être utilisé contre moi devant la justice. Qu'est-ce que vous dites de ça ? Mais, si je dis quelque chose, vous êtes assez bêtes pour l'oublier. Il y a aussi un passage sur le droit de se faire assister d'un avocat. Vous pouvez m'aider là-dessus ? Hé ! le lourdaud ! Qu'est-ce que c'est, le passage sur l'avocat ? Je l'ai vu cinquante mille fois à la télé.

Klickman le lourdaud entrouvrit sa vitre pour pouvoir respirer. Nassar regarda les chaussures fluo et se retint de rire. Le criminel s'enfonça dans le siège arrière, les jambes croisées.

– Pauvre lourdaud ! Même pas capable de me lire mes droits. Cette voiture pue, vous ne la nettoyez jamais ? Elle pue la fumée de cigarette.

– Tu n'es pas contre les cigarettes à ce qu'on m'a dit, lança Klickman, qui se sentit beaucoup mieux.

Nassar ricana pour soutenir son ami. Ils avaient supporté assez d'insultes de ce gamin.

Mark vit un parking bourré près d'un immeuble. Des voitures de police étaient alignées devant le bâtiment. Nassar s'engagea sur le parking et coupa le moteur dans l'allée.

Ils lui firent franchir la porte d'entrée et l'entraînèrent dans un long couloir. Le gosse avait enfin cessé de parler. Il était sur leur territoire, il y avait des flics partout. Des panneaux indiquaient l'accueil des détenus, la prison, la salle des visiteurs, le parloir. Ils s'arrêtèrent devant un bureau, avec une rangée d'écrans de télévision en circuit fermé. Nassar y signa des papiers. Mark regarda autour de lui. Il paraissait si petit qu'il fit presque pitié à Klickman.

Ils repartirent. Un ascenseur les déposa au quatrième étage, où ils s'arrêtèrent devant un autre bureau. Mark vit une flèche indiquant la section des mineurs et se dit qu'ils n'étaient plus très loin.

Une femme en uniforme les arrêta. Une carte plastifiée indiquait qu'elle s'appelait Doreen. Elle parcourut les papiers qu'elle tenait.

– Je vois que le juge Roosevelt veut que Mark Sway soit placé dans une cellule individuelle.

– Faites comme bon vous semble, dit Nassar. Tout ce que je veux, c'est me débarrasser de lui.

Elle regarda de nouveau une feuille, les sourcils froncés.

– Ça ne m'étonne pas, reprit-elle, Roosevelt demande la même chose pour tous ses mineurs. Il doit s'imaginer que c'est le Hilton.

– Moi aussi, je le croyais.

Elle ne releva pas, indiqua à Nassar l'endroit où il fallait signer un document. Il griffonna son nom.

– Il est à vous, fit-il. Je vous souhaite bien du plaisir.

Les deux policiers s'éloignèrent sans un mot d'adieu.

– Vide tes poches, Mark, dit la femme en lui tendant une grande boîte métallique.

Il trouva un billet de un dollar, un paquet de chewing-gum, quelques piécettes. Doreen les compta, écrivit quelque chose sur une carte qu'elle introduisit sur un côté de la boîte. Au-dessus du bureau, dans un angle, deux caméras étaient braquées sur Mark. Il se vit sur un des dix écrans alignés sur le mur. Une autre femme en uniforme tamponnait des papiers.

– C'est la prison ? demanda Mark en lançant des coups d'œil de droite et de gauche.

– Nous appelons ça un centre de détention.

– Quelle différence ?

– Tu sais, Mark, fit-elle avec agacement, les petits malins, ce n'est pas ce qui manque ici. Je te conseille de ne pas faire le mariol, ce sera mieux pour toi.

Elle se pencha vers Mark, lui souffla dans le nez une haleine qui sentait le café et le tabac.

– Désolé, fit-il.

Il sentit les larmes lui monter aux yeux. Il se rendit brusquement compte qu'il allait être enfermé, loin de sa mère, loin de Reggie.

– Suis-moi, ordonna Doreen, satisfaite d'avoir affirmé son autorité.

Elle se mit en route d'un pas vif, rythmé par le cliquetis du trousseau de clés qui lui battait la hanche. Elle ouvrit une pesante porte de bois donnant dans un couloir bordé de deux rangées de portes métalliques grises, régulièrement espacées. Il y avait un numéro à côté de chaque porte. Doreen s'arrêta devant le 16. Elle choisit une clé pour ouvrir.

– Entre, fit-elle.

Mark entra lentement. La pièce faisait à peu près six mètres sur trois mètres cinquante. La lumière était vive, la moquette propre. Il vit deux lits superposés sur la droite. Doreen posa la main sur celui du haut.

– Tu peux choisir, dit-elle, en parfaite hôtesse. Les murs sont en parpaings, les vitres en verre incassable. Aucune chance de t'évader.

Il y avait deux fenêtres, l'une dans la porte, l'autre au-dessus des toilettes, trop petites, l'une et l'autre, pour qu'il pût y passer la tête.

– Les toilettes sont en Inox, reprit Doreen. On n'utilise plus de faïence depuis qu'un gamin a brisé une cuvette et s'est ouvert les veines avec un éclat. Mais c'était dans l'ancien bâtiment. C'est beaucoup mieux ici, non ?

Magnifique, se dit Mark. Mais il avait le moral à zéro. Il s'assit sur le lit du bas, les coudes sur les genoux. La moquette était vert pâle, de la même qualité médiocre que celle qu'il avait vue dans les couloirs de l'hôpital.

– Ça ira, Mark ? demanda Doreen, sans la plus petite trace de sympathie dans la voix.

Elle faisait son boulot, c'est tout.

– Je peux téléphoner à ma mère ?

– Pas tout de suite. Dans une heure, tu pourras passer quelques coups de fil.

– Et vous, vous ne pouvez pas l'appeler pour la rassurer ? Elle se fait un sang d'encre.

Le sourire de Doreen fit craqueler le maquillage du bord de ses yeux.

– Je n'ai pas le droit, Mark, fit-elle en posant la main sur sa tête. C'est le règlement. Mais elle sait que tu vas bien. Tu seras conduit devant le juge dans deux heures.

– Combien de temps les enfants restent-ils ici ?

– Pas longtemps. Parfois quelques semaines, mais c'est plutôt un centre de transit pour les mineurs, en attendant d'être renvoyés dans leur famille ou placés dans un centre d'éducation surveillée.

Elle fit cliqueter son trousseau de clés.

– Bon, il faut que j'y aille. La porte est verrouillée automatiquement quand elle se ferme. Si elle s'ouvre sans la petite clé que j'ai ici, une alarme se déclenche et c'est le branle-bas de combat. Ne te mets pas d'idées stupides dans la tête, Mark. D'accord ?

– Oui, madame.

– Je peux t'apporter quelque chose ?

– Un téléphone.

– Attends un petit peu.

Doreen sortit, la porte se referma avec un claquement. Puis il n'y eut plus que le silence.

Le regard de Mark resta longtemps fixé sur le bouton de la porte. Cela ne ressemblait pas à une cellule. Il n'y avait pas de barreaux aux fenêtres, les lits et le sol étaient propres. Les murs de parpaings étaient peints d'un joli jaune. Il avait vu pire dans les films.

Les sujets d'inquiétude ne manquaient pas. Ricky qui avait repris ses gémissements, l'incendie, Dianne qui commençait à perdre les pédales, les flics et les journalistes pendus à ses basques. Il ne savait par où commencer.

Il s'étendit sur le lit du haut, les yeux fixés au plafond. Que pouvait bien faire Reggie ?

22

La chapelle, froide et humide, était de forme circulaire, plaquée sur le côté d'un mausolée. Il pleuvait, les membres des deux équipes de télévision couvrant l'événement s'abritaient derrière leurs camionnettes ou sous des parapluies.

L'assistance était assez nombreuse, pour un homme qui n'avait pas de famille. Une élégante urne cinéraire en porcelaine, posée sur une table d'acajou, renfermait les cendres du défunt. Des haut-parleurs invisibles diffusaient des hymnes lugubres, tandis que les avocats, les juges et quelques clients hésitants prenaient place au fond de l'édifice. Barry Muldanno descendit l'allée, deux truands dans son sillage. Il montrait les signes extérieurs du deuil : complet croisé noir, chemise et cravate noires, chaussures noires en lézard. Queue-de-cheval impeccable. Il arriva en retard, prit plaisir à sentir les regards braqués sur lui. N'était-il pas un ami de longue date de ce pauvre Jerome ?

Quatre rangées derrière, le révérend Roy Foltrigg, assis à côté de Wally Boxx, considérait la queue-de-cheval d'un regard mauvais. Les hommes de loi composant l'assistance se tournaient tantôt vers Muldanno, tantôt vers Foltrigg. Bizarre de voir ces deux-là dans le même lieu.

La musique cessa, un ministre d'un culte indéterminé monta en chaire, derrière l'urne funéraire. Il se lança dans une interminable évocation de la vie de Walter Jerome Clifford, remontant jusqu'à sa petite enfance ou presque. Il n'y avait pas à s'en étonner : ce récit achevé, il n'aurait pas grand-chose à ajouter.

Le service funèbre fut bref, conformément aux dernières volontés du défunt. Les avocats et les juges regardèrent leur montre. Les haut-parleurs crachotèrent un nouveau psaume, le pasteur se retira.

La cérémonie fut expédiée en un quart d'heure. Pas une larme ne fut versée. Même la secrétaire de Clifford demeura impassible. Sa fille ne s'était pas déplacée. Quelle tristesse ! Il avait passé quarante-quatre ans sur cette terre et personne ne pleura à son enterrement.

Foltrigg resta assis et suivit d'un regard noir Muldanno lorsqu'il remonta l'allée et franchit le portail. Il attendit que la chapelle soit vide pour faire sa sortie. Les caméras étaient là, comme il le souhaitait. Wally avait laissé échapper une information croustillante en mentionnant devant des journalistes que le grand Roy Foltrigg assisterait au service funèbre et qu'il y avait une possibilité que Barry Muldanno fût présent. Ni Wally ni Roy n'en avaient la moindre idée, mais, l'information n'ayant aucun caractère officiel, peu importait qu'elle fût exacte. Et cela avait marché.

Un reporter quémanda deux minutes de son temps, Roy fit ce qu'il faisait toujours. Il regarda sa montre, prit un air profondément agacé par cette requête, envoya Wally chercher la voiture et dit ce qu'il disait toujours.

– D'accord, mais faites vite. Je suis attendu au tribunal dans un quart d'heure.

Il n'avait pas mis les pieds au tribunal depuis trois semaines. Il s'y rendait en moyenne une fois par mois, mais, à l'écouter, il passait sa vie dans les salles d'audience.

Il se recroquevilla sous un parapluie, face à la caméra. Le reporter brandit un micro devant son nez.

– Jerome Clifford était votre adversaire. Pourquoi assister à son service funèbre ?

– Jerome était un bon avocat et un ami, répondit Foltrigg, l'air attristé. Nous nous sommes souvent affrontés, toujours dans un respect mutuel.

Quelle élégance morale ! Quelle délicatesse devant la mort ! Foltrigg détestait Clifford, qui le lui rendait bien, mais la caméra ne saisit que la détresse d'un ami dans la peine.

– M. Muldanno a pris un nouveau défenseur et demandé l'ajournement du procès. Qu'avez-vous à dire à ce sujet ?

– Comme le savez sans doute, le juge Lamond examinera la demande d'ajournement demain à 10 heures. La décision lui appartient. Le ministère public s'y conformera.

– Espérez-vous découvrir le corps du sénateur Boyette avant le procès ?

– Oui. Je pense que ce n'est qu'une question de temps.

– Est-il vrai que vous vous êtes rendu à Memphis quelques heures après le suicide de Jerome Clifford ?

– Oui, répondit Foltrigg avec un petit haussement d'épaules, comme si ce déplacement était de peu de conséquence.

— D'après la presse de Memphis, l'enfant qui se trouvait avec Me Clifford au moment où il s'est suicidé aurait eu connaissance de certains détails relatifs à l'affaire Boyette. Y a-t-il du vrai là-dedans ?

Il sourit de cet air penaud qui lui était particulier. Quand la réponse était oui, qu'il ne pouvait l'avouer, mais voulait quand même faire passer le message, il souriait au journaliste et se contentait d'un « Pas de commentaire ».

— Pas de commentaire, fit-il en lançant un regard circulaire, comme si le temps pressait et que son emploi du temps surchargé ne lui laisse pas le loisir de répondre.

— Ce garçon sait-il où se trouve le corps ?

— Pas de commentaire, répéta-t-il avec agacement.

La pluie redoubla de violence, éclaboussant ses chaussettes et ses chaussures.

— Excusez-moi, je suis en retard.

Au bout d'une heure, Mark était prêt à s'évader de prison. Il inspecta les deux fenêtres. Celle qui se trouvait au-dessus des toilettes était renforcée par un treillis métallique, mais il y avait plus ennuyeux. Tout objet tombant par cette fenêtre, et il en allait de même pour le corps d'un petit garçon, ferait une chute d'au moins quinze mètres pour s'écraser sur un trottoir de béton, bordé d'une clôture à mailles métalliques et de barbelés. De toute façon, les deux fenêtres étaient trop étroites pour permettre une évasion.

Il serait donc obligé d'attendre qu'on le transfère, peut-être de prendre un ou deux otages. Il avait vu quelques films géniaux sur des évasions. Son préféré était *L'Évadé d'Alcatraz*, avec Clint Eastwood. Il trouverait bien un moyen.

Doreen frappa à la porte, fit cliqueter son trousseau et entra. Elle apportait un annuaire et un téléphone noir qu'elle brancha sur une prise murale.

— Tu peux en disposer vingt minutes. Communications locales uniquement.

Elle ressortit en faisant claquer la porte, laissant flotter derrière elle des effluves d'un parfum bon marché qui piqua les yeux de Mark.

Il trouva le numéro de l'hôpital, demanda la chambre 943, s'entendit répondre qu'on ne transmettait pas les appels dans cette chambre. Ricky dort, se dit-il, ça doit aller mal. Il composa le numéro de Reggie, tomba sur le répondeur et le message enregistré par Clint. Il appela le bureau de Greenway, on l'informa que le psychiatre était à l'hôpital. Mark expliqua qui il était, la secrétaire dit qu'elle croyait que Greenway était avec Ricky. Il rappela le cabinet de Reggie. Même enregistrement. Il laissa un message urgent :

« Faites-moi sortir de prison, Reggie ! » Il appela le domicile de l'avocate, tomba sur un autre répondeur. Il raccrocha, regarda fixement le téléphone. Plus que dix minutes, il fallait faire quelque chose. Il reprit l'annuaire, chercha les numéros d'appel de la police, composa celui du commissariat de Memphis-Nord.

– Le détective Klickman, s'il vous plaît ?

– Un instant, répondit une voix.

Il attendit quelques secondes.

– Qui demandez-vous ? fit quelqu'un d'autre.

Il s'éclaircit la gorge, essaya de prendre une grosse voix.

– Le détective Klickman.

– Il est de service, à l'extérieur.

– Quand doit-il rentrer ?

– Pour le déjeuner.

– Merci.

Mark raccrocha vite et se demanda si les lignes étaient sur table d'écoute. Probablement pas. Ces appareils étaient utilisés par des criminels et des gens comme lui pour appeler leur avocat et parler de leurs affaires. Le secret devait être protégé.

Il apprit par cœur le numéro de téléphone et l'adresse du commissariat, puis feuilleta les pages jaunes à la rubrique Restaurants. Il composa un numéro.

– Pizza Domino, lança une voix enjouée. Je prends votre commande.

– Oui, fit-il en prenant une voix aussi grave que possible, je voudrais quatre pizzas royales, le grand modèle.

– Ce sera tout ?

– Oui. Elles doivent être livrées à midi.

– Votre nom ?

– C'est de la part du détective Klickman. Commissariat de Memphis-Nord.

– A livrer où ?

– Au commissariat... 3633 Allen Road. Vous n'aurez qu'à demander Klickman.

– Nous connaissons bien. Numéro de téléphone ?

– C'est le 555 8989.

Il y eut un silence, le temps de faire fonctionner la machine à calculer.

– Cela fera quarante-huit dollars et dix cents.

– Très bien. Pas avant midi, s'il vous plaît.

Mark raccrocha, le cœur tambourinant dans la poitrine. Ce qu'il avait réussi une fois, il pouvait le refaire. Il composa à la suite tous les numéros de la chaîne Pizza Hut – il y en avait dix-sept à Memphis – et passa ses commandes. Trois points de vente refusèrent, en raison de l'éloignement. Mark raccrocha. Une jeune femme, soupçonneuse, dit qu'il paraissait trop jeune. Il n'insista pas. Pour les autres, ce fut d'une grande simplicité : téléphoner, passer la commande, donner l'adresse, le numéro de téléphone, et laisser la libre entreprise se charger du reste.

Vingt minutes plus tard, quand Doreen frappa à la porte, il était en train de commander chez Wong Boys un repas chinois pour Klickman. Il raccrocha précipitamment et se rapprocha des lits. Doreen débrancha le téléphone sans cacher sa satisfaction, comme si elle confisquait un jouet à un sale gosse. Mais elle n'avait pas été assez rapide. Le détective Klickman avait déjà commandé une quarantaine de grandes pizzas royales et une douzaine de plats chinois, à livrer à midi, pour un montant avoisinant cinq cents dollars.

Pour soigner sa gueule de bois, Gronke vida son quatrième jus d'orange de la matinée et prit un autre médicament pour la migraine. A la fenêtre de la chambre d'hôtel, en chaussettes, la ceinture débouclée, la chemise déboutonnée, il écoutait avec une grimace de dégoût les mauvaises nouvelles dont Jack Nance était porteur.

– Cela s'est passé il y a moins d'une demi-heure, fit Nance, assis sur le bord de la coiffeuse, les yeux fixés sur le mur pour ne pas regarder le gangster qui lui tournait le dos.

– Pourquoi ? grogna Gronke.

– Cela ne peut venir que du juge des enfants. On l'a conduit directement en prison. Enfin, quoi, on ne peut pas arrêter un gamin comme ça, ni un adulte, et le mettre en taule ! Ils ont dû présenter une requête devant le tribunal pour enfants. Cal est parti se renseigner. Nous devrions bientôt avoir des nouvelles, mais je n'en suis pas sûr. Je crois que le greffe n'est pas accessible au public.

– Débrouillez-vous pour y avoir accès !

Nance était furibond, mais il se contint. Il vomissait Gronke et sa petite bande d'assassins, et, malgré les cent dollars de l'heure qu'il touchait, il en avait par-dessus la tête de tourner en rond dans cette chambre crasseuse, empestant le tabac, comme un larbin aux ordres de son maître. Il avait d'autres clients et Cal était à bout de nerfs.

– Nous faisons notre possible.

– Faites l'impossible ! répliqua Gronke, s'adressant à la fenêtre. Il faut que je passe un coup de fil à Barry pour lui annoncer qu'ils ont embarqué le gamin et qu'on ne peut rien faire. Ils l'ont bouclé quelque part et il doit y avoir un flic devant sa porte.

Il termina son jus d'orange, lança la boîte vers la corbeille à papier. Elle rata la cible, tomba par terre avec fracas.

— Barry voudra savoir s'il y a un moyen de s'approcher du gosse, reprit-il, le regard mauvais. Qu'avez-vous à proposer ?

— Je propose que vous lui foutiez la paix. Nous ne sommes pas à La Nouvelle-Orléans et ce n'est pas une petite frappe qu'il suffit de descendre pour que tout baigne. Ce gamin a des protections, il est sous surveillance. Si vous faites une connerie, vous aurez cinquante fédéraux sur le dos. Ils ne vous lâcheront pas et vous finirez derrière les barreaux, vous et M. Muldanno. Ici, pas à La Nouvelle-Orléans.

— Ouais, ouais, fit Gronke en agitant les mains vers lui d'un air dégoûté, avant de se retourner vers la fenêtre. Je veux que vous le teniez à l'œil. Si on l'emmène quelque part, je veux le savoir immédiatement. Si on le conduit devant le juge, je veux le savoir. Débrouillez-vous, Nance. Vous êtes chez vous ici. Vous connaissez la ville comme votre poche, du moins vous devriez. Et vous êtes payé assez cher.

— Bien, patron, fit Nance d'une voix forte, en se dirigeant vers la porte.

23

Tous les jeudis matin, Reggie passait deux heures dans le cabinet du docteur Elliot Levin, son psychiatre. Levin lui tenait la main depuis dix ans. Il était l'architecte qui avait réuni les pièces du puzzle et l'avait aidée à les assembler. Ces séances hebdomadaires ne souffraient aucune interruption.

Clint allait et venait nerveusement dans la salle d'attente du psychiatre. Dianne avait déjà appelé deux fois, lui avait lu l'assignation et la requête au téléphone. Il avait appelé le juge Roosevelt, le centre de détention, le cabinet de Levin, et attendait 11 heures en rongeant son frein. La secrétaire s'efforçait de ne pas s'occuper de lui.

Reggie souriait quand la séance s'acheva. Elle posa un baiser sur la joue de Levin et ils entrèrent main dans la main dans la salle d'attente cossue. Dès que Reggie vit Clint, son sourire s'effaça.

– Que se passe-t-il ? demanda-t-elle, comprenant tout de suite qu'il était arrivé quelque chose de terrible.

– Il n'y a pas de temps à perdre, murmura Clint en la prenant par le bras pour l'entraîner vers la porte.

Elle fit un signe de tête à Levin qui les observait avec une curiosité teintée d'inquiétude.

– Ils ont emmené Mark, expliqua Clint sur le trottoir. Il est au centre de détention.

– Quoi ? Qui a fait ça ?

– La police, répondit Clint. Une requête déposée ce matin présente Mark comme un délinquant et Roosevelt a ordonné de le placer en détention. Prenons votre voiture, je vais conduire.

– Qui a présenté cette requête ?

– Foltrigg. Dianne a appelé de l'hôpital où ils sont venus le chercher. Elle s'est battue avec les flics et Ricky a rechuté. Je l'ai assurée que vous sortiriez Mark de là.

Ils s'élancèrent vers la voiture de Reggie, claquèrent les portières, quittèrent le parking à toute vitesse.

– Roosevelt a fixé l'audience à midi, reprit Clint.

– A midi ! Vous plaisantez ! Il reste moins d'une heure.

– C'est une procédure expéditive. Je lui ai parlé il y a une heure, mais il n'a pas voulu faire de commentaires. En fait, il n'a pas dit grand-chose. Où allons-nous ?

– Il est au centre de détention et je ne peux pas l'en faire sortir, fit-elle après quelques secondes de réflexion. Allons plutôt au tribunal pour enfants. Je veux voir cette requête et je veux voir Harry Roosevelt. C'est absurde de fixer une audience quelques heures après avoir reçu la requête. La loi dit entre trois et sept jours, pas entre trois et sept heures.

– Il y a bien une disposition pour cette procédure expéditive ?

– Oui, mais seulement dans les situations extrêmes. Ils ont baratiné Harry. Un délinquant ! Qu'a-t-il fait, le pauvre ? C'est incroyable ! Ils essaient de le forcer à parler, Clint, c'est tout.

– Vous ne vous attendiez pas à ça ?

– Bien sûr que non. Pas à Memphis, pas devant le tribunal pour enfants. J'avais pensé à une citation devant un grand jury à La Nouvelle-Orléans, mais pas au tribunal pour enfants. Il n'a pas commis d'acte répréhensible, il n'y a pas de raison qu'il soit incarcéré.

– En tout cas, ils l'ont embarqué.

Que cela lui plût ou non, Jason McThune était là, au tribunal pour enfants, à perdre son temps avec l'affaire Boyette, parce que K.O. Lewis l'exigeait. Lewis agissait sur l'ordre de F. Denton Voyles, directeur du FBI depuis quarante-deux ans. Dans ce laps de temps, pas un membre du Congrès, surtout pas un sénateur, n'avait été assassiné. Le fait que le corps de Boyd Boyette fût si bien caché était exaspérant. Denton Voyles était sur des charbons ardents, moins à cause de l'homicide même que de l'incapacité du FBI à élucider l'affaire.

McThune se doutait que Mᵉ Reggie Love n'allait pas tarder à arriver. On avait embarqué son client sous son nez et il imaginait qu'elle serait dans une rage folle. Elle comprendrait peut-être que ces escarmouches judiciaires étaient élaborées à La Nouvelle-Orléans, pas dans son bureau. Elle comprendrait certainement que lui, McThune, n'était qu'un modeste agent fédéral exécutant les ordres de ses supérieurs. Il espérait éviter l'avocate avant l'audience.

Il n'en fut rien. Au moment où McThune sortit des toilettes donnant dans le couloir, il se trouva face à face avec Reggie Love, que Clint suivait docilement. Elle le reconnut aussitôt, l'accula contre le mur. Elle était dans tous ses états.

– Bonjour, maître Love, fit-il en s'efforçant de sourire.

– Appelez-moi Reggie, McThune.

– Bonjour, Reggie.

– Qui est avec vous ? poursuivit-elle, l'œil noir.

– Je vous demande pardon ?

– Votre clique, votre bande, votre petit groupe de conspirateurs. Qui est là ?

Ce n'était pas un secret, il pouvait lui en parler.

– George Ord, Thomas Fink, de La Nouvelle-Orléans, K.O. Lewis.

– Qui est-ce ?

– Le directeur adjoint du FBI. Il est venu de Washington.

– Que fait-il ici ?

Les questions se succédaient, rapides et sèches, comme une volée de flèches tirées en direction des yeux de McThune. Plaqué contre le mur, il n'osait bouger, mais s'efforçait vaillamment de répondre avec nonchalance. Si Fink, Ord, ou – le ciel l'en préserve ! – K.O. Lewis passait dans le couloir et le surprenait avec Reggie, il ne s'en remettrait jamais.

– Eh bien, euh...

– Ne m'obligez pas à parler de la bande, McThune. Dites-moi simplement la vérité.

La serviette de Reggie à la main, Clint se tenait derrière sa patronne. Il paraissait légèrement surpris par la conversation et la vitesse de l'échange de propos. McThune haussa les épaules, comme si la bande lui était déjà sortie de la mémoire et qu'il s'en fiche.

– Je crois que le bureau de Foltrigg a appelé M. Lewis pour lui demander de venir. C'est tout.

– C'est tout ? Vous n'auriez pas eu par hasard un petit entretien avec le juge Roosevelt ce matin ?

– En effet.

– Et vous ne vous êtes pas donné la peine de m'appeler ?

– Euh... Le juge a dit qu'il le ferait.

– Je vois. Avez-vous l'intention de témoigner pendant cette audience ?

Elle fit un pas en arrière, McThune respira plus librement.

– Je témoignerai si on m'appelle à la barre.

Elle pointa l'index vers son visage. L'ongle était long, recourbé, fait avec soin et peint en rouge. McThune le regarda avec crainte.

– Tenez-vous-en aux faits, voulez-vous ? Un mensonge, aussi minime soit-il, la moindre déclaration servant vos propres intérêts, une seule pointe qui blesse mon client et je vous écrase sans pitié, McThune. C'est compris ?

Avec un sourire figé, il regarda de droite et de gauche dans le couloir, comme s'il ne s'agissait que d'un léger différend avec une amie.

– C'est compris, articula-t-il.

Reggie pivota sur elle-même et s'éloigna, Clint sur ses talons. McThune se réfugia précipitamment dans les toilettes, sachant qu'elle n'hésiterait pas à l'y suivre si elle avait quelque chose à demander.

– Qu'est-ce que ça signifie ? demanda Clint.

– C'était juste pour le remettre dans le droit chemin.

Ils se faufilèrent entre le public habituel du tribunal et les avocats agglutinés dans le couloir.

– Qu'est-ce que c'est que cette histoire de bande ?

– Je ne vous en ai pas parlé ?

– Non.

– Je vous la ferai écouter. C'est du délire.

Elle ouvrit une porte indiquant « Juge Harry M. Roosevelt ». Ils entrèrent dans une pièce encombrée, où quatre bureaux étaient disposés au centre et des rangées de classeurs le long des murs. Reggie s'avança sans hésiter vers le premier bureau sur la gauche où une jeune et jolie Noire tapait à la machine. Une plaque portait le nom Marcia Riggle. Elle s'interrompit et leva la tête en souriant.

– Bonjour, Reggie.

– Salut, Marcia. Où est Son Honneur ?

Pour son anniversaire, Marcia recevait des fleurs du cabinet de Reggie Love, pour Noël des chocolats. Elle était le bras droit de Harry Roosevelt, un magistrat surchargé de travail, qui n'avait pas le temps de penser aux conférences, aux rendez-vous, aux anniversaires. Marcia n'oubliait jamais rien. Reggie s'était occupée de son divorce deux ans auparavant. Elle avait dégusté les lasagnes de Momma Love.

– Il est en séance, il en a pour quelques minutes. Vous avez une audience à midi, vous savez ?

– Je viens de l'apprendre.

– Il a essayé de vous joindre toute la matinée.

– Il n'a pas réussi. Je vais l'attendre dans son cabinet.

– Bien sûr. Voulez-vous un sandwich ? Je vais commander son déjeuner.

– Non, merci.

Reggie prit sa serviette et demanda à Clint d'attendre dans le couloir l'arrivée de Mark. Il était midi moins vingt, il n'allait pas tarder.

Marcia tendit une copie de la requête à Reggie, qui entra dans le cabinet du juge, comme chez elle.

Harry et Irene Roosevelt avaient aussi été reçus à la table de Momma Love. Rares étaient les avocats de Memphis, s'il y en avait, qui passaient autant de temps que Reggie Love au tribunal pour enfants. Au fil de ses quatre années d'exercice, le respect mutuel de la relation avocat-juge s'était mué en amitié. De son divorce, elle avait sauvé quatre abonnements à l'année pour l'équipe de basket de Memphis State. Le trio composé de Harry, Irene et Reggie avait ainsi assisté à de nombreux matches, parfois accompagné d'Elliot Levin ou d'un autre ami de Reggie. Après le basket, ils allaient en général manger une pâtisserie au café Expresso ou au Peabody, ou encore, selon l'humeur du juge, souper chez Grisanti. Harry avait toujours faim ; la dernière bouchée avalée, il pensait déjà au repas suivant. Comme Irene lui faisait des remarques sur son poids, il mangeait encore plus. Reggie se moquait parfois de lui, mais, chaque fois qu'elle parlait de kilos et de calories, il demandait des nouvelles de Momma Love, de ses pâtes, ses fromages et ses tartes aux fruits.

Les juges sont humains, ils ont besoin d'amis. Harry pouvait fréquenter Reggie, dîner avec elle, ou n'importe quel autre avocat, et conserver son impartialité et son pouvoir discrétionnaire.

La pagaille organisée du cabinet était toujours un sujet d'étonnement. Le sol était recouvert d'un tapis ancien dans les teintes pâles, dont une grande partie était couverte de piles de documents juridiques, soigneusement égalisées à une hauteur de trente centimètres. Des rayonnages surchargés couraient le long de deux murs, mais les livres n'étaient pas visibles, cachés par des amoncellements dangereusement inclinés de dossiers et paperasses en tout genre. Trois vieilles chaises de bois étaient disposées devant le bureau. Des dossiers couvraient le siège de la première et s'empilaient sous la deuxième. La troisième, libre pour l'instant, serait certainement utilisée avant la fin de la journée. Reggie y prit place et regarda le bureau.

Bien que le meuble fût vraisemblablement en bois, seuls le devant et les côtés étaient visibles. Le dessus pouvait être en cuir ou laqué, impossible de le savoir. Même Harry ne se souvenait pas à quoi ressemblait le dessus de son bureau, recouvert de documents disposés par Marcia en piles de vingt centimètres de haut. Trente centimètres pour le sol, vingt pour le bureau. Entre les papiers et la surface du meuble, une couche intermédiaire était constituée par un énorme calendrier de l'année 1986, sur lequel Harry dessinait et griffonnait en écoutant d'une oreille distraite le discours ennuyeux des avocats. Sous le calendrier se trouvait une zone interdite. Même Marcia n'osait le soulever.

Elle avait collé une douzaine de petits mots sur le dossier du fauteuil. A l'évidence, les plus urgentes des urgences de la matinée.

Malgré le désordre de son bureau, Harry Roosevelt était le magistrat le mieux organisé que Reggie avait rencontré en quatre ans. Il n'était pas obligé de perdre du temps à étudier le Code, car il en avait rédigé une bonne partie. Réputé pour sa concision, ses ordonnances et décrets étaient considérés comme lapidaires par les juristes. Il ne supportait pas les requêtes interminables, prenait un ton cassant avec les avocats qui s'écoutaient parler. Il gérait judicieusement le temps dont il disposait, Marcia s'occupait du reste. Son bureau et son cabinet étaient renommés dans les milieux judiciaires de Memphis et Reggie le soupçonnait d'y prendre plaisir. Elle vouait au magistrat une profonde admiration, non seulement pour sa sagesse et son intégrité, mais pour la manière dont il se consacrait à sa tâche.

Elle commença à feuilleter la requête. Foltrigg et Fink en étaient les signataires. Elle ne contenait rien de précis, rien que de vagues allégations contre le jeune Mark Sway, à qui il était reproché de refuser de coopérer avec le FBI et le bureau du procureur des États-Unis pour le district sud de la Louisiane, dans le cadre d'une enquête fédérale. Chaque fois qu'elle lisait le nom de Foltrigg, Reggie sentait le mépris monter en elle.

Cela aurait pu être pire. Le nom de Foltrigg aurait pu se trouver au bas de la dernière page d'une citation devant un grand jury, exigeant la présence de Mark Sway à La Nouvelle-Orléans. La procédure eût été parfaitement légale et elle s'étonnait un peu de voir que le procureur de Louisiane avait choisi d'engager le fer à Memphis. S'il échouait ici, il se rabattrait sur La Nouvelle-Orléans.

La porte s'ouvrit sur une silhouette massive en robe noire, Marcia sur ses talons, brandissant une liste et énumérant ce qui devait être fait immédiatement. Harry l'écouta sans la regarder, se débarrassa de sa robe, la lança sur la chaise sous laquelle étaient empilés des dossiers.

— Bonjour, Reggie, fit-il avec un sourire, en posant la main sur son épaule quand il passa derrière elle. Ce sera tout, ajouta-t-il doucement à l'intention de Marcia.

Quand elle se fut retirée, il détacha les feuilles collées sur le fauteuil sans les lire et se laissa tomber dedans.

— Comment va Momma Love ?

— Très bien. Et vous ?

— A merveille. Je ne suis pas étonné de vous voir.

— Rien ne vous obligeait à signer cette ordonnance. Je vous l'aurais amené, Harry, vous le savez bien. Hier soir, il s'est endormi sur la balancelle de Momma Love. Il était en bonnes mains.

Harry dissimula un sourire en se frottant les yeux. Très rares étaient les avocats qui, dans son cabinet, l'appelaient par son prénom. Mais, venant d'elle, cela lui plaisait assez.

– Reggie ! Reggie ! Vous ne voulez jamais croire que vos clients doivent être placés en détention.

– Ce n'est pas vrai.

– Vous croyez qu'il suffit, pour que tout aille bien, de les emmener chez vous et de leur offrir un bon repas.

– Ça ne leur fait pas de mal.

– Assurément. Mais, d'après George Ord et le FBI, le petit Mark pourrait être en grand danger.

– Que vous ont-ils dit ?

– Vous le saurez pendant l'audience.

– Ils ont dû être très convaincants, Harry. J'ai été prévenue une heure à l'avance. Probablement un record.

– J'ai pensé que cela vous ferait plaisir. Mais nous pouvons remettre l'audience à demain si vous préférez. Cela ne me gêne pas de faire attendre M. Ord.

– Pas tant que Mark est en détention. Confiez-le à ma garde et l'audience aura lieu demain. J'ai besoin de temps pour réfléchir.

– J'ai peur de le faire libérer avant d'avoir entendu les arguments de la partie adverse.

– Pourquoi ?

– S'il faut en croire le FBI, des hommes extrêmement dangereux sont arrivés à Memphis et pourraient essayer de le réduire au silence. Connaissez-vous un certain Gronke, et ses petits camarades Bono et Pirini ? Ces noms vous disent quelque chose ?

– Non.

– A moi non plus, jusqu'à ce matin. Il semble que ces messieurs, venus de La Nouvelle-Orléans pour visiter notre belle ville, soient de proches collaborateurs de M. Barry Muldanno, la Lame, comme on le surnomme là-bas. Grâce au ciel, le crime organisé ne s'est pas établi à Memphis. Cela m'effraie terriblement, Reggie. Ces gens-là ne plaisantent pas.

– Cela m'effraie aussi.

– A-t-il été menacé ?

– Oui, hier, à l'hôpital. Il m'en a parlé et ne m'a pas quittée depuis.

– Vous êtes devenue son garde du corps ?

– Pas du tout. Mais je ne pense pas que le Code vous autorise à ordonner la mise en détention d'un mineur dont la vie peut être en danger.

– Ma chère Reggie, le Code, je l'ai rédigé. Je suis en droit d'ordonner la détention de tout mineur prévenu d'un délit.

En effet, il avait rédigé le Code. Et les cours d'appel n'essayaient plus depuis longtemps de jouer au plus fin avec Harry Roosevelt.

– D'après Foltrigg et Fink, quels crimes Mark a-t-il commis ?

Harry prit deux mouchoirs en papier dans un tiroir et se moucha.

– Il ne peut pas garder le silence, Reggie, fit-il en souriant. S'il sait quelque chose, il doit le dire.

– Vous présumez qu'il sait quelque chose.

– Je ne présume rien du tout. La requête présente certaines allégations, fondées en partie sur des faits, en partie sur des suppositions. Comme toutes les requêtes, dirais-je, et je pense que vous serez d'accord. Nous ne connaissons jamais la vérité avant l'audience.

– Croyez-vous les bêtises que renferme l'article de Slick Moeller ?

– Je ne crois rien, Reggie, avant qu'on ne l'ait déclaré sous serment, dans ma salle d'audience. J'en crois alors un dixième.

Il y eut un long silence, pendant que le juge s'interrogeait sur l'opportunité de poser la question qui lui brûlait les lèvres.

– Alors, Reggie, demanda-t-il enfin, Mark sait-il quelque chose ?

– Que faites-vous du secret professionnel, Harry ?

– Il en sait donc plus long qu'il ne devrait, fit-il en souriant.

– On peut dire cela.

– S'il s'agit d'éléments déterminants pour l'enquête, il doit parler.

– Et s'il refuse ?

– Je ne sais pas. Nous verrons, le moment venu. Ce garçon est-il intelligent ?

– Très. Parents divorcés, plus de père, a grandi dans la rue. Le tableau habituel. J'ai parlé à son instituteur hier, il a d'excellentes notes, sauf en maths. Très intelligent et très dégourdi.

– Des ennuis avec la justice ?

– Rien. C'est un gamin formidable, Harry. Remarquable.

– C'est ce que vous dites de la plupart de vos clients.

– Celui-ci est à part. Il n'a rien fait de mal.

– J'espère qu'il sera bien conseillé par son avocat. L'audience risque d'être mouvementée.

– La plupart de mes clients sont bien conseillés.

– Je n'en doute pas.

On frappa un petit coup à la porte, Marcia apparut.

– Votre client est arrivé, Reggie. Salle des témoins C.

– Merci.

Reggie se leva et se dirigea vers la porte.

– A tout à l'heure, Harry.

– Oui. Vous savez que je suis très sévère avec les enfants qui ne m'obéissent pas.

– Je sais.

Assis sur une chaise renversée contre le mur, les bras croisés, il avait l'air frustré. On le traitait comme un condamné depuis trois heures et il commençait à s'habituer. Il se sentait en sécurité. Il n'avait pas subi de violences, ni de la part des flics ni des autres détenus.

La pièce était minuscule, sans fenêtres, mal éclairée. Reggie entra et approcha une chaise pliante. Elle était souvent entrée dans cette pièce en semblables circonstances. Mark lui sourit, manifestement soulagé de la voir.

– Alors, ta première impression de la prison ?

– Je n'ai encore rien eu à manger. On peut leur intenter un procès ?

– Peut-être. Comment va Doreen, la femme au trousseau de clés ?

– Quelle pimbêche, celle-là ! Vous la connaissez ?

– Je suis souvent allée là-bas, Mark. C'est mon boulot. Son mari tire trente ans pour attaque à main armée.

– Très bien. Je lui demanderai des nouvelles de son mari. Je vais y retourner, Reggie ? J'aimerais bien comprendre ce qui se passe.

– C'est très simple. Nous irons dans quelques minutes devant le juge Harry Roosevelt, pour une audience qui peut durer deux heures. Le procureur des États-Unis et le FBI prétendent que tu détiens des renseignements importants et je pense qu'il faut s'attendre à ce qu'ils demandent au juge de t'obliger à parler.

– Le juge peut m'obliger à parler ?

Reggie parlait très lentement, en pesant soigneusement ses mots. C'était un enfant de onze ans, élevé à l'école de la rue, mais elle en avait vu beaucoup comme lui et savait qu'à cet instant il n'était qu'un petit garçon apeuré. Peut-être comprenait-il ce qu'elle disait, peut-être pas. Peut-être n'entendait-il que ce qu'il voulait entendre. Elle devait faire très attention.

– Personne ne peut t'obliger à parler.

– Bien.

– Mais, si tu refuses de parler, le juge peut te renvoyer dans la pièce où tu étais enfermé.

– Me renvoyer en prison ?

– Exactement.

– Je ne comprends pas. Je n'ai rien fait de mal et on m'envoie en prison. Je ne comprends pas pourquoi.

– C'est très simple. Si, j'insiste sur le *si*, le juge Roosevelt t'ordonne de répondre à certaines questions et *si* tu refuses, il peut t'inculper d'outrage à magistrat pour ne pas avoir répondu, pour lui avoir désobéi. Je n'ai jamais entendu parler d'outrage à magistrat pour un enfant de ton âge, mais si tu étais un adulte et si tu refusais de répondre aux questions du juge, tu irais en prison.

– Mais je suis un enfant.

– Bien sûr, mais je ne pense pas qu'il te laissera en liberté si tu refuses de lui répondre. La loi est très claire sur ce point, Mark. Celui qui détient des renseignements essentiels à une enquête criminelle ne peut refuser de parler parce qu'il se sent menacé. Autrement dit, tu ne peux garder le silence parce que tu as peur de ce qui pourrait vous arriver, à toi ou à ta famille.

– La loi est idiote.

– Je ne suis pas vraiment d'accord non plus, mais ce n'est pas important. C'est la loi et elle n'admet aucune exception, même pour un enfant.

– On me renverra donc en prison pour outrage à magistrat ?

– C'est très possible.

– Pouvons-nous intenter un procès au juge, trouver quelque chose pour me faire sortir ?

– Non, tu ne peux intenter un procès au juge. Et Harry Roosevelt est un homme bon et juste.

– J'ai hâte de le rencontrer.

– Tu n'auras pas à attendre longtemps.

Mark réfléchit longuement en se balançant sur sa chaise.

– Combien de temps resterai-je en prison ?

– En supposant que le juge t'y envoie, probablement jusqu'à ce que tu décides de te conformer à ses ordres. Jusqu'à ce que tu parles.

– D'accord. Mais si je décide de ne pas parler, combien de temps resterai-je en prison ? Un mois ? Un an ? Dix ans ?

– Je ne peux pas répondre à cette question, Mark. Personne ne le sait.

– Même le juge ?

– Non. S'il te fait enfermer pour outrage à magistrat, je doute qu'il sache pour combien de temps.

Il y eut un autre long silence. Mark avait passé trois heures en cellule et ce n'était pas si désagréable. Il avait vu des films où des bandes de prisonniers se battaient et saccageaient tout, utilisaient des armes de fortune pour tuer des mouchards. Où des gardiens torturaient des détenus. La grande tradition de Hollywood. Le centre de détention n'était pas si mal.

Quelle autre solution avait-il ? Son mobile home parti en fumée, la famille Sway vivait maintenant dans la chambre 943 de l'hôpital

St. Peter's. Mais la pensée de laisser Ricky et Dianne se débrouiller seuls lui était insupportable.

– Avez-vous parlé à ma mère ? demanda-t-il.

– Pas encore. Je le ferai après l'audience.

– Je m'inquiète pour Ricky.

– Veux-tu que ta mère assiste à l'audience ? Sa présence est requise.

– Non, elle a assez de soucis comme ça. A nous deux, nous arriverons bien à nous en sortir.

Elle posa la main sur son genou, la gorgée nouée par un sanglot. On frappa à la porte.

– Une minute, fit-elle d'une voix ferme.

– Le juge est prêt.

Mark inspira profondément en regardant la main sur son genou.

– Et si j'invoquais le cinquième amendement ?

– Non, Mark, ça ne marchera pas. J'y ai déjà pensé. On ne te posera pas des questions pour t'incriminer, simplement pour obtenir de toi certains renseignements.

– Je ne comprends pas.

– Bien sûr que tu ne comprends pas. Écoute-moi bien, Mark, je vais essayer de t'expliquer. Ils veulent savoir ce que Jerome Clifford t'a dit avant de se tuer. Pour cela, ils te poseront des questions très précises sur les événéments qui ont immédiatement précédé le suicide. Ils te demanderont ce que Clifford t'a dit sur le sénateur Boyette. Rien de ce que tu pourras leur répondre ne t'incriminera le moins du monde. Compris ? Tu n'as absolument rien à voir avec cet assassinat. Tu n'es pour rien non plus dans le suicide de Jerome Clifford. Tu n'as enfreint aucune loi. Personne ne fait de toi un suspect, tes réponses ne peuvent t'incriminer. Tu ne peux donc te placer sous la protection du cinquième amendement.

Elle s'interrompit, le considéra attentivement.

– Compris ?

– Non, dit-il. Si je n'ai rien fait de mal, pourquoi ai-je été arrêté par les flics et emmené en prison ? Pourquoi suis-je ici en attendant cette audience ?

– Parce qu'ils pensent que tu sais des choses importantes et parce que, comme je te l'ai dit, il est du devoir de tout citoyen d'aider, dans le cours de leur enquête, les fonctionnaires chargés de faire respecter la loi.

– Je pense toujours que c'est une loi idiote.

– Peut-être. Mais nous ne la changerons pas aujourd'hui.

Il donna un coup de reins pour ramener la chaise sur ses quatre pieds.

– Il y a quelque chose que je dois savoir, Reggie. Pourquoi ne pas leur dire simplement que je ne sais rien ? Dire que j'ai discuté avec Romey, que nous avons parlé du suicide, du ciel et de l'enfer, des trucs comme ça ?

– Dire des mensonges ?

– Oui, ça passerait comme une lettre à la poste. Nous ne sommes que trois à connaître la vérité : Romey, vous et moi. D'accord ? Et ce pauvre Romey ne dira plus rien.

– Tu ne peux pas mentir au juge, Mark.

Elle mit dans cette phrase toute la sincérité dont elle était capable. Elle avait perdu des heures de sommeil à essayer de formuler la réponse à cette question inévitable. Elle avait tellement envie de lui dire : « Oui, Mark ! C'est ça ! Tu n'as qu'à mentir ! »

Elle avait mal à l'estomac, elle empêcha ses mains de trembler, mais elle resta ferme.

– Je ne peux pas te permettre de mentir au juge. Tu seras sous serment, tu dois dire la vérité.

– Alors, j'ai fait une erreur en vous choisissant ?

– Je ne crois pas.

– Bien sûr que si. Vous m'obligez à dire la vérité et la vérité peut me coûter la vie. Si vous n'étiez pas là, j'entrerais dans cette salle, je raconterais mes petits mensonges et on ne risquerait plus rien, maman, Ricky et moi.

– Tu peux me virer si tu veux. La cour désignera un autre avocat.

Il se leva, se dirigea vers le coin le plus sombre et se mit à pleurer. Elle regarda la tête baissée, les épaules affaissées. Il se couvrit les yeux du dos de la main droite et sanglota bruyamment.

Malgré son expérience, la vue d'un enfant en proie à la peur et à la souffrance lui était toujours insupportable. Elle ne put retenir ses larmes.

24

Deux policiers escortèrent Mark dans la salle d'audience. Ils le firent passer par une porte latérale, à l'écart du hall où rôdaient les curieux, mais Slick Moeller avait subodoré la manœuvre. Il les observa à quelques mètres, derrière un journal déplié.

Reggie suivit son client, Clint resta dans le couloir. Il était midi un quart, l'heure du déjeuner, et l'agitation du tribunal pour enfants s'était quelque peu apaisée.

Jamais Mark n'avait vu une salle d'audience de cette forme et de ces dimensions, même à la télévision. Elle était toute petite ! Et vide ! Il n'y avait ni bancs ni chaises pour le public. Le juge était assis sur une estrade, encadré de deux drapeaux américains, le dos au mur. Deux tables étaient placées face à lui, au centre de la salle, l'une déjà occupée par des hommes en complet sombre. Sur la droite du juge se trouvait une toute petite table sur laquelle une femme d'un certain âge, qui semblait s'ennuyer ferme, fourrageait dans des papiers. Juste devant le juge, une splendide jeune femme était assise devant une sténotype. Elle portait une jupe courte, ses jambes attiraient les regards. Elle ne doit pas avoir plus de seize ans, songea Mark en suivant Reggie jusqu'à leur table. Un huissier, un pistolet sur la hanche, complétait le tableau.

Mark s'assit, sentant tous les regards braqués sur lui. Les deux policiers quittèrent la salle, le juge prit le dossier et commença à le parcourir. Après avoir attendu le mineur et son représentant en justice, il fallait maintenant attendre le magistrat. Le cérémonial judiciaire devait être respecté.

Reggie prit un bloc-notes dans sa serviette et entreprit de remplir la première feuille. De l'autre main, elle se tamponnait les yeux avec un mouchoir en papier. Mark garda la tête baissée, les yeux encore humides, mais résolu à contenir ses larmes et à affronter cette épreuve avec fermeté. On le regardait.

Fink et Ord, eux, ne quittaient pas des yeux les jambes de la greffière d'audience.

Baxter L. McLemore, frais émoulu de l'école de droit, était assis en face d'eux. Jeune assistant du bureau du procureur du comté, le sort avait voulu qu'il représente ce jour-là le ministère public devant le tribunal pour enfants. Il n'y avait assurément pas à s'en glorifier, mais il était assez excitant de partager le banc de George Ord. Baxter ignorait tout de l'affaire Sway. Ord lui avait expliqué dans le couloir, quelques minutes auparavant, que Fink prendrait les choses en main. Avec l'autorisation de la cour, bien entendu. Baxter n'avait qu'à rester tranquillement assis, sans ouvrir la bouche.

– La porte est-elle fermée ? demanda enfin le juge à l'huissier.

– Oui, Votre Honneur.

– Très bien. Après avoir examiné la requête, je déclare l'audience ouverte. Il sera consigné au procès-verbal que l'enfant est présent, assisté de son avocat, et que la mère de l'enfant, sa tutrice légale, a reçu ce matin une copie de la requête et la citation. Toutefois, la mère de l'enfant n'est pas présente à l'audience et cette absence me préoccupe.

Harry s'interrompit et baissa la tête, comme pour consulter le dossier.

Fink estima le moment opportun pour montrer qui il était. Il se leva lentement, boutonna sa veste et s'adressa à la cour.

– Avec votre permission, Votre Honneur, pour le procès-verbal, je suis Thomas Fink, substitut du procureur des États-Unis pour le district sud de la Louisiane.

Harry détacha lentement les yeux du dossier et les posa sur Fink, le dos raide, très guindé, le front plissé pour se donner l'air intelligent, qui tripotait encore le bouton du haut de sa veste.

– Je suis l'une des personnes qui ont formulé la requête, poursuivit Fink, et, avec votre permission, j'aimerais aborder la question de l'absence de la mère.

Sans rien dire, Harry fixa sur lui un regard chargé d'incrédulité. Reggie ne put s'empêcher de sourire. Elle adressa un clin d'œil à Baxter McLemore.

Harry se pencha en avant, appuyé sur les coudes, comme intrigué par les paroles d'une grande sagesse qui sortaient de la bouche de ce juriste éminent.

– Notre position, Votre Honneur, reprit Fink, satisfait d'avoir un public, est que la nature de cette affaire est si urgente que l'audience doit se tenir immédiatement et sans délai. L'enfant est représenté par un avocat, extrêmement compétent, ajouterai-je, et ses droits ne seront aucunement lésés par l'absence de sa mère. D'après ce que nous savons, la mère est retenue au chevet de son autre fils. Dans ces conditions, il est impossible de savoir quand elle pourrait assister à l'audience. Nous pensons, Votre Honneur, qu'il est de la plus haute importance d'ouvrir l'audience sans délai.

– Vraiment ? fit Harry.

– Oui, Votre Honneur. C'est notre position.

– Votre position, monsieur Fink, répliqua lentement Harry d'une voix forte, l'index tendu, est une position assise, dans ce fauteuil. Asseyez-vous, je vous prie, et écoutez très attentivement ce que j'ai à dire, car je ne le répéterai pas. Si je dois le répéter, ce sera pendant que l'on vous passe les menottes, avant de vous emmener pour la nuit dans notre belle prison.

Fink se laissa tomber dans le fauteuil, complètement stupéfait.

Harry darda un regard noir sur le substitut du procureur fédéral par-dessus ses lunettes.

– Écoutez-moi bien, monsieur Fink. Nous ne sommes pas dans une de vos somptueuses salles d'audience de La Nouvelle-Orléans et je ne suis pas un juge de votre tribunal fédéral. Vous êtes dans ma petite salle d'audience privée, où je fixe les règles. Règle numéro un, monsieur Fink, vous ne parlez que lorsque je vous ai adressé la parole. Règle numéro deux, vous n'infligez pas de discours, commentaires ou remarques au juge quand il ne vous a rien demandé. Règle numéro trois, le juge n'aime pas entendre pérorer les avocats. Il les supporte depuis vingt ans et sait qu'ils adorent s'écouter parler. Règle numéro quatre, vous ne vous levez pas dans ma salle d'audience. Vous restez assis à cette table et parlez le moins possible. Avez-vous bien compris les règles, monsieur Fink ?

Un regard hébété fixé sur Harry, Fink s'efforça de hocher la tête. Mais le juge n'avait pas terminé.

– J'ai fait moi-même, il y a longtemps, le plan de cette petite salle pour des audiences à huis clos. Nous pouvons nous y voir et nous y entendre très facilement. Si vous n'ouvrez pas la bouche à tout propos, si vous restez sagement assis, tout se passera bien.

Fink agrippa les bras de son fauteuil, résolu à ne plus jamais se lever. Derrière lui, McThune, qui détestait les avocats, se retenait de sourire.

– Monsieur McLemore, reprit le juge, j'ai cru comprendre que M. Fink souhaite s'exprimer au nom du ministère public. Y consentez-vous ?

– J'y consens, Votre Honneur.

– Vous avez ma permission. Mais faites en sorte qu'il reste assis.

Mark était terrifié. Il avait espéré trouver un vieux monsieur doux, gentil, plein de cordialité et de compassion. Pas ça. Il tourna la tête vers Fink, vit son cou cramoisi, perçut sa respiration bruyante, saccadée, et eut presque pitié de lui.

– Maître Love, reprit le juge, soudain plein de cordialité et de compassion, j'ai cru comprendre que vous aviez une objection à formuler dans l'intérêt de l'enfant.

– Oui, Votre Honneur.

Reggie se pencha sur la table et s'adressa directement à la greffière.

– Nous avons plusieurs objections à soulever et je tiens à ce qu'elles soient consignées au procès-verbal.

– Bien sûr, fit Harry, comme si Reggie Love pouvait obtenir tout ce qu'elle demandait.

Fink s'enfonça dans son fauteuil, de plus en plus abasourdi. Dire qu'il avait voulu impressionner d'emblée la cour par son éloquence.

– Votre Honneur, poursuivit Reggie en consultant ses notes, je demande que la transcription de ce procès-verbal soit dactylographiée et disponible dès que possible, afin de faciliter, si nécessaire, une procédure d'appel en urgence.

– Accordé.

– Nous protestons contre cette audience pour plusieurs motifs. Premièrement, l'enfant, sa mère et son défenseur ont été avisés tardivement. Trois heures seulement se sont écoulées depuis que la requête a été remise à la mère de l'enfant, et, bien que je le représente depuis trois jours, comme le savent les parties intéressées, j'ai été avisée de cette audience il y a un peu plus d'une heure. C'est injuste, déraisonnable, c'est un abus d'autorité de la cour.

– Quand souhaiteriez-vous que se tienne l'audience, maître Love ? demanda le juge.

– Nous sommes jeudi, répondit-elle. Que diriez-vous de mardi ou mercredi prochain ?

– Très bien. Disons mardi, 9 heures.

Harry se tourna vers Fink qui n'avait pas bougé et redoutait d'intervenir.

– Il va sans dire, maître, que l'enfant restera en détention jusqu'à cette date.

– L'enfant ne devrait pas être en détention, Votre Honneur.

– J'ai signé une ordonnance pour le faire incarcérer et ne puis l'annuler dans l'attente d'une audience. La loi, maître Love, prévoit l'incarcération immédiate d'un délinquant présumé, et votre client n'est pas traité différemment des autres. En outre, d'autres considérations sont à prendre en compte, qui, je n'en doute pas, seront bientôt abordées.

– Dans ce cas, je ne puis accepter un ajournement si mon client doit rester en détention.

– Très bien, fit le magistrat. Il sera consigné au procès-verbal qu'un ajournement a été proposé par la cour et décliné par l'enfant.

– Qu'il soit aussi consigné que l'enfant a décliné l'ajournement parce qu'il ne désire pas rester plus longtemps que nécessaire dans le centre de détention pour mineurs.

– J'en prends acte, fit Harry avec un petit sourire. Veuillez poursuivre, maître.

– Nous protestons également contre cette audience, car la mère de l'enfant n'est pas présente. En raison de circonstances exceptionnelles, il ne lui a pas été possible de se déplacer, et je rappelle que la pauvre femme a été avisée il y a à peine trois heures. Le mineur que je représente n'a que onze ans et a besoin de l'assistance de sa mère. Comme vous le savez, Votre Honneur, la loi encourage fortement la présence des parents et il serait injuste d'engager cette procédure sans la mère de Mark.

– Quand Mme Sway pourra-t-elle se libérer ?

– Impossible à dire, Votre Honneur. Elle est obligée de rester au chevet de son fils hospitalisé pour un dysfonctionnement post-traumatique. La Faculté ne l'autorise pas à quitter la chambre plus de quelques minutes. Elle ne sera peut-être pas libre avant plusieurs semaines.

– Vous demandez donc le renvoi de l'audience à une date indéterminée ?

– Oui, Votre Honneur.

– Très bien, je vous l'accorde. Il est bien entendu que l'enfant restera en détention jusqu'à l'audience.

– Il n'est pas nécessaire de garder l'enfant en détention. Il se présentera devant la cour quand elle le souhaitera. Personne n'a rien à gagner à maintenir l'enfant en détention jusqu'à l'audience.

– Des complications sont à craindre, maître, et je ne penche pas pour une mise en liberté avant l'audience et avant d'avoir déterminé ce que l'enfant sait exactement. C'est aussi simple que cela. J'ai peur de le mettre en liberté maintenant. S'il devait lui arriver quelque chose, j'en porterais la responsabilité jusqu'à la fin de mes jours. Comprenez-vous, maître Love ?

Elle comprenait, mais refusait de le reconnaître.

– Je crains que cette décision ne repose sur des faits qui ne sont pas établis.

– Peut-être, mais, en la matière, la décision m'appartient, et, jusqu'à plus ample informé, je ne suis pas d'avis de le mettre en liberté.

– Cela fera bien en appel, rétorqua sèchement Reggie.

Harry n'apprécia pas du tout.

– Qu'il soit consigné au procès-verbal qu'un ajournement a été proposé à l'enfant, jusqu'à ce que sa mère puisse se libérer, et qu'il a été décliné par l'enfant.

– Qu'il soit également consigné, fit vivement Reggie, que l'enfant a décliné l'ajournement parce qu'il ne désire pas rester plus long-temps que nécessaire dans le centre de détention pour mineurs.

– J'en prends acte. Poursuivez, maître.

– L'enfant demande à la cour de rejeter la requête déposée contre lui, au motif que les allégations qu'elle contient sont sans fondement et qu'elle a été déposée pour tenter d'obtenir des renseignements dont l'enfant *pourrait* avoir connaissance. MM. Fink et Foltrigg veulent mettre cette procédure à profit pour relancer une enquête criminelle qui piétine. Leur requête est un amas déplorable de « si » et de « peut-être ». Ils sont prêts à tout, Votre Honneur. C'est un coup tiré en aveugle, dans l'espoir de toucher quelque chose. La requête devrait être rejetée et chacun rentrerait chez soi.

– J'incline à partager son avis, monsieur Fink, fit Harry avec un regard peu amène. Qu'en dites-vous ?

Enfoncé dans son fauteuil, Fink avait vu avec soulagement les deux premières objections de la partie adverse démolies par le magistrat. Sa respiration était presque redevenue normale, le rouge s'était retiré de son visage, quand le juge déclara qu'il partageait le point de vue de Reggie.

Fink se redressa d'un coup de reins, faillit bondir sur ses pieds, se retint au dernier moment.

– Eh bien, Votre Honneur, bafouilla-t-il, nous pouvons, euh... prouver nos allégations si on nous en laisse la possibilité. Nous croyons, euh... ce qui est écrit dans la requête...

– Je l'espère vivement, fit Harry d'un ton sarcastique.

– Oui, et nous savons que cet enfant fait obstacle à une enquête. Oui, Votre Honneur, nous sommes persuadés de pouvoir prouver ce que nous avançons.

– Et si vous ne le pouvez pas ?

– Eh bien, euh... nous sommes sûrs de...

– Vous comprenez bien, monsieur Fink, que si j'entends les parties et découvre que vous avez voulu jouer au plus fin, je serai en mesure de vous inculper d'outrage à magistrat. Connaissant Mᵉ Love comme je la connais, je suis certain qu'elle n'en restera pas là.

– Nous engagerons des poursuites demain matin, à la première heure, Votre Honneur, précisa Reggie. Contre MM. Fink et Foltrigg. Ils bafouent ce tribunal et la législation sur les mineurs de l'État du Tennessee. Mon collaborateur est en train de rédiger la plainte.

Le collaborateur en question, assis dans le couloir, grignotait une barre de Snickers en buvant un Coca. Mais, dans la petite salle, la menace avait de quoi alarmer.

Fink se tourna vers George Ord, qui dressait une liste de ce qu'il avait à faire dans l'après-midi. Rien de ce qui y figurait n'avait le moindre rapport avec Mark Sway ou Roy Foltrigg. Ord supervisait le boulot de vingt-huit assistants travaillant sur plusieurs milliers d'affaires ; il se contrefichait de Barry Muldanno et du cadavre du sénateur. Ce n'était pas dans sa juridiction. Ord était très occupé, trop pour gaspiller un temps précieux à servir de coursier à Foltrigg.

Mais Fink n'avait rien d'un débutant. Il savait ce qu'étaient un sale procès, un juge hostile, un jury sceptique. Il reprit rapidement le dessus.

– Cette requête, Votre Honneur, s'apparente à une inculpation dont le bien-fondé ne pourra être établi sans une audience qui nous permettra de prouver nos allégations.

– Je vais entendre les arguments de cette partie, déclara Harry, se tournant vers Reggie. Si je ne suis pas convaincu, nous poursuivrons la procédure.

Reggie haussa les épaules, comme si elle s'y attendait.

– Autre chose, maître Love ?

– Pas pour le moment.

– Appelez votre premier témoin, monsieur Fink, ordonna le juge. Et ne faites pas traîner les choses. Allez droit au but. Si vous perdez du temps, j'interviendrai en personne pour accélérer le mouvement.

– Bien, Votre Honneur. Notre premier témoin est le sergent Milo Hardy, de la police de Memphis.

Mark n'avait pas fait un geste pendant ces escarmouches. Il n'aurait su dire si Reggie l'avait emporté ou s'était inclinée sur tous les points et, à vrai dire, il s'en fichait. Il y avait quelque chose d'injuste dans un système où un jeune garçon était traîné en justice, entouré d'avocats qui pinaillaient et se lançaient des piques, sous le regard méprisant d'un juge chargé de les arbitrer. Au milieu de ce tir de barrage d'articles de loi, de motions, de ce charabia juridique, l'enfant était censé comprendre ce qui lui arrivait. Profondément injuste.

Il resta donc assis, sans bouger, le regard fixé juste devant les jambes de la greffière. Il avait encore les yeux humides et ne parvenait pas à les sécher complètement.

Le silence tomba dans la salle tandis qu'on allait chercher le sergent Hardy. Le juge s'enfonça dans son fauteuil et enleva ses lunettes.

– Je veux qu'il soit consigné au procès-verbal, reprit-il en transperçant Fink de son regard noir, que cette affaire est strictement confidentielle. Ce n'est pas sans raison que j'ai ordonné le huis clos. J'interdis à quiconque de répéter un seul mot de ce qui se sera dit dans cette salle et de discuter quelque aspect que ce soit de la procédure. Je sais bien, monsieur Fink, qu'il vous faudra faire un rapport au procureur fédéral de La Nouvelle-Orléans et je n'ignore pas que M. Foltrigg est en droit de savoir ce qui s'est passé. Quand vous lui parlerez, veuillez, je vous prie, lui signaler que je suis courroucé de son absence. Il a signé la requête, il devrait être là. Vous pouvez lui expliquer la procédure suivie, à lui et à lui seul. A personne d'autre. Je vous demande aussi de lui dire de fermer sa grande gueule. C'est compris, monsieur Fink ?

– Oui, Votre Honneur.

– Voulez-vous expliquer à M. Foltrigg que, si j'ai vent de la moindre violation de la confidentialité des débats, je l'inculperai d'outrage à magistrat et ferai tout ce qui est en mon pouvoir pour le faire écrouer ?

– Oui, Votre Honneur.

Le regard du magistrat se fixa sur McThune et Lewis, assis juste derrière les deux représentants du ministère public.

– Messieurs McThune et Lewis, déclara-t-il brusquement, vous pouvez vous retirer.

Ils agrippèrent les accoudoirs de leur fauteuil. Fink se retourna pour les regarder.

– Serait-il possible, Votre Honneur, que ces messieurs restent dans...

– Je viens de leur demander de quitter la salle, coupa Harry d'un ton sans réplique. S'ils doivent déposer en tant que témoins, nous les appellerons à la barre. Sinon, ils n'ont rien à faire ici et peuvent attendre dans le couloir, avec les autres. Allez, messieurs, il n'y a pas de temps à perdre.

McThune se dirigea à pas pressés vers la porte, sans paraître le moins du monde blessé dans son amour-propre, mais Lewis la trouvait saumâtre. En boutonnant sa veste, il planta les yeux dans ceux du juge, quelques secondes seulement. Personne n'avait jamais battu Harry Roosevelt à ce petit jeu et K.O. Lewis ne faisait pas le poids. Il s'avança avec dignité jusqu'à la porte ouverte par laquelle McThune venait de disparaître.

Le sergent Hardy, en uniforme, entra aussitôt et prit place à la barre des témoins. Il se laissa lourdement tomber dans le fauteuil capitonné et attendit. Fink demeura immobile, redoutant de commencer avant qu'on ne l'y autorise.

Le juge Roosevelt fit rouler son fauteuil jusqu'au bout de l'estrade pour fixer sur Hardy un regard scrutateur. Quelque chose avait attiré son attention. Posé comme un crapaud sur un tabouret, le sergent découvrit brusquement le juge à quelques centimètres de lui.

– Pourquoi avez-vous votre arme de service ?

Hardy sursauta, baissa vivement la tête vers la droite, comme si la présence du pistolet sur sa hanche était totalement inattendue. Il regarda l'étui de cuir avec étonnement, comme s'il était resté collé à son corps malgré lui.

– Eh bien, je...

– Êtes-vous de service, sergent ?

– Euh... non.

– Dans ce cas, pourquoi portez-vous cet uniforme et pourquoi diable êtes-vous entré avec une arme dans ma salle d'audience ?

Mark sourit, pour la première fois depuis bien longtemps.

L'huissier réagit, s'avança à grands pas vers la barre des témoins tandis que le sergent tirait sur l'étui du pistolet pour le détacher du ceinturon. L'huissier l'emporta comme si c'était l'arme d'un crime.

– Avez-vous déjà témoigné en justice ? demanda Harry.

– Oui, Votre Honneur, répondit Hardy avec un sourire d'enfant. Bien des fois.

– Vraiment ?

– Oui. Bien des fois.

– Et combien de fois avez-vous témoigné en gardant votre arme de service ?

– Je suis navré, Votre Honneur.

Harry se redressa, se tourna vers Fink, avec un petit signe de la main en direction du sergent pour indiquer qu'il lui permettait d'interroger son témoin. Devenu, en vingt ans, un habitué des prétoires, Fink se glorifiait de ses talents de plaideur, qui lui avaient valu nombre de succès. Il avait la langue déliée, des manières onctueuses, l'esprit vif.

Mais, assis, il était infiniment plus lent. L'interrogatoire d'un témoin dans cette position était une manière très inhabituelle de chercher à établir la vérité. Il faillit de nouveau se lever, se retint au dernier moment, saisit son bloc-notes, avec une frustration évidente.

– Voulez-vous décliner vos nom, prénom et qualité ? commença-t-il d'une voix sèche, rageuse.

– Sergent Milo Hardy, police municipale de Memphis.

– Quelle est votre adresse ?

Harry leva la main pour arrêter Hardy.

– Pourquoi voulez-vous connaître l'adresse du témoin, monsieur Fink ?

– Je ne sais pas, Votre Honneur, répondit Fink, l'air ébahi. C'est une question de pure routine.

– Savez-vous à quel point je déteste les questions de routine, monsieur Fink ?

– Je commence à en avoir une idée.

– Les questions de routine ne mènent nulle part, monsieur Fink. Les questions de routine font perdre des heures et des heures d'un temps précieux. Je ne veux plus en entendre une seule. S'il vous plaît.

– Oui, Votre Honneur. Je vais essayer.

– Je sais que c'est difficile.

Fink se tourna vers Hardy et essaya désespérément de trouver une question intelligente et originale.

– Avez-vous, sergent, été envoyé lundi sur le lieu d'un suicide ?

La main du juge se leva derechef, Fink s'enfonça un peu plus dans son fauteuil.

– Je ne sais pas comment vous procédez à La Nouvelle-Orléans, monsieur Fink, mais, ici, nous faisons jurer à nos témoins de dire la vérité avant de commencer à les interroger. C'est ce que l'on appelle la « prestation de serment ». Cela vous dit quelque chose ?

– Oui, Votre Honneur, répondit Fink en se massant les tempes. Pourrait-on faire prêter serment au témoin ?

La femme d'âge mûr assise à la petite table sortit brusquement de sa torpeur. Elle se dressa d'un bond, hurla en direction du sergent qui se trouvait à cinq mètres d'elle :

– Levez la main droite !

Hardy leva la main et jura de dire la vérité, toute la vérité, rien que la vérité. La femme reprit son siège et son somme interrompu.

– Vous pouvez poursuivre, monsieur Fink, déclara Harry avec un petit sourire mauvais, satisfait d'avoir pris le substitut au dépourvu.

Il se laissa aller dans son fauteuil pour suivre le feu roulant de questions et de réponses.

Hardy parlait avec naturel, désireux de se rendre utile, donnant une foule de détails. Il décrivit la scène du suicide, la position du corps, l'état de la voiture. Il avait des photographies qu'il proposa de montrer au juge. Harry refusa, elles étaient sans rapport avec l'affaire. Le sergent Hardy présenta la transcription dactylographiée du coup de téléphone de Mark à la police et proposa de passer l'enregistrement, si le juge souhaitait l'entendre. Harry refusa.

Hardy raconta ensuite avec délectation la capture du jeune Mark dans le bois voisin du lieu du suicide, leurs conversations successives dans la voiture de police et le mobile home des Sway, sur le trajet de l'hôpital et dans la cafétéria. Il fit part de sa conviction intime que Mark ne disait pas toute la vérité. La version des faits de l'enfant était fragile, et lui, Hardy, avait réussi, grâce à des questions pertinentes et ce qu'il fallait de perspicacité, à y déceler toutes sortes de failles.

C'étaient de pauvres mensonges d'enfant. Mark avait déclaré que son frère et lui avaient trouvé par hasard la voiture et le cadavre de Clifford, qu'ils n'avaient pas entendu le coup de feu, qu'ils se baladaient dans les bois, sans rien demander à personne, quand ils étaient tombés sur le corps. Rien de tout cela, bien entendu, n'était vrai, Hardy n'avait pas mis longtemps à le comprendre.

Avec un luxe de détails, le sergent décrivit l'état du visage de Mark : l'œil tuméfié, la lèvre éclatée, le sang autour de la bouche. L'enfant prétendait s'être battu à l'école. Un autre pauvre mensonge.

Au bout d'une demi-heure, Harry commença à s'agiter, Fink comprit qu'il fallait en rester là. Reggie n'avait pas de questions. Quand le sergent quitta la barre, il ne faisait aucun doute que Mark Sway était un menteur qui avait essayé de tromper la police.

Quand le juge demanda à Reggie si elle avait des questions à poser au sergent Hardy, elle répondit simplement qu'elle n'avait pas eu le temps d'en préparer.

Le suivant fut McThune. Il prêta serment et s'installa. Reggie plongea lentement la main dans sa serviette, en sortit une cassette. Elle la tint avec désinvolture entre deux doigts et, dès que l'agent du FBI regarda dans sa direction, en tapota le bord de la table. McThune ferma les yeux.

Elle posa soigneusement la cassette sur le bloc-notes et entreprit d'en tracer les bords au stylo.

Les questions de Fink étaient brèves, pertinentes. Il parvenait à éviter tout ce qui, de près ou de loin, pouvait être considéré comme une question de routine. La recherche de l'efficacité des mots était une expérience nouvelle, qui lui plaisait de plus en plus.

Les réponses de McThune étaient sèches. Il parla des empreintes digitales relevées à l'intérieur de la voiture, sur le pistolet et la bouteille, sur le pare-chocs arrière. Il fit des conjectures sur le tuyau d'arrosage, montra au juge les mégots de Virginia Slim découverts au pied du gros arbre. Il montra aussi à Harry la lettre laissée par Clifford, donna son point de vue sur les mots ajoutés à l'aide d'un autre stylo. Il montra le bic trouvé dans la voiture, qui, sans aucun doute, avait été utilisé par Jerome Clifford. Il parla de la tache de sang découverte sur la main de l'avocat. Ce n'était pas le sien, mais il était du même groupe que celui de Mark Sway qui, comme par hasard, avait une lèvre ouverte et d'autres ecchymoses.

– Vous pensez que Me Clifford a frappé l'enfant à l'intérieur de la voiture ? demanda Harry.

– Oui, Votre Honneur.

Reggie aurait pu soulever des objections contre les opinions et les suppositions exprimées par McThune, mais elle n'ouvrit pas la bouche. Elle n'en était pas à sa première audience avec Harry et savait qu'il voudrait tout entendre pour être à même de décider ce qu'il fallait croire. Ses objections n'auraient servi à rien.

Harry demanda comment le FBI s'était procuré une empreinte digitale de l'enfant pour la comparer à celles de la voiture. McThune inspira profondément, parla de la boîte de Sprite récupérée à l'hôpital, s'empressa d'ajouter qu'à ce stade de l'enquête l'enfant n'était pas un suspect, juste un témoin, et qu'ils avaient estimé que cela ne tirait pas à conséquence. Harry n'apprécia pas du tout, mais ne dit rien. McThune souligna que, si l'enfant avait été un suspect, jamais, au grand jamais ils ne se seraient permis de relever une empreinte.

– Cela va sans dire, approuva Harry d'un ton sarcastique qui fit monter le rouge au front de McThune.

Fink revint avec son témoin sur les événements du mardi, le lendemain du suicide, le jour où Mark Sway avait pris un avocat. Ils avaient vainement essayé de parler avec l'enfant, puis avec son avocat, et les rapports s'étaient détériorés.

McThune ne fit pas de bêtise et s'en tint aux faits. Il sortit avec précipitation, laissant l'impression que le jeune Mark était un menteur.

Au long des deux témoignages, Harry avait observé Mark de loin en loin. L'enfant gardait un visage impénétrable, impossible à déchiffrer, uniquement préoccupé par un point invisible sur le plancher. Enfoncé dans son siège, il ne semblait pas prêter attention à Reggie. Il avait les yeux humides, mais ne pleurait pas. L'air triste et fatigué, il lançait de temps en temps un coup d'œil en direction du témoin qui mettait en évidence un de ses mensonges.

Harry avait souvent eu l'occasion d'observer Reggie en semblables circonstances. Elle se tenait en général très près de son jeune client, lui parlait à l'oreille pendant l'audition des témoins. Elle lui tapotait l'épaule, lui serrait le bras, le rassurait, le grondait parfois. Jamais immobile, elle cherchait à protéger l'enfant des réalités implacables d'un système judiciaire aux mains des adultes. Cette fois, il en allait différemment. Elle se tournait de temps en temps, comme dans l'attente d'un signal, vers ce client qui faisait comme si elle n'existait pas.

– Appelez votre prochain témoin, dit le juge à Fink, accoudé sur les bras du fauteuil.

Le regard du substitut quêta en vain l'aide de George Ord, se posa sur le magistrat.

– Eh bien, Votre Honneur, cela peut vous paraître étrange, mais j'aimerais être le prochain témoin.

Harry arracha ses lunettes et foudroya Fink du regard.

– Vous avez l'esprit embrouillé, monsieur Fink. Vous êtes substitut, pas témoin.

– Je sais, Votre Honneur, mais je suis aussi une des personnes à l'origine de la requête. Même si ce n'est pas une pratique courante, je pense que mon témoignage pourrait être important.

– Thomas Fink, auteur de la requête, mais aussi substitut et témoin ! Voulez-vous faire l'huissier, monsieur Fink ? Ou vous initier à la sténographie ? Je peux aussi vous prêter ma robe. Puisque nous ne sommes pas dans une salle d'audience, mais sur la scène d'un théâtre, choisissez donc le rôle que vous préférez.

Fink garda les yeux fixés droit devant lui, sans oser affronter le regard du magistrat.

– Je peux vous expliquer..., commença-t-il humblement.

– Il n'y a rien à expliquer, monsieur Fink. Je ne suis pas idiot. Vous avez voulu précipiter les choses. M. Foltrigg devrait être là, il n'est pas venu et vous avez besoin de lui. Vous vous êtes imaginé qu'en improvisant une requête, en faisant intervenir une huile du FBI, avec le soutien de M. Ord, vous alliez m'en mettre plein la vue et que je me plierais à vos volontés. Me permettez-vous de vous dire quelque chose, monsieur Fink ?

Fink hocha la tête en silence.

– Vous ne m'en mettez pas plein la vue. Ce que vous faites est à peine du niveau d'une simulation de procès pour des élèves de terminale. La moitié des étudiants de première année de l'école de droit de Memphis vous ridiculiserait, l'autre moitié ridiculiserait M. Foltrigg.

Fink n'était certes pas d'accord, mais il continua de hocher machinalement la tête. Ord s'écarta de quelques centimètres.

– Qu'en pensez-vous, maître Love ? demanda Harry.

– Nos règles de procédure et notre déontologie sont très claires : le substitut qui plaide ne peut prendre part au même procès en qualité de témoin. C'est simple.

Elle ne cacha pas son agacement, comme si tout le monde devait le savoir.

– Monsieur Fink ?

– Votre Honneur, répondit Fink, reprenant du poil de la bête, j'aimerais révéler à la cour, sous serment, certains faits relatifs au comportement de Me Clifford juste avant son suicide. Pardonnez ma requête, mais, dans les circonstances présentes, il ne peut en aller autrement.

On frappa, l'huissier entrouvrit la porte. Marcia entra avec un plateau contenant un énorme sandwich au rosbif et un grand gobelet en plastique de thé glacé. Elle le posa devant le magistrat, qui la remercia, et se retira.

Il était 13 heures, tout le monde se sentit affamé. Le rosbif accompagné de raifort, de pickles et de rondelles d'oignon dégageait une odeur appétissante qui flottait dans la salle. Tous les yeux étaient braqués sur le sandwich. Quand Harry le prit pour le porter à sa bouche, il surprit le regard de Mark, qui ne perdait pas un de ses gestes. Le sandwich s'immobilisa devant sa bouche. Harry vit Fink, Ord, Reggie et même l'huissier le regarder avec envie.

Il reposa le sandwich sur le plateau, le fit glisser sur le bord.

— Monsieur Fink, reprit-il, le doigt pointé sur le substitut, restez où vous êtes. Jurez-vous de dire la vérité ?

— Je le jure.

— Vous avez intérêt. Maintenant que vous avez prêté serment, je vous accorde cinq minutes pour m'expliquer ce qui vous travaille.

— Je vous remercie.

— Tout le plaisir est pour moi.

— Je voudrais que vous sachiez que j'ai fait mon droit avec Jerome Clifford, que nous étions des relations de longue date. Nous avons souvent plaidé dans les mêmes affaires, pas dans le même camp, bien entendu.

— Bien entendu.

— Après l'inculpation de Barry Muldanno, la pression a commencé à monter et le comportement de Jerome est devenu bizarre. En y réfléchissant, je pense qu'il était au bout de son rouleau, mais, sur le moment, je ne me suis pas posé de questions. Jerome a toujours été bizarre, vous savez.

— Je vois.

— Je travaillais tous les jours sur cette affaire, assidûment, et je parlais à Jerome plusieurs fois par semaine. Dans le courant de la procédure préliminaire, je le voyais de temps en temps au tribunal. Il avait une mine épouvantable. Il avait beaucoup grossi et buvait trop. Il arrivait toujours en retard, sale le plus souvent. Il ne répondait pas aux messages téléphoniques, ce qui ne lui ressemblait pas. Une semaine avant sa mort, il a téléphoné chez moi, le soir, et m'a parlé près d'une heure. Il déraillait, tenait des discours d'ivrogne. Le lendemain matin, il m'a appelé au bureau pour s'excuser. Mais impossible de me débarrasser de lui. Il semblait avoir peur d'en avoir dit trop long la veille au soir. Il a fait allusion à deux reprises au corps de Boyd Boyette et j'ai eu la conviction que Jerome savait où il était caché.

Fink s'interrompit pour laisser à ses paroles le temps de faire leur effet, mais Harry montra des signes d'impatience.

– Après cela, il m'a rappelé plusieurs fois et a continué à parler du corps. Je l'ai fait marcher, laissant entendre qu'il en avait trop dit sous l'empire de l'alcool. Je l'ai averti que nous envisagions de l'inculper pour entrave à l'action de la justice.

– C'est une manie chez vous, fit sèchement Harry.

– Bref, Jerome buvait comme un trou et se conduisait bizarrement. Je lui ai confié que le FBI le surveillait jour et nuit, ce qui n'était pas entièrement vrai, mais il l'a cru. Il est devenu parano, m'appelait plusieurs fois par jour. Quand il avait trop bu, le soir il me téléphonait. Il voulait parler du corps du sénateur, mais redoutait de tout dire. Au cours de notre dernière conversation téléphonique, j'ai proposé un marché. S'il révélait où se trouve le corps, nous l'aiderions à s'en sortir sans condamnation ni rien. Il était terrorisé par son client et n'a pas nié une seule fois savoir où se trouve le corps.

– Votre Honneur, coupa Reggie, c'est une déposition sur la foi d'un tiers, qui va dans le sens du témoin. Ces affirmations sont impossibles à vérifier.

– Vous ne me croyez pas ? lança Fink.

– Non.

– Je ne suis pas sûr de vous croire non plus, monsieur Fink, déclara Harry. Pas plus que je ne suis sûr de voir en quoi cela est pertinent pour l'affaire qui nous intéresse.

– Ce que je veux dire, Votre Honneur, c'est que Jerome Clifford savait où se trouve le corps et qu'il en parlait. Sans compter qu'il était sur le point de craquer.

– En effet, monsieur Fink, on peut dire qu'il a craqué. Se fourrer un pistolet dans la bouche, quelle idée !

Fink demeura bouche bée, ne sachant s'il devait poursuivre.

– Avez-vous d'autres témoins ? demanda Harry.

– Non, Votre Honneur. Mais nous pensons, en raison du côté exceptionnel de cette affaire, que l'enfant devrait être appelé à la barre et témoigner.

Harry enleva de nouveau ses lunettes et se pencha vers Fink. S'il avait pu l'atteindre, il lui aurait peut-être sauté à la gorge.

– Vouvez-vous répéter ?

– Euh... nous pensons que...

– Avez-vous étudié la législation des mineurs pour cette juridiction, monsieur Fink ?

– Oui, Votre Honneur.

– Parfait. Voulez-vous, je vous prie, nous dire selon quel article du Code vous seriez en droit d'obliger un enfant à témoigner ?

– Je ne faisais qu'exprimer une demande.

– Très bien. Selon quel article du Code peut-on formuler une telle demande ?

Fink baissa insensiblement la tête et trouva quelque chose à examiner dans ses notes.

– Ce n'est pas une audience bidon, monsieur Fink. Nous ne sommes pas là pour inventer des lois. Cet enfant ne peut être contraint de témoigner, pas plus que dans un procès criminel. Vous devez comprendre cela.

Fink étudia ses notes avec une attention de plus en plus vive.

– Dix minutes de suspension ! rugit le magistrat. Tout le monde quitte la salle, à l'exception de Me Love. Huissier, conduisez Mark dans une salle des témoins.

Harry se leva en aboyant ses instructions. Fink, redoutant toujours de se lever, hésita une fraction de seconde de trop et s'attira les foudres du juge.

– Hors d'ici, monsieur Fink ! gronda-t-il, le doigt tendu vers la porte.

Fink et Ord se levèrent en se bousculant et sortirent. La greffière et l'huissier chargé d'escorter Mark les suivirent. Dès que la porte se referma, Harry déboutonna sa robe et la lança sur une table. Il prit son plateau, le porta jusqu'à la table de Reggie.

– A table ! lança-t-il.

Il partagea le sandwich en deux, posa une moitié sur une serviette en papier. Il fit glisser les rondelles d'oignon vers Reggie, qui en prit une et commença à en grignoter le bord.

– Allez-vous laisser le petit témoigner ? demanda-t-il, la bouche pleine.

– Je ne sais pas, Harry. Qu'en pensez-vous ?

– Je pense que Fink est un crétin. Voilà ce que je pense.

Reggie prit une petite bouchée du sandwich et s'essuya la bouche.

– Si vous le laissez témoigner, reprit Harry en mastiquant, Fink posera des questions extrêmement précises sur ce qui s'est passé dans la voiture de Clifford.

– Je sais, c'est ce qui m'inquiète.

– Répondra-t-il à ces questions ?

– Franchement, je n'en sais rien. Nous en avons longuement parlé, mais j'ignore ce qu'il fera.

Harry inspira profondément et vit qu'il n'avait pas apporté son thé glacé. Il prit deux tasses en carton sur la table de Fink, les remplit de thé.

– Il est évident, Reggie, qu'il sait quelque chose. Pourquoi tant de mensonges ?

– C'est un enfant, Harry. Il était terrifié, il avait appris des choses qu'il n'aurait pas dû savoir. Il a vu Clifford se faire sauter la cervelle. Regardez son pauvre petit frère. Ils ont été témoins d'un événement horrible et Mark a dû redouter d'avoir des ennuis. Il a donc préféré mentir.

– On ne peut le lui reprocher, fit Harry en avalant une rondelle d'oignon.

– Quelle est votre opinion ?

Harry s'essuya la bouche, réfléchit longuement. Mark Sway faisait maintenant partie des « enfants de Harry ». Dorénavant, chaque décision du juge serait prise dans l'intérêt de l'enfant.

– En admettant qu'il sache quelque chose ayant un rapport direct avec l'enquête menée à La Nouvelle-Orléans, il y a plusieurs possibilités. Un, vous lui faites prêter serment et il donne à Fink les renseignements qu'il demande. Dans ce cas, l'affaire est close, en ce qui me concerne. Mark repart libre, mais sa vie est en danger. Deux, s'il témoigne, mais refuse de répondre aux questions de Fink, je lui intimerai l'ordre de le faire. S'il persiste dans son refus, ce sera l'outrage à magistrat. Il ne peut garder le silence s'il détient ces renseignements. Dans les deux cas, si l'audience s'achève aujourd'hui sans que Mark ait donné des réponses satisfaisantes, je soupçonne que Foltrigg ne perdra pas de temps. Il demandera sa comparution devant un grand jury et vous partirez pour La Nouvelle-Orléans. Si Mark refuse de parler devant ce grand jury, il sera probablement inculpé d'outrage à magistrat et je pense que le juge fédéral le fera incarcérer.

Reggie approuva de la tête. Elle partageait totalement cette opinion.

– Qu'allons-nous faire, Harry ?

– S'il comparaît en justice à La Nouvelle-Orléans, je ne pourrai plus rien faire. Je préférerais qu'il reste ici. A votre place, je lui demanderais de témoigner, en lui recommandant de ne pas répondre aux questions capitales. Du moins pour l'instant. Il pourra toujours changer d'avis. Il pourra parler demain, ou après-demain. A votre place, je lui conseillerais de ne pas céder au juge, de ne rien dire pour le moment. Il retournera au centre de détention pour mineurs, où il sera sans doute beaucoup plus en sûreté qu'à La Nouvelle-Orléans. En choisissant cette solution, vous protégez l'enfant de ces truands qui me font froid dans le dos jusqu'à ce que le FBI prenne les mesures nécessaires. Cela vous laissera en outre un peu de temps pour voir ce que Foltrigg compte faire à La Nouvelle-Orléans.

– Vous croyez vraiment que sa vie est en danger ?

– Oui. Même si je ne le croyais pas, je ne prendrais aucun risque. S'il vide son sac maintenant, cela peut lui coûter cher. Je ne suis pas d'avis, en tout état de cause, de le mettre en liberté aujourd'hui.

– Et s'il refuse de parler et que Foltrigg le fasse comparaître devant un grand jury ?

– Je ne le laisserai pas partir.

Reggie avait perdu l'appétit. Les yeux fermés, elle but son thé à petits coups.

– Le système est vraiment injuste envers ce garçon, Harry. Il ne mérite pas cela.

– Je suis d'accord. Avez-vous des suggestions ?

– Et si je refuse de le laisser témoigner ?

– Je n'ai pas l'intention de le mettre en liberté, Reggie, pas aujourd'hui. Demain, peut-être. Ou après-demain. Tout va extrêmement vite et je préconise la solution la plus sûre, en attendant de voir ce qui se passe à La Nouvelle-Orléans.

– Vous n'avez pas répondu à ma question. Et si je refuse de le laisser témoigner ?

– D'après ce que j'ai entendu, je n'ai pas le choix. Il me faudra le renvoyer au centre de détention. Je peux naturellement me déjuger dès demain. Ou après-demain.

– Mark n'est pas un délinquant.

– Peut-être. Mais s'il sait quelque chose et refuse de le révéler, il entrave l'action de la justice. Que sait-il exactement, Reggie ? reprit le magistrat après un long silence. Si vous me le dites, je serai mieux placé pour l'aider.

– Je ne peux pas, Harry. Je suis obligée au secret professionnel.

– Bien sûr, fit le juge en souriant, mais il est évident que Mark en sait long.

– Sans doute.

– Écoutez-moi, chère Reggie, poursuivit Harry, posant la main sur son bras. Notre jeune ami est dans un mauvais pas dont il faut l'aider à se sortir. Agissons au jour le jour, mettons-le en sûreté et commençons à parler au FBI du programme de protection des témoins. Si Mark et sa famille peuvent en bénéficier, il pourra révéler sans crainte le terrible secret dont il est détenteur.

– Je vais lui parler.

25

Sous la stricte surveillance de l'huissier, un nommé Grinder, ils se rassemblèrent et regagnèrent leur place. Fink regardait craintivement autour de lui, ne sachant s'il devait s'asseoir ou rester debout, parler ou ramper sous la table. Ord tirait sur les petites peaux de l'ongle de son pouce. Baxter McLemore avait déplacé son fauteuil, l'éloignant autant que possible de Fink.

Harry Roosevelt vida le gobelet de thé glacé et attendit que le remue-ménage eût cessé.

– Pour le procès-verbal, lança-t-il en direction de la greffière, je demande à Me Love si le jeune Mark va témoigner.

Assise juste derrière son client, Reggie le regarda de profil, vit les yeux encore humides.

– Étant donné les circonstances, il n'a pas vraiment le choix.

– Dois-je prendre cela comme un oui ou comme un non ?

– Je lui permets de témoigner, répondit Reggie, mais je ne tolérerai pas que M. Fink le harcèle de questions.

– Votre Honneur, je proteste !

– Du calme, monsieur Fink. N'oubliez pas la règle numéro un : ne parlez que lorsque je vous ai adressé la parole.

– Facile ! lança Fink avec hargne, en fusillant Reggie du regard.

– Suffit, monsieur Fink ! ordonna le juge pour rétablir le silence. Mark, reprit-il, tout sourire, je veux que tu restes assis, à côté de ton avocat, pendant que je te pose quelques questions.

Fink adressa un clin d'œil à Ord. Le gamin allait enfin parler. Le moment tant attendu arrivait.

– Lève la main droite, Mark, poursuivit le magistrat.

Mark obéit lentement. Sa main droite tremblait, la gauche aussi. La femme d'âge mûr s'avança et lui fit prêter serment. Il ne se leva pas, mais se rapprocha insensiblement de Reggie.

– Maintenant, Mark, reprit Harry, je vais te poser quelques questions. Si tu ne comprends pas quelque chose, n'hésite pas à demander à ton avocat. D'accord ?

– Oui, monsieur.

– Je vais essayer de poser des questions simples et claires. Si tu as besoin d'une suspension d'audience pour aller parler en privé à Reggie... à Mᵉ Love, dis-le-moi. D'accord ?

– Oui, monsieur.

Fink fit pivoter son fauteuil pour se placer face à Mark et le regarda comme un jeune chien affamé attendant sa pâtée. Ord cessa de triturer ses ongles et prit son stylo.

Harry jeta un coup d'œil à ses notes avant de se tourner en souriant vers le témoin.

– Mark, je voudrais que tu m'expliques exactement dans quelles circonstances ton frère et toi avez découvert le corps de M. Clifford.

Les mains de Mark se crispèrent sur les accoudoirs. Il s'éclaircit la voix. Il ne s'attendait pas à ça. Jamais il n'avait vu dans un film le juge interroger le témoin.

– Nous étions partis dans les bois, derrière le lotissement, pour fumer une cigarette, commença-t-il.

Il poursuivit son récit jusqu'au moment où ils avaient vu Romey fourrer pour la première fois le tuyau d'arrosage dans le pot d'échappement, avant de remonter en voiture.

– Qu'avez-vous fait à ce moment-là ? demanda Harry avec impatience.

– J'ai retiré le tuyau, répondit Mark.

Il décrivit ses aller et retour dans les hautes herbes pour retirer l'instrument du suicide. Il l'avait déjà raconté, une ou deux fois à sa mère et au docteur Greenway, une ou deux fois à Reggie, mais jamais cela ne lui avait paru amusant. Au fil de son récit, il vit pourtant une étincelle s'allumer dans les yeux du juge et son visage s'épanouir. Harry gloussa. L'huissier aussi avait l'air de trouver cela drôle. La greffière, jusqu'alors sur la réserve, prenait plaisir à écouter. Même la femme d'âge mûr prêtait l'oreille en esquissant son premier sourire.

Les visages se fermèrent quand Mark arriva au moment où Clifford l'avait empoigné et giflé, avant de le pousser dans la voiture. Il revécut la scène, le visage impassible, les yeux fixés sur les escarpins de la greffière.

– Tu es donc monté dans la voiture de M. Clifford avant qu'il ne se donne la mort ? demanda doucement le juge, qui avait retrouvé son sérieux.

– Oui, monsieur.

– Qu'a-t-il fait après t'avoir poussé dans la voiture ?

– Il m'a encore giflé, il a crié après moi, il m'a menacé.

Mark raconta tout ce dont il se souvenait sur le pistolet, la bouteille de whisky, les pilules.

Un silence de mort régnait dans la petite salle, les sourires s'étaient effacés depuis longtemps. Mark parlait en détachant les mots, évitant le regard des autres, comme en transe.

– A-t-il fait usage de son arme? demanda Harry Roosevelt.

– Oui, monsieur.

Mark fit le récit de la scène. Quand il eut terminé, il attendit la question suivante. Harry réfléchit une bonne minute avant de la poser.

– Où était Ricky ?

– Caché dans les buissons. Je l'ai vu ramper dans les herbes et je me suis dit qu'il avait dû, lui aussi, enlever le tuyau. J'ai vu, plus tard, que c'était vrai. M. Clifford répétait qu'il sentait les gaz d'échappement, il me demandait sans arrêt si je sentais la même chose. J'ai dit oui, deux fois ou trois fois, mais je savais que Ricky avait enlevé le tuyau.

– Clifford ne savait pas que Ricky était là ?

Une question hors de propos, posée faute de mieux, en attendant.

– Non, monsieur.

– Tu as donc parlé avec M. Clifford dans la voiture ? reprit Harry après un long silence.

Comme tous ceux qui se trouvaient là, Mark savait que cette question allait venir. Il s'empressa de répondre dans l'espoir de détourner l'attention.

– Oui, monsieur. Il était comme fou. Il disait qu'il flottait, qu'il allait voir le magicien d'Oz, qu'il partait pour le pays des songes, puis se mettait à hurler parce que je pleurais, et après il s'excusait de m'avoir frappé.

Harry attendit un moment pour être sûr que Mark avait terminé.

– C'est tout ce qu'il a dit ?

Mark lança un coup d'œil à Reggie qui l'observait avec attention. Fink se pencha légèrement. La greffière était comme pétrifiée.

– Que voulez-vous dire ? fit Mark, pour gagner du temps.

– M. Clifford a-t-il dit autre chose ?

Mark se dit qu'il détestait Reggie. Il suffisait de répondre simplement « Non » et tout serait terminé. « Non, M. Clifford n'a rien dit d'autre. Il a continué à délirer cinq minutes, puis il s'est endormi et j'ai pris la fuite. » S'il n'avait pas connu Reggie, s'il n'avait pas écouté son laïus sur l'obligation de dire la vérité quand on témoigne sous serment, il aurait répondu : « Non, monsieur. » Il serait rentré chez lui, ou à l'hôpital, ou n'importe où.

En était-il sûr ? Un jour, à l'école, des policiers étaient venus faire une démonstration de leurs méthodes de travail. L'un d'eux avait montré le fonctionnement d'un détecteur de mensonges. Il avait placé des électrodes sur Joe McDermant, le plus grand menteur de la classe. Ils avaient regardé l'aiguille s'affoler chaque fois que Joe ouvrait la bouche. Le flic s'était vanté de prendre toujours les criminels en flagrant délit de mensonge.

Avec les flics et les agents du FBI qui grouillaient autour de lui, le détecteur de mensonges ne devait pas être loin. Il avait tellement menti depuis la mort de Romey qu'il commençait vraiment à en avoir marre.

– Mark, je t'ai demandé si M. Clifford avait dit autre chose ?

– Quoi, par exemple ?

– Par exemple, a-t-il parlé du sénateur Boyd Boyette ?

– Qui ?

Un petit sourire joua sur les lèvres de Harry, mais disparut aussitôt.

– M. Clifford a-t-il parlé de l'une des affaires dont il s'occupait, à La Nouvelle-Orléans, concernant un certain Barry Muldanno ou feu le sénateur Boyd Boyette ?

Une araignée minuscule courait près des escarpins de la greffière. Mark la suivit des yeux jusqu'à ce qu'elle disparaisse sous le trépied. L'image du détecteur de mensonges lui remonta à la mémoire. Reggie avait dit qu'elle se battrait pour qu'il y échappe, mais que faire si le juge ordonnait de l'y soumettre ?

Ce silence qui s'éternisait était éloquent. Le cœur de Fink battait à se rompre, son pouls s'emballait. Le petit salopard, il sait !

– Je crois que je ne veux pas répondre à cette question, fit Mark, les yeux baissés, attendant que l'araignée réapparaisse.

Fink leva un regard plein d'espoir vers le juge.

– Regarde-moi, Mark, dit le juge d'une voix douce. Je veux que tu répondes à ma question. M. Clifford a-t-il mentionné Barry Muldanno ou le sénateur Boyette ?

– Je peux invoquer le cinquième amendement ?

– Non.

– Pourquoi ? Ça marche aussi pour les enfants, non ?

– Si, mais pas dans ce cas. Tu n'es pas impliqué dans l'assassinat du sénateur Boyette. Tu n'es impliqué dans aucun crime.

– Alors, pourquoi m'avoir fait jeter en prison ?

– Je vais t'y renvoyer si tu ne réponds pas à mes questions.

– J'invoque quand même le cinquième amendement.

Le juge et le témoin s'affrontèrent du regard. C'est le témoin qui cilla le premier. Les yeux larmoyants, il renifla par deux fois. Il se mordit la lèvre, se retenant pour ne pas pleurer. Il serra les accoudoirs du fauteuil, serra jusqu'à ce que ses jointures soient blanches. Des larmes coulèrent sur ses joues, mais il parvint à soutenir le regard de Harry Roosevelt.

Les larmes d'un enfant innocent. Harry se tourna, prit un mouchoir en papier dans un tiroir. Ses yeux aussi étaient mouillés.

– Veux-tu t'entretenir avec ton avocat en privé ?

– Nous avons déjà parlé, répondit Mark d'une voix cassée, en s'essuyant les joues avec sa manche.

Fink était au bord de la syncope. Il avait tant à dire, tellement de questions pour ce morveux, de suggestions à faire à la cour sur la manière de mener cette affaire. Le gamin savait des choses, qu'il parle !

– Je n'aime pas avoir à faire cela, Mark, mais il faut répondre. Si tu refuses, je t'inculpe d'outrage à magistrat. Sais-tu ce que c'est ?

– Oui, Reggie m'a expliqué.

– T'a-t-elle aussi expliqué que l'outrage à magistrat me permet de te renvoyer au centre de détention pour mineurs ?

– Oui, monsieur. Vous pouvez dire prison si vous voulez. Ça ne me gêne pas.

– Merci. Veux-tu retourner en prison ?

– Pas vraiment, mais je n'ai pas d'autre endroit où aller.

Sa voix s'était raffermie, les larmes ne coulaient plus. L'idée de la prison n'était plus aussi effrayante, maintenant qu'il en avait tâté. Il pouvait tenir bon quelques jours. En fait, il pensait pouvoir résister plus longtemps que le juge. Il était sûr de retrouver dans très peu de temps son nom à la une du journal. Les journalistes apprendraient certainement qu'il avait été incarcéré par Harry Roosevelt parce qu'il refusait de parler. Et le juge recevrait certainement une volée de bois vert pour avoir enfermé un petit garçon qui n'avait rien fait de mal.

Reggie avait dit qu'il pourrait changer d'avis à tout moment quand il serait las de la prison.

– M. Clifford a-t-il prononcé devant toi le nom de Barry Muldanno ?

– J'invoque le cinquième amendement.

– M. Clifford a-t-il prononcé devant toi le nom de Boyd Boyette ?

– Cinquième amendement.

– M. Clifford a-t-il dit quelque chose au sujet de l'assassinat de Boyd Boyette ?

– Cinquième amendement.

– M. Clifford a-t-il dit quelque chose sur l'endroit où se trouve le corps de Boyd Boyette ?

– Cinquième amendement.

Harry enleva ses lunettes pour la dixième fois et se frotta le visage.

– Tu ne peux pas invoquer le cinquième amendement, Mark.

– Je viens de le faire.

– Je t'ordonne de répondre à ces questions.

– Oui, monsieur. Je suis désolé.

Harry prit un stylo, commença à écrire.

– Votre Honneur, lança Mark, je vous respecte, vous et ce que vous essayez de faire. Mais je ne peux pas répondre à ces questions, parce que j'ai peur de ce qui pourrait nous arriver, à moi et à ma famille.

– Je comprends, Mark, mais la loi ne permet pas à un citoyen de ce pays de dissimuler des renseignements qui peuvent être essentiels à une enquête criminelle. J'obéis à la loi, je ne cherche pas à t'embêter. Je t'inculpe d'outrage à magistrat. Je ne suis pas fâché contre toi, mais tu ne me laisses pas le choix. Je te renvoie au centre de détention pour mineurs, où tu resteras aussi longtemps que durera l'outrage à magistrat.

– Combien de temps ?

– Cela dépend de toi, Mark.

– Et si je décide de ne jamais répondre ?

– Je ne sais pas. Pour le moment, nous agirons au jour le jour.

Le magistrat parcourut son agenda et griffonna quelques mots.

– Nous nous retrouvons demain midi, déclara Harry, si cela convient à tout le monde.

Accablé, Fink se leva. Il s'apprêtait à prendre la parole, quand Ord le saisit par le bras pour le forcer à se rasseoir.

– Je ne pense pas pouvoir être là demain, Votre Honneur. Comme vous le savez, mon bureau est à La Nouvelle-Orléans, et...

– Si, vous serez là demain, monsieur Fink. Et vous serez accompagné de M. Foltrigg. Vous avez choisi de déposer votre requête à Memphis, devant le tribunal pour enfants, et cette affaire relève de ma juridiction. Je vous conseille, dès que vous quitterez cette salle, d'appeler M. Foltrigg pour le mettre au courant. Je veux que MM. Fink et Foltrigg soient présents demain à 12 heures précises. Si vous n'êtes pas là, je vous inculpe d'outrage à magistrat et, dès demain, c'est vous et votre patron qui serez conduits en prison.

Fink avait la bouche ouverte, mais pas un son n'en sortait.

– Votre Honneur, fit George Ord, prenant la parole pour la première fois, je crois que M. Foltrigg est retenu par une audience au tribunal fédéral dans la matinée de demain. M. Muldanno a pris un nouveau défenseur qui a demandé un ajournement, et l'audience doit se tenir demain matin.

– Est-ce la vérité, monsieur Fink ?

– Oui, Votre Honneur.

– Dans ce cas, demandez à M. Foltrigg de me faxer une copie de la convocation comportant la date et l'heure de l'audience. Il sera excusé. Mais aussi longtemps que Mark restera en détention, je le ferai revenir ici tous les deux jours pour voir s'il est disposé à parler. En présence des deux personnes ayant déposé la requête.

– Vous êtes d'une grande sévérité avec nous, Votre Honneur.

– Ce n'est rien à côté de ce qu'il vous en coûtera si vous ne vous présentez pas ici. Vous avez choisi cette cour, monsieur Fink, assumez votre choix.

Fink était arrivé à Memphis six heures auparavant, sans linge de rechange, ni même une brosse à dents. Il semblait qu'il allait maintenant se voir contraint de louer un appartement et de le partager avec Foltrigg.

L'huissier avait reculé discrètement jusqu'au mur, derrière Reggie et son client, et attendait le signal du juge.

– Mark, reprit Harry en remplissant un imprimé, tu vas te retirer maintenant, je te verrai demain. Si tu as des problèmes au centre de détention, fais-le-moi savoir dès demain, et je réglerai ça. D'accord ?

Mark acquiesça de la tête.

– Je vais parler à ta mère, fit Reggie en lui serrant le bras, et je passerai te voir dans la matinée.

– Dites à maman que ça va, lui murmura-t-il à l'oreille. Je vais essayer de l'appeler ce soir.

Il se leva, suivit l'huissier hors de la salle.

– Faites entrer les agents du FBI, lança Harry à l'huissier au moment où il sortait.

– Pouvons-nous nous retirer, Votre Honneur ? demanda Fink, le front luisant de sueur, qui avait hâte de quitter la salle d'audience et d'appeler Foltrigg pour lui annoncer la terrible nouvelle.

– Vous êtes pressé, monsieur Fink ?

– Non, Votre Honneur.

– Détendez-vous donc. Je veux m'entretenir, à titre confidentiel, avec vous et les agents du FBI. J'en ai pour une minute.

Harry invita la greffière et la femme d'âge mûr à se retirer. McThune et Lewis entrèrent et prirent place derrière les représentants du ministère public.

Harry déboutonna sa robe, sans l'enlever. Il s'essuya le visage avec un mouchoir en papier et vida le gobelet de thé. Tout le monde le regarda et attendit.

– Je n'ai pas l'intention de laisser cet enfant en prison, commença-t-il en se tournant vers Reggie. Quelques jours peut-être, mais pas longtemps. Il me semble évident qu'il détient des renseignements de grande importance et il est de son devoir de les divulguer.

Fink approuva d'un hochement de tête.

– Cet enfant a peur, il nous est facile de comprendre pourquoi. Peut-être pourrons-nous le convaincre de parler si nous sommes en mesure de garantir sa sécurité et celle de sa famille. J'aimerais que M. Lewis nous prête son concours. Avez-vous des suggestions ?

K.O. Lewis ne fut pas pris de court.

– Votre Honneur, fit-il, nous avons commencé à prendre des dispositions pour intégrer l'enfant dans notre programme de protection des témoins.

– C'est ce que j'ai appris, monsieur Lewis, mais je ne suis pas au fait des détails.

– C'est très simple. Nous déplaçons la famille Sway dans une autre ville, nous fournissons de nouvelles identités, un travail à la mère, un logement agréable. Pas un mobile home, pas un appartement, une vraie maison. Nous nous assurons que les garçons sont inscrits dans une bonne école. Nous versons un dédommagement en espèces et nous restons aux aguets.

– Cela paraît tentant, maître Love, fit Harry.

Assurément. Les Sway n'avaient plus de foyer, Dianne se faisait exploiter par son employeur, ils n'avaient pas de famille à Memphis.

– Ils ne sont pas en mesure de partir maintenant, répliqua Reggie. Ricky est obligé de rester à l'hôpital.

– Nous avons trouvé un hôpital psychiatrique pour enfants, à Portland, dans lequel Ricky peut être admis sans délai, expliqua Lewis. C'est un établissement privé, l'un des meilleurs du pays, rien à voir avec St. Peter's. Ricky sera admis dès que nous le demanderons, et, bien entendu, tous les frais seront à notre charge. Quand il en sortira, la famille ira s'installer dans une autre ville.

– Combien de temps faudra-t-il pour que la famille Sway soit intégrée dans ce programme ? demanda Harry.

– Moins d'une semaine, répondit Lewis. M. Voyles les a placés en tête de liste. Quelques jours seront nécessaires pour établir les nouveaux documents : permis de conduire, cartes de sécurité sociale, actes de naissance, cartes de crédit, etc. La décision appartient à la famille, et la mère nous indiquera où elle souhaite aller. Ensuite, nous nous chargeons de tout.

– Qu'en pensez-vous, maître Love ? demanda Harry. Mme Sway acceptera-t-elle ?

– Je vais lui parler. Elle est dans une période de grande tension. L'un de ses enfants est en état de choc, l'autre en prison, et elle a tout perdu dans l'incendie. L'idée de prendre la fuite sans tambour ni trompette risque d'être difficile à accepter, du moins dans l'immédiat.

– Vous allez essayer ?

– Je verrai ce que je peux faire.

– Croyez-vous qu'elle puisse assister à l'audience de demain ? J'aimerais lui parler.

– Je demanderai au médecin.

– Très bien. La séance est levée. Rendez-vous demain, à midi.

L'huissier confia Mark à deux policiers en civil, qui le firent sortir par une porte latérale donnant sur le parking. L'huissier attendit qu'ils aient disparu pour monter au premier étage où il s'engouffra dans les toilettes. Un homme se tenait devant un urinoir : Slick Moeller.

L'huissier vint se placer à côté de lui, le nez sur les graffiti.

– Nous sommes seuls ? demanda-t-il.

– Ouais, répondit Slick, les mains sur les hanches. Que s'est-il passé ? Faites vite.

– Le gamin n'a rien voulu dire, il repart en prison. Outrage à magistrat.

– Que sait-il exactement ?

– A mon avis, il sait tout. Ça crève les yeux. Il a reconnu qu'il était monté dans la voiture de Clifford, qu'ils avaient parlé de choses et d'autres. Quand Harry l'a interrogé sur l'affaire de La Nouvelle-Orléans, il a dit qu'il invoquait le cinquième amendement. C'est un petit dur à cuire.

– Mais il est au courant ?

– Ça, c'est sûr, mais il ne veut rien dire. Le juge le fait revenir demain midi pour voir si une nuit en taule l'a fait changer d'avis.

Slick remonta sa braguette et s'écarta de l'urinoir. Il prit un billet de cent dollars dans sa poche, le tendit à l'huissier.

– Je ne vous ai rien dit, fit l'huissier.

– Vous avez confiance en moi, oui ou non ?

– Bien sûr.

Il disait la vérité. Jamais la Taupe ne divulguait l'identité de ses sources.

Moeller avait mis trois photographes de faction autour du tribunal pour enfants. Il connaissait les ficelles mieux que les flics eux-mêmes et savait qu'ils utiliseraient la petite porte pour faire sortir discrètement le gosse. C'est exactement ce qui se passa. Ils avaient presque atteint la voiture de police banalisée quand une femme en treillis bondit d'une camionnette et les mitrailla avec son Nikon. Les flics se mirent à hurler en essayant de cacher l'enfant derrière eux, mais il était trop tard. Ils entraînèrent Mark vers la voiture banalisée, le firent monter précipitamment à l'arrière.

Génial, se dit Mark. Il n'était pas encore 14 heures, mais, depuis le début de la journée, s'étaient succédé l'incendie du mobile home, son arrestation à l'hôpital, un bref séjour en prison, une audience avec le juge Roosevelt et maintenant les photos prises par un de ces salopards de journalistes. A n'en pas douter, il ferait encore la une du journal du lendemain.

Quand la voiture démarra en faisant crisser les pneus, il s'enfonça dans le siège arrière. Il avait l'estomac serré : ce n'était pas la faim, mais la peur. Il était de nouveau seul.

26

Foltrigg regardait la circulation dans Poydras Street en attendant le coup de fil de Memphis. Il en avait assez de faire les cent pas et de consulter sa montre toutes les cinq minutes. Il avait essayé de donner quelques coups de téléphone, de dicter des lettres, mais rien à faire. Il ne pouvait chasser de son cerveau l'image réjouissante de Mark Sway à la barre des témoins, déballant ses précieux secrets. Deux heures s'étaient écoulées depuis le début de l'audience, une suspension avait dû être décidée pour permettre à Fink de se précipiter vers un téléphone.

Larry Trumann était prêt à intervenir. Il n'attendait que le coup de téléphone pour passer à l'action avec une équipe de chasseurs de cadavre. Depuis huit mois, ils avaient acquis une grande expérience dans cette activité. Avec cette seule réserve qu'ils n'en avaient exhumé aucun.

Cette fois, ce serait différent. Roy prendrait l'appel, se rendrait dans le bureau de Trumann, et ils iraient chercher les restes de feu Boyd Boyette. Il parlait tout seul. Ce n'étaient ni des murmures ni des marmottements, mais un discours à haute et intelligible voix destiné aux médias, dans lequel il annonçait avec des trémolos qu'ils avaient enfin découvert le corps du sénateur, mort de six blessures par balle dans la tête. L'arme du crime était un calibre 22 et l'examen des balles avait permis d'établir avec certitude, sans l'ombre d'un doute, que le pistolet était le même que celui qui avait été trouvé en possession de Barry Muldanno.

Cette conférence de presse serait un des grands moments de sa carrière.

On frappa un petit coup, la porte s'ouvrit avant que Roy ait eu le temps de se retourner. C'était Wally Boxx, le seul autorisé à se dispenser du protocole.

– Des nouvelles ? demanda Wally, en s'avançant vers la fenêtre pour se placer à côté de son patron.

– Non, rien du tout. J'aimerais que Fink se dépêche. Il a des instructions très claires.

Ils regardèrent un moment la rue, en silence.

– Que fait le grand jury ? reprit Roy.

– Comme d'habitude. La routine des mises en accusation.

– Qui préside ?

– Hoover. Il achève la saisie de drogue à Gretna. Le dossier devrait être bouclé dans l'après-midi.

– Ils travaillent demain ?

– Non, ils ont eu une semaine chargée. Nous leur avons promis hier qu'ils seraient libres demain. A quoi pensez-vous ?

Foltrigg changea de position en se grattant le menton. Les yeux perdus dans le vague, il regardait sans les voir les voitures sous la fenêtre. Une trop longue concentration lui était parfois pénible.

– Imaginez un peu, Wally, que le gosse, pour une raison ou pour une autre, ne parle pas et que Fink fasse chou blanc. Que ferons-nous ? Nous les citerons, lui et son avocate, devant le grand jury, pour les faire venir à La Nouvelle-Orléans. Il doit déjà avoir peur à Memphis, il sera terrorisé ici.

– Pourquoi citer son avocate ?

– Pour lui faire peur, pour la secouer. Une tactique de harcèlement. Nous préparons les citations, nous les gardons sous le coude et attendons demain, en fin d'après-midi, quand tout fermera pour le week-end, pour les leur remettre. Ils seront sommés de comparaître devant notre grand jury lundi matin, à 10 heures. Ils n'auront donc pas la possibilité de se précipiter au tribunal pour annuler la citation, car tout sera fermé, les juges seront partis pour le week-end. Ils auront trop peur pour ne pas se présenter ici, lundi matin, sur notre territoire. Chez nous, Wally, dans ce bâtiment.

– Et si le gamin ne sait rien ?

Roy secoua la tête avec agacement. Ils avaient déjà eu cette conversation au moins dix fois en quarante-huit heures.

– Je croyais que c'était acquis.

– Peut-être. Il se peut qu'il soit en train de vider son sac en ce moment même.

– Probablement.

Une secrétaire couina par l'interphone que M. Fink était en attente sur la une. Foltrigg s'avança à grands pas vers son bureau et décrocha.

– Oui ?

– L'audience est terminée, Roy, annonça Fink, qui paraissait à la fois soulagé et épuisé.

Foltrigg enfonça la touche du haut-parleur et se laissa tomber dans son fauteuil. Wally posa une fesse sur le coin du bureau.

– Wally est avec moi, Tom. Racontez-nous ce qui s'est passé.

– Pas grand-chose. Le petit est retourné dans sa cellule. Comme il n'a rien voulu dire, le juge l'a inculpé d'outrage à magistrat.

– Comment cela, il n'a rien voulu dire ?

– Il n'a pas parlé. Le juge a procédé à son audition, le gamin a reconnu être monté dans la voiture et avoir parlé avec Clifford. Mais, quand le juge l'a interrogé sur Boyette et Muldanno, il s'est retranché derrière le cinquième amendement.

– Le cinquième amendement !

– Absolument. Rien n'a pu l'en faire démordre. Il a dit que la prison n'était pas si désagréable que ça et qu'il n'avait nulle part où aller.

– Mais il sait où est le corps, n'est-ce pas ? Ce petit morveux le sait ?

– Cela ne fait aucun doute. Clifford lui a tout raconté.

– Je le savais ! s'écria Foltrigg en battant des mains. Je le savais ! Je vous le dis depuis le début ! Je le savais ! répéta-t-il en bondissant de son fauteuil, les mains jointes.

– Le juge a prévu une nouvelle audience pour demain, à midi. Il veut revoir le gamin pour savoir s'il a changé d'avis. Je ne suis pas très optimiste.

– Je veux que vous y soyez, Tom.

– Oui, et le juge veut que vous y soyez aussi, Roy. J'ai expliqué que vous aviez une audience dans la matinée, pour la demande d'ajournement, mais il a exigé que vous lui faxiez une copie de la convocation. Il a dit que, dans ce cas, votre absence serait excusée.

– C'est un cinglé !

– Non, ce n'est pas un cinglé. Il compte tenir plusieurs audiences la semaine prochaine et nous demande d'être tous deux présents.

– C'est bien ce que je dis, il est cinglé.

Wally leva les yeux au plafond en secouant la tête. Ces juges des tribunaux inférieurs se conduisaient souvent comme des idiots.

– Après l'audience, poursuivit Fink, le juge nous a réunis pour voir si le programme de protection des témoins pouvait s'appliquer au gamin et à sa famille. Il pense être en mesure de le convaincre de parler si nous garantissons sa sécurité.

– Cela prendra plusieurs semaines.

– C'est aussi mon avis, mais Lewis a assuré le juge que tout pouvait être réglé en quelques jours. Franchement, Roy, je ne pense pas que le gamin parlera si nous ne pouvons lui fournir ces garanties. Il est coriace.

– Et l'avocate ?

– Elle est restée discrète, n'a pas dit grand-chose, mais le juge et elle s'entendent comme larrons en foire. J'ai eu l'impression qu'elle conseille bien le petit.

Wally Boxx ne put s'empêcher d'intervenir.

– Salut, Tom. C'est moi, Wally. Que va-t-il se passer ce week-end, à ton avis ?

– Je n'en sais rien. Je ne crois pas que le morveux changera d'avis du jour au lendemain et je ne crois pas non plus que le juge ait l'intention de le mettre en liberté. Il sait que Gronke et les gars de Muldanno sont à Memphis, et j'ai eu l'impression qu'il préférait que le petit soit enfermé, pour son bien. Comme c'est demain vendredi, j'imagine qu'il passera le week-end derrière les barreaux. Et je suis sûr que le juge aura une autre petite conversation avec nous, après l'audience de lundi.

– Vous rentrez ce soir ? demanda Foltrigg.

– Oui, je prends un avion dans deux heures et je repartirai à Memphis demain matin.

Une grande lassitude commençait à se faire sentir dans la voix de Fink.

– À ce soir, Tom, je vous attends ici. Vous avez fait du bon boulot.

– Ouais.

Fink raccrocha, Foltrigg coupa la communication.

– Que le grand jury se tienne prêt ! lança-t-il à Wally qui sauta du bureau et s'élança vers la porte. Dites à Hoover de faire une pause. Cela ne prendra qu'une minute. Apportez-moi le dossier de Mark Sway et dites au greffe que les citations ne seront remises que demain après-midi.

Wally sortit, Foltrigg repartit vers la fenêtre en murmurant entre ses dents.

– Je le savais ! Oui, je le savais !

Le policier en civil signa le registre que lui tendait Doreen et repartit avec son collègue.

– Suis-moi, dit-elle sèchement à Mark, comme s'il avait encore fait une bêtise qui mettait sa patience à rude épreuve.

Il la suivit, observant le balancement de son postérieur comprimé dans un pantalon de polyester noir. La large ceinture luisante qui lui serrait la taille retenait plusieurs trousseaux de clés, deux boîtiers noirs qu'il supposa être des bips et des menottes. Pas d'arme. Son corsage blanc était celui de la tenue réglementaire, avec un insigne sur la manche et un liseré doré autour du col.

Le couloir était vide quand elle ouvrit la porte de la cellule et lui fit signe d'entrer. Elle le suivit à l'intérieur, commença de longer les murs comme un chien policier flairant la drogue.

– Je dois dire que je ne m'attendais pas à te revoir, fit-elle, en inspectant la cuvette des WC.

Il ne trouva rien à répliquer et, de toute façon, n'était pas d'humeur à faire la causette. En la voyant penchée sur la cuvette, il pensa à son mari qui tirait trente ans pour attaque à main armée. Si elle tenait vraiment à bavarder, il aborderait le sujet. Cela la refroidirait certainement, et elle n'insisterait pas.

– Tu as dû contrarier monsieur le juge, fit-elle, le nez levé vers les fenêtres.

– Sans doute.

– Combien de temps vas-tu rester ?

– Il n'a rien dit. Je retourne le voir demain.

Elle s'avança vers les lits, commença à tapoter une couverture.

– On parle de toi et de ton petit frère dans le journal. Bizarre, votre affaire. Comment va-t-il ?

Resté près de la porte, Mark n'espérait qu'une chose : la voir décamper.

– Il va probablement mourir, fit-il d'un air affligé.

– Non !

– Si, c'est affreux. Il est dans le coma, vous savez. Il suce son pouce, il grogne et, de temps en temps, il se met à baver. Il a les yeux révulsés et refuse de manger.

– Je suis désolée de t'avoir parlé de ça, fit-elle.

Ses yeux trop maquillés étaient écarquillés, elle avait cessé de tout tripoter.

Oui, se dit Mark, sûr que vous regrettez de m'avoir parlé de ça.

– Ma place est avec lui, reprit-il. Ma mère ne quitte pas sa chambre, mais elle est complètement stressée. Elle prend des tas de pilules.

– Je suis vraiment navrée.

– C'est terrible. Moi aussi, j'ai des étourdissements. On ne sait jamais, je finirai peut-être comme mon frère.

– As-tu besoin de quelque chose ?

– Non, juste de m'allonger.

Il s'avança vers les lits, se laissa tomber sur celui du bas. Doreen s'agenouilla près de lui, profondément inquiète.

– Tout ce que tu veux, mon petit, tu n'as qu'à demander. D'accord ?

– D'accord. Un bout de pizza, ça me ferait plaisir.

Elle se releva, réfléchit un instant. Il ferma les yeux, comme si la douleur était trop forte.

– Je vais voir ce que je peux faire.
– Je n'ai pas déjeuné, vous savez.
– Je reviens tout de suite.

Elle sortit et la porte se referma bruyamment. Mark se leva d'un bond et écouta.

27

La chambre était dans la pénombre, comme d'habitude. Lumières éteintes, porte fermée, stores baissés, le seul éclairage provenait du téléviseur, où des ombres mouvantes et bleutées se déplaçaient sur l'écran muet. Dianne était mentalement et physiquement épuisée au bout de huit heures passées auprès de Ricky, à le caresser, le serrer contre elle, lui susurrer des paroles apaisantes en essayant de rester forte.

Reggie était passée deux heures plus tôt. Assises sur le bord du lit de camp, elles avaient discuté une demi-heure. Reggie lui avait raconté l'audience, l'avait assurée que Mark était bien nourri et ne courait aucun danger, lui avait décrit la cellule du centre de détention, lui avait affirmé qu'il était plus en sécurité là-bas et avait parlé du juge Roosevelt, du FBI et du programme de protection des témoins. De prime abord, compte tenu des circonstances, l'idée était séduisante : ils s'installeraient simplement dans une nouvelle ville, avec de nouveaux noms, un nouvel emploi et un logement décent. Ils pouvaient échapper à leur triste situation et repartir de zéro. Ils pouvaient choisir une ville importante, avec de bonnes écoles, où les garçons passeraient inaperçus dans la foule. Mais plus elle restait sur ce lit, couchée en chien de fusil, les yeux fixés sur le mur, par-dessus la petite tête de Ricky, moins l'idée plaisait à Dianne. En fait, cette perspective était horrible : vivre traquée à jamais, redoutant le pire à chaque coup de sonnette, prise de panique chaque fois qu'un des garçons rentrerait en retard, obligée de mentir sur leur passé.

Et cela n'aurait jamais de fin. Elle commença à imaginer ce qui se passerait si, un jour, dans cinq ou dix ans, bien après le procès à La Nouvelle-Orléans, quelqu'un laissait échapper quelque chose et que l'on retrouvait leur piste. Et si Mark, l'année de sa terminale, par exemple, était attendu après un match par quelqu'un qui lui collait un pistolet sur la tempe. Même s'il ne s'appelait plus Mark, il serait quand même mort.

Elle avait presque décidé d'opposer son veto à cette proposition quand Mark appela du centre de détention. Il annonça qu'il venait d'avaler une grosse pizza, qu'il se sentait très bien, que l'endroit était agréable, qu'il préférait être là qu'à l'hôpital, que la nourriture y était meilleure. Il s'exprimait avec un tel entrain qu'elle comprit qu'il mentait. Il lui confia qu'il préparait son évasion et serait bientôt libre. Ils parlèrent de Ricky, du mobile home, de l'audience du jour, de celle du lendemain. Il dit qu'il suivrait les conseils de Reggie, Dianne reconnut que c'était la meilleure solution. Il s'excusa de ne pas être avec elle pour l'aider à veiller sur Ricky. Elle refoula ses larmes en l'entendant essayer de paraître si mûr. Il s'excusa encore pour tout le gâchis.

La conversation fut brève. Elle avait du mal à lui parler, si peu de conseils maternels à donner. Elle avait l'impression d'être nulle, parce que son fils était en prison et qu'elle ne pouvait l'en faire sortir. Elle ne pouvait ni aller le voir ni parler au juge. Elle ne pouvait conseiller à Mark de dire la vérité ou de garder le silence, car elle avait peur, elle aussi. Elle ne pouvait absolument rien faire d'autre que de rester sur le petit lit, en regardant les murs, en priant pour se réveiller et constater que ce n'était qu'un cauchemar.

A 18 heures, l'heure des informations locales, elle vit le visage d'une présentatrice muette, et pria pour échapper à ce qu'elle redoutait. Mais l'espoir fut de courte durée. Après les corps de deux victimes d'un affaissement de terrain, elle vit apparaître sur l'écran une photo en noir et blanc de Mark et du policier qu'elle avait giflé le matin même. Elle monta le son.

La présentatrice raconta l'essentiel des événements de l'hôpital, en prenant soin de ne pas prononcer le mot arrestation, avant de passer l'antenne à un journaliste, devant le tribunal pour enfants, qui commença à jacasser, parlant d'abord d'une audience dont il ignorait tout avant d'ajouter d'une voix haletante que Mark Sway avait été reconduit au centre de détention pour mineurs et qu'une nouvelle audience avait été fixée au lendemain par le juge Roosevelt. Retour au studio où la présentatrice rappela l'histoire du jeune Mark et du suicide tragique de Jerome Clifford. Elle passa un sujet rapide sur la sortie de la chapelle de La Nouvelle-Orléans et quelques images de Roy Foltrigg parlant à un reporter, sous un parapluie. Nouveau retour au studio, où la présentatrice entreprit de citer Slick Moeller qui, dans ses articles, faisait peser des soupçons sur Mark. Aucune déclaration des services de police de Memphis, pas plus que du FBI, du bureau du procureur fédéral, ni du tribunal pour enfants du comté de Shelby. Le terrain se fit plus glissant quand elle aborda le trouble domaine des sources anonymes, avares de faits, mais prodigues de suppositions.

Quand elle termina, pour laisser place à la publicité, le téléspectateur mal informé aurait facilement pu croire que Mark Sway avait abattu non seulement Jerome Clifford, mais aussi Boyd Boyette.

L'estomac noué, Dianne éteignit la télévision, plongeant la chambre dans l'obscurité. Elle n'avait rien avalé depuis dix heures. Ricky s'agita en grognant et cela l'énerva. Elle se leva lentement. Elle était agacée par son fils, elle en voulait à Greenway de l'absence d'amélioration de son état, elle en avait par-dessus la tête de cet hôpital, de ce décor et de cet éclairage de cachot, elle était horrifiée par un système qui tolérait que des enfants soient emprisonnés, parce qu'ils étaient des enfants, mais, surtout, elle était terrifiée par ces présences invisibles qui avaient menacé Mark, réduit leur mobile home en cendres et étaient disposées, elle n'en doutait pas, à aller plus loin. Elle entra dans la salle de bains, referma la porte et s'assit sur le bord de la baignoire pour fumer une cigarette. Ses mains tremblaient, ses idées s'embrouillaient. Elle sentait poindre une migraine à la base de son crâne et savait qu'à minuit elle serait incapable de faire un geste. Les pilules la soulageraient peut-être.

Dianne jeta son mégot dans la cuvette, tira la chasse et alla s'asseoir au pied du lit de Ricky. Elle s'était juré de traverser cette épreuve en prenant les choses au jour le jour, mais elles ne faisaient qu'empirer. Elle ne tiendrait pas beaucoup plus longtemps.

Barry la Lame avait choisi ce petit bistrot, parce qu'il était sombre et discret, mais aussi parce qu'il y avait des souvenirs d'adolescence, du temps où il était bourré d'ambition. Il n'était pas un habitué, mais ce café se trouvait au cœur du Vieux Carré, ce qui signifiait qu'il pouvait garer sa voiture à proximité de Canal Street et se perdre dans la foule des touristes de Bourbon Street, où il lui serait facile de semer les fédéraux.

Il trouva une petite table au fond, commanda une vodka citron qu'il sirota en attendant Gronke.

Il aurait préféré être à Memphis en personne, mais, sous contrôle judiciaire, ses déplacements étaient restreints. Il lui fallait une autorisation pour quitter la Louisiane, mais pas question de faire une demande. Il avait eu du mal à entrer en contact avec Gronke. Rongé par la paranoïa, il avait l'impression depuis huit mois que tout regard curieux qu'il surprenait était celui d'un flic surveillant ses faits et gestes. Un inconnu marchant derrière lui, sur un trottoir, ne pouvait être qu'un agent fédéral qui le filait discrètement. Ses téléphones étaient sur table d'écoute, il y avait des micros dans sa voiture et sa maison. La moitié du temps, il craignait de parler à voix haute.

Il termina sa vodka citron, en commanda une autre. Une double. Gronke arriva avec vingt minutes de retard, se laissa lourdement tomber dans un fauteuil où il logeait difficilement.

– C'est sympa ici, fit-il. Comment va ?

– Ça va.

Barry claqua des doigts, le garçon vint prendre la commande.

– Une bière, fit Gronke. Une Grolsch.

– On t'a suivi ? demanda Barry, dès que le garçon se fut éloigné.

– Je ne crois pas. J'ai fait des zigzags dans tout le Vieux Carré.

– Alors, que se passe-t-il, là-bas ?

– A Memphis ?

– Non, à Milwaukee, crétin ! lança Barry en souriant. Où en est le gosse ?

– Il est en taule et il refuse de se mettre à table. On l'a emmené ce matin au tribunal pour enfants, à l'heure du déjeuner, et puis on l'a ramené dans sa cellule.

Le barman, portant un plateau chargé de verres à bière sales, poussa la porte à deux battants donnant dans la petite cuisine crasseuse. Dès qu'il fut à l'intérieur, deux agents du FBI en jean l'arrêtèrent. L'un sortit prestement sa plaque tandis que son collègue saisissait le plateau.

– Qu'est-ce qui se passe ? demanda le barman, en reculant jusqu'au mur, les yeux fixés sur le badge, à quelques centimètres de son nez camus.

– FBI, fit posément l'agent spécial Scherff. Vous pouvez nous rendre un service.

Son collègue serra de près l'homme au nez camus, qui avait deux condamnations sur son casier et n'était en liberté que depuis six mois.

– Bien sûr, fit le barman, l'air mielleux. Tout ce que vous voulez.

– Votre nom ? demanda Scherff.

– Euh... Dole. Link Dole.

Il avait utilisé tellement de noms qu'il lui était difficile de s'y retrouver.

Les deux agents se rapprochèrent à le toucher, il commença à craindre de se faire tabasser.

– Très bien, Link. Pouvez-vous nous aider ?

Il hocha rapidement la tête. Le cuisinier remuait une casserole de riz, une cigarette au bec, la cendre menaçant de tomber. Il lança un coup d'œil dans leur direction, mais avait d'autres choses en tête.

– Il y a deux hommes dans la salle, qui prennent un verre. Au fond, à droite, là où le plafond est bas.

– Oui, oui. Je ne veux pas être impliqué dans une sale histoire, hein ?

– Mais non, Link. Écoutez-moi.

Scherff prit dans sa poche une salière et une poivrière assorties.

– Posez ça sur un plateau, avec une bouteille de ketchup. Allez à leur table, comme si vous faisiez le service, échangez la salière et la poivrière qui s'y trouvent avec celles-ci. Demandez aux deux types s'ils veulent manger ou prendre un autre verre. C'est vu ?

Link continua de hocher la tête, sans comprendre.

– Qu'est-ce qu'il y a, là-dedans ?

– Du sel et du poivre, répondit Scherff. Et un petit micro qui nous permettra d'entendre leur conversation. Ce sont des criminels, Link, ils sont sous surveillance.

– Je ne tiens vraiment pas à être impliqué dans cette histoire, protesta Link, sachant pertinemment qu'à la moindre menace il ferait son possible pour être impliqué.

– Ne me mettez pas en colère, dit Scherff en agitant les petits récipients.

– D'accord, d'accord.

Un garçon poussa la porte du pied et entra avec une pile d'assiettes sales. Link prit la salière et la poivrière.

– N'en parlez à personne, fit-il, en tremblant légèrement.

– Pas de problème, Link, ce sera notre petit secret. Y a-t-il un placard vide, par ici ?

Scherff fit du regard le tour de la cuisine exiguë. La réponse sautait aux yeux. Il n'y avait pas un centimètre carré de libre dans ce foutoir.

Link réfléchit un instant, avide de venir en aide à ses nouveaux amis.

– Non, mais il y a un petit bureau juste au-dessus du bar.

– Parfait, Link. Allez faire votre échange pendant que nous installons un peu de matériel dans ce bureau.

Link tenait les deux récipients avec précaution, comme s'ils risquaient d'exploser, et regagna son bar.

Un garçon posa une lourde bouteille verte de Grolsch devant Gronke et s'éloigna aussitôt.

– Ce sale petit mioche est au courant de quelque chose, hein ? fit Barry.

– Bien sûr. Sinon, nous n'en serions pas là. Pourquoi a-t-il voulu prendre un avocat ? Pourquoi continue-t-il à la boucler ?

Gronke vida d'un trait la moitié de sa bière.

Link s'approcha de leur table avec un plateau chargé d'une douzaine de salières et de poivrières, de bouteilles de ketchup et de pots de moutarde.

— Vous mangez quelque chose ? demanda-t-il d'un ton détaché, en procédant à l'échange.

— Non, répondit Gronke.

Barry lui fit signe de s'éloigner. A moins de dix mètres de là, tassés autour d'un petit bureau, Scherff et trois autres agents fédéraux ouvrirent des serviettes ventrues. L'un d'eux prit des écouteurs, les colla sur ses oreilles. Il sourit.

— Ce morveux commence à m'inquiéter, poursuivit Barry. Il en a parlé à son avocate, ils sont déjà deux au parfum.

— Oui, fit Gronke, mais il n'a rien dit. Réfléchis, Barry. On lui a parlé, je lui ai montré le portrait, le mobile home n'existe plus. Il fait dans son froc, ce gosse.

— Je ne sais pas. Il n'y aurait pas moyen de se débarrasser de lui ?

— Pas maintenant. N'oublie pas qu'il est entre les mains des flics, qu'il est enfermé.

— Il y a toujours moyen. Je ne suis pas sûr que les mesures de sécurité soient très strictes dans une prison pour enfants.

— Peut-être, mais ils ont la trouille de nous. L'hôpital grouille de flics, ils ont posté des gardes dans le couloir, il y a plein de fédéraux en blouse de médecin. Ils font dans leur froc, Barry.

— Mais ils peuvent l'obliger à parler. Ils peuvent décider de le protéger, filer plein de fric à la mère, leur acheter un mobile home flambant neuf. J'ai les nerfs en boule, Paul. Si ce gamin avait la conscience nette, on n'aurait jamais entendu parler de lui.

— On ne peut pas lui régler son compte, Barry.

— Pourquoi ?

— Parce que c'est un enfant, parce que tout le monde a les yeux fixés sur lui, parce que, si on fait ça, un million de flics s'acharneront sur nous, jusqu'à ce qu'ils aient notre peau. Non, il faut laisser tomber.

— Et la mère ? Le petit frère ?

Gronke but une autre goulée de bière et secoua la tête avec irritation. Ce dur de dur n'avait peur de personne, mais, contrairement à son ami, ce n'était pas un tueur. Chercher à tout prix des victimes, cela lui faisait froid dans le dos. Il ne répondit pas.

— Et l'avocate ? insista Barry.

— Pourquoi voudrais-tu la supprimer ?

— Peut-être parce que je déteste cette race. Peut-être pour flanquer une telle trouille au gamin qu'il tombera dans le coma, comme son frère. Je ne sais pas, moi.

— Et peut-être qu'aller tuer des innocents à Memphis n'est pas une si bonne idée. Le petit prendra un autre avocat, c'est tout.

– On le supprimera aussi. Ce serait bien, Paul, poursuivit-il avec un gros rire, la carrière du barreau est encombrée.

Puis il se pencha sur la table, comme pour confier, sous le sceau du secret, l'idée qu'il venait d'avoir. Son menton s'arrêta à quelques centimètres de la salière.

– Réfléchis, Paul. Si nous la supprimons, aucun autre avocat sain d'esprit n'acceptera de le défendre. Pigé ?

– Tu perds la boule, Barry. Tu es en train de péter les plombs.

– Je sais, mais avoue que l'idée est géniale. Si on la bute, le gamin ne dira pas un mot à sa propre mère. Comment s'appelle-t-elle, déjà ? Rollie, Ralphie ?

– Reggie. Reggie Love.

– Où est-ce qu'une nana a pêché un nom comme ça ?

– Va savoir !

Barry vida son verre, claqua des doigts pour attirer l'attention du garçon.

– Qu'est-ce qu'elle a raconté au téléphone ? poursuivit-il, en se penchant de nouveau, juste au-dessus de la salière.

– Je n'en sais rien. On n'a pas pu entrer cette nuit.

– Qu'est-ce que tu me chantes là ? s'écria Muldanno, ses petits yeux méchants flamboyant de colère.

– Nous nous en occuperons cette nuit, si tout va bien.

– C'est comment, chez elle ?

– Un petit cabinet, dans un grand immeuble moderne. Ça ne devrait pas poser de problèmes.

Scherff plaqua l'écouteur sur son oreille. Il vit deux de ses collègues faire la même chose. Dans la petite pièce, le seul bruit était un léger cliquetis produit par le magnétophone.

– Ils sont compétents, tes gars ?

– Nance est du genre relax, il ne perd pas facilement son sang-froid. Son associé, Cal Sisson, est hypernerveux. Ce type a peur de son ombre.

– Je veux un micro sur ces téléphones dès ce soir.

– Ce sera fait.

Barry alluma une Camel sans filtre, souffla la fumée au plafond.

– Est-ce que l'avocate est protégée ? reprit-il, les yeux plissés.

Gronke détourna la tête.

– Je ne pense pas.

– Où habite-t-elle ? Quel genre de maison ?

– Elle occupe un joli petit appartement, derrière la maison de sa mère.

– Elle vit seule ?

– Je crois.

– Ce serait facile, non ? On s'introduit chez elle, on la bute, on pique deux ou trois trucs. Un cambriolage qui a mal tourné. Qu'est-ce que tu en dis ?

Gronke secoua la tête en observant une blonde au bar.

– Qu'est-ce que tu en dis ? répéta Barry.

– Oui, ce serait facile.

– Alors, faisons-le. Tu m'écoutes, Paul ?

Paul écoutait, mais il évitait les yeux méchants.

– Je ne suis pas d'humeur à tuer quelqu'un, fit-il, sans détacher son regard de la blonde.

– Comme tu voudras. Je vais demander à Pirini de s'en occuper.

Quelques années auparavant, un pensionnaire du centre de détention pour mineurs était mort d'une attaque d'épilepsie dans la cellule voisine de celle de Mark. Il avait douze ans. La presse s'était déchaînée, la justice avait pris le relais. Bien qu'elle n'eût pas été de service au moment du drame, Doreen avait été très secouée. Une enquête avait été ordonnée. On avait renvoyé deux gardiens, établi un nouveau règlement.

A 17 heures, à la fin de son service, Doreen alla voir Mark. Elle était passée toutes les heures, pendant l'après-midi, constatant avec une inquiétude croissante que son état allait en empirant. A chaque visite, il se repliait un peu plus sur lui-même, parlait de moins en moins, restait étendu, les yeux fixés au plafond. A 17 heures, elle se fit accompagner d'un auxiliaire médical du comté, qui l'examina rapidement et le déclara en parfaite santé. En partant, Doreen se frotta les tempes comme une gentille petite grand-mère et promit de revenir le lendemain de bon matin. Elle lui ferait porter une autre pizza.

Mark dit qu'il pensait pouvoir tenir jusque-là, qu'il allait essayer de passer la nuit. Doreen avait dû laisser des instructions, car la surveillante de l'étage supérieur, une petite bonne femme rondouillarde du nom de Telda, frappa à la porte de la cellule aussitôt après son départ. Pendant les quatre heures suivantes, Telda entra à plusieurs reprises et le considéra, les yeux écarquillés, comme on regarde un fou juste avant une crise.

Mark regarda la télévision, sans chaînes câblées, et attendit les informations de 22 heures. Il se brossa les dents, éteignit la lumière. Le lit était assez confortable et il pensa à sa mère, qui essayait de trouver le sommeil sur le pauvre lit de camp de la chambre de Ricky.

La pizza venait de chez Domino. Ce n'était pas un de ces trucs caoutchouteux passé au micro-ondes, mais une vraie pizza que Doreen avait probablement payée de ses deniers. Le lit était chaud, la pizza bonne, la porte verrouillée. Il se sentait en sécurité, protégé non seulement des autres détenus, des gangs et de la violence de l'univers carcéral, mais aussi de l'homme au cran d'arrêt, qui connaissait son nom et avait volé son portrait. De celui qui avait mis le feu au mobile home. Il n'avait cessé de penser à cet homme depuis la veille, depuis qu'il avait réussi à s'enfuir de l'ascenseur. Il avait pensé à lui la nuit précédente, sous la véranda de Momma Love, et aussi dans la salle d'audience, en écoutant les dépositions d'Hardy et de McThune. Il s'était inquiété de savoir qu'il pouvait retourner à l'hôpital, où Dianne ne se doutait de rien.

Cal Sisson avait connu des situations plus drôles et moins risquées que de poireauter dans une voiture en stationnement, dans la 3ᵉ Rue, en plein centre de Memphis, à minuit. Mais les portières étaient verrouillées et il y avait un pistolet sous le siège. A la suite de ses deux condamnations, il lui était interdit de posséder ou de détenir une arme à feu, mais la voiture appartenait à Jack. Elle était garée derrière une camionnette de livraison, près du carrefour de Madison Street, à une centaine de mètres de la tour Sterick.

Le véhicule n'avait rien de suspect. La circulation était réduite.

Deux flics en uniforme qui suivaient nonchalamment le trottoir s'arrêtèrent à deux mètres de Cal. Ils le dévisagèrent. Cal jeta un coup d'œil dans le rétroviseur, en vit deux autres. Quatre flics ! L'un d'eux s'assit sur le coffre, faisant trembler la voiture. Avait-il dépassé le temps de stationnement ? Non, il avait payé pour une heure et n'était là que depuis dix minutes. Nance avait dit qu'une demi-heure suffirait pour faire le travail.

Deux autres flics rejoignirent ceux du trottoir, Cal sentit la sueur perler sur son front. Il était inquiet à cause du pistolet, mais un bon avocat n'aurait pas de mal à prouver qu'il ne lui appartenait pas. Il se trouvait simplement au volant de la voiture de Nance.

Une voiture de police banalisée se gara juste derrière. Deux flics en civil se joignirent aux autres. Huit flics !

L'un d'eux, en jean et sweat-shirt, se pencha à la portière de Cal et colla sa plaque sur la vitre. Il y avait une radio sur le siège avant, à côté de sa jambe. Trente secondes plus tôt, il aurait dû enfoncer la touche bleue pour avertir Nance. Maintenant, il était trop tard. Les flics étaient apparus comme par magie.

Il baissa lentement la vitre. Le flic avança la tête, s'arrêta à dix centimètres de son visage.

– Bonsoir, Cal. Lieutenant Byrd, police de Memphis.

En entendant son nom, il ne put réprimer un frisson. Il s'efforça de garder son sang-froid.

– Que puis-je faire pour vous, lieutenant ?

– Où est Jack ?

Il eut un battement de cœur, son corps se couvrit de sueur.

– Jack qui ?

Jack qui ? Byrd regarda par-dessus son épaule, échangea un sourire avec son équipier. Les hommes en uniforme avaient entouré la voiture.

– Jack Nance, ton meilleur ami. Où est-il ?

– Je ne l'ai pas vu.

– Quelle coïncidence ! Moi non plus, je ne l'ai pas vu. Pas depuis un quart d'heure. La dernière fois que j'ai vu Jack, c'était à l'angle de la 2e Rue et d'Union Street, il y a moins d'une demi-heure, et il descendait de cette voiture. Puis elle a démarré et, surprise, je te retrouve ici.

Cal respirait, mais péniblement.

– Je ne sais pas de quoi vous parlez.

Byrd déverrouilla la portière et l'ouvrit.

– Descends, Cal, ordonna-t-il.

Cal obéit. Le lieutenant claqua la portière et le poussa contre la voiture. Quatre flics se rapprochèrent. Les trois autres regardèrent en direction de la tour Sterick.

– Écoute-moi bien, Cal, souffla Byrd, à quelques centimètres de lui. Pour complicité d'effraction, le tarif est de sept ans. Tes trois condamnations antérieures feront de toi un multirécidiviste. Devine à quel total nous arrivons.

Cal se mit à claquer des dents et à trembler comme une feuille. Il secoua la tête, comme s'il n'avait pas compris et attendait que Byrd lui fournisse la réponse.

– Trente ans, sans conditionnelle.

Cal ferma les yeux, s'affaissa sur la portière, le souffle court.

– Tu sais, poursuivit Byrd, très froid, très cruel, Jack Nance ne nous inquiète pas vraiment. Quand il aura fini de trafiquer les téléphones de Me Love, un comité d'accueil l'attendra à la sortie de la tour. Il sera arrêté, inculpé et incarcéré. Mais nous n'espérons pas qu'il se mette à table. Tu me suis ?

Cal acquiesça vivement de la tête.

– En revanche, Cal, nous nous sommes dit que tu serais peut-être plus compréhensif. Que tu nous aiderais un peu, tu vois ?

Il continua de hocher la tête, de plus en plus vite.

– Nous nous sommes dit que tu nous révélerais ce que nous voulons savoir. En échange, nous te laisserons partir.

Cal le regarda d'un air désemparé, bouche bée, la poitrine haletante.

Byrd tendit le doigt vers le trottoir, après le carrefour de Madison Street.

– Tu vois ce trottoir, Cal ?

Cal tourna vers le trottoir désert un long regard plein d'espoir.

– Oui, fit-il.

– Eh bien, il te tend les bras. Dis-moi ce que je veux entendre et tu pars. Ce sont trente années de liberté que je t'offre, Cal. Ne fais pas l'idiot.

– D'accord.

– Quand Gronke doit-il revenir de La Nouvelle-Orléans ?

– Demain matin, vers 10 heures.

– Où est-il logé ?

– Holiday Inn Crowne Plaza.

– Numéro de chambre ?

– 782.

– Où sont Bono et Pirini ?

– Je ne sais pas.

– Ne nous prends pas pour des demeurés, Cal. Où sont-ils ?

– Chambres 783 et 784.

– Qui d'autre est venu de La Nouvelle-Orléans ?

– C'est tout. Je ne sais rien d'autre.

– Des renforts de La Nouvelle-Orléans sont-ils attendus ?

– Je vous jure que je n'en sais rien.

– Ont-ils élaboré un plan pour se débarrasser du gamin, de sa famille ou de l'avocate ?

– Nous en avons parlé, mais aucune décision n'a été prise. Je ne participerais jamais à ce genre de chose, vous savez ?

– Je sais, Cal. Est-il prévu de mettre d'autres téléphones sur écoute ?

– Non, je ne pense pas. Juste ceux du cabinet de l'avocate.

– Et à son domicile ?

– Pas à ma connaissance.

– Pas d'autres micros, pas d'autres branchements ?

– Pas à ma connaissance.

– Est-il envisagé de supprimer quelqu'un ?

– Non.

– Si tu mens, Cal, je m'occuperai personnellement de toi. Et tu en prendras pour trente ans.

– Je le jure.

Byrd lui assena brusquement une gifle sur la joue gauche. Puis il le saisit au cou et commença à serrer.

Cal avait la bouche ouverte, ses yeux exprimaient une terreur sans nom.

– Qui a mis le feu au mobile home ? gronda Byrd en l'écrasant contre la portière.

– Bono et Pirini, répondit Cal sans hésiter.

– Étais-tu dans ce coup, Cal ?

– Non, je le jure.

– Avez-vous prévu d'autres feux de joie ?

– Pas à ma connaissance.

– Alors, que sont-ils venus faire ici ?

– Ils attendent, c'est tout, ils écoutent. Juste au cas où on aurait besoin d'eux pour autre chose. Cela dépend de ce que fera le gamin.

Byrd accentua son étreinte. Il serra en montrant les dents.

– Un seul mensonge, Cal, et je ne te lâcherai plus jusqu'à la fin de mes jours.

– Je ne mens pas, je le jure ! protesta Cal d'une voix étranglée.

Byrd le lâcha, indiqua le trottoir du menton.

– Vas-y, et que je ne t'y reprenne plus.

La muraille de flics s'entrouvrit, Cal se faufila entre eux. Il s'éloigna sur le trottoir à grandes enjambées, se mit à courir et disparut dans la nuit.

28

Le vendredi matin, à la clarté indécise de l'aube, Reggie buvait un grand bol de café noir et fort, prélude à une nouvelle journée imprévisible. L'air était frais et limpide en ce matin de septembre, premier indice de la fin imminente de la chaleur poisseuse de l'été. Assise dans un fauteuil à bascule en osier, sur le petit balcon de son appartement, elle tentait d'y voir plus clair dans les événements de ces cinq dernières heures.

La police avait téléphoné à 1 h 30 pour lui demander de se rendre d'urgence dans son cabinet. Elle avait appelé Clint, ils s'étaient rendus ensemble au cabinet où les attendaient une demi-douzaine de policiers. Les policiers, qui avaient laissé Jack Nance terminer son sale travail et sortir de la tour avant de le coincer, montrèrent les trois téléphones et les émetteurs miniaturisés collés à l'intérieur du combiné, et reconnurent que Jack Nance avait fait du beau travail.

Elle les regarda retirer soigneusement les émetteurs, qu'ils gardèrent comme pièces à conviction. Ils expliquèrent comment Nance était entré, firent plusieurs remarques sur l'absence de fermeture de sûreté. Elle répliqua qu'elle n'y avait jamais attaché d'importance, car il n'y avait pas d'objets de valeur dans le cabinet.

Elle jeta un coup d'œil à ses dossiers, tout paraissait en ordre. Celui de Mark était chez elle, dans sa serviette, où il était resté pendant qu'elle dormait. Clint examina son bureau, annonça qu'il était possible que Nance ait fouillé dans ses papiers. Mais le bureau de Clint n'était pas très bien ordonné, il ne pouvait en être certain.

Les policiers avaient affirmé qu'ils étaient au courant de la visite de Nance, mais refusé de dire comment ils l'avaient appris. Ils l'avaient laissé s'introduire facilement dans la tour – portes non verrouillées, gardiens absents, etc. – et avaient posté une douzaine d'hommes à la sortie. Nance était en état d'arrestation, mais gardait le silence. L'un des policiers avait pris Reggie à part pour l'informer en confidence des liens unissant Nance aux trois truands de La Nouvelle-Orléans. Ils n'avaient pas réussi à mettre la main sur Bono et Pirini, qui avaient abandonné leur chambre d'hôtel. Gronke était à La Nouvelle-Orléans, sous surveillance.

Nance en prendrait pour deux ans, peut-être plus. Elle s'était surprise à souhaiter fugitivement qu'on le condamne à la peine capitale.

Les policiers étaient partis les uns après les autres. Vers 3 heures du matin, elle s'était retrouvée seule avec Clint dans le cabinet vide où un professionnel était entré par effraction. Un homme à la solde de tueurs y avait pénétré, afin d'obtenir des renseignements permettant, le cas échéant, de perpétrer de nouveaux meurtres. Mal à l'aise, Reggie était rapidement sortie prendre un verre avec Clint dans un bar de nuit.

Voilà comment, avec trois heures de sommeil et la perspective d'une nouvelle journée éprouvante pour les nerfs, Reggie buvait son café à petites gorgées, en regardant poindre à l'orient les premières lueurs orangées du jour. Elle songea à Mark, à son arrivée au cabinet, le mercredi matin, à peine quarante-huit heures plus tôt, dégouttant de pluie, terrifié, au récit qu'il avait fait de sa rencontre avec l'homme au couteau. Un homme gros, laid, qui avait agité le couteau sous son nez et lui avait montré un portrait de famille. Elle avait écouté avec horreur le pauvre petit bonhomme parler en frissonnant du couteau à cran d'arrêt. C'était le récit d'un événement effrayant, mais vécu par quelqu'un d'autre, auquel elle n'avait pas été directement mêlée. Le couteau n'avait pas été dirigé vers sa gorge.

Cela s'était passé le mercredi, mais on était vendredi, la même bande de truands venait de faire irruption dans sa vie et les choses devenaient infiniment plus dangereuses. Son jeune client était à l'abri dans une prison confortable, avec une armée de gardiens à sa disposition, alors qu'elle était là, seule, à penser à Bono, Pirini et d'autres peut-être, tapis dans l'obscurité.

Invisible de la maison de Momma Love, une voiture banalisée était garée dans la rue, pas très loin de la grille. Deux agents du FBI montaient la garde, par précaution, avec l'accord de Reggie.

Elle se représenta une chambre d'hôtel à l'atmosphère enfumée, le sol jonché de boîtes de bière vides, les rideaux tirés, un petit groupe de truands mal fagotés, penchés sur une table, au-dessus d'un magnétophone. La voix sur la bande magnétique était la sienne. Elle parlait à des clients, au docteur Levin, à Momma Love, bavardant comme on le fait en privé. Les truands s'ennuyaient à mourir, mais parfois l'un d'eux partait d'un rire gras.

Mark ne se servait jamais des téléphones du cabinet. L'idée d'y placer des micros était ridicule. A l'évidence, ces gens-là étaient persuadés que Mark savait tout sur Boyd Boyette et qu'il serait assez stupide pour en parler au téléphone avec son avocat.

La sonnerie de celui de la cuisine la fit sursauter. Elle regarda sa montre : 6 h 20. Cela ne pouvait qu'annoncer de nouveaux ennuis, personne n'appelait à une heure pareille. Elle rentra, décrocha à la quatrième sonnerie.

– Allô !

C'était Harry Roosevelt.

– Bonjour, Reggie. Désolé de vous réveiller si tôt.

– J'étais réveillée.

– Avez-vous vu le journal ?

– Non, fit-elle, la gorge serrée. Qu'y a-t-il à voir ?

– Un article à la une, avec deux grandes photos de Mark, l'une à sa sortie de l'hôpital, en état d'arrestation, d'après la légende, l'autre à sa sortie du tribunal pour enfants, encadré par deux policiers. L'article est signé par Slick Moeller, qui sait tout sur le déroulement de l'audience. Pour une fois, les faits ne sont pas déformés. Il écrit que Mark a refusé de répondre quand je l'ai interrogé sur Boyette, que je l'ai inculpé d'outrage à magistrat et envoyé en prison. Je suis présenté comme un nouvel Hitler.

– Comment peut-il savoir cela ?

– Il cite des sources anonymes.

Reggie passa rapidement en revue les personnes présentes à l'audience.

– Serait-ce Fink ?

– J'en doute. Il n'aurait rien à gagner à divulguer cela et les risques sont trop grands. Ce doit être quelqu'un qui ne brille pas par l'intelligence.

– C'est pourquoi j'ai pensé à Fink.

– Un choix judicieux, mais je ne pense pas que la fuite vienne du ministère public. Je compte appeler M. Moeller à comparaître devant moi, à midi. J'exigerai qu'il me révèle l'identité de son informateur, sinon je l'enverrai en prison pour outrage à magistrat.

– Merveilleuse idée.

– Cela ne devrait pas être long. L'audience avec Mark se tiendra juste après. D'accord ?

– Bien sûr, Harry. Mais il y a autre chose que vous devez savoir. La nuit fut très agitée.

– J'écoute.

Reggie fit un récit succinct de l'effraction et de l'arrestation de Gronke, insistant sur le fait que Bono et Pirini n'avaient pas été retrouvés.

– Seigneur ! soupira Harry. Ces gens sont fous.

– Et dangereux.

– Avez-vous peur ?

– Bien sûr. Il a pénétré chez moi, Harry, et il est effrayant de savoir que l'on est sous surveillance.

– Reggie, reprit le juge après un long silence, il n'est pas question, dans ces conditions, de mettre Mark en liberté. Du moins pas aujourd'hui. Attendons de voir ce qui se passe ce week-end. Il est beaucoup plus en sécurité là où il se trouve.

– Je suis de cet avis.

– Avez-vous parlé à sa mère ?

– Oui, je l'ai vue hier. Elle a accueilli sans enthousiasme l'idée du programme de protection des témoins. Il faudra sans doute un peu de temps. La pauvre, elle est à bout de nerfs.

– Il faut insister, Reggie. Peut-elle être présente à l'audience d'aujourd'hui ? J'aimerais la voir.

– Je vais essayer.

– A tout à l'heure, Reggie.

Elle se versa encore un peu de café, retourna sur le balcon. Le chat était couché sous le fauteuil à bascule. Les premières lueurs du soleil levant perçaient le feuillage des arbres. Tenant son bol à deux mains, elle replia ses jambes nues sous son peignoir. En humant l'arôme du café, elle pensa à ce journaliste qui lui inspirait un profond mépris. Tout le monde allait maintenant savoir ce qui s'était passé pendant l'audience. A quoi bon ordonner le huis clos ? Son client était devenu encore plus vulnérable. Il était devenu évident qu'il avait appris quelque chose qu'il n'aurait jamais dû savoir. Sinon, pourquoi n'avait-il pas voulu répondre au juge, quand il lui avait intimé de parler ?

Le danger s'accroissait d'heure en heure. Et elle, Mᵉ Reggie Love, l'avocate, était censée connaître les réponses et donner le bon conseil. Que dire quand Mark lèverait vers elle ses yeux bleus effrayés et demanderait ce qu'il fallait faire ? Comment pouvait-elle le savoir ?

Ils étaient sur sa piste, à elle aussi.

Doreen réveilla Mark de bonne heure. Elle avait préparé des muffins aux airelles. Elle en grignota un en observant l'enfant avec une profonde inquiétude. Assis dans un fauteuil, il tenait un muffin auquel il n'avait pas touché et gardait la tête baissée, le regard fixé sur le sol. Il leva lentement le petit pain, prit une petite bouchée, le reposa sur ses genoux. Doreen ne perdit pas un seul de ses gestes.

Mark hocha pensivement la tête.

– Tout va bien, articula-t-il d'une voix rauque.

Doreen lui caressa le genou, puis l'épaule. Elle avait les yeux plissés et était très émue.

– Je reste ici toute la journée, fit-elle en se levant, pour se diriger vers la porte. Je passerai te voir.

Mark ne réagit pas. Il prit une autre bouchée du muffin. Dès qu'il entendit le claquement de la porte, suivi du cliquetis des clés, il fourra le reste du petit pain dans sa bouche et tendit le bras pour en prendre un autre.

Il alluma la télévision. Vingt minutes plus tard, Doreen était de retour.

– Viens avec moi, Mark, dit-elle. Tu as une visite.

Il retrouva aussitôt son immobilité, l'air absent, dans un autre monde. Il se tourna vers la porte, avec des gestes lents.

– Qui ? fit-il d'une voix éteinte.

– Ton avocat.

Il se leva, suivit Doreen dans le couloir.

– Es-tu sûr que tu te sens bien ? demanda-t-elle, en s'accroupissant devant lui.

Mark hocha la tête, ils se remirent en marche.

Reggie attendait dans une petite salle, à l'étage inférieur. Elle échangea des politesses avec Doreen, comme deux vieilles connaissances, puis la gardienne se retira. Mark et Reggie prirent place à une petite table ronde, l'un en face de l'autre.

– On est copains ? demanda-t-elle en souriant.

– Oui. Désolé pour ce qui s'est passé hier.

– Tu n'as pas à t'excuser, Mark. Je comprends, tu sais. As-tu bien dormi ?

– Oui, bien mieux qu'à l'hôpital.

– Doreen dit qu'elle s'inquiète à ton sujet.

– Ça va. Je suis moins à plaindre qu'elle.

– Très bien.

Reggie prit un journal dans sa serviette, l'étala sur la table. Mark lut attentivement l'article à la première page.

– Tu as fait la une trois jours de suite, fit Reggie, en esquissant un sourire rassurant.

– Ça devient une habitude. Je croyais que l'audience était à huis clos.

– En principe, oui. Le juge Roosevelt m'a appelée ce matin, très tôt. Cet article l'a mis en rogne. Il va faire comparaître le journaliste et le mettre sur la sellette.

– Il est trop tard, Reggie. Nous avons l'article sous le nez, tout le monde peut le lire. J'en sais trop long, cela saute aux yeux.

– C'est vrai.

Reggie lui laissa le temps de relire l'article et d'étudier les deux photos.

– As-tu parlé à ta mère ? demanda-t-elle.

– Oui, hier après-midi. Elle avait l'air fatiguée.

– Elle est épuisée, mais elle s'accroche. Je l'ai vue avant ton coup de téléphone. Ricky a passé une mauvaise journée.

– Oui, grâce à ces crétins de flics. On devrait leur faire un procès.

– Plus tard, peut-être. Il y a autre chose dont nous devons parler. Hier, après ton départ, le juge Roosevelt a réuni les avocats et les hommes du FBI. Il veut vous intégrer tous les trois dans le programme fédéral de protection des témoins. Il pense que c'est la meilleure solution et je partage son avis.

– Qu'est-ce que c'est ?

– Le FBI vous emmènera dans une autre ville, une destination secrète, loin d'ici, où vous aurez une nouvelle identité, une nouvelle école, et tout. Ta mère aura un nouveau travail, qui lui rapportera beaucoup plus de six dollars de l'heure. Au bout de quelques années, ils vous feront peut-être déménager de nouveau, par précaution. Ricky sera admis dans un bien meilleur hôpital, jusqu'à ce qu'il aille mieux. Tous les frais seront bien entendu à la charge du gouvernement.

– J'aurai un nouveau vélo ?

– Bien sûr.

– C'était pour rire. J'ai vu ça, un jour, dans un film sur la mafia. Un informateur avait déballé tout ce qu'il savait et le FBI l'avait aidé à disparaître. Il avait changé de tête. On lui avait même trouvé une nouvelle femme. Il avait été expédié au Brésil, ou quelque chose comme ça.

– Et alors ?

– Il leur a fallu un an pour retrouver sa trace. Ils ont tué la nouvelle femme aussi.

– Ce n'est qu'un film, Mark. Tu n'as pas vraiment le choix, tu sais. C'est la solution la plus sûre.

– Bien entendu, il faudra que je leur raconte tout avant qu'ils ne fassent tout ça pour nous.

– Cela fait partie du marché.

– La mafia n'oublie jamais, Reggie.

– Tu as vu trop de films, Mark.

– Peut-être. Je voudrais savoir si le FBI a déjà perdu des témoins.

La réponse était oui, mais elle ne pouvait citer un exemple précis.

– Je ne sais pas, mais, quand nous les rencontrerons, tu pourras poser toutes les questions que tu veux.

– Et si je n'ai pas envie de les rencontrer ? Si je préfère rester dans ma petite cellule jusqu'à ce que j'aie vingt ans et que le juge Roosevelt meure de vieillesse ? Je serai libre, à ce moment-là ?

– Tu as pensé à ta mère et à Ricky ? Que deviendront-ils quand ton frère sortira de l'hôpital et qu'ils ne sauront pas où aller ?

– Ils pourront venir avec moi. Doreen s'occupera de nous.

Décidément, il avait de la repartie, pour un gosse de onze ans. Elle le considéra un moment en silence, lui sourit. Il lui lança un regard noir.

– As-tu confiance en moi, Mark ?

– Oui, Reggie, j'ai confiance en vous. Vous êtes, en ce moment, la seule personne au monde en qui j'ai confiance. Alors, aidez-moi.

– Dans tous les cas, ce ne sera pas facile.

– Je sais.

– Ta sécurité est la seule chose qui m'importe. La tienne et celle de ta famille. Le juge Roosevelt pense comme moi. Mais il va falloir quelques jours pour mettre au point les détails. Le juge a chargé le FBI de se mettre immédiatement au travail, et je pense que c'est la meilleure solution.

– Avez-vous discuté avec ma mère ?

– Oui. Elle veut en reparler, mais je crois que l'idée lui a plu.

– Mais comment être sûr que ça marchera ? C'est vraiment sans risque ?

– Il y a toujours des risques, Mark. On ne peut rien garantir.

– C'est parfait. Ils nous retrouveront peut-être, mais ce n'est pas sûr. Voilà qui rendra la vie excitante.

– As-tu une meilleure idée ?

– Oui, très simple. Nous touchons l'argent de l'assurance pour l'incendie, nous trouvons un autre mobile home, je garde le silence et nous vivons heureux. Je m'en fiche qu'ils retrouvent ce corps ou non, Reggie. Je n'en ai rien à faire.

– Je le regrette, Mark, mais ça ne se passera pas de cette manière.

– Pourquoi ?

– Tu n'as pas eu de chance, c'est tout. Il se trouve que tu détiens des renseignements très importants, et on ne te laissera pas en paix avant que n'aies décidé de parler.

– Et après, je risquerai de me faire tuer.

– Je ne crois pas, Mark.

Il croisa les bras et ferma les yeux. Il avait sur la pommette gauche une petite ecchymose qui virait au brun. On était vendredi, Clifford l'avait giflé le lundi. Même si cela semblait remonter à plusieurs semaines, ce bleu rappela à Reggie que les choses allaient beaucoup trop vite. La marque du coup était encore visible.

– Où irions-nous ? poursuivit doucement Mark, sans rouvrir les yeux.

– Loin. M. Lewis, du FBI, a mentionné un hôpital psychiatrique à Portland, l'un des meilleurs du pays, d'après lui. Ricky y sera admis et ne manquera de rien.

– Ils ne pourront pas nous suivre ?

– Ce sera l'affaire du FBI.

– Pourquoi faites-vous confiance au FBI d'un seul coup ? fit-il, l'air soupçonneux.

– Parce qu'il n'y a personne d'autre à qui faire confiance.

– Combien de temps tout cela prendra-t-il ?

– Il y a deux problèmes. Le premier concerne les papiers à établir et les détails à régler. Lewis affirme qu'une semaine suffira. Le second problème, c'est Ricky. Il faudra peut-être attendre quelques jours avant que le docteur Greenway ne lui donne l'autorisation de sortir.

– Je vais donc rester une semaine en prison ?

– J'en ai bien l'impression. Je suis navrée.

– Ce n'est pas grave, Reggie, je ne suis pas si mal ici. En fait, je pourrais y rester un certain temps, si on me fichait la paix.

– On ne te fichera pas la paix.

– Il faut que je parle à ma mère.

– Elle assistera peut-être à l'audience aujourd'hui. Le juge Roosevelt le lui a demandé. J'ai dans l'idée qu'il veut s'entretenir avec elle et les agents du FBI du programme de protection des témoins.

– Si je dois rester en prison, à quoi sert cette audience ?

– Dans une affaire d'outrage à magistrat, le juge est tenu de te faire comparaître périodiquement, pour te permettre de te disculper. En d'autres termes, pour que tu fasses ce qu'il t'a demandé.

– La loi est débile, vous ne trouvez pas ?

– Si, bien souvent.

– Il m'est venu une drôle d'idée, hier soir, en essayant de m'endormir. Et si le corps ne se trouvait pas où Clifford m'a dit qu'il était ? Ce type avait pété les plombs et racontait n'importe quoi. Avez-vous pensé à ça, Reggie ?

– Oui, très souvent.

– Si tout cela n'était qu'une vaste blague ?

– Nous ne pouvons courir ce risque, Mark.

Il se frotta les yeux, écarta sa chaise de la table et commença à aller et venir dans la petite pièce, soudain très agité.

– Alors, on fait nos bagages et on change de vie, c'est bien ça ? C'est facile pour vous de nous le proposer. Ce n'est pas vous qui ferez les cauchemars. Vous continuerez votre vie, comme si rien ne s'était passé. Avec Clint, avec Momma Love, dans votre petit cabinet, avec des tas de nouveaux clients. Pas nous. La peur ne nous quittera jamais, jusqu'à la fin de nos jours.

– Je ne pense pas.

– Vous ne pouvez pas le savoir, Reggie. Facile, quand on ne risque rien, d'affirmer aux autres que tout se passera bien pour eux. Ce n'est pas votre peau qui est en jeu.

– Tu n'as pas le choix, Mark.

– Si, j'ai le choix. Je peux toujours mentir.

Ce n'était qu'une demande en ajournement, une escarmouche d'usage, assez ennuyeuse, en règle générale, mais rien ne pouvait être ennuyeux quand Barry Muldanno était l'accusé et Willis Upchurch son défenseur. En y ajoutant l'ego hypertrophié de Roy Foltrigg et le talent de manipulateur médiatique de Wally Boxx, cette petite audience parfaitement anodine prenait des allures d'exécution. La salle d'audience de l'honorable James Lamond était bourrée de curieux, de journalistes et d'une cohorte d'avocats envieux. Ils s'entretenaient avec gravité, sans cesser de se tourner vers les représentants de la presse.

Derrière la barrière séparant les acteurs des spectateurs, au centre d'un petit cercle d'assistants, Foltrigg parlait à voix basse, le sourcil froncé, comme s'il préparait une invasion. Il s'était mis sur son trente et un : complet sombre trois pièces, chemise blanche, cravate de soie rouge et bleu, coiffure impeccable, chaussures miroitantes. Il faisait face à l'assistance, mais était évidemment trop préoccupé pour remarquer qui que ce fût. De l'autre côté, tout de noir vêtu, la queue-de-cheval s'arrêtant juste au bas du col, Muldanno, le dos tourné aux spectateurs, faisait comme s'il ne voyait personne. Au bout de la table de la défense, face à la presse, lui aussi, Willis Upchurch était plongé dans une conversation fort animée avec un assistant. Si la chose était possible, Upchurch aimait encore plus que Foltrigg concentrer sur sa personne l'attention de la presse.

Muldanno n'était pas encore au courant de l'arrestation de Nance, huit heures plus tôt. Il ne savait pas que Cal Sisson avait vidé son sac. Il n'avait pas de nouvelles de Bono et Pirini, et avait renvoyé Gronke à Memphis dans l'ignorance totale des événements de la nuit.

Foltrigg, de son côté, était plus que satisfait. Avec l'enregistrement obtenu grâce au micro caché dans la salière, il lancerait, dès le lundi matin, une inculpation contre Muldanno et Gronke pour entrave à l'action de la justice. Leur condamnation ne poserait aucun problème. C'était dans la poche. Muldanno risquait cinq ans.

Mais Roy n'avait toujours pas le corps. Faire juger Barry la Lame pour entrave à l'action de la justice n'aurait certes pas le même retentissement qu'un procès en cour d'assises, avec photos sur papier glacé du cadavre décomposé et rapports des médecins légistes sur les trajectoires des balles. Un procès en cour d'assises s'étendrait sur plusieurs semaines, Roy brillerait tous les soirs de mille feux sur les plateaux de télévision. Il s'y voyait déjà.

Il enverrait Fink à Memphis dans la matinée, avec les citations devant le grand jury, à remettre au gamin et à son avocate. Cela ferait bien avancer les choses. Mark serait obligé de se mettre à table dès le lundi après-midi et, avec un peu de chance, les restes de Boyette pourraient être exhumés le lundi soir. Foltrigg était resté au bureau jusqu'à 3 heures du matin, tournant et retournant cette idée dans sa tête. Il s'avança d'un air important vers le bureau du greffier, sans raison particulière, revint à sa place, en lançant au passage un regard féroce à Muldanno qui ne lui accorda pas la moindre attention.

Un huissier se planta devant l'estrade, ordonna à tout le monde de s'asseoir. La séance était ouverte, sous la présidence de l'honorable James Lamond. Le juge entra par une porte latérale, escorté par un assesseur portant une lourde pile de dossiers. Jeune quinquagénaire, Lamond était un gamin parmi les juges fédéraux, le type même de la foule des magistrats nommés par Reagan. Il avait précédé Roy Foltrigg au poste de procureur des États-Unis pour le district sud de la Louisiane et détestait son successeur autant que n'importe qui. Six mois après son entrée en fonction, Foltrigg avait entrepris une tournée de son district pour présenter des diagrammes et des graphiques aux membres du Rotary et du Civitan Club, et affirmer, statistiques à l'appui, que l'efficacité de ses services était sensiblement accrue par rapport aux années précédentes. Les intérêts de la société étaient farouchement défendus depuis que lui, Roy Foltrigg, occupait le poste de procureur fédéral du district.

C'était une initiative parfaitement stupide, un affront pour Lamond, qui provoqua la colère des autres magistrats. Foltrigg commençait à leur échauffer les oreilles.

Lamond fit du regard le tour de la salle d'audience bourrée à craquer. Tout le monde était assis.

– Je me réjouis de l'intérêt suscité par cette audience, commença-t-il, mais il s'agit d'examiner une simple demande en ajournement.

Il lança un regard peu amène à Foltrigg, trônant au milieu de six assistants. Upchurch était encadré par deux avocats locaux et avait deux assistants derrière lui.

– La cour est prête à examiner la demande en ajournement de l'accusé, Barry Muldanno. La cour rappelle que cette affaire doit être jugée dans trois semaines. Monsieur Upchurch, vous avez déposé cette demande, je vous laisse la parole. Soyez bref, je vous prie.

A la surprise générale, Upchurch fut bref. Il exposa simplement ce qui était de notoriété publique sur Jerome Clifford et expliqua à la cour qu'un autre procès auquel il participait s'ouvrait le même jour devant le tribunal fédéral de Saint Louis. Il était détendu, parlait avec aisance dans cette salle où il mettait les pieds pour la première fois. Il expliqua, avec une grande clarté, qu'un ajournement était indispensable, pour lui laisser le temps de préparer son système de défense dans un procès qui, à n'en pas douter, serait particulièrement long. Il ne garda pas la parole plus de dix minutes.

– De combien de temps souhaiteriez-vous disposer? demanda Lamond.

– J'ai un emploi du temps très chargé, Votre Honneur, que je me ferais un plaisir de vous montrer. En toute justice, six mois me paraissent un délai raisonnable.

– Je vous remercie. Avez-vous quelque chose à ajouter ?

– Non, Votre Honneur, merci.

Upchurch se rassit, tandis que Foltrigg se levait pour s'avancer vers l'estrade. Il regarda ses notes et s'apprêta à prendre la parole. Lamond le devança.

– Vous ne contesterez pas, monsieur Foltrigg, que la défense, compte tenu des circonstances, est en droit de réclamer un renvoi.

– Non, Votre Honneur, je ne le conteste pas. Mais je pense qu'un délai de six mois est beaucoup trop long.

– Que proposeriez-vous ?

– Un ou deux mois. Comprenez, Votre Honneur...

– Je n'ai pas l'intention, monsieur Foltrigg, de vous écouter marchander sur la durée de ce délai. Si vous reconnaissez que l'accusé a droit à un délai, je vais mettre cette affaire au rôle et fixer la date du procès.

Lamond savait que Foltrigg avait encore plus besoin de temps que Muldanno. Mais le procureur ne pouvait demander un renvoi. L'accusation doit toujours prendre l'initiative des opérations. Le ministère public ne cherche jamais à gagner du temps.

– Oui, Votre Honneur, acquiesça Foltrigg d'une voix ferme. Mais notre position est qu'il convient d'éviter des délais inutiles. Cette affaire a déjà assez traîné.

– Seriez-vous en train d'insinuer que la cour traîne les pieds, monsieur Foltrigg ?

– La cour, non, Votre Honneur, mais l'accusé, oui. Il a déposé les requêtes les plus futiles dont notre jurisprudence a eu connaissance, afin de retarder la procédure. Il a essayé toutes les tactiques, tous...

– M. Clifford est mort, monsieur Foltrigg. Il ne peut donc plus déposer de motions. Le défendeur a pris un nouvel avocat qui, à ma connaissance, n'en a déposé qu'une seule à ce jour.

Foltrigg baissa le nez sur ses notes, en rongeant son frein. Il ne s'attendait pas à avoir gain de cause, mais n'avait certes pas imaginé se faire gifler de la sorte.

– Avez-vous quelque chose de pertinent à ajouter ? reprit le juge, comme si Foltrigg n'avait pas encore abordé l'essentiel.

Il ramassa ses notes et regagna sa place d'un pas rageur. Piètre prestation. Il aurait dû envoyer un de ses subordonnés.

– Autre chose, monsieur Upchurch ? demanda Lamond.

– Non, Votre Honneur.

– Très bien. Merci à tous pour l'intérêt que vous portez à cette affaire. Je regrette que cela ait été si court, nous essaierons de faire mieux la prochaine fois. Une ordonnance vous fera connaître la nouvelle date du procès.

Lamond se leva et sortit. L'audience n'avait duré que quelques minutes. Les journalistes quittèrent la salle à la file, suivis par Foltrigg et Upchurch qui prirent des directions opposées dans le couloir où ils tinrent, chacun de son côté, une conférence de presse impromptue.

29

Slick Moeller avait écrit des articles sur des émeutes, des viols et des passages à tabac dans les prisons, il s'était tenu du bon côté de la porte et des barreaux d'une cellule, mais jamais il ne s'était trouvé – physiquement – à l'intérieur. Cette pensée le taraudait, mais il parvenait à garder son flegme et à projeter l'aura du reporter sûr de lui, protégé par le premier amendement garantissant la liberté de la presse. Il était flanqué de deux avocats d'un gros cabinet chargé depuis plusieurs décennies de la défense du *Memphis Press*. Ils l'avaient assuré une douzaine de fois en deux heures qu'il n'avait rien à craindre de la Constitution des États-Unis et que, dans ce cas précis, il lui serait loisible de s'abriter derrière elle. Slick portait un jean, une veste de safari et des chaussures de randonnée, la panoplie du parfait bourlingueur.

Harry n'était pas plus impressionné par l'aura du fouineur professionnel que par les deux avocats tirés à quatre épingles qui mettaient les pieds pour la première fois dans sa salle d'audience. Harry était extrêmement contrarié. Il relut pour la dixième fois l'article de Moeller publié le matin. Il passa aussi en revue les affaires où le premier amendement avait été appliqué à un journaliste et à la confidentialité de ses sources. Il prit son temps, pour faire mariner Slick.

Les portes étaient fermées. Grinder, l'ami du journaliste, debout devant le juge, montrait une certaine nervosité. Conformément aux instructions du magistrat, deux agents en uniforme avaient pris place juste derrière Moeller et ses défenseurs. Ils semblaient prêts à passer à l'action. Cela inquiétait Slick et ses avocats, qui s'efforçaient de n'en rien laisser paraître.

La jeune greffière de la veille, portant une jupe encore plus courte, se limait les ongles en attendant de prendre en sténo tout ce qui serait consigné au procès-verbal. La femme grincheuse d'âge mûr, assise à sa table, feuilletait un journal à sensation. L'attente s'éternisait. Il était près de 12 h 30. Comme d'habitude, le rôle des causes était surchargé et ils avaient déjà pris du retard. Marcia avait préparé un club sandwich, qu'elle apporterait à Harry entre deux audiences. La suivante serait celle de l'affaire Sway.

Harry Roosevelt s'appuya sur les coudes pour considérer Slick qui, avec ses soixante kilos, ne pesait guère plus du tiers du poids du magistrat.

– Pour le procès-verbal ! aboya-t-il, à l'adresse de la greffière qui se mit aussitôt à pianoter sur son clavier.

Malgré le calme qu'il affectait, Slick fut surpris par cette entrée en matière. Il se redressa dans son fauteuil.

– Monsieur Moeller, commença le juge, je vous ai assigné à comparaître car vous avez violé un article du code du Tennessee concernant la confidentialité des débats de cette cour. L'affaire est très grave, il s'agit de la sécurité et du bien-être d'un jeune garçon. La loi, je le déplore, ne prévoit pas de peine criminelle, seulement l'outrage à magistrat.

Harry enleva ses lunettes et entreprit de les essuyer avec un mouchoir.

– Monsieur Moeller, poursuivit-il, aussi furieux que je sois contre votre personne et votre article, je suis infiniment plus préoccupé par le fait que quelqu'un vous a divulgué ce qui devait rester confidentiel. Quelqu'un qui se trouvait hier dans cette salle d'audience. L'identité de votre informateur m'intéresse au plus haut point.

Grinder s'adossa au mur, y appuya ses mollets pour empêcher ses genoux de trembler. Il était incapable de regarder Slick. Son premier infarctus remontait à six ans et, s'il ne parvenait pas à maîtriser ses émotions, son cœur allait définitivement lâcher.

– Veuillez prendre place à la barre des témoins, monsieur Moeller, ordonna Harry, avec un grand geste de la main. Je vous en prie.

La vieille grincheuse lui fit prêter serment. Il croisa les jambes, plaça une chaussure de randonnée sur l'autre genou, se tourna vers ses défenseurs pour se rassurer. Ils regardaient ailleurs. Grinder avait les yeux levés au plafond.

– Vous témoignez sous serment, monsieur Moeller, rappela Harry, quelques secondes après la prestation de serment.

– Oui, Votre Honneur, articula-t-il, en s'efforçant de sourire au magistrat qui le considérait du haut de son estrade.

– Avez-vous personnellement rédigé l'article publié aujourd'hui sous votre signature ?

– Oui.

– L'avez-vous écrit seul, ou vous êtes-vous fait aider par quelqu'un ?

– Je l'ai écrit du premier au dernier mot, Votre Honneur, si c'est le sens de votre question.

– Exactement. Dans le quatrième paragraphe de cet article, vous écrivez, je cite : « Mark Sway a refusé de répondre aux questions sur Barry Muldanno et Boyd Boyette. » Fin de citation. Avez-vous écrit cela, monsieur Moeller ?

– Oui.

– Étiez-vous présent, hier, à l'audience au cours de laquelle l'enfant a déposé ?

– Non.

– Étiez-vous dans l'enceinte du tribunal ?

– Euh... oui, Votre Honneur, j'étais là. Cela n'a rien de répréhensible, j'espère ?

– Silence, monsieur Moeller. Je pose les questions et vous y répondez. Comprenez-vous ?

– Oui, Votre Honneur.

Slick lança un regard implorant vers ses avocats, mais ils étaient tous deux plongés dans la lecture d'un document. Il se sentit abandonné.

– Vous n'étiez donc pas présent. Expliquez-moi donc comment vous avez appris que l'enfant refusait de répondre à mes questions sur Barry Muldanno et le sénateur Boyette.

– J'avais une source.

Grinder ne s'était jamais considéré comme une source. Il n'était qu'un huissier audiencier, mal payé, étranglé par les factures. Il allait être poursuivi en justice pour utilisation abusive de la carte de crédit de sa femme. Il aurait voulu s'éponger le front, mais redoutait de se faire remarquer.

– Une source, répéta Harry, parodiant le journaliste. Bien sûr que vous aviez une source, monsieur Moeller, cela ne m'a pas échappé. Puisque vous n'étiez pas présent, quelqu'un vous a parlé. Vous aviez donc une source. Je vous demande maintenant l'identité de cette source.

Le plus grisonnant des deux avocats se leva vivement. Il portait la tenue standard des juristes des gros cabinets : complet anthracite, chemise blanche à col boutonné, cravate rouge, barrée d'une bande jaune vif, chaussures noires. Il s'appelait Alliphant, était associé, évitait en général de courir les prétoires.

– Permettez, Votre Honneur.

Harry fit la grimace, détacha lentement les yeux du témoin et considéra Alliphant d'un regard implacable, la bouche ouverte, comme scandalisé par tant de témérité.

— Permettez, Votre Honneur, répéta l'avocat.

Harry le fit patienter une éternité avant de répondre.

— Vous n'êtes jamais venu dans ma salle d'audience, n'est-ce pas, monsieur Alliphant ?

— Non, Votre Honneur, répondit l'avocat, toujours debout.

— Il me semblait bien. Ce n'est pas un endroit dont vous devez raffoler. Combien d'avocats êtes-vous dans votre cabinet, monsieur Alliphant ?

— Cent sept, la dernière fois que nous avons compté.

Harry émit un petit sifflement en hochant la tête.

— Une armée d'avocats, fit-il. Certains d'entre eux plaident-ils au tribunal pour enfants ?

— Certainement, Votre Honneur.

— Lesquels ?

Alliphant fourra une main dans sa poche et fit courir l'index de l'autre sur la tranche de son bloc de bureau. Sa place n'était pas dans cette salle. Son univers professionnel était celui des conseils d'administration, des dossiers volumineux, des confortables avances sur honoraires et des déjeuners fins. Il était riche, parce qu'il facturait ses clients trois cents dollars de l'heure et que trente associés faisaient la même chose. Son cabinet était prospère, parce que les soixante-dix collaborateurs touchaient un salaire annuel de cinquante mille dollars et qu'on leur demandait d'en facturer le quintuple. Il était venu officiellement en qualité de chef du service juridique du quotidien, en réalité, parce que personne du contentieux n'avait pu se libérer pour une audience dont ils avaient été avisés deux heures à l'avance.

Harry n'avait que mépris pour l'individu, son cabinet et toute cette engeance. Il n'avait aucune confiance en ces juristes des grosses firmes. Ils étaient arrogants, avaient peur de se salir les mains.

— Asseyez-vous, monsieur Alliphant, ordonna Harry, le doigt tendu. On ne reste pas debout dans ma salle d'audience. Assis !

Alliphant reprit gauchement son siège.

— Que vouliez-vous dire, monsieur Alliphant ?

— Eh bien, Votre Honneur, nous protestons contre ces questions et nous protestons contre l'interrogatoire conduit par la cour, en invoquant, pour l'article de M. Moeller, la liberté d'expression garantie par le premier amendement de notre constitution.

— Avez-vous lu, monsieur Alliphant, coupa Harry, l'article du Code traitant du huis clos dans les affaires de mineurs ? Oui, sans doute.

— En effet, je l'ai lu. Très franchement, Votre Honneur, cet article me pose des problèmes.

— Vraiment ? Poursuivez, je vous prie.

– A mon avis, cet article du Code, tel qu'il est rédigé, est inconstitutionnel. J'ai ici quelques exemples, venant d'autres...

– Inconstitutionnel ? fit Harry, les sourcils en accent circonflexe.

– Oui, Votre Honneur, répondit Alliphant d'une voix ferme.

– Savez-vous qui a rédigé cet article du Code, monsieur Alliphant ?

L'avocat se tourna son collaborateur, comme s'il était censé tout savoir. Le confrère secoua la tête.

– C'est moi qui l'ai rédigé, monsieur Alliphant, lança Harry d'une voix de stentor. Moi-même, en personne. Votre serviteur. Et si vous connaissiez tant soit peu la législation des mineurs dans cet État, vous sauriez que je suis le spécialiste, puisque c'est moi qui l'ai faite. Qu'avez-vous à dire à cela ?

Slick s'enfonça dans son fauteuil. Il avait couvert des centaines de procès, il avait vu des avocats se faire démolir par des juges en colère, il savait que leur client en faisait en général les frais.

– Je prétends, Votre Honneur, répondit courageusement Alliphant, qu'il est inconstitutionnel.

– Sachez, monsieur Alliphant, que je n'ai aucunement l'intention de me laisser embarquer dans une interminable et oiseuse discussion sur le premier amendement. Si la loi ne vous plaît pas, vous n'avez qu'à interjeter appel pour la faire changer. Sincèrement, je n'y vois pas d'inconvénient. Mais, dans l'immédiat, l'heure du déjeuner est bientôt passée et je veux que votre client réponde à ma question.

Il se retourna vers Slick, qui attendait, terrifié.

– Alors, monsieur Moeller, qui était votre source ?

Grinder réprima un haut-le-cœur. Il glissa les pouces sous son ceinturon, pour appuyer sur son estomac. Moeller avait la réputation d'un homme de parole, qui ne trahissait jamais ses sources.

– Je ne puis révéler son identité, déclara le journaliste d'un air très théâtral, tel un martyr prêt à souffrir la mort.

Grinder respira. Jamais parole n'avait été plus douce à son oreille.

Harry fit immédiatement signe aux deux agents.

– Je vous inculpe d'outrage à magistrat, monsieur Moeller, et je vous fais incarcérer.

Slick jeta autour de lui un regard égaré, cherchant désespérément de l'aide.

– Votre Honneur ! lança Alliphant, se levant sans réfléchir. Nous protestons ! Vous ne pouvez pas...

Harry ne lui accorda pas un regard.

– Conduisez-le à la prison municipale, ordonna-t-il. Pas de traitement de faveur. Il comparaîtra lundi pour une nouvelle audience.

Les gendarmes firent lever Slick, lui passèrent les menottes.

— Faites quelque chose ! hurla le journaliste à Alliphant.

— C'est une atteinte à la liberté d'expression, Votre Honneur ! Vous ne pouvez pas faire ça !

— Vous voyez bien que si, monsieur Alliphant, rugit Harry. Et, si vous ne vous asseyez pas immédiatement, je vous flanque dans la même cellule que votre client.

Alliphant se laissa tomber dans son siège.

Slick fut entraîné vers la porte. Au moment où il allait sortir, Harry s'adressa à lui une dernière fois.

— Si je lis dans votre journal, monsieur Moeller, un seul mot de votre plume, écrit pendant votre séjour en prison, je vous y laisserai croupir un mois avant de vous revoir. C'est compris ?

Le journaliste était incapable d'articuler un mot.

— Nous allons faire appel, Slick, promit Alliphant, au moment où on poussait Moeller dans le couloir. Nous allons faire appel...

Assise sur une lourde chaise en bois, Dianne Sway serrait son fils aîné contre elle, en regardant la lumière du jour filtrer à travers les stores poussiéreux et cassés de la salle des témoins B. Ils avaient séché leurs larmes, les mots ne leur venaient plus.

Après cinq jours et quatre nuits de réclusion dans le service de psychiatrie, Dianne avait d'abord été heureuse de quitter l'hôpital. Mais le bonheur ne lui venait plus que par petites bouffées et elle avait maintenant envie de retourner au chevet de Ricky. Elle avait vu Mark, elle l'avait pris dans ses bras, avait pleuré avec lui, elle savait qu'il était en sécurité. Vu l'état des choses, une mère ne pouvait guère demander plus.

Elle ne se fiait plus ni à son instinct ni à son jugement. Cinq jours de claustration font perdre le sens de la réalité. L'interminable succession de chocs l'avait laissée épuisée, comme assommée. Les médicaments – des pilules pour dormir, des pilules pour rester éveillée, des pilules pour supporter ces moments difficiles – lui avaient engourdi l'esprit, de sorte qu'elle percevait la vie comme une suite d'instantanés. Le cerveau fonctionnait, mais au ralenti.

— Ils veulent que nous allions à Portland, dit-elle, en caressant le bras de Mark.

— Reggie t'en a parlé ?

— Oui, nous avons eu une longue conversation hier. Il y a un bon hôpital pour Ricky et nous pourrions tout recommencer.

— Ça paraît bien, mais ça me fiche la trouille.

— A moi aussi, Mark. Je ne veux pas passer les quarante ans qui me restent à trembler pour ma vie. J'ai lu un jour, dans une revue, l'histoire d'un indicateur qui avait renseigné le FBI sur la mafia et demandé sa protection. Comme pour nous, tu vois. Je crois qu'il a fallu deux ans à la mafia pour le retrouver. Ils l'ont fait sauter dans sa voiture.

– J'ai dû voir ce film.

– Je ne pourrai pas vivre comme ça, Mark.

– Est-ce qu'on aura un nouveau mobile home ?

– C'est possible. J'ai vu M. Tucker ce matin, il m'a dit que l'ancien était très bien assuré et qu'il en avait un autre pour nous. Et puis, j'ai encore mon boulot. A propos, ils m'ont fait porter un chèque à l'hôpital.

L'idée de retourner au lotissement et de retrouver les copains arracha un sourire à Mark. Même l'école lui manquait.

– Ces gens ne reculeront devant rien, Mark.

– Je sais. J'en ai rencontré un.

– Qu'est-ce que tu dis ? fit-elle après un instant de silence.

– Encore une chose dont j'ai oublié de te parler.

– J'aimerais que tu le fasses maintenant.

– Cela s'est passé avant-hier à l'hôpital. Je ne sais plus quel jour, tout va si vite.

Mark prit une longue inspiration et raconta sa rencontre avec l'homme au cran d'arrêt. Une mère aurait dû être bouleversée par ce récit. Pour Dianne, ce ne fut pourtant qu'un épisode de plus dans cette semaine cauchemardesque.

– Pourquoi ne m'en as-tu pas parlé ? demanda-t-elle.

– Je ne voulais pas que tu t'inquiètes.

– Tu sais, Mark, si tu m'avais tout dit franchement, nous ne serions peut-être pas dans cette situation.

– Ne t'y mets pas, toi aussi, maman. Je ne pourrais pas le supporter.

Comme elle ne pouvait pas non plus, elle en resta là. On frappa à la porte, Reggie entra.

– Il faut y aller, dit-elle. Le juge attend.

Ils la suivirent dans le couloir, deux agents sur leurs talons.

– Tu as peur ? murmura Dianne.

– Non, maman, répondit Mark, ce n'est pas terrible.

Quand ils entrèrent dans la salle d'audience, Harry mastiquait son sandwich en parcourant un dossier. Fink, Ord et Baxter McLemore, le substitut du ministère public, étaient assis à la même table, silencieux, résignés. Ils s'ennuyaient en attendant ce qui, à n'en pas douter, ne serait qu'une courte apparition de l'enfant. Fink et Ord étaient fascinés par la jupe et les jambes de la greffière. Elle avait une silhouette indécente : taille de guêpe, poitrine plantureuse, jambes fines. Elle rachetait, par sa seule présence, ce que la salle d'audience avait de ringard. Fink avait pensé à elle, la veille, dans l'avion qui l'emmenait vers La Nouvelle-Orléans. Il avait aussi pensé à elle dans l'avion qui le ramenait à Memphis. Et il n'était pas déçu. La jupe à mi-cuisses remontait insensiblement.

Harry adressa à Dianne son plus beau sourire. Dents éclatantes, œil pétillant.

– Bonjour, madame Sway, fit-il d'une voix douce.

Elle inclina la tête et s'efforça de sourire.

– C'est un plaisir de faire votre connaissance. Je regrette que ce soit dans ces circonstances.

– Merci, Votre Honneur, murmura-t-elle à l'homme qui avait envoyé son fils en prison.

– Je suppose, reprit le magistrat avec un regard de mépris pour Fink, que tout le monde a lu le *Memphis Press* de ce matin. On y trouve un article passionnant sur notre audience d'hier. L'auteur de cet article est sous les verrous. J'ai l'intention de poursuivre mon enquête et je suis persuadé de découvrir l'auteur de la fuite.

Grinder, qui se tenait près de la porte, sentit ses genoux se dérober sous lui.

– Quand ce sera fait, je l'inculperai d'outrage à magistrat. En conséquence, mesdames et messieurs, je vous demande de tenir votre langue. Pas un mot à quiconque. Et maintenant, monsieur Fink, poursuivit-il en prenant le dossier, où est M. Foltrigg ?

– A La Nouvelle-Orléans, Votre Honneur, répondit Fink, raide dans son fauteuil. J'ai une copie de la convocation, comme vous l'avez demandé.

– Très bien. Je vous crois sur parole. Madame la greffière, faites prêter serment au témoin.

La femme à la mine revêche leva la main très haut et s'adressa d'une voix forte à Mark, encadré par Reggie et Dianne.

– Levez la main droite !

Mark se leva gauchement et prêta serment.

– Tu peux rester assis, Mark, reprit Harry. Je vais te poser quelques questions. D'accord ?

– Oui, monsieur.

– Avant sa mort, M. Clifford t'a-t-il parlé d'un certain Barry Muldanno ?

– Je refuse de répondre.

– M. Clifford a-t-il prononcé le nom de Boyd Boyette ?

– Je refuse de répondre.

– M. Clifford a-t-il dit quoi que ce soit sur l'assassinat de Boyd Boyette ?

– Je refuse de répondre.

– M. Clifford a-t-il dit où se trouve à présent le corps de Boyd Boyette ?

– Je refuse de répondre.

Harry s'interrompit pour consulter ses notes. Dianne ne respirait plus et regardait son fils d'un air hébété.

– Ne t'inquiète pas, maman, souffla-t-il. Votre Honneur, ajouta-t-il d'une voix forte, assurée, je veux que vous sachiez que je ne réponds pas pour les mêmes raisons que celles que j'ai données hier. J'ai peur, c'est tout.

Harry hocha la tête, mais n'exprima ni colère ni satisfaction.

– Huissier, accompagnez Mark dans la salle des témoins, où il attendra que nous ayons terminé. Il pourra parler à sa mère avant d'être reconduit au centre de détention.

Les jambes flageolantes, Grinder quitta la salle d'audience avec Mark.

Harry déboutonna sa robe.

– Ce qui suit ne sera pas consigné au procès-verbal. Mesdames, vous pouvez aller déjeuner.

Ce n'était pas une proposition, mais un ordre. Le juge voulait aussi peu d'oreilles que possible dans sa salle.

La greffière fit pivoter ses jambes en direction de Fink et Ord. Bouche bée, ils la regardèrent se lever, prendre son sac à main et sortir en tortillant des hanches.

– Allez chercher le FBI, monsieur Fink, ordonna Harry.

McThune et un K.O. Lewis las d'attendre prirent place derrière George Ord. Lewis était un homme très occupé, une montagne de dossiers importants s'empilait sur son bureau, à Washington, et il s'était demandé cent fois en vingt-quatre heures ce qu'il était venu faire à Memphis. Mais comme Denton Voyles tenait à ce qu'il y reste, il savait ce qu'il avait à faire.

– Monsieur Fink, vous avez mentionné, avant cette audience, une affaire urgente dont je devais être informé.

– En effet, Votre Honneur. M. Lewis aimerait avoir la parole.

– Monsieur Lewis, je vous écoute. Soyez bref, je vous prie.

– Oui, Votre Honneur. Barry Muldanno est sous surveillance depuis plusieurs mois. Hier, un appareil électronique nous a permis d'enregistrer une conversation entre Muldanno et Paul Gronke. Elle a eu lieu dans un bar du Vieux Carré et je pense que vous devez l'écouter.

– Vous avez la bande ?

– Oui, Votre Honneur.

– Alors, passez-la.

Harry parut soudain ne plus se préoccuper de l'heure. McThune installa rapidement un magnétophone et un haut-parleur sur le bureau de Fink. Lewis glissa une microcassette dans l'appareil.

– La première voix que vous entendrez est celle de Muldanno, expliqua-t-il, tel un chimiste préparant une expérience. L'autre, celle de Gronke.

Le silence tomba dans la salle d'audience quand le haut-parleur commença à diffuser les deux voix éraillées mais très claires. Toute la conversation avait été enregistrée. Le projet de Muldanno de liquider le gamin et les doutes de Gronke sur la possibilité de s'approcher de lui. L'idée de Muldanno de descendre le frère ou la mère et le refus de Gronke de tuer des innocents. La suggestion de Muldanno de supprimer l'avocate et les gros rires, quand il avait ajouté que la carrière du barreau était encombrée.

C'était à donner la chair de poule. Fink et Ord, qui avaient déjà écouté dix fois la bande, demeurèrent sur la réserve. Reggie ferma les yeux quand son assassinat fut évoqué sur un ton si badin. Dianne resta pétrifiée de terreur. Harry ne quitta pas des yeux le haut-parleur, comme s'il pouvait voir le visage des deux hommes. Quand l'enregistrement fut terminé, Lewis arrêta l'appareil.

– Repassez-la, dit simplement Harry.

Ils écoutèrent la bande une deuxième fois. Dianne se mit à trembler. Reggie lui prit le bras et s'efforça de lui insuffler du courage, mais, en constatant avec quel détachement ils envisageaient de la supprimer, le sang se glaça dans ses veines. La peau du bras de Dianne se hérissa, les larmes lui montèrent aux yeux. Elle pensa à Ricky, auprès de qui se trouvaient le docteur Greenway et une infirmière, et pria pour qu'il ne lui arrive rien.

– J'en ai assez entendu, déclara Harry, quand la bande s'arrêta.

Lewis s'assit et tout le monde attendit les décisions du magistrat. Il s'essuya les yeux avec un mouchoir, but une grande gorgée de thé glacé.

– Comprenez-vous maintenant, madame Sway, fit-il avec un sourire, pourquoi nous avons envoyé Mark dans ce centre de détention ?

– Oui, je crois.

– Pour deux raisons. La première est qu'il a refusé de répondre à mes questions, mais, dans l'immédiat, elle est loin d'avoir l'importance de la seconde. Votre fils est en grand danger, comme vous venez de l'entendre. Que souhaiteriez-vous que je fasse ?

Cette question était posée à une femme effrayée, bouleversée, incapable de raisonner. Elle la trouva déloyale et lui en voulut.

– Je ne sais pas, murmura-t-elle en secouant la tête.

Harry poursuivit lentement, en détachant ses mots, et il était évident qu'il savait précisément ce qu'il convenait de faire.

– Reggie m'a confié qu'elle a parlé avec vous du programme de protection des témoins. Dites-moi ce que vous en pensez.

Dianne redressa la tête et se mordit la lèvre. Elle réfléchit un instant, s'efforçant de fixer les yeux sur le haut-parleur.

– Je ne veux pas que ces gens-là, répondit-elle d'un ton décidé, en indiquant le magnétophone du menton, nous traquent, mes enfants et moi, jusqu'à la fin de nos jours. Et j'ai peur que cela n'arrive, si Mark vous révèle ce que vous demandez.

– Vous aurez la protection du FBI et de toute autre agence gouvernementale qui pourrait vous être utile.

– Mais notre sécurité ne peut être garantie à cent pour cent. Ce sont mes enfants, Votre Honneur, et je les élève seule. Il n'y a personne d'autre. Si je commets une erreur, je pourrais perdre... Je ne peux même pas l'imaginer.

– Je pense que vous serez en sécurité, madame Sway. Plusieurs milliers de témoins sont actuellement sous la protection du gouvernement.

– Mais certains ont été retrouvés, n'est-ce pas ?

La question, posée avec douceur, touchait au vif. McThune et Lewis ne pouvaient nier que plusieurs témoins avaient été éliminés. Il y eut un long silence. Harry le rompit, d'une voix pleine de compassion.

– Alors, madame Sway, qu'avez-vous d'autre à proposer ?

– Pourquoi ne les arrêtez-vous pas ? Pour les enfermer quelque part. J'ai l'impression qu'on laisse ces hommes libres de terroriser ma famille et même Me Love. Que fait la police ?

– Je crois savoir, madame Sway, que l'on a procédé à une arrestation cette nuit. La police de Memphis est à la recherche des deux hommes qui ont incendié votre mobile home, deux truands de La Nouvelle-Orléans, du nom de Bono et Pirini, mais on ne les a pas retrouvés. Est-ce exact, monsieur Lewis ?

– Oui, nous pensons qu'ils sont encore ici. J'aimerais ajouter, Votre Honneur, que le procureur fédéral de La Nouvelle-Orléans a l'intention d'inculper dès le début de la semaine prochaine Muldanno et Gronke d'entrave à l'action de la justice. Ils seront donc bientôt sous les verrous.

– Mais c'est bien la mafia ? fit Dianne.

Le lecteur le plus obtus savait qu'il s'agissait de la mafia. Un assassinat commis par un membre de la famille qui contrôlait depuis quarante ans La Nouvelle-Orléans. La question de Dianne était très simple, mais elle mettait le doigt sur le cœur du problème. La mafia est une armée invisible.

Lewis n'avait nulle envie de répondre à cette question, il laissa le magistrat s'en charger. Harry préféra attendre que l'on passe à autre chose. Il y eut un long silence embarrassé.

– Votre Honneur, reprit Dianne d'une voix plus assurée, je vous aiderai quand vous serez en mesure de me montrer comment protéger totalement mes enfants. Pas avant.

– Vous voulez donc qu'il reste en prison ? lança Fink.

Elle se tourna vers lui, le regard mauvais.

– Monsieur, je préfère le voir dans un centre de détention que dans un cercueil.

Fink s'enfonça dans son fauteuil, la tête basse. Il y eut un nouveau silence, qui se prolongea. Harry regarda sa montre, reboutonna sa robe.

– Je vous propose de nous revoir demain, à 12 heures. Laissons les choses suivre leur cours naturel.

30

Paul Gronke entama la dernière étape de son voyage à Minneapolis quand le 727 de Northwest Airlines décolla à destination d'Atlanta. De là, il espérait prendre un vol direct pour La Nouvelle-Orléans. Et il n'avait pas l'intention d'en repartir avant longtemps. Plusieurs années peut-être. Malgré sa vieille amitié avec Muldanno, Gronke en avait par-dessus la tête de cette histoire. Il pouvait jouer les gros bras et faire peur à n'importe qui, mais ne prenait aucun plaisir à terroriser un petit garçon en agitant un couteau sous son nez. Il gagnait confortablement sa vie avec ses night-clubs et ses bars à bière. Si Barry avait besoin d'un coup de main, après tout, il n'avait qu'à s'adresser à sa famille. Et Gronke n'était pas de la famille. Il n'appartenait pas à la mafia. Et il ne tuerait personne pour le compte de Barry Muldanno.

Le matin, dès son arrivée à l'aéroport de Memphis, il avait passé deux coups de fil. Le premier lui avait fait froid dans le dos, car personne n'avait répondu. Pas de réponse non plus au numéro d'urgence où devait l'attendre un message enregistré. Il s'était aussitôt rendu au comptoir de Northwest Airlines, où il avait payé en espèces un aller simple pour Minneapolis. Au comptoir de Delta Airlines, il avait pris un aller simple pour Dallas-Fort Worth. Puis un aller pour Chicago, sur United Airlines. Il avait arpenté une heure durant les couloirs de l'aéroport pour s'assurer que personne ne le filait. A la dernière minute, il avait sauté dans l'avion de Northwest Airlines.

Bono et Pirini avaient des instructions précises. Les coups de fil restés sans réponse ne pouvaient signifier que deux choses : soit ils avaient été arrêtés, soit ils avaient été obligés de dégager à toute vitesse. Aucune des deux explications n'était réconfortante.

Le steward apporta deux bières. Il était un peu plus de 13 heures, trop tôt pour commencer à boire, mais il se sentait énervé. Et merde ! Après tout, il était bien 17 heures quelque part !

Muldanno serait fou furieux et casserait tout autour de lui. Il se précipiterait chez son oncle pour mendier quelques hommes de main. Il les expédierait à Memphis, où les choses tourneraient au vinaigre. Barry ne faisait pas dans la dentelle.

Leur amitié remontait à l'époque du lycée, en seconde, avant qu'ils n'abandonnent leurs études pour traîner dans les rues de La Nouvelle-Orléans. Pour Barry, la voie était tracée par la famille. Pour Gronke, c'était un peu plus compliqué. Leur premier coup important avait été un recel d'objets volés qui leur avait rapporté très gros. Mais les bénéfices avaient été canalisés par Barry au profit de la famille. Ils avaient fait un peu de trafic de drogue, organisé des paris clandestins, géré une maison de passe ; des activités hautement lucratives. Mais Gronke ne mettait pas grand-chose dans sa poche. Au bout de dix ans de cette association inéquitable, il annonça à Barry qu'il voulait sa propre boîte. Son ami l'aida à acheter un bar topless, puis une boutique porno. Gronke gagna de l'argent et le garda. C'est à peu près à ce stade de leur carrière que Barry devint un assassin et que Gronke s'éloigna de lui.

Mais ils restèrent amis. Un ou deux mois après la disparition de Boyette, ils avaient passé un long week-end à Acapulco, dans la maison de Johnny Sulari, en compagnie de deux strip-teaseuses. Une nuit, après que les filles se furent endormies, ils sortirent faire une longue balade sur la plage. Barry, qui avait emporté une bouteille de tequila, était plus loquace qu'à l'accoutumée. Les soupçons des enquêteurs commençaient à se porter sur lui. Il se vanta du meurtre auprès de son ami.

La décharge de la paroisse de Lafourche devait rapporter des millions de dollars à la famille Sulari. A long terme, le plan de Johnny était d'y acheminer la plus grande partie des ordures de La Nouvelle-Orléans. Le sénateur Boyette s'était mis en travers de sa route. Tout son cinéma avait fait une très mauvaise publicité à la décharge. Il avait fait ouvrir des enquêtes au niveau fédéral, convoqué des dizaines de bureaucrates de l'Agence pour la protection de l'environnement, qui avaient noirci des tonnes de papier, tout cela pour condamner le projet. Il avait fait le siège du ministère de la Justice, jusqu'à ce que soit ouverte une enquête sur l'implication de la mafia dans l'affaire. Le sénateur Boyette devint le plus gros obstacle se dressant entre Johnny Sulari et sa mine d'or.

L'élimination de Boyette fut décidée.

Entre deux lampées de tequila, Barry plaisanta sur le meurtre. Il fila Boyette pendant six mois et découvrit, à son grand étonnement, que le sénateur, divorcé, éprouvait une vive attirance pour les femmes jeunes. Des femmes vénales, de celles que l'on trouve dans une maison de passe pour cinquante dollars. Son endroit favori était minable, à mi-chemin entre La Nouvelle-Orléans et Houma, le site choisi pour la décharge. La maison était fréquentée par des ouvriers des plates-formes off shore et les jolies petites prostituées qu'ils attiraient. A l'évidence, le sénateur connaissait le patron et avait conclu un arrangement avec lui. Il garait toujours sa voiture derrière le bâtiment, loin du parking gravillonné où s'entassaient camionnettes monstrueuses et Harley-Davidson. Il utilisait l'entrée de service, près de la cuisine.

La fréquence des voyages du sénateur à Houma augmenta. Il déchaînait la tempête dans les assemblées communales, tenait toutes les semaines une conférence de presse. Et il avait plaisir, sur le trajet de retour, à faire une petite halte dans son endroit favori.

Supprimer le vieux avait été d'une simplicité enfantine, confia Muldanno à Gronke, assis sur la plage et fouetté par les embruns. Il l'avait filé pendant trente kilomètres, au retour d'une réunion houleuse à Houma, et avait patiemment attendu dans l'obscurité, derrière la maison de passe. Quand Boyette était ressorti, il l'avait assommé d'un coup de matraque et avait chargé le corps à l'arrière de sa voiture. Il s'était arrêté quatre kilomètres plus loin et lui avait logé quatre balles dans la tête. Puis il avait fourré dans le coffre le corps enveloppé dans des sacs poubelles.

Super d'enlever un sénateur dans l'arrière-cour d'un bordel de troisième zone ! Un type qui avait siégé vingt et un ans au sénat, présidé de puissantes commissions, déjeuné à la Maison-Blanche, parcouru la planète pour trouver des moyens de dépenser l'argent du contribuable. Un type qui avait dix-huit assistants et secrétaires sous ses ordres. Barry trouvait cela à mourir de rire. Un de ses coups les plus faciles, selon lui, comme s'il y en avait eu des centaines.

Un policier l'avait arrêté pour excès de vitesse, quinze kilomètres avant La Nouvelle-Orléans. Imagine la scène, dit-il à Gronke. Tu me vois faire la causette au flic, avec un cadavre encore chaud dans le coffre ! Il avait parlé football et évité le PV. Après coup, il s'était affolé et avait décidé de cacher le corps ailleurs. Gronke fut tenté de demander où, mais préféra rester dans l'ignorance.

Les charges pesant sur lui étaient fragiles. D'après le témoignage du policier, Barry se trouvait dans les environs au moment de la disparition. Mais, en l'absence du corps, l'heure de la mort ne pouvait être établie avec précision. Une des prostituées avait vu un homme ressemblant à Barry dans l'ombre du parking, pendant que le sénateur se divertissait. Elle avait été placée sous la protection du gouvernement, mais on n'attendait pas grand-chose de son témoignage.

La voiture de Barry, nettoyée de fond en comble et désinfectée, n'avait pas permis de trouver une tache de sang, pas une fibre, pas un cheveu. Le meilleur atout de l'accusation était un indic appartenant à la mafia, un homme de quarante-deux ans, qui en avait passé vingt derrière les barreaux et ne vivrait probablement pas jusqu'au jour de sa déposition. Un Ruger calibre 22 avait été découvert dans l'appartement d'une des petites amies de Muldanno, mais, là encore, en l'absence de cadavre, il était impossible de déterminer la cause de la mort. Les empreintes de Barry avaient été relevées sur le pistolet. La jeune femme affirmait que c'était un cadeau.

Un jury d'assises hésite à rendre un verdict de culpabilité sans la preuve formelle de la mort de la victime. Boyette était un personnage si excentrique que les suppositions les plus fantaisistes couraient sur sa disparition. Un rapport exposant en détail ses problèmes psychiatriques récents avait donné naissance à une hypothèse séduisante, selon laquelle il aurait disjoncté et serait parti avec une prostituée encore mineure. Il avait des dettes de jeu et buvait beaucoup. Son ex-épouse le traînait en justice pour fraude dans le cours de la procédure de divorce. Et ainsi de suite.

Boyette avait une multitude de raisons pour disparaître.

Et maintenant, un gamin de onze ans, vivant à Memphis, savait où son corps avait été caché. Gronke ouvrit la seconde bière.

Doreen prit le bras de Mark pour l'accompagner jusqu'à sa cellule. Il allait à pas lents, les yeux rivés sur le sol, juste devant ses pieds, comme quelqu'un qui vient d'assister à l'explosion d'une voiture piégée sur une place grouillante de monde.

– Comment te sens-tu, mon petit ? demanda-t-elle, les yeux plissés par l'inquiétude.

Il hocha la tête en silence, continua d'avancer d'une démarche mécanique. Elle ouvrit rapidement la porte, l'aida à s'asseoir sur le lit du bas.

– Allonge-toi, mon cœur, fit Doreen en baissant la couverture et en faisant pivoter les jambes de Mark sur le lit.

Elle s'agenouilla près de lui, scruta ses yeux pour y découvrir des réponses.

– Tu es sûr que tu te sens bien ?

Il acquiesça de la tête, incapable de parler.

– Veux-tu que je fasse venir un médecin ?

– Non, parvint-il à articuler d'une voix blanche. Ça ira.

– Je crois que je vais aller en chercher un.

Il lui prit le bras, le serra très fort.

– J'ai besoin de me reposer, murmura-t-il. C'est tout.

Doreen ouvrit la porte, sortit lentement à reculons, sans quitter Mark des yeux. Dès qu'il entendit le déclic de la porte, il se leva.

A 15 heures, le vendredi, la patience légendaire d'Harry Roosevelt s'épuisa. Il était pressé de partir pour un week-end de pêche dans les monts Ozarks avec ses deux fils. Il considéra du haut de l'estrade la salle d'audience encore pleine de pères indignes attendant leur condamnation pour non-paiement de pension alimentaire, mais son esprit battait la campagne. Il rêvait de grasses matinées, de torrents de montagne à l'eau fraîche et limpide. Il restait encore au moins deux douzaines d'hommes sur les bancs de la salle, accompagnés pour la plupart d'une nouvelle épouse ou compagne angoissée. Quelques-uns s'étaient fait assister d'un avocat, mais un soutien juridique n'était d'aucun secours à ce stade de la procédure. Tous ces hommes seraient condamnés à des peines d'emprisonnement de week-end, à la maison d'arrêt du comté de Shelby.

Harry aurait voulu lever la séance à 16 heures, mais cela paraissait improbable. Ses deux fils attendaient au dernier rang. La Jeep était prête et, dès que le marteau du juge s'abattrait pour la dernière fois, ils l'entraîneraient hors du tribunal et prendraient aussitôt la route de la rivière Buffalo. C'est du moins ce qui était prévu. Ils s'ennuyaient à mourir, mais connaissaient bien cette situation.

Reggie se fraya un chemin dans la cohue, se glissa dans la salle et se dirigea vers la greffière. Elles chuchotèrent une minute, puis Reggie montra un document qu'elle avait apporté. Elle pouffa de rire. Harry l'entendit, lui fit signe d'approcher.

– Il y a un problème ? fit-il, en couvrant le micro de la main.

– Non. Mark va bien, je pense. Mais j'ai un petit service à vous demander. Pour une autre affaire.

Harry coupa le micro en souriant. C'était Reggie toute crachée. Les affaires dont elle s'occupait étaient toujours de la plus haute importance et exigeaient une attention immédiate.

– De quoi s'agit-il ?

La greffière lui tendit le dossier tandis que Reggie présentait une ordonnance.

– Encore un coup de l'aide sociale, expliqua-t-elle en baissant inutilement la voix.

Personne n'écoutait, personne ne s'intéressait à ce qu'elle disait.

– Qui est l'enfant ? demanda Harry, en commençant à feuilleter le dossier.

– Ronald Allan Thomas, dit Thomas la Gaffe. Il a été embarqué hier soir par l'aide sociale et placé dans un foyer. Sa mère vient de s'adresser à moi.

– Il est écrit ici qu'il était abandonné.

– Ce n'est pas vrai, Harry. Ce serait trop long à vous raconter, mais je vous assure que cet enfant a de bons parents et un foyer bien tenu.

– Vous voulez son élargissement ?

– Sans délai. Je passerai le prendre en voiture et le conduirai chez Momma Love, si nécessaire.

– Et elle lui préparera des lasagnes.

– Bien entendu.

Harry parcourut le document, signa au bas de la feuille.

– Je suis obligé de vous faire confiance, Reggie.

– Comme d'habitude. J'ai vu Damon et Al au fond de la salle. Ils ont l'air de s'ennuyer ferme.

Harry tendit le document signé à la greffière qui le tamponna.

– Moi aussi, soupira-t-il. Dès que j'en aurai terminé avec cette racaille, nous partons à la pêche.

– Bonne chance, Harry. A lundi.

– Bon week-end, Reggie. Vous passerez voir Mark, j'espère ?

– Bien sûr.

– Essayez de faire entendre raison à sa mère. Plus j'y pense, plus je suis persuadé qu'il leur faudra coopérer avec les fédéraux et se mettre sous leur protection. Ils n'ont vraiment rien à perdre à repartir de zéro. Tâchez de la convaincre qu'ils seront protégés.

– Je ferai de mon mieux. J'irai passer un moment avec elle pendant le week-end. Tout sera peut-être arrangé lundi.

– Alors, à lundi.

Reggie s'éloigna de l'estrade avec un clin d'œil. La greffière lui remit une copie de l'ordonnance, et elle quitta la salle d'audience.

31

Le vendredi, à 16 h 30, Thomas Fink, fraîchement débarqué de Memphis, entra dans le bureau de Foltrigg. Assis sur le canapé comme un bon toutou, Wally Boxx écrivait ce que Fink supposa être un nouveau discours pour le patron, ou bien un communiqué de presse pour des inculpations imminentes. Roy, en chaussettes, avait les pieds sur son bureau et un téléphone dans le creux de l'épaule. Il écoutait, les yeux fermés. La journée avait été catastrophique. Lamond l'avait humilié dans une salle d'audience bourrée à craquer et Roosevelt n'avait pas réussi à faire parler le gosse. Les juges lui sortaient par les yeux.

Fink enleva sa veste, s'installa dans un fauteuil. Foltrigg termina sa conversation téléphonique et raccrocha.

– Où sont les citations devant le grand jury ? demanda-t-il.

– Je les ai remises en mains propres au marshal de Memphis, répondit Fink. Il a pour instructions de ne pas les délivrer avant d'avoir reçu votre feu vert.

Boxx quitta le canapé pour venir s'asseoir près de Fink. Pas question d'être exclu d'une conversation.

Roy se frotta les yeux et passa la main dans ses cheveux. Frustrant, vraiment frustrant.

– Alors, Thomas, que va faire le gosse ? Vous étiez sur place, vous avez vu sa mère, vous l'avez entendue. Que va-t-il se passer ?

– Je ne sais pas. Il est manifeste que le petit n'a aucunement l'intention de parler, du moins dans un avenir proche. Ils sont terrifiés, sa mère et lui. Ils ont trop regardé la télé, vu trop d'exécutions d'informateurs par la mafia. Elle est persuadée que le programme de protection des témoins ne leur permettra pas de vivre en sûreté. Elle est morte de peur, après la semaine qu'elle vient de passer.

– Très touchant, marmonna Boxx.

– Je n'ai plus le choix, déclara gravement Foltrigg, comme si cette idée le troublait profondément, il faut recourir aux citations. Vraiment plus le choix. Nous avons été honnêtes et raisonnables. Nous avons demandé au tribunal pour enfants de Memphis de nous aider, mais cela n'a servi à rien. Il est temps de les faire venir ici, sur notre territoire, dans l'enceinte de notre propre tribunal et de les obliger à parler. Qu'en dites-vous, Thomas ?

Fink n'était pas entièrement d'accord.

– La question de la juridiction m'inquiète. Le gamin est pour l'instant sous celle du tribunal pour enfants, et je ne suis pas sûr de sa réaction quand on lui remettra la citation.

– C'est juste, fit Roy en souriant, mais le tribunal est fermé pendant le week-end. Nous avons fait des recherches. Je pense que la loi fédérale prévaut contre celle de l'État. N'est-ce pas, Wally ?

– Je crois, répondit Boxx. Oui.

– J'ai aussi demandé à parler au bureau du marshal. J'ai expliqué que les gars de Memphis devaient mettre la main sur lui dès demain et l'amener ici, afin qu'il comparaisse lundi devant le grand jury. Je ne pense pas que la police locale fasse des difficultés. Nous avons pris des dispositions pour qu'il soit incarcéré ici, dans la prison pour mineurs. Cela devrait aller comme sur des roulettes.

– Et l'avocate ? demanda Fink. On ne peut l'obliger à témoigner. Si elle a appris quelque chose, c'est dans le cadre de sa représentation en justice, et elle se retranchera derrière le secret professionnel.

– Tactique de harcèlement, reconnut Foltrigg avec un sourire. Je veux qu'ils tremblent tous deux comme des feuilles, lundi, devant le grand jury. C'est nous qui mènerons la barque, Thomas.

– A propos de lundi, glissa Fink, le juge Roosevelt veut nous voir dans sa salle d'audience, à midi.

Roy et Wally partirent d'un grand éclat de rire.

– Il va se sentir seul, votre juge, gloussa Foltrigg. Le gamin, son avocate, vous et moi serons à La Nouvelle-Orléans. Quel idiot !

Fink était loin de partager leur hilarité.

A 17 heures, Doreen frappa, les clés cliquetèrent et la porte s'ouvrit. Mark, par terre, jouait tout seul aux échecs. Il se transforma instantanément en zombi. Assis en tailleur, il regarda fixement l'échiquier, comme en transe.

– Ça va, Mark ?

Pas de réponse.

– Tu m'inquiètes beaucoup, mon chou. Je crois que je vais faire venir un médecin. On dirait que tu es en état de choc, comme ton petit frère.

Il secoua lentement la tête et fixa sur elle un regard affligé.

– Non, ça ira. J'ai besoin de me reposer, c'est tout.
– Voudrais-tu manger quelque chose ?
– Un peu de pizza, peut-être.
– Bien sûr, mon chou. Je vais en faire commander une. Mon service se termine dans cinq minutes, mais je vais demander à Telda de veiller très attentivement sur toi. Tu pourras attendre demain matin, quand je reviendrai ?
– Peut-être, murmura-t-il.
– Mon pauvre garçon. Tu n'es vraiment pas à ta place ici.
– Je m'en sortirai.

Telda était beaucoup moins inquiète que Doreen. Lors de son troisième passage, vers 20 heures, elle amena des visiteurs. La porte s'ouvrit lentement, Mark s'apprêta à simuler l'état de transe quand il aperçut les deux costauds en civil.

– Mark, ces messieurs sont envoyés par le bureau du marshal, fit nerveusement Telda.

Mark resta debout, près des toilettes. La cellule parut soudain minuscule.

– Bonjour, Mark, fit le premier. Je m'appelle Vern Duboski.

Il parlait de la voix sèche et précise des gens du Nord. C'est tout ce que Mark remarqua. Avec les papiers qu'il avait à la main.

– Tu t'appelles Mark Sway ?

Il hocha la tête, incapable de parler.

– N'aie pas peur, Mark. Nous sommes seulement chargés de te remettre ces papiers.

Mark se tourna vers Telda, mais elle ne lui fut d'aucun secours.

– Qu'est-ce que c'est ? demanda-t-il.

– Une citation. Cela signifie que tu dois comparaître lundi, à La Nouvelle-Orléans, devant un grand jury fédéral. Mais ne t'inquiète pas, nous passerons te prendre demain après-midi et nous t'y conduirons.

Une douleur lui déchira l'estomac, il sentit ses forces l'abandonner.

– Pourquoi ? demanda-t-il, la gorge sèche.

– Nous ne pouvons rien te dire, Mark, cela n'entre pas dans nos attributions. Nous nous contentons d'exécuter les ordres.

Mark regarda les papiers que Vern agitait devant lui. La Nouvelle-Orléans !

– En avez-vous parlé à ma mère ?

– Eh bien, en fait, Mark, on lui remettra une copie de ces papiers. On lui expliquera tout, on l'assurera que tu seras bien traité. Elle pourra même t'accompagner si elle le désire.

– Elle ne peut pas m'accompagner. Il faut qu'elle reste avec Ricky.

Les deux agents de la police judiciaire échangèrent un regard perplexe.

– Bon, de toute façon, on lui expliquera tout.

– J'ai un avocat, vous savez ? Est-elle au courant ?

– Non. On ne nous demande pas de notifier les défenseurs, mais tu en droit de lui téléphoner, si tu le souhaites.

– A-t-il le droit de téléphoner ? demanda le second agent à Telda.

– Seulement si je lui apporte un appareil.

– Pouvez-vous attendre une demi-heure ?

– Comme vous voudrez.

– Bon, Mark, tu pourras appeler ton avocat dans une demi-heure.

Duboski avait terminé. Il interrogea son collègue du regard.

– Eh bien, bonne chance, Mark. J'espère que nous ne t'avons pas fait peur.

Ils le laissèrent près des toilettes, appuyé contre le mur, plus désemparé que jamais, mourant de peur. Et furieux. Le système était pourri. Il en avait assez des lois, des avocats et des tribunaux, des agents fédéraux et des flics, des journalistes, des juges et des surveillants. Ras le bol !

Il tira une serviette en papier du distributeur, s'essuya les yeux et s'installa sur le siège des toilettes.

Il fit aux quatre murs de sa cellule le serment de ne pas aller à La Nouvelle-Orléans.

Deux agents du bureau du marshal devaient remettre la citation à Dianne, deux autres étaient chargés de la notifier à Mᵉ Reggie Love, à son domicile. Tout avait été soigneusement coordonné pour avoir lieu à peu près à la même heure. En fait, une seule personne, même un chômeur, aurait pu, sans se presser, remettre en une heure les trois citations en mains propres. Mais il était plus amusant d'utiliser six hommes, trois voitures avec radio, téléphone, armes de service, et d'agir vite, en mettant la nuit à profit, comme une unité d'assaut des Forces spéciales.

Ils frappèrent à la porte de la cuisine de Momma Love, attendirent que la lumière de la véranda s'allume et que sa silhouette apparaisse derrière la moustiquaire. Elle comprit aussitôt que des ennuis s'annonçaient. A l'époque de sinistre mémoire du divorce d'avec Joe Cardoni, au long de l'affrontement juridique et des différents internements, elle avait vu à sa porte, à des heures indues, un certain nombre d'hommes en complet sombre. Ces gens-là n'apportaient que des ennuis.

– Que puis-je faire pour vous ? demanda-t-elle, avec un sourire forcé.

– Bonjour, madame. Nous cherchons une certaine Reggie Love.

Ils s'exprimaient comme des flics.

– A qui ai-je l'honneur ?

– Je m'appelle Mike Hedley, et voici Terry Flagg. Nous sommes envoyés par le bureau du marshal.

– Puis-je voir votre plaque ?

Ils parurent surpris et plongèrent la main dans leur poche, avec un synchronisme parfait. Elle examina les plaques à travers la moustiquaire.

Reggie buvait un café sur le petit balcon de son appartement quand elle entendit les portières claquer. Du bord du balcon, elle aperçut les deux hommes, à la lumière de la véranda. Elle entendit les voix, sans distinguer ce qu'ils disaient.

– Pourquoi cherchez-vous Reggie Love ? demanda Momma Love, l'air soupçonneux.

– Habite-t-elle ici ?

– Peut-être, peut-être pas. Que lui voulez-vous ?

Hedley et Flagg se regardèrent.

– Nous avons ordre de lui notifier une citation.

– Une citation pour quoi ?

– Puis-je savoir qui vous êtes ? demanda Flagg.

– Je suis sa mère. Quel est l'objet de cette citation ?

– C'est une sommation de comparaître devant un grand jury, en qualité de témoin, lundi, à La Nouvelle-Orléans. Nous pouvons vous laisser l'acte, si vous le désirez.

– Je refuse, répliqua Momma Love, comme si la notification d'un acte de procédure était pour elle chose courante. Vous devez lui remettre la citation en mains propres, si je ne m'abuse.

– Où est-elle ?

– Elle n'habite pas ici.

– C'est pourtant sa voiture, insista Hedley, en indiquant la Mazda de Reggie.

– Elle n'habite pas ici, répéta Momma Love.

– J'ai entendu. Mais est-elle ici en ce moment ?

– Non.

– Savez-vous où elle est ?

– Avez-vous essayé de la joindre à son cabinet ? Elle travaille tout le temps.

– Pourquoi sa voiture est-elle ici ?

– Il lui arrive de profiter de celle de Clint, son secrétaire. Peut-être sont-ils allés dîner quelque part.

Les deux hommes échangèrent un regard où se lisait la frustration.

– Je pense qu'elle est là, déclara Hedley avec une agressivité marquée.

– Vous n'êtes pas payé pour penser, jeune homme, rétorqua Momma Love, en haussant la voix, afin de permettre à Reggie d'entendre. Vous êtes payé pour remettre ces fichus papiers, et je vous répète qu'elle n'est pas là.

– Pouvons-nous fouiller la maison ? demanda Flagg.

– Fouillez, si vous avez un mandat. Si vous n'en avez pas, vous pouvez décamper !

Ils firent un pas en arrière, s'arrêtèrent.

– J'espère, madame, que vous ne faites pas obstacle à la remise d'une citation devant un jury fédéral, lança Hedley d'un ton grave.

Cette déclaration se voulait menaçante, pressante. Hedley échoua lamentablement.

– Et moi, j'espère que vous ne cherchez pas à intimider une vieille femme.

Les mains sur les hanches, Momma Love était prête à se battre.

Ils abandonnèrent la partie.

– Nous reviendrons ! lança Hedley, en arrivant à sa voiture.

– Je serai là ! répliqua Momma Love.

Elle ouvrit la porte donnant sur la véranda et regarda la voiture s'éloigner en marche arrière jusqu'à la rue. Elle attendit cinq minutes, pour s'assurer qu'ils étaient partis, et se dirigea vers le garage.

Dianne prit sans un mot la citation que lui tendait avec un geste d'excuse un monsieur courtois. Elle la lut à la lumière diffuse de la lampe de chevet de Ricky. Le document ne contenait pas d'autres instructions que l'ordre de se présenter à 10 heures devant le grand jury, à l'adresse indiquée. Il n'était précisé ni comment Mark devait se rendre à La Nouvelle-Orléans, ni quand il pourrait revenir, ni ce qu'il risquait s'il refusait de comparaître ou de témoigner.

Elle appela Reggie. Pas de réponse.

Un quart d'heure suffisait en général pour aller chez Clint. Il fallut cette fois près d'une heure à Reggie. Elle sillonna les quartiers résidentiels, s'engagea sur l'autoroute, sans destination précise. Quand elle eut la certitude de ne pas être suivie, elle gara sa voiture dans une rue pleine de véhicules en stationnement et parcourut à pied les quelques centaines de mètres la séparant de l'appartement de son secrétaire.

Elle lui avait demandé d'annuler son rendez-vous de 21 heures, sur lequel il fondait de grandes espérances.

– Je suis navrée, dit Reggie, dès qu'il ouvrit la porte et s'effaça pour la laisser entrer.

– Pas grave, fit-il, en prenant son sac et en indiquant le canapé. Asseyez-vous.

Reggie connaissait l'appartement. Elle prit un Coca light dans le réfrigérateur et se jucha sur un tabouret de bar.

– C'était une citation devant un grand jury. Lundi, 10 heures, à La Nouvelle-Orléans.

– Mais on ne vous l'a pas notifiée ?

– Non, Momma Love les a éconduits.

– Alors, vous êtes tirée d'affaire.

– A moins qu'ils ne me retrouvent. Il n'y a pas de loi qui interdise de se dérober à une notification. Il faut que je téléphone à Dianne.

Clint lui tendit un appareil et elle composa de mémoire le numéro de l'hôpital.

– Détendez-vous, Reggie, fit-il, en l'embrassant sur la joue.

Il ramassa quelques revues qui traînaient, alluma la chaîne stéréo. Reggie avait réussi à joindre Dianne. Elle n'avait pas eu le temps de placer trois mots avant d'être obligée d'écouter. Chacun avait sa citation : une pour Reggie, une pour Dianne, une pour Mark. Reggie s'efforça de calmer Dianne qui avait appelé le centre de détention, sans pouvoir parler à son fils. On lui avait dit qu'il était trop tard pour prendre une communication téléphonique. La conversation dura cinq minutes. Reggie, elle-même très secouée, essaya de convaincre Dianne que tout allait bien, qu'elle avait la situation en main. Elle promit de rappeler le lendemain matin et raccrocha.

– Ils ne peuvent emmener Mark, déclara Clint. Cette affaire relève de la juridiction du tribunal pour enfants de Memphis.

– Il faut que je parle à Harry. Mais il est parti pour le week-end.

– Où ?

– A la pêche, avec ses deux fils.

– C'est plus important qu'une partie de pêche, Reggie. Il faut le trouver. Il peut empêcher ça, non ?

Les pensées se bousculaient dans la tête de Reggie.

– Vraiment très astucieux, quand on y réfléchit, fit-elle à mi-voix. Foltrigg a attendu le vendredi soir pour nous notifier les sommations de comparaître le lundi matin.

– Comment a-t-il pu faire ça ?

– Rien de plus facile. Dans une affaire criminelle comme celle qui nous intéresse, un grand jury fédéral peut citer n'importe qui en qualité de témoin, quels que soient le délai et la distance. Et le témoin doit se présenter, sauf s'il a réussi à faire annuler la citation.

– Comment s'y prend-on ?

– On dépose une requête devant un tribunal fédéral.

– Laissez-moi deviner. Un tribunal fédéral de La Nouvelle-Orléans ?

– Exact. Nous serons obligés de dénicher le juge, lundi à la première heure, pour le supplier d'ordonner une procédure d'urgence.

– Ça ne marchera jamais.

– Bien sûr que non. Telle était l'intention de Foltrigg. Avez-vous du café ? reprit-elle, après avoir vidé sa boîte de Coca.

– Évidemment, répondit Clint.

Il commença à ouvrir des placards, tandis que Reggie réfléchissait à voix haute.

– Si je peux échapper à la citation jusqu'à lundi, Foltrigg sera obligé d'en faire notifier une autre. Ce qui me laissera peut-être assez de temps. Le problème, c'est Mark. Ils ne cherchent pas à m'atteindre, car ils savent qu'ils ne pourront me forcer à parler.

– Savez-vous où se trouve ce corps ?

– Non.

– Et Mark ?

– Oui.

Il réfléchit un moment, en versant de l'eau dans la cafetière.

– Il faut absolument imaginer un moyen de garder Mark à Memphis. Nous ne pouvons le laisser partir là-bas.

– Appelez Harry.

– Harry est à la pêche, quelque part dans les monts Ozarks.

– Alors, appelez sa femme. Demandez-lui de nous dire où il pêche. J'irai le chercher, si nécessaire.

– Vous avez raison.

Elle prit la combiné, composa un numéro.

32

La dernière inspection des cellules du centre de détention pour mineurs avait lieu à 22 heures, pour s'assurer que les lumières et les téléviseurs étaient éteints. Mark entendit le bruit du trousseau de clés de Telda et sa voix lançant des ordres dans le couloir. Il respirait bruyamment. Sa chemise déboutonnée était trempée, la sueur coulait jusqu'à son nombril et sa ceinture. Elle mouillait ses cheveux, ruisselait jusqu'aux sourcils, dégouttait du nez. Elle en était à la cellule voisine. Mark avait le visage cramoisi, brûlant.

Telda frappa, ouvrit la porte. La lumière était encore allumée, elle en fut irritée. Elle fit un pas dans la pièce, regarda les deux lits. Il n'était pas là.

Elle découvrit ses pieds, à côté des toilettes. Il était roulé en boule, les genoux ramenés sur la poitrine, immobile, la poitrine haletante.

Il avait les yeux fermés et suçait son pouce gauche.

– Mark ! s'écria-t-elle, affolée. Mon Dieu !

Elle s'élança vers la porte, sortit chercher du secours, revint quelques secondes plus tard avec Denny, un surveillant.

– C'est ce que Doreen redoutait, fit Denny, en passant le doigt sur le ventre de Mark. Bon sang ! Il est trempé !

– Son pouls s'est emballé, lança Telda, la main sur le poignet de Mark. Regarde-le respirer ! Appelle une ambulance !

– On dirait qu'il est en état de choc, qu'est-ce que tu en penses ?

– Va appeler une ambulance !

Denny quitta la cellule d'un pas pesant. Telda souleva Mark par les épaules et le fit asseoir avec précaution sur le lit du bas. Il se remit aussitôt en chien de fusil, sans lâcher son pouce. Denny revint avec un registre.

– Je crois que c'est l'écriture de Doreen, fit-il. Elle dit qu'il faut passer le voir toutes les demi-heures et, en cas de doute, l'emmener d'urgence à St. Peter's et demander le docteur Greenway.

– Tout ça est ma faute, soupira Telda. Je n'aurais jamais dû laisser entrer ces agents. Ce pauvre petit a été terrorisé.

Denny s'agenouilla près de Mark et, de son gros pouce, releva la paupière droite.

– Bon sang ! Il a les yeux révulsés ! Cet enfant file un mauvais coton, déclara-t-il avec la gravité d'un neurochirurgien.

– Va chercher un gant de toilette, dit Telda. Doreen m'a expliqué qu'il est arrivé la même chose à son petit frère. Ils ont été témoins du suicide de cet avocat, et, depuis, le plus jeune est en état de choc.

Denny rapporta le gant de toilette. Telda essuya le front de Mark.

– Son cœur va exploser ! fit Denny, en reprenant sa place au bord du lit. La respiration est beaucoup trop rapide !

– Pauvre petit. J'aurais dû faire décamper ces agents.

– Je les aurais virés, moi. Ils n'ont rien à faire ici.

Denny posa le pouce sur l'œil gauche de Mark qui tressaillit en grognant. Puis il se mit à gémir, exactement comme Ricky, ce qui les effraya encore plus. Une longue plainte sourde monta des profondeurs de sa poitrine tandis qu'il tétait goulûment son pouce.

Un infirmier entra précipitamment, suivi d'un autre surveillant.

– Que se passe-t-il ? demanda l'infirmier, en faisant signe à Telda et Denny de s'écarter.

– Je crois qu'on appelle ça un choc émotionnel, expliqua Telda. Toute la journée, il a eu un comportement bizarre, et, il y a une heure, on est venu lui remettre une citation.

L'infirmier n'écoutait pas. Il prit le poignet de Mark, chercha le pouls.

– Il a vraiment eu peur, poursuivit Telda, c'est ce qui a dû provoquer le choc. Il aurait fallu que je le surveille, mais j'avais à faire ailleurs.

– Je les aurais fait décamper, moi, ajouta Denny, qui se tenait, bras ballants, derrière l'infirmier. Il est arrivé la même chose à son petit frère. On en a parlé dans le journal, toute la semaine. Cette histoire de suicide d'un avocat.

– Il ne faut pas qu'il reste ici, déclara l'infirmier, l'air soucieux, en prenant sa radio. Faites monter un brancard au quatrième étage, et en vitesse ! J'ai un gosse qui est mal en point.

Denny lui montra le registre.

– Il est écrit qu'il faut le conduire à St. Peter's et demander le docteur Greenway.

– Son frère y est hospitalisé, glissa Telda. Doreen m'a tout raconté.

Elle était inquiète, elle a failli appeler une ambulance dans l'après-midi. J'aurais dû faire plus attention.

Le brancard arriva, poussé par deux autres infirmiers. Mark y fut prestement allongé, sous une couverture. Une sangle fut serrée sur ses cuisses, une autre sur sa poitrine. Il n'ouvrit pas une seule fois les yeux, mais parvint à garder son pouce dans sa bouche.

Il continua d'émettre ce gémissement de douleur, monocorde, qui effrayait les infirmiers. Ils pressèrent le pas devant le poste de garde, poussèrent le chariot dans un ascenseur.

– Tu as déjà vu ça ? ahana un des deux infirmiers.

– Non, ça m'étonne.

– Il est brûlant.

– Normalement, dans un état de choc, la peau est moite et froide. Je n'ai jamais vu ça.

– C'est peut-être différent pour un choc traumatique. Il faudra lui retirer ce pouce.

– C'est lui que la mafia veut abattre ?

– Oui. L'article à la une d'hier et d'aujourd'hui.

– Il a dû disjoncter.

L'ascenseur s'arrêta, ils poussèrent le chariot dans une suite de couloirs étroits pour arriver devant l'ambulance.

Il ne leur fallut pas plus de dix minutes pour arriver à St. Peter's, mais l'attente fut deux fois plus longue. Trois autres ambulances déchargeaient leurs occupants. L'hôpital accueillait la grande majorité des urgences. De jour comme de nuit, l'agitation était grande, mais, du vendredi soir à la fin de la journée du dimanche, c'était de la folie.

Ils franchirent la porte vitrée donnant dans le hall au sol carrelé de blanc. Les infirmiers laissèrent le chariot et remplirent des formulaires.

Une infirmière s'approcha et s'adressa à l'un des infirmiers, après un moment d'hésitation.

– Qu'est-ce que c'est ?

L'autre infirmier lui tendit un papier.

– Il n'y a pas d'hémorragie, fit-elle, comme si rien d'autre ne comptait.

– Non, c'est un traumatisme, un choc émotionnel. Un truc de famille.

– Bon, il peut attendre. Conduisez-le au bureau des admissions. Je reviens dans une minute.

Ils poussèrent le brancard dans la cohue du hall, jusqu'à une petite pièce où ils présentèrent leurs papiers à une autre infirmière qui griffonna quelque chose, sans un regard pour Mark.

– Où est le docteur Greenway ? demanda-t-elle.

Les infirmiers échangèrent un regard perplexe et haussèrent les épaules.

– Vous ne l'avez pas prévenu ? insista l'infirmière.

– Euh... non.

– Euh... non, répéta-t-elle à mi-voix, en levant les yeux au plafond devant ces deux ahuris. C'est un champ de bataille ici, nous perdons des vies humaines. Nous venons d'avoir deux morts en une demi-heure. Les urgences psychiatriques ne sont pas vraiment prioritaires, comprenez-vous ?

– Vous voulez qu'on l'abatte ? demanda un des infirmiers, en indiquant Mark.

Ce trait d'esprit mit l'infirmière hors de ses gonds.

– Non, je veux que vous disparaissiez ! Je m'occuperai de lui, mais je ne veux plus vous voir !

– Les papiers sont signés, le patient est à vous.

Avec un dernier sourire, les infirmiers se dirigèrent vers la porte.

– Y a-t-il un policier qui l'accompagne ?

– Non, c'est un mineur.

Mark réussit à se tourner sur le côté gauche et à ramener ses genoux sur sa poitrine. Les sangles n'étaient pas très serrées. Il entrouvrit les yeux. Un Noir était étendu sur trois chaises, dans un angle de la pièce. Un brancard aux draps tachés de sang attendait près d'une porte verte. Le téléphone sonna, l'infirmière décrocha, murmura quelques mots et sortit. Mark détacha prestement les sangles, sauta au pied du lit. Ce n'était pas un crime de se dégourdir les jambes. Puisqu'il était considéré comme un dingue, peu importait que l'infirmière le trouve debout.

Elle avait laissé les papiers. Il les prit, poussa le lit vers la porte verte qui donnait dans un couloir étroit. Il abandonna le chariot, jeta les papiers dans une corbeille. Les écriteaux indiquant la sortie menaient à une porte vitrée qui donnait dans la cohue du hall des admissions.

Mark esquissa un sourire : il connaissait les lieux. Il observa par la vitre le grouillement de la foule, retrouva l'endroit où il avait attendu avec Hardy, pendant que Dianne et Greenway accompagnaient Ricky. Il poussa doucement la porte, se mêla nonchalamment aux groupes serrés de malades et de blessés. Il prit son temps, ne voulant pas attirer l'attention sur lui en marchant trop vite. Il utilisa son ascenseur favori pour descendre au sous-sol, trouva un fauteuil roulant près de l'escalier. C'était un siège pour adulte, mais il réussit à le mettre en mouvement. Il passa devant la cafétéria et se dirigea vers la morgue.

Clint s'était endormi sur le canapé. Reggie regardait la télévision. Dès la première sonnerie du téléphone, elle décrocha.

– Allô !

– Bonjour, Reggie. C'est moi, Mark.

– Mark ! Comment vas-tu, mon grand ?

– Très bien, Reggie. Tout va très, très bien.

– Comment m'as-tu trouvée ? demanda Reggie, en éteignant la télé.

– J'ai appelé Momma Love, je l'ai réveillée. Elle m'a donné ce numéro. C'est l'appartement de Clint ?

– Oui. Mais comment as-tu pu téléphoner ? Il est très tard.

– Je ne suis plus en prison, Reggie.

Elle se leva, se dirigea vers le bar.

– D'où appelles-tu, Mark ?

– De l'hôpital St. Peter's.

– Je vois. Comment es-tu arrivé là-bas ?

– On m'a amené en ambulance.

– Tu vas bien ?

– Super.

– Pourquoi t'a-t-on transporté en ambulance ?

– J'ai eu le syndrome du dysfonctionnement post-traumatique et on m'a transporté d'urgence à l'hôpital.

– Veux-tu que j'aille te voir ?

– Peut-être. Qu'est-ce que c'est que cette histoire de grand jury ?

– Une manœuvre destinée à te faire peur et à t'obliger à parler.

– Eh bien, ça a marché. J'ai encore plus peur qu'avant.

– Tu as pourtant l'air en pleine forme.

– C'est la tension nerveuse, Reggie. Au fond, je suis mort de peur.

– Tu ne donnes vraiment pas l'impression d'être en état de choc.

– Je me suis vite rétabli. Je les ai bluffés, vous comprenez ? J'ai couru sur place dans ma petite cellule, pendant une demi-heure. Quand ils sont entrés, j'étais trempé de sueur et j'avais l'air mal en point, comme ils disaient.

Clint se dressa sur son séant et tendit l'oreille.

– As-tu vu un médecin ? demanda Reggie, l'air perplexe.

– Pas exactement.

– Que veux-tu dire ?

– Je veux dire que je suis sorti de la salle des urgences. Je veux dire que je me suis échappé, Reggie. Un jeu d'enfant.

– Seigneur !

– Rassurez-vous, tout va bien. Je ne retournerai pas en prison, Reggie. Et je n'irai pas à La Nouvelle-Orléans, devant ce grand jury. Je suppose qu'ils m'enfermeront si j'y vais ?

– Écoute-moi, Mark, tu ne peux pas faire ça. Tu ne peux pas t'échapper et...

– C'est fait, Reggie. Je vais même vous dire autre chose.

– Quoi ?

– Je me demande si quelqu'un s'en est rendu compte. C'est une maison de fous ici, et je doute qu'on ait remarqué ma disparition.

– Et les policiers ?

– Quels policiers ?

– Il n'y avait pas un policier pour t'accompagner à l'hôpital ?

– Non, Reggie, je ne suis qu'un petit garçon. Je suis venu avec deux infirmiers, mais j'étais dans le coma, je suçais mon pouce, je gémissais comme Ricky. Vous auriez été fière de moi. C'était comme dans un film. On m'a transporté à l'hôpital, ils sont repartis et j'ai filé. Simple comme bonjour.

– Tu ne peux pas faire ça, Mark.

– Trop tard. Et je ne retournerai pas là-bas.

– Et ta mère ?

– Je lui ai parlé, il y a une heure. Au téléphone, bien sûr. Elle était paniquée, mais j'ai réussi à la convaincre que tout allait bien. Elle m'a demandé de la rejoindre dans la chambre de Ricky. Le ton est monté, mais elle a fini par se calmer. Je crois qu'ils lui ont redonné des médicaments.

– Tu es à l'hôpital ?

– Exact.

– Où ? Dans quelle salle ?

– Êtes-vous encore mon avocat ?

– Bien sûr que je suis ton avocat.

– Bon. Si je vous dis quelque chose, vous ne pourrez donc pas le répéter ?

– Non.

– Êtes-vous mon amie, Reggie ?

– Bien sûr que je suis ton amie.

– Ça tombe bien, parce que vous êtes la seule amie qui me reste. J'ai peur, voulez-vous m'aider ?

– Je ferai tout ce que je peux, Mark. Où es-tu ?

– A la morgue. Il y a une petite pièce dans le fond, je suis caché sous le bureau. Les lumières sont éteintes. Si je raccroche très vite, ça voudra dire que quelqu'un entre. On a amené deux corps depuis mon arrivée, mais personne n'est encore entré dans cette pièce.

– A la morgue ?

Clint se dressa d'un bond et se pencha vers Reggie.

– Oui, j'étais déjà venu. Je connais l'hopital comme ma poche, vous savez ?

– Je m'en doute.

– Qui est à la morgue ? murmura Clint.

Elle secoua la tête, lui fit signe de se taire.

– Maman a dit qu'il y avait aussi une citation pour vous. C'est vrai ?

– Oui, mais ils ne m'ont pas trouvée. C'est pour cela que je suis chez Clint. Si on ne me remet pas la citation en mains propres, je ne suis pas obligée d'y aller.

– Vous vous cachez, vous aussi ?

– On peut dire ça.

La communication fut brusquement coupée. Reggie entendit la tonalité, considéra un instant le combiné, le reposa sur son support.

– Il a raccroché, fit-elle.

– Allez-vous m'expliquer ce qui se passe ? lança Clint.

– C'était Mark. Il s'est échappé de prison.

– Comment ?

– Il s'est réfugié dans la morgue de l'hôpital.

Les mots qu'elle prononçait lui semblaient incroyables. Le téléphone sonna, elle décrocha aussitôt.

– Allô !

– Désolé de vous avoir raccroché au nez. La porte s'est ouverte, puis refermée. J'ai cru qu'on amenait un autre mort.

– Es-tu en sécurité, Mark ?

– Bien sûr que non, mais je ne suis qu'un enfant qui a été admis en psychiatrie. Si jamais ils me rattrapent, j'entrerai en état de choc et on me mettra dans une chambre. Je n'aurai plus qu'à chercher un nouveau moyen de m'échapper.

– Tu ne pourras pas te cacher indéfiniment.

– Vous non plus.

Elle s'émerveilla encore une fois de cette vivacité d'esprit.

– Tu as raison, Mark. Alors, qu'allons-nous faire ?

– Je ne sais pas. Je crois que j'aimerais quitter Memphis. Ras le bol de la flicaille et de la prison.

– Où voudrais-tu aller ?

– Attendez, j'ai quelque chose à vous demander. Si vous venez me chercher et si nous partons ensemble, aurez-vous des ennuis pour m'avoir aidé à m'échapper ?

– Oui, je deviendrai ta complice.

– Que risquerez-vous ?

– Nous nous en préoccuperons plus tard. J'ai déjà fait pire.

– Alors, vous voulez bien m'aider ?

– Oui, Mark, je vais t'aider.

– Et vous n'en parlerez à personne ?

– Nous aurons peut-être besoin de Clint.

– D'accord, vous pouvez en parler à Clint. Mais à personne d'autre.

– Tu as ma parole.

– Et vous n'essaierez pas de me convaincre de retourner en prison ?

– Promis.

Il y eut un long silence. Clint était au bord de la panique.

– Vous voyez le parking, Reggie, celui qui est à côté du grand bâtiment vert ?

– Oui.

– Allez-y en voiture et faites comme si vous cherchiez une place pour vous garer. Roulez très lentement. Je serai caché au milieu des voitures.

– L'endroit est sombre et dangereux, Mark.

– Le vendredi soir, Reggie, tout est sombre et dangereux, dans ce coin.

– Mais il y a un gardien à la sortie.

– Il passe la moitié du temps à dormir. Et c'est un gardien de parking, pas un flic. Je sais ce que je fais, Reggie.

– En es-tu sûr ?

– Non. Mais vous avez dit que vous m'aiderez.

– Je le ferai. Dans combien de temps veux-tu que j'y sois ?

– Aussi vite que possible.

– J'aurai la voiture de Clint, une Honda Accord noire.

– Bon. Faites vite.

– Je pars tout de suite. Sois prudent, Mark.

– Restez calme, Reggie. C'est comme au cinéma.

Elle raccrocha, prit une longue inspiration.

– Avec ma voiture ? fit Clint.

– On me recherche aussi.

– Vous êtes cinglée, Reggie. C'est de la folie. Vous n'allez pas partir avec un évadé. Vous serez arrêtée pour complicité et inculpée. Vous serez rayée du barreau.

– Où est mon sac ?

– Dans la chambre.

– Il me faut vos clés de voiture et vos cartes de crédit.

– Mes cartes de crédit ! Écoutez, Reggie, je vous aime beaucoup, mais ma voiture et mes cartes de crédit...

– Combien d'argent liquide avez-vous ?

– Quarante dollars.

– Donnez-les moi, fit-elle, en se dirigeant vers la chambre. Je vous rembourserai.

– Vous avez perdu la tête !

– Ce n'est pas la première fois.

– Soyez raisonnable, Reggie.

– Ressaisissez-vous, mon vieux. Il faut que j'aide Mark. Il est caché dans le noir, dans un bureau de la morgue de l'hôpital, et il a besoin de moi. Que voulez-vous que je fasse ?

– Eh bien, vous n'avez qu'à attaquer l'hôpital au bazooka et descendre tout le monde. Rien n'est trop beau pour Mark Sway.

Elle lança sa brosse à dents dans le sac de toile.

– Donnez-moi les cartes de crédit et le liquide, Clint. Il faut que je me dépêche.

– Vous êtes complètement timbrée, fit-il en fouillant dans sa poche. C'est ridicule.

– Restez près du téléphone. Ne sortez pas de chez vous. Je vous appellerai ici.

Elle prit les clés, les billets et deux cartes de crédit, Visa et Texaco.

– Allez-y mollo avec la carte Visa, dit Clint en l'accompagnant à la porte. Je suis presque à la limite.

– Ça ne me surprends pas vraiment, fit-elle en l'embrassant sur la joue. Merci, Clint. Prenez soin de Momma Love.

– Appelez-moi, dit-il avec un soupir résigné.

Elle ouvrit la porte et s'éloigna dans le couloir.

33

Dès l'instant où Mark sauta dans la voiture et se jeta sur le plancher, Reggie devint complice de son évasion. Mais, à moins que son client n'assassine quelqu'un avant qu'ils ne se fassent reprendre, elle ne pensait pas être passible d'emprisonnement. Elle voyait plutôt une période de travaux d'intérêt général, peut-être une amende, et quarante ans de mise à l'épreuve. Va pour quarante ans ! Ce serait son premier délit. Elle pourrait faire valoir, avec l'aide de son avocat, que l'enfant était traqué par la mafia, qu'il était livré à lui-même, qu'il fallait bien que quelqu'un fasse quelque chose. Elle n'allait pas s'encombrer de subtilités juridiques quand son client implorait son aide. Peut-être, en usant de son influence, pourrait-elle continuer à exercer.

Après avoir fait le tour du parking, elle tendit une pièce de cinquante cents au gardien de nuit, en dérobant son regard. L'homme dormait à moitié. Mark était roulé en boule, dans l'ombre, sous le tableau de bord. Il demeura immobile jusqu'à ce que la voiture s'engage dans Union Avenue et prenne la direction du fleuve.

— On ne risque plus rien ? demanda-t-il d'une voix inquiète.

— Je ne crois pas.

Mark bondit sur le siège avant et scruta l'avenue. La pendule à affichage numérique indiquait 0 h 50. Les six voies de circulation étaient désertes. Reggie passa trois carrefours, s'arrêta chaque fois au feu rouge, en attendant que Mark se décide à parler.

— Où allons-nous ? demanda-t-elle enfin.

— A l'Alamo.

Cela ne fit pas sourire Reggie. Il secoua la tête. Ce que les adultes peuvent être bêtes !

— C'était une blague, Reggie.

— Excuse-moi.

— Je suppose que vous n'avez pas vu *Les Aventures de Pee-Wee*.

– C'est un film ?

– Oubliez ça.

Ils attendirent en silence que le feu passe au vert.

– Je préfère votre voiture, reprit Mark, en laissant courir sa main sur le tableau de bord.

Son attention se porta soudain sur l'autoradio.

– Très bien, Mark. Cette avenue s'arrête devant le Mississippi et je pense qu'il conviendrait de discuter plus sérieusement de l'endroit où tu veux aller.

– Pour l'instant, tout ce que je veux, c'est quitter Memphis. Vous comprenez ? Je me fiche de savoir où nous allons, je veux partir d'ici.

– Et quand nous aurons quitté Memphis, où irons-nous ? Ce serait bien de le savoir.

– Traversons le pont de la Pyramide. D'accord ?

– Très bien. Tu veux aller dans l'Arkansas ?

– Pourquoi pas ? Oui, c'est ça, prenons la route de l'Arkansas.

– Comme tu voudras.

Libéré par cette décision, il se pencha en avant pour inspecter l'autoradio. Il enfonça une touche, tourna un bouton et Reggie se prépara à une explosion de rap ou de hard rock. Il poursuivit ses réglages à deux mains : un enfant découvrant un nouveau jouet. Un enfant qui aurait dû être chez lui, au chaud dans son lit, avec la perspective d'une longue nuit, puisque le lendemain était samedi. A son lever, frais et dispos, il regarderait quelques dessins animés, puis, toujours en pyjama, il prendrait sa console Nintendo, jongle-rait avec les touches et les boutons, comme il le faisait maintenant avec la radio de la voiture. Une chanson des Four Tops s'acheva.

– Tu aimes les vieux tubes ? demanda-t-elle, sincèrement étonnée.

– J'aime bien, de temps en temps. Je croyais que cela vous ferait plaisir. Il est presque 1 heure du matin, un peu tard pour une musique trop forte, non ?

– Qu'est-ce qui te fait croire que j'aime les vieux titres ?

– Pour être tout à fait franc, Reggie, j'ai du mal à vous imaginer à un concert de rap. Et puis, le jour où je suis monté dans votre voiture, la radio était réglée sur cette station.

L'avenue s'achevait devant le fleuve. Ils attendaient au feu rouge quand une voiture de police s'arrêta à côté d'eux. Le conducteur lança à Mark un regard soupçonneux.

– Ne le regarde pas, souffla Reggie.

Le feu passa au vert, elle tourna à droite, dans Riverside Drive. La voiture de police les suivit.

– Ne te retourne pas, murmura-t-elle à mi-voix. Fais comme si tout était normal.

– Pourquoi est-ce qu'il nous suit, cet abruti ?

– Je n'en sais rien. Garde ton sang-froid.

– Il m'a reconnu. Ma photo s'est étalée dans les journaux toute la semaine, ce flic a dû me reconnaître. C'est vraiment génial. On réussit notre évasion et, au bout de dix minutes, les flics nous coincent.

– Tais-toi, Mark. J'essaie de conduire et de le surveiller en même temps.

Mark se baissa insensiblement, en glissant vers l'avant, jusqu'à ce que ses fesses atteignent le bord du siège et que sa tête dépasse à peine la poignée de la portière.

– Qu'est-ce qu'il fait ? murmura-t-il.

Les yeux de Reggie allaient et venaient de la chaussée au rétroviseur.

– Il se contente de nous suivre. Non, attends ! Le voilà !

La voiture de police les dépassa lentement, puis accéléra.

– Il est parti.

Mark put enfin respirer.

Ils prirent la route 40 au premier échangeur et franchirent le Mississippi. Mark contempla la Pyramide illuminée, puis se tourna pour admirer les immeubles du centre ville, dont les silhouettes commençaient à s'estomper. Il resta bouche bée, comme s'il voyait cela pour la première fois. Reggie se demanda si le pauvre gosse avait jamais quitté Memphis.

– Vous aimez Elvis ? demanda-t-il, en entendant les premières notes d'une nouvelle chanson.

– Tu n'es pas obligé de me croire, Mark, mais, quand j'étais adolescente, j'allais chez lui le dimanche, avec une bande de copines, et je le regardais jouer au football. C'était avant qu'il ne devienne vraiment célèbre, du temps où il vivait encore chez ses parents, dans une jolie petite maison. Il allait au lycée Humes, à Memphis-Nord.

– C'est là que j'habite, ou plutôt que j'habitais. Je ne sais même plus où j'habite maintenant.

– On allait à ses concerts, on le voyait traîner en ville, reprit Reggie. Au début, il vivait comme tout le monde, puis les choses ont changé. Il est devenu si célèbre qu'il ne pouvait plus mener une vie normale.

– Exactement comme moi, fit Mark, le visage éclairé par un grand sourire. C'est vrai, quand on y pense. Elvis et moi : notre photo à la une, des journalistes qui nous guettent, toutes sortes de gens qui nous pourchassent. C'est dur d'être célèbre.

– Attends demain matin. J'imagine les gros titres, en caractères énormes : « Évasion de Mark Sway. »

– Génial ! On verra encore mon visage à la première page, entouré de flics, comme une sorte de tueur en série. Et la tête des flics ! Ils auront l'air malin, en essayant d'expliquer comment un garçon de onze ans a pu s'échapper de prison. Je me demande si je suis le plus jeune de tous les évadés.

– Probablement.

– Mais je suis désolé pour Doreen. Elle aura des ennuis, à votre avis ?

– Était-elle de service ?

– Non. Les surveillants étaient Telda et Denny. Ça ne me ferait ni chaud ni froid s'ils se faisaient virer.

– Je crois que Doreen ne risque rien. Et elle a de l'ancienneté.

– Je l'ai bluffée, vous savez ? Je lui ai fait croire que j'avais reçu un choc émotionnel, que je partais au pays des songes, comme disait Romey. A chacune de ses visites, mon comportement était plus bizarre. Je n'ouvrais plus la bouche, je gardais les yeux fixés au plafond, en gémissant. Elle savait dans quel état est Ricky, et elle a fini par se convaincre qu'il m'arrivait la même chose. Hier, elle a fait venir un médecin. Il m'a examiné et a dit que tout allait bien. Mais Doreen était inquiète, et je me suis servi d'elle.

– Comment as-tu fait pour sortir ?

– J'ai fait comme si j'étais en état de choc. J'ai beaucoup transpiré en faisant le tour de ma cellule à toute vitesse, puis je me suis roulé en boule et j'ai pris mon pouce. Ils ont eu une telle trouille qu'ils ont fait venir une ambulance. Je savais que si j'arrivais à St. Peter's, c'était gagné. Il y a une pagaille incroyable dans cet hôpital.

– Et tu as disparu ?

– J'étais attaché sur un lit, vous voyez ? Dès qu'ils ont tourné les talons, je me suis levé et j'ai disparu, comme vous dites. Il y avait des mourants, personne ne s'intéressait à moi. Un jeu d'enfant.

De l'autre côté du pont commençait l'Arkansas. L'autoroute était linéaire, bordée de restaurants de routiers et de motels. Mark se retourna de nouveau pour admirer les tours de Memphis, mais il était trop tard.

– Qu'est-ce que tu cherches ? demanda Reggie.

– Memphis. J'aime regarder les grands immeubles. Un instituteur a dit un jour que des gens vivent dans ces gratte-ciel. C'est difficile à imaginer.

– Pourquoi ?

– J'ai vu un film où un petit garçon d'une famille riche vivait dans un gratte-ciel d'une grande ville. Il traînait dans les rues, il s'amusait bien. Il appelait les flics par leur prénom. Quand il voulait aller quelque part, il arrêtait un taxi. La nuit, il s'asseyait sur son balcon et regardait les voitures, tout en bas. Je me suis toujours dit que ce serait merveilleux de vivre comme ça. Pas dans un mobile home déglingué, pas entouré de minables, sans vieilles camionnettes garées juste devant votre porte.

– Tu peux connaître ça, Mark. Cela ne dépend que de toi.

Il tourna la tête, la regarda longuement.

– Comment ?

– Le FBI t'offrira tout ce que tu veux. Tu pourras vivre dans une tour d'une grande ville, ou dans une cabane de montagne. A toi de choisir.

– J'y ai réfléchi.

– Tu pourras vivre sur une plage et jouer dans les vagues. Si tu vis à Orlando, tu pourras aller tous les jours à Disney World.

– Ce serait bien pour Ricky, moi je suis trop vieux. Il paraît que l'entrée est très chère.

– On t'obtiendrait probablement un laissez-passer à vie, si tu le demandais. Dès aujourd'hui, Mark, ta mère et toi, vous pouvez avoir tout ce que vous voulez.

– A quoi bon, si c'est pour vivre dans la crainte de tout ? Ces trois dernières nuits, j'ai fait des cauchemars, à cause de ces types. Je ne veux pas avoir la trouille jusqu'à la fin de ma vie. Un jour, ils me retrouveront. Je le sais.

– Alors, Mark, que veux-tu faire ?

– Je ne sais pas, mais il y a quelque chose qui me trotte dans la tête.

– J'écoute.

– Un des avantages de la prison est qu'on a le temps de réfléchir.

Il croisa les jambes, en plaçant son pied sur son genou, et l'entoura de sa main.

– Imaginons que Romey m'ait raconté des bobards. Il était ivre, bourré de médicaments, il délirait. Peut-être parlait-il simplement pour entendre le son de sa voix. Ce type était cinglé, il racontait des tas de choses bizarres et, au début, j'ai tout avalé. J'avais une peur bleue, mon cerveau ne fonctionnait pas. Il m'avait frappé et j'avais mal à la tête. Maintenant, je commence à avoir des doutes. Toute cette semaine, des souvenirs de choses qu'il avait dites ou faites me sont revenus à l'esprit et je me demande si je n'avais pas trop envie de le croire.

Reggie maintenait la vitesse de la voiture à quatre-vingt-dix kilomètres à l'heure. Elle ne perdait pas un mot de ce que disait Mark. Elle ne savait absolument pas où il voulait en venir, ni quelle était leur destination.

– Mais je n'ai pas pu prendre ce risque, Reggie. Imaginez que j'aie tout répété aux flics et qu'ils aient retrouvé le corps à l'endroit que Romey m'avait indiqué. Tout le monde aurait été content, sauf la mafia. Que me serait-il arrivé ? Imaginez maintenant que Romey ait menti et que la police n'ait pas retrouvé le corps. J'aurais été tiré d'affaire, c'est vrai, parce que je ne savais rien du tout. Quel blagueur, ce Romey ! Mais c'était trop risqué.

Il s'interrompit. La radio diffusait *California Girls*, des Beach Boys.

– J'ai eu une idée géniale, reprit-il.

Reggie commençait à imaginer ce qu'était cette idée géniale. Le cœur battant, elle réussit à garder les roues de la voiture entre les deux lignes blanches de la voie de droite.

– Quelle est donc cette idée géniale ? demanda-t-elle nerveusement.

– Je pense que nous devrions aller voir si Romey a dit la vérité ou s'il a menti.

– Tu veux dire, aller voir si nous trouvons le corps ? fit-elle, la gorge sèche.

– C'est ça.

Elle aurait voulu rire de la naïveté comique de cet esprit imaginatif, mais n'en avait pas la force.

– C'est une blague, Mark.

– Parlons-en sérieusement. Nous sommes tous deux attendus à La Nouvelle-Orléans, lundi matin, n'est-ce pas ?

– Il paraît. Je n'ai pas vu de citation.

– Mais moi, j'en ai reçu une et je suis votre client. Même si on ne vous a pas remis la vôtre, vous êtes quand même obligée de m'accompagner. Oui ou non ?

– C'est vrai.

– Mais nous sommes en fuite. Tous les deux, comme Bonnie et Clyde, pourchassés par la police.

– On peut dire ça.

– Où ne leur viendrait-il jamais à l'idée de nous chercher ? Réfléchissez, Reggie.

– A La Nouvelle-Orléans.

– Exact. Je ne sais pas ce qu'il faut faire quand on est en cavale. Mais vous, vous êtes avocate, vous voulez échapper à une citation, vous avez tout le temps affaire à des criminels, vous devez donc savoir comment atteindre La Nouvelle-Orléans sans vous faire repérer.

– Je suppose, s'entendit-elle répondre, à son grand étonnement. Elle commençait à voir les choses comme Mark.

— Si nous arrivons à La Nouvelle-Orléans sans nous faire repérer, il nous restera à trouver la maison de Romey.

— Pourquoi la maison de Romey ?

— Parce que c'est là que le corps devrait être caché.

C'est précisément ce que Reggie redoutait d'entendre. Elle enleva lentement ses lunettes, se frotta les yeux. Une migraine se formait à la hauteur des tempes, elle irait en s'accentuant.

La maison de Romey ? Le domicile de feu Jerome Clifford ? Ces mots, prononcés très lentement, avaient mis du temps à pénétrer dans l'esprit de Reggie. Les yeux fixés sur les feux arrière de la voiture qui les précédait, elle ne voyait qu'une tache rouge, aux contours indistincts. La maison de Romey ? La victime était ensevelie chez l'avocat de l'accusé. C'était plus que bizarre. Son cerveau en effervescence agitait une multitude de questions, sans pouvoir apporter la moindre réponse. En lançant un coup d'œil dans le rétroviseur, elle surprit le regard de Mark qui l'observait avec un sourire étrange.

— Vous voilà au courant, Reggie.

— Mais, comment... Pourquoi ?

— Ne me demandez rien, je ne sais pas. Je trouve cela tellement dingue que je pense que Romey a pu me raconter des histoires. L'invention d'un esprit dérangé qui imagine qu'il y a un cadavre chez lui.

— Alors, tu ne crois pas qu'il soit là-bas ? poursuivit Reggie, cherchant à se rassurer.

— On ne le saura pas avant d'avoir cherché. S'il n'est pas là-bas, je serai tranquille, la vie reprendra son cours normal.

— Et s'il y est ?

— Il sera temps de nous inquiéter quand nous le trouverons.

— Je n'aime pas ton idée de génie.

— Pourquoi ?

— Écoute, Mark, tu es mon client et un bon garçon, mais si tu t'imagines que je vais aller à La Nouvelle-Orléans pour déterrer un cadavre, tu es complètement fou !

— Bien sûr que je suis fou. Mon frère et moi, nous sommes bons à enfermer.

— Je ne ferai pas ça.

— Pourquoi, Reggie ?

— C'est beaucoup trop dangereux, Mark. C'est de la folie et nous risquons d'y laisser notre peau. Je n'irai pas et je ne te laisserai pas faire ça.

— Pourquoi dangereux ?

— Eh bien, c'est dangereux ! Je ne sais pas pourquoi.

— Réfléchissez, Reggie. Nous allons chercher le corps et, s'il n'est pas à l'endroit indiqué par Romey, je serai libre de rentrer chez moi. Nous demanderons aux flics d'abandonner les charges contre nous, et, en échange, je leur dirai ce que je sais. Comme je ne saurai pas où se trouve exactement le corps, la mafia me fichera la paix.

– Et si nous trouvons le corps ?

– Bonne question. Essayez de penser comme un enfant de mon âge. Si nous trouvons le corps et si vous appelez le FBI pour dire que vous savez où il se trouve, que vous l'avez vu de vos propres yeux, ils nous offriront tout ce que nous voulons.

– Que veux-tu, exactement ?

– L'Australie, je crois. Une jolie maison, beaucoup d'argent pour ma mère. Une voiture neuve. De la chirurgie esthétique, peut-être. J'ai vu ça dans un film, on avait refait tout le visage d'un type. Il était laid comme un pou et il a dénoncé des dealers, juste pour se faire faire une nouvelle tête. Après l'opération, il ressemblait à une vedette de cinéma. Deux ans plus tard, les dealers l'ont retrouvé et lui ont bien abîmé le portrait.

– Tu es sérieux ?

– Pour le film ?

– Non, pour l'Australie.

– Peut-être.

Il se tourna, regarda par la vitre.

– Peut-être, répéta-t-il.

Pendant quelques minutes, ils écoutèrent la radio, sans ajouter un mot. Il y avait peu de circulation. Memphis s'éloignait.

– J'ai quelque chose à vous proposer, reprit Mark, sans tourner la tête.

– J'écoute.

– Allons à La Nouvelle-Orléans.

– Pas question de chercher un cadavre.

– D'accord, mais allons-y quand même. Personne ne nous y attend. Nous reparlerons du corps en arrivant.

– Nous en avons déjà parlé.

– Je vous demande juste d'aller jusqu'à La Nouvelle-Orléans.

L'auroute en croisa une autre. Ils franchirent un pont. Reggie tendit la main vers la droite. Au loin, les tours de Memphis scintillaient sous un croissant de lune.

– C'est beau, fit Mark, émerveillé.

Ils ne pouvaient savoir, ni l'un ni l'autre, que c'était la dernière image qu'il emporterait de Memphis.

Ils firent halte à Forrest City, Arkansas, pour faire le plein et acheter à manger, tandis que Mark restait tapi sous le tableau de bord. Ils reprirent l'autoroute en direction de Little Rock.

Le gobelet de café fumait pendant que Reggie regardait du coin de l'œil Mark avaler quatre gâteaux. Il mangeait comme un enfant : des miettes tombaient sur son pantalon et sur le siège, il avait de la crème plein les doigts et les léchait comme s'il n'avait pas vu la moindre nourriture depuis un mois. Il était près de 2 h 30. Il ne semblait y avoir sur l'autoroute que des convois de semi-remorques. Elle régla la vitesse de croisière à cent kilomètres à l'heure.

– Croyez-vous qu'ils se soient lancés à notre poursuite ?

La voix de Mark trahissait une certaine excitation. Il termina le dernier gâteau, ouvrit la boîte de Sprite.

– J'en doute. La police doit fouiller l'hôpital de fond en comble, mais pourquoi soupçonneraient-ils que nous sommes ensemble ?

– Je m'inquiète pour maman. Je l'ai appelée, je vous l'ai dit, avant de vous téléphoner. Je lui ai raconté mon évasion et lui ai dit que je me cachais dans l'hôpital. Elle a piqué une crise terrible, mais je crois l'avoir convaincue que je ne risquais rien. J'espère qu'ils ne seront pas trop durs avec elle.

– Elle ne sera pas maltraitée, mais elle va se faire un sang d'encre.

– Je sais. Je ne veux pas être méchant, mais je pense qu'elle saura se débrouiller. Elle en a bavé, vous savez. C'est une dure, ma mère.

– Je dirai à Clint de l'appeler dans la journée.

– Lui direz-vous où nous allons ?

– Je ne suis pas sûre de connaître notre destination.

Il médita cette réponse. Deux énormes camions les dépassèrent, la voiture fit une embardée.

– Que feriez-vous, à ma place, Reggie ?

– Pour commencer, je pense que je ne me serais pas échappée.

– Vous mentez.

– Pardon ?

– Bien sûr que c'est un mensonge. Vous évitez la remise d'une citation, n'est-ce pas ? Je fais la même chose que vous, où est la différence ? Vous ne voulez pas comparaître devant ce grand jury. Moi non plus, et nous voilà en fuite. Nous sommes dans la même galère, Reggie.

– Il y a une différence de taille : tu étais en prison et tu t'es échappé. C'est un crime.

– J'étais dans une prison pour mineurs, et les mineurs ne commettent pas de crimes. C'est vous qui me l'avez dit, non ? Les mineurs sont des petits voyous, des délinquants, ils peuvent avoir besoin d'un soutien éducatif, mais ils ne commettent pas de crimes. Vrai ou faux ?

– Puisque tu le dis. Mais tu as commis une faute en t'échappant.

– Ce qui est fait est fait. Vous aussi, vous commettez une faute en essayant d'échapper à la loi.

– Absolument pas. Ce n'est pas un crime d'éviter la remise d'une citation. Je ne risquais rien avant de te prendre en voiture.

– Eh bien, vous n'avez qu'à vous arrêter et me laisser descendre.

– Bien sûr ! Essaie d'être sérieux, Mark.

– Je suis sérieux.

– Bon. Que ferais-tu, si tu descendais de cette voiture ?

– Je ne sais pas. Je marcherai aussi loin que possible et, quand on m'arrêtera, je ferai semblant d'être en état de choc pour qu'on me ramène à Memphis. Je dirai que je suis cinglé et personne ne saura que vous étiez dans le coup. Arrêtez-vous quand vous voulez, je suis prêt.

Il se pencha vers le tableau de bord, enfonça la touche Recherche de l'autoradio. Pendant une dizaine de kilomètres, ils écoutèrent Conway Twitty et Tammy Wynette.

– Je déteste la musique country, dit Reggie.

Mark éteignit la radio.

– Je peux te demander quelque chose ? reprit Reggie.

– Bien sûr.

– Supposons que nous allions à La Nouvelle-Orléans et que nous trouvions le corps. D'après ce que tu m'as dit, nous nous mettons d'accord avec le FBI qui te prend sous sa protection. Puis vous embarquez tous les trois pour l'Australie ou un autre pays, au bout du monde. C'est bien ça ?

– Je suppose.

– Dans ce cas, pourquoi ne pas conclure tout de suite ce marché et leur dire ce que tu sais ?

– Vous recommencez à faire travailler votre matière grise, fit Mark d'un air condescendant, comme si Reggie venait enfin de se réveiller.

– Merci infiniment.

– Il m'a fallu un moment pour comprendre, mais la réponse est évidente. Je ne fais pas entièrement confiance au FBI. Et vous ?

– Pas entièrement.

– Et je ne leur dirai pas ce qu'ils veulent savoir avant d'être loin, avec ma mère et mon frère. Vous êtes un bon avocat, Reggie, vous ne laisseriez pas votre client courir des risques, n'est-ce pas ?

– Continue.

– Avant de dire un seul mot aux fédéraux, je veux qu'on nous ait mis en sûreté quelque part. On ne peut pas déplacer Ricky tout de suite. Si je parlais maintenant, les méchants pourraient l'apprendre avant notre départ. C'est trop risqué.

– Et si tu parlais maintenant et qu'on ne trouve pas le corps ? Et si Clifford, comme tu dis, avait raconté des bobards ?

– Je ne le saurais pas. Je vivrais ailleurs, avec un nouveau nez, un nouveau nom, Tommy ou autre chose, tout cela pour rien. Il est beaucoup plus intelligent de savoir tout de suite si Romey m'a dit la vérité.

– Je ne suis pas sûre de bien comprendre, fit-elle, l'air perplexe.

– Je ne suis pas sûr de bien comprendre non plus, mais il est certain que je n'irai pas à La Nouvelle-Orléans. Je ne me présenterai pas devant le grand jury, pour ne pas avoir à refuser de répondre à ses questions et me retrouver en prison.

– Je comprends ton point de vue. Alors, qu'allons-nous faire de notre week-end ?

– A quelle distance sommes-nous de La Nouvelle-Orléans ?

– Cinq à six heures de route.

– Allons-y. On pourra toujours se dégonfler, quand on y sera.

– Est-ce qu'il sera difficile de trouver le corps ?

– Pas trop, je pense.

– Je peux te demander où il est caché, dans la maison de Clifford ?

– Il n'est pas suspendu dans un arbre ni couché dans les buissons. Il faudra se donner un peu de mal.

– C'est complètement fou, Mark.

– Je sais. Nous vivons une semaine difficile.

34

Pour un samedi matin tranquille, avec les enfants, c'était raté. Jason McThune considéra d'abord ses pieds posés sur la descente de lit, puis essaya de fixer son regard sur la pendule murale, près de la porte de la salle de bains. Il était à peine 6 heures, il faisait encore nuit et les vapeurs d'alcool de la veille lui obscurcissaient la vision. Sa femme se tourna en grommelant quelques mots indistincts.

Vingt minutes plus tard, il la retrouva enfouie sous les couvertures. Il lui dit au revoir, ajouta qu'il pouvait être absent une semaine. Il n'était pas sûr qu'elle eût entendu. Les samedis au bureau et les absences de plusieurs jours étaient de règle.

Cette fois, il s'était pourtant passé quelque chose d'inhabituel. Comment un gosse de onze ans pouvait-il disparaître sans laisser de traces ? La police de Memphis n'en avait pas la moindre idée. Il s'est envolé, avait dit le lieutenant chargé de l'enquête. McThune ouvrit la porte, le chien se précipita dans la cour.

Il prit la direction du centre ville, où se trouvait l'Immeuble fédéral. A cette heure matinale, il y avait très peu de circulation. Il composa plusieurs numéros sur son téléphone de voiture. Les agents Brenner, Latchee et Durston, tirés du sommeil, furent convoqués sans délai dans son bureau. Il feuilleta son agenda et trouva le numéro de K.O. Lewis, à Alexandria.

Le directeur adjoint du FBI ne dormait pas, mais n'était pas d'humeur à être dérangé. Il prenait tranquillement son petit déjeuner en famille. Comment diable un gamin de cet âge, sous la garde de la police, pouvait-il disparaître ? McThune lui raconta ce qu'il savait, rien ou presque, et lui demanda de prendre ses dispositions pour se rendre à Memphis. Le week-end risquait d'être long. Lewis dit qu'il avait deux ou trois coups de fil à donner et qu'il le rappellerait à son bureau, quand il aurait réservé le jet.

Dès son arrivée, McThune appela Trumann et fut ravi de voir son collègue de La Nouvelle-Orléans déboussolé et manifestement mal réveillé. Il avait travaillé toute la semaine sur cette affaire, mais elle était officiellement du ressort de Trumann. Pour le plaisir, il appela aussi George Ord et lui demanda de venir rejoindre tout le monde.

A 7 heures, Brenner, Latchee et Durston avalaient café sur café dans le bureau de McThune en échafaudant les hypothèses les plus folles. Ord les rejoignit, suivi peu après par deux agents en uniforme qui accompagnaient Ray Trimble, l'adjoint du chef de la police de Memphis, un homme à la réputation flatteuse.

Quand tout le monde fut assis, Trimble prit la parole et alla droit au but.

– Le sujet a été transporté en ambulance du centre de détention à l'hôpital St. Peter's, vers 22 h 30. Il a été admis au service des urgences, sous la responsabilité de deux infirmiers qui sont aussitôt repartis. Le sujet n'était accompagné ni par un représentant de la police municipale ni par un surveillant du centre de détention. Les infirmiers sont certains qu'une infirmière de race blanche, du nom de Gloria Watts, a rempli les formulaires d'admission, mais aucun document n'a été retrouvé. Mlle Watts a déclaré que le sujet se trouvait dans son bureau du service des urgences quand elle a été appelée à l'extérieur, pour une raison indéterminée. Elle ne s'est pas absentée plus de dix minutes, mais, à son retour, le sujet avait disparu. Les formulaires ayant aussi disparu, Mlle Watts a supposé que le sujet avait été emmené dans le service des urgences pour y subir des examens et recevoir un traitement approprié.

Trimble s'interrompit et s'éclaircit la voix, comme si la suite devait être assez déplaisante.

– A 5 heures, Mlle Watts, qui s'apprêtait à terminer son service, a vérifié le registre des admissions. Elle s'est souvenue du sujet et à commencé à poser des questions. Il n'était pas dans le service des urgences, où il n'existait aucune trace de son passage. Elle a appelé la sécurité de l'hôpital, puis prévenu la police de Memphis. Une fouille minutieuse de l'établissement est en cours.

– Six heures, soupira McThune, l'air incrédule.

– Je vous demande pardon ? fit Trimble.

– Il a fallu six heures pour se rendre compte de la disparition.

– C'est vrai, mais nous ne sommes pas chargés de la surveillance de l'hôpital.

– Pourquoi le garçon a-t-il été transporté à St. Peter's sans surveillance ?

– Je n'ai pas de réponse à cette question. Une enquête sera ouverte. Il semble y avoir eu négligence.

– Pourquoi a-t-on transporté le gosse à l'hôpital ?

Trimble ouvrit son porte-documents, prit un dossier et tendit à McThune une copie du rapport de Telda. L'agent fédéral le lut attentivement.

– Elle dit que la remise de la citation a provoqué un choc psychologique. Que faisaient les hommes du marshal là-bas ?

Trimble rouvrit son dossier, tendit la citation à McThune, qui fit passer le document à George Ord après en avoir pris connaissance.

– Autre chose ? demanda-t-il à Trimble qui ne s'était pas assis et ne tenait pas en place, manifestement pressé d'en finir.

– Non. Les recherches seront bientôt terminées. Si nous trouvons quelque chose, vous serez immédiatement prévenu. J'ai près de cinquante hommes qui passent le bâtiment au peigne fin depuis une heure.

– Avez-vous interrogé sa mère ?

– Pas encore, elle dort. J'ai placé la chambre sous surveillance, pour le cas où il essaierait de la rejoindre.

– Ne la dérangez pas, j'irai la voir dans une heure. Faites en sorte que personne ne lui parle avant moi.

– Pas de problème.

– Merci, Trimble.

L'adjoint au chef de la police claqua des talons et fit mine de saluer. Il se retira avec ses hommes.

McThune se tourna vers Brenner et Latchee.

– Battez le rappel des agents disponibles, ordonna-t-il. Rendez-vous ici, et que ça saute !

Les deux agents spéciaux filèrent sans un mot.

– Que pensez-vous de ça ? demanda McThune au procureur, qui tenait encore la citation.

– Je n'en crois pas mes yeux. Foltrigg a perdu la tête.

– Vous n'étiez pas au courant ?

– Bien sûr que non. L'affaire relève de la juridiction du tribunal pour enfants. Je ne m'y risquerais pas. Oseriez-vous heurter de front Harry Roosevelt ?

– Je ne pense pas. Il va falloir appeler le juge. Je m'en occupe, vous prévenez Reggie Love. Je préfère ne pas avoir affaire à elle.

Ord sortit pour téléphoner d'une autre pièce.

– Appelez le bureau du marshal, poursuivit McThune à l'adresse de Durston. Je veux tout savoir sur cette citation.

Durston sortit à son tour. McThune se retrouva seul dans le bureau. Il se jeta sur un annuaire, parcourut fébrilement la liste des Roosevelt. Il n'y avait pas de Harry. Si le magistrat avait le téléphone, il était sûrement sur la liste rouge. McThune passa trois coups de fil à des avocats de sa connaissance, finit par apprendre qu'Harry Roosevelt habitait Kensington Street. Dès qu'il aurait un agent sous la main, il l'enverrait chez le juge.

Ord revint en secouant la tête.

– J'ai parlé à la mère de Reggie Love, mais c'était plutôt elle qui posait les questions. Je ne crois pas qu'elle soit là-bas.

– J'enverrai deux hommes dès que possible. Je pense que vous devriez appeler cet abruti de Foltrigg.

– Vous avez raison.

Ord pivota sur ses talons et ressortit.

Il était 8 heures quand McThune, accompagné de Brenner et Durston, sortit de l'ascenseur au neuvième étage de l'hôpital. Trois autres agents spéciaux, affublés d'une blouse blanche, attendaient devant la cabine pour le conduire à la chambre 943. Trois armoires à glace du service de sécurité montaient la garde devant la porte. McThune frappa doucement et fit signe à sa petite escorte de s'écarter. Il ne tenait pas à effrayer la pauvre femme.

La porte s'entrebâilla.

– Oui ? fit une voix ténue, dans l'obscurité de la chambre.

– Bonjour, madame Sway. Je suis Jason McThune, agent spécial du FBI. Nous nous sommes vus hier, à l'audience.

La porte s'ouvrit un peu plus, Dianne se glissa dans l'ouverture. Elle le regarda en silence, attendant la suite.

– Puis-je vous parler en privé ?

Elle regarda sur sa gauche, vit les trois malabars, deux hommes en civil, trois autres en blouse blanche.

– En privé ?

– Faisons quelques pas dans le couloir, suggéra McThune.

– Il est arrivé quelque chose ?

– Oui, madame.

Dianne respira profondément et rentra dans la chambre. Quelques secondes plus tard, elle revint avec ses cigarettes et referma doucement la porte. Ils s'éloignèrent lentement dans le couloir vide.

– Je ne pense pas que vous ayez parlé récemment à Mark, commença McThune.

– Il m'a appelé hier après-midi, du centre de détention, dit Dianne, en glissant une cigarette entre ses lèvres.

Elle ne mentait pas. Mark l'avait effectivement appelée.

– Et depuis ?

– Non, mentit Dianne. Pourquoi ?

– Il a disparu.

– Comment ça, disparu ? reprit-elle, après un instant d'hésitation.

McThune la trouva étonnamment calme et se dit qu'elle devait être à moitié anesthésiée par tout ce qu'elle avait subi. Il fit un récit succinct de la disparition de Mark. Ils s'arrêtèrent devant une fenêtre, au fond du couloir.

– Croyez-vous qu'il soit tombé aux mains de la mafia ? demanda Dianne, les larmes aux yeux, incapable d'allumer sa cigarette, tellement elle tremblait.

– Non, répondit McThune, en secouant la tête d'un air rassurant. Ils ne sont même pas au courant, nous avons fait le black-out. J'imagine qu'il a tranquillement quitté l'hôpital. Nous avions pensé qu'il aurait pu prendre contact avec vous.

– Avez-vous fouillé le bâtiment ? Il connaît l'hôpital comme sa poche, vous savez.

– La police s'en occupe depuis trois heures, mais je doute qu'on le trouve ici. Où pourrait-il aller ?

Dianne réussit enfin à allumer sa cigarette, Elle tira une longue bouffée, souffla un petit nuage de fumée.

– Je n'en sais rien.

– J'ai quelque chose à vous demander, madame Sway. Savez-vous ce que fait Reggie Love ? Passe-t-elle le week-end à Memphis ? Avait-elle prévu de partir ?

– Pourquoi ?

– Nous ne la trouvons pas non plus. Elle n'est pas chez elle et sa mère n'est pas d'un grand secours. On vous a notifié une citation, n'est-ce pas ?

– En effet.

– On en a aussi remis une à Mark et il y en avait une autre pour Reggie Love, mais on n'a pu mettre la main sur elle. Est-il possible que Mark soit avec son avocate ?

J'espère, se dit Dianne. L'idée ne lui était pas venue à l'esprit. Malgré les pilules dont on la bourrait, elle n'avait pas dormi plus d'un quart d'heure depuis l'appel de Mark. Mark en cavale avec Reggie ? C'était une idée nouvelle, plus rassurante.

– Je ne sais pas. C'est possible, pourquoi pas ?

– Où auraient-ils pu aller, s'ils sont ensemble ?

– Comment voulez-vous que je le sache ? C'est vous, l'agent du FBI. Je n'avais pas pensé à ça avant que vous n'en parliez, et maintenant vous me demandez où ils sont. Fichez-moi la paix, voulez-vous ?

McThune se sentit tout bête. Sa question était stupide, et cette femme n'était pas aussi fragile qu'il l'avait imaginé.

Dianne regarda par la fenêtre en tirant nerveusement sur sa cigarette. Connaissant Mark, il devait être en train de changer des couches dans la nursery, d'assister un chirurgien en orthopédie ou de préparer une omelette dans la cuisine. L'hôpital était le plus grand établissement du Tennessee et accueillait plusieurs milliers de patients. Mark avait dû le parcourir dans ses moindres recoins et se faire des dizaines d'amis. Il leur faudrait plusieurs jours pour le retrouver. Elle attendait un appel de son fils d'une minute à l'autre.

– Il faut que je retourne dans la chambre, fit-elle, en écrasant son mégot dans un cendrier.

– S'il vous appelle, faites-le-moi savoir aussitôt.

– Bien sûr.

– Si vous avez des nouvelles de Reggie Love, j'aimerais en être informé. Je vais laisser deux agents à cet étage, en cas de besoin.

Dianne s'éloigna en pressant le pas.

A 8 h 30, Foltrigg avait réuni dans son bureau l'équipe habituelle : Wally Boxx, Thomas Fink et Larry Trumann, qui arriva le dernier, les cheveux encore mouillés de sa douche.

Foltrigg était tiré à quatre épingles : pantalon au pli impeccable, chemise de coton amidonnée, mocassins brillants. Trumann était en tenue de jogging.

– L'avocate a disparu aussi, annonça-t-il en versant du café d'une Thermos.

– Quand l'avez-vous appris ? demanda Foltrigg.

– Il y a cinq minutes, dans la voiture. J'ai reçu un coup de téléphone de McThune. On s'est présenté à 20 heures à son domicile, pour lui notifier la citation, mais elle n'était pas là. Elle a disparu.

– McThune a dit autre chose ?

– Ils continuent de fouiller l'hôpital. Le gosse y a passé trois jours et en connaît les coins et les recoins.

– Je doute qu'il y soit resté, déclara Foltrigg du ton péremptoire qui lui était coutumier, sur des sujets dont il ignorait tout.

– Le petit serait-il avec son avocate, d'après McThune ? lança Wally Boxx.

– Comment voulez-vous le savoir ? Elle commettrait une grosse bêtise en se rendant complice de l'évasion.

– Elle n'est pas si intelligence que ça, glissa Foltrigg avec mépris.

Vous non plus, songea Trumann. C'est vous, l'imbécile qui a envoyé les citations à l'origine de cette double disparition.

– McThune s'est entretenu deux fois au téléphone avec K.O. Lewis, reprit-il à voix haute. Les recherches se poursuivront dans l'hôpital jusqu'à midi. Si on n'a pas retrouvé le gamin, Lewis sautera dans le premier avion pour Memphis.

– Croyez-vous que Muldanno soit dans le coup ? demanda Fink.

– J'en doute. Il semble que le gamin ait bluffé tout le monde, jusqu'à son arrivée à l'hôpital où il était comme chez lui. Je parie qu'il a appelé l'avocate et qu'ils se planquent tous les deux à Memphis.

– Je me demande si Muldanno est au courant, insista Fink, en quêtant du regard l'approbation de Foltrigg.

– Ses hommes sont encore à Memphis, fit Trumann. Gronke est revenu, mais nous n'avons vu ni Bono ni Pirini. Ils sont peut-être une douzaine maintenant, allez savoir !

– McThune emploie les grands moyens, j'espère ? demanda Foltrigg.

– Oui. Tous ses hommes sont sur l'affaire. Ils surveillent la maison de l'avocate et l'appartement de son secrétaire, deux agents sont même partis à la recherche du juge Roosevelt qui est parti pêcher à la montagne. La police de Memphis a investi l'hôpital.

– Et le téléphone ?

– Quel téléphone ?

– Celui de la chambre du petit frère. Ce n'est qu'un enfant, Larry, il va essayer d'appeler sa mère.

– Il faut l'accord de la direction de l'hôpital. McThune a dit qu'il s'en occupait. Mais c'est samedi, il est difficile de joindre les responsables.

Foltrigg fit le tour de son bureau, s'avança vers la fenêtre.

– Le gamin a disposé de six heures avant qu'on ne signale sa disparition, c'est bien ça ?

– Il semblerait.

– A-t-on retrouvé la voiture de l'avocate ?

– Non. Les recherches se poursuivent.

– Je parie qu'ils ne la trouveront pas à Memphis. Je parie qu'ils sont tous deux dans cette voiture.

– Vous croyez ?

– Oui, ils ont foutu le camp.

– Pour aller où ?

– Je ne sais pas, mais loin.

A 9 h 30, un agent du stationnement communiqua le numéro minéralogique d'une Mazda en stationnement interdit. Le véhicule appartenait à une certaine Reggie Love. Le message fut rapidement transmis à Jason McThune, dans son bureau de l'Immeuble fédéral.

Dix minutes plus tard, deux agents du FBI frappèrent à la porte de l'appartement 28, à Bellevue Gardens. Ils attendirent, frappèrent derechef. Clint se terrait dans la chambre. S'ils défonçaient la porte, ils le trouveraient endormi, par cette belle matinée du samedi. Ils frappèrent une troisième fois, le téléphone se mit à sonner.

Clint sursauta, faillit bondir sur l'appareil. Son répondeur était branché. Si la police venait à son domicile, elle n'hésiterait certainement pas à téléphoner. Après la tonalité, il reconnut la voix de Reggie. Il souleva doucement le combiné.

— Reggie, rappelez-moi tout de suite, murmura-t-il.

Les agents fédéraux frappèrent une quatrième et dernière fois, et renoncèrent. Les lumières étaient éteintes, les rideaux étaient tirés à toutes les fenêtres. Clint garda les yeux rivés sur le téléphone pendant cinq minutes, jusqu'à ce qu'il sonne. Le répondeur délivra son message. C'était Reggie.

— Bonjour.

— Bonjour, Clint, fit-elle d'une voix enjouée. Comment vont les choses à Memphis ?

— Rien de particulier. Mon appartement est sous surveillance, les flics frappent à ma porte. Un samedi matin tout ce qu'il y a de plus banal.

— Des flics ?

— Oui. Je regarde ma petite télévision depuis une heure. La nouvelle s'est répandue comme une traînée de poudre. Votre nom n'a pas encore été prononcé, mais on voit des photos de Mark sur toutes les chaînes. On ne parle pour l'instant que de disparition, pas d'évasion.

— Avez-vous parlé à Dianne ?

— Je l'ai appelée il y a une heure. Le FBI venait de lui annoncer la disparition de Mark. Je lui ai expliqué qu'il était avec vous, elle s'est sentie un peu soulagée. Cette femme a reçu tellement de coups que je me demande si elle a compris ce que je disais. Où êtes-vous ?

— Nous venons de prendre une chambre dans un motel, à Metairie.

— Vous avez bien dit Metairie ? En Louisiane ? Un faubourg de La Nouvelle-Orléans ?

— Exactement. Nous avons roulé toute la nuit.

— Mais qu'est-ce que vous fichez là-bas, Reggie ? Quelle idée d'aller se cacher dans un faubourg de La Nouvelle-Orléans ! Pourquoi pas en Alaska ?

— Parce que c'est le dernier endroit où on nous cherchera. Nous ne risquons rien, Clint. J'ai payé la chambre en espèces et donné un faux nom. Nous allons nous reposer un peu, avant de faire un tour dans la ville.

— Faire un tour ? Dites-moi ce qui se passe, Reggie.

— Je vous expliquerai plus tard. Avez-vous appelé Momma Love ?

— Non. Je vais le faire tout de suite.

— S'il vous plaît. Je rappellerai dans l'après-midi.

– Vous savez que vous êtes folle, Reggie ? Vous avez complètement perdu la tête !

– Je sais. Ce n'est pas la première fois, j'ai déjà été folle. Au revoir, Clint.

Il posa le combiné sur la table, s'allongea sur le lit défait. Elle avait raison de dire qu'elle avait déjà été folle.

35

Barry la Lame entra seul dans l'entrepôt. Fini de rouler les mécaniques, envolé le sourire narquois du petit voyou trop sûr de lui. Pas de complet chatoyant, pas de mocassins italiens. Les boucles d'oreilles étaient au fond d'une poche, la queue de cheval rentrée sous le col, le menton rasé de près.

Il grimpa les marches rouillées menant au niveau supérieur. Enfant, il avait joué dans cet escalier. Son père était encore de ce monde, et, après l'école il venait traîner par-là, jusqu'à la tombée de la nuit. Il observait les allées et venues des conteneurs, il écoutait les dockers, apprenait leur jargon, fumait leurs cigarettes, feuilletait leurs revues porno. C'était un endroit merveilleux pour un garçon qui n'avait jamais voulu devenir autre chose qu'un gangster.

L'entrepôt ne connaissait plus la même animation. Barry suivit la passerelle bordée de verrières donnant sur le fleuve. Le bruit de ses pas se répercutait dans le vide. De-ci de-là traînaient quelques conteneurs poussiéreux. Les Cadillac noires de son oncle étaient garées côte à côte, près des quais. Tito, le fidèle chauffeur, astiquait une aile. Le bruit de pas lui fit lever les yeux, il salua Barry de la main.

Malgré sa nervosité, Muldanno marchait calmement, les mains dans les poches, en évitant de bomber la poitrine. Il prit le temps de regarder le Mississippi par une verrière sale. La réplique d'un navire à aubes, avec son chargement de touristes, descendait le fleuve. Avec un peu de chance, ils verraient une ou deux péniches. La passerelle s'arrêtait devant une porte en fer. Barry poussa un bouton, leva la tête et regarda droit dans l'œil de la caméra fixée au-dessus du chambranle. Il y eut un déclic sonore, la porte s'ouvrit. Mo, un ancien docker, celui qui lui avait fait boire sa première bière à l'âge de douze ans, se tenait sur le seuil. Son complet donnait envie de vomir. Mo avait toujours au moins quatre pistolets sur lui ou à portée de la main. Il fit signe à Barry d'entrer. Mo avait été un type sympa, jusqu'à ce qu'il décide de porter des costards, à l'époque où il avait vu *Le Parrain*. Depuis, il n'avait plus jamais souri.

Barry traversa une pièce contenant deux bureaux vides pour aller frapper à la porte du fond. Il respira profondément.

– Entrez, fit une voix douce.

Il entra dans le bureau de son oncle.

Johnny Sulari vieillissait bien. Costaud, encore alerte malgré ses soixante-dix ans, il se tenait très droit. Il avait les cheveux argentés, coiffés en arrière, plantés très bas sur le front, cinq centimètres au-dessus des sourcils. Vêtu, comme à son habitude, d'un complet sombre, il avait suspendu la veste à un portemanteau, près de la fenêtre, arborant des bretelles rouges. Il sourit, indiqua à Barry un fauteuil de cuir usagé, celui dans lequel il aimait s'asseoir quand il était enfant.

Johnny Sulari était un gentleman, l'un des derniers dans ce métier où le pouvoir se concentrait entre les mains d'hommes plus jeunes, avides et sans scrupules. Des hommes comme son neveu.

Mais c'était un sourire forcé. Il ne s'agissait pas d'une visite de politesse. Ils s'étaient plus vus ces trois derniers jours qu'en trois ans.

– Mauvaises nouvelles, Barry ? demanda Sulari, qui connaissait la réponse.

– On peut le dire, oui. Le gosse a disparu.

Johnny lança un regard glacial à Barry, qui, pour une des rares fois de sa vie, ne put le soutenir. Il flancha. Les yeux à la cruauté légendaire de Barry Muldanno vacillèrent et se fixèrent sur le tapis.

– Comment as-tu pu être aussi stupide ? demanda posément Johnny. Assez stupide pour amener le corps ici ? Assez stupide pour en parler à ton avocat ?

Barry cligna des yeux, il changea de position. Il inclina la tête pour marquer son repentir.

– C'est vrai, j'ai besoin d'un coup de main.

– Bien sûr que tu as besoin d'un coup de main. Tu as fait quelque chose d'extrêmement stupide et maintenant tu as besoin qu'on vienne à ta rescousse.

– Je pense que cela nous concerne tous.

Un éclair de fureur passa dans les yeux de Johnny, mais il resta maître de lui. Il était toujours maître de lui.

– Vraiment, Barry ? Dois-je prendre cela comme une menace ? Tu viens dans mon bureau implorer mon aide et tu me menaces ? Aurais-tu l'intention de te mettre à table si on t'interroge ? Allons, mon garçon ! Si tu es condamné, tu emporteras tes secrets dans la tombe !

— C'est vrai, mais je préférerais ne pas être condamné. Il nous reste un peu de temps.

— Tu n'es qu'un abruti, Barry. Je te l'ai déjà dit ?

— Je crois.

— Tu as filé ce type plusieurs semaines et tu l'as surpris à la sortie d'un bordel minable. Il te suffisait de lui donner un bon coup sur le crâne, de lui tirer deux balles dans la tête et de vider ses poches. Tu le laissais où il était, une pute aurait découvert le corps, les flics auraient conclu à un crime crapuleux et classé l'affaire. Jamais on ne t'aurait soupçonné. Mais non, Barry, tu es trop bête pour faire les choses simplement.

Barry changea de nouveau de position, les yeux fixés sur ses chaussures.

Johnny lui lança un regard méprisant et prit un cigare.

— Réponds à mes questions, reprit-il. Lentement. Je ne veux pas en savoir trop long, tu comprends ?

— Oui.

— Le corps est-il à La Nouvelle-Orléans ?

— Oui.

Johnny coupa le bout de son cigare, y passa lentement la langue. Il secoua la tête d'un air dégoûté.

— C'est d'une stupidité sans bornes. Est-il facile de s'en approcher ?

— Oui.

— Les fédéraux sont-ils passés tout près ?

— Je ne crois pas.

— Il est enterré ?

— Oui.

— Combien de temps faudrait-il pour le déterrer, ou le retirer de l'endroit où il est ?

— Une heure, peut-être deux.

— Il n'est donc pas dans la terre ?

— Un bloc de ciment.

Johnny alluma son cigare avec une allumette. La peau de son front creusé de rides se détendit.

— Un bloc de ciment, répéta-t-il.

Barry n'était peut-être pas aussi bête qu'il l'avait cru. Non, il l'était encore plus !

— Combien d'hommes faudrait-il ?

— Deux ou trois. Je ne peux pas m'en occuper, ils surveillent tous mes faits et gestes. Si j'y vais, je les conduirai au corps.

Pour être bête, il était bête. Johnny fit un rond de fumée.

— Un parking ? Un trottoir ?

— Sous un garage.

Barry changea encore de position et garda la tête baissée.

– Quel genre de garage ? demanda Johnny en soufflant un autre rond de fumée

– Un garage derrière une maison.

Johnny étudia la cendre qui s'était formée à l'extrémité du cigare. Il le prit lentement entre ses dents, tira deux bouffées. Décidément, ce garçon était complètement abruti.

– Quand tu dis maison, tu parles d'une maison dans une rue, entourée d'autres maisons ?

– Oui.

Quand il s'était débarrassé du corps, Boyd Boyette avait déjà passé vingt-cinq heures dans son coffre. Il n'avait pas beaucoup de solutions. Au bord de la panique, il redoutait de quitter la ville, et, sur le moment, l'idée lui avait semblé assez bonne.

– Et dans ces autres maisons, il y a des gens qui y vivent ? poursuivit Johnny. Des gens qui ont des yeux et des oreilles ?

– Je n'ai pas fait leur connaissance, mais je suppose que oui.

– Ne fais pas le malin !

– Pardon, murmura Barry, en se tassant légèrement dans son fauteuil.

Johnny se leva et s'avança vers la fenêtre. Il secoua la tête d'un air accablé, en tirant rageusement sur son cigare. Puis il se retourna tout d'un bloc et revint s'asseoir. Il posa son cigare dans le cendrier du bureau et se pencha vers Barry.

– A qui appartient cette maison ? fit-il, le visage impénétrable, mais prêt à exploser.

Barry déglutit avec effort et croisa les jambes.

– A Jerome Clifford.

Il n'y eut pas d'explosion. Johnny était connu pour son sang-froid à toute épreuve et il s'en glorifiait. C'était chose rare dans ce métier, mais cette tête froide lui avait permis de gagner énormément d'argent. Et de rester en vie. Il se couvrit la bouche de la main gauche, comme s'il ne pouvait en croire ses oreilles.

– La maison de Jerome Clifford ?

Barry hocha la tête en silence. Clifford était parti faire du ski au Colorado, Barry le savait, l'avocat l'avait invité à le rejoindre. Il vivait seul dans une grande maison entourée d'arbres touffus. Le garage était une construction isolée, au fond du jardin. L'endroit idéal, s'était dit Barry, où personne n'aurait l'idée de chercher.

Il ne s'était pas trompé. C'était l'endroit idéal, dont les fédéraux ne s'étaient pas approchés. Il avait prévu de déplacer le corps plus tard. L'erreur avait seulement été d'en parler à Clifford.

– Et tu voudrais que j'envoie trois hommes le déterrer, sans aucun bruit, et le faire disparaître à jamais ?

– Oui, mon oncle. Pour sauver ma peau.

– Pourquoi dis-tu ça ?

– J'ai peur que le gamin ne sache où est le corps, et il a disparu. On ne sait pas où il est passé ! C'est trop risqué, Johnny, il faut déplacer le corps. Je t'en prie !

– Je ne supporte pas les pleurnicheries, Barry ! Et si mes gars se faisaient surprendre ? Si un voisin entendait quelque chose et prévenait les flics ? S'ils se pointaient, juste pour s'assurer qu'il n'y a pas de rôdeur, et tombaient comme ça sur trois types en train de déterrer un cadavre ?

– Ils ne se feront pas surprendre.

– Comment peux-tu le savoir ? Et comment t'y es-tu pris, d'abord ? Comment lui as-tu fait un costard en ciment sans que personne ne se rende compte de rien ?

– C'était pas la première fois...

– Je veux le savoir !

Barry se redressa légèrement et décroisa les jambes.

– Le lendemain du jour où je l'ai descendu, j'ai déchargé six sacs de ciment dans le garage. Je suis venu dans un camion, avec de fausses plaques, comme si je livrais des matériaux. Personne n'a fait attention à moi. La maison la plus proche est à trente mètres et il y a des arbres partout. J'y suis retourné à minuit, dans le même camion. J'ai déchargé le corps dans le garage et je suis reparti. Derrière le garage, de l'autre côté de la clôture, il y a un fossé et un parc. Je suis revenu à pied, par le parc, j'ai traversé le fossé et je suis entré dans le garage. Il m'a fallu une demi-heure pour creuser une tombe, pas très profonde, pour y mettre le corps et verser le ciment. Le sol du garage est en gravier, des petits cailloux blancs, tu vois ? J'y suis retourné le lendemain, quand tout était sec, et j'ai recouvert le ciment de gravier. Il y avait un vieux bateau, je l'ai poussé dessus. Quand je suis parti, tout était impeccable. Clifford ne s'est jamais douté de rien.

– Jusqu'à ce que tu vendes la mèche, bien sûr.

– Oui. C'était une grosse bêtise, je le reconnais.

– Ça n'a pas dû être facile de l'enterrer.

– Je l'avais déjà fait. Ce n'est pas sorcier. J'avais l'intention de déplacer le corps, mais les fédéraux me sont tombés sur le poil et ne m'ont pas lâché depuis huit mois.

La nervosité gagnait Johnny. Il ralluma son cigare, repartit à la fenêtre.

– Tu sais, Barry, fit-il en regardant le fleuve, tu as des qualités, mais ne jamais laisser d'indices fait partie du métier. Dans une situation de ce genre, nous avons toujours utilisé le golfe du Mexique. Qu'as-tu contre les tonneaux, les chaînes et les poids ?

– Je te promets que ça ne se reproduira pas. Aide-moi à me sortir de ce mauvais pas et je ne ferai plus jamais cette erreur.

– Il n'y aura pas de prochaine fois, Barry. Si tu réussis à t'en sortir, je te donnerai d'abord un camion à conduire, puis tu feras le fourgue pendant un certain temps. Un an, peut-être deux, je ne sais pas. Après, tu pourras aller à Las Vegas donner un coup de main à Rock.

Barry fixa l'arrière de la tête aux cheveux argentés. Dans l'immédiat, il allait s'écraser, mais pas question de conduire un camion, de faire le fourgue ou d'aller lécher le cul de Rock à Las Vegas.

– Tout ce que tu voudras, Johnny. Mais aide-moi.

Sulari revint s'asseoir à son bureau. Il pinça pensivement l'arête de son nez.

– Je suppose que ça urge.

– Il faut le faire ce soir. Le gamin est en cavale, il a la trouille. Il va en parler à quelqu'un, ce n'est qu'une question de temps.

Les yeux fermés, Johnny secoua la tête.

– Prête-moi trois hommes, poursuivit Barry. Je leur dirai exactement ce qu'il faut faire, je te promets qu'ils ne se feront pas prendre. Ce sera facile.

– Bon, d'accord, fit Johnny, en hochant lentement la tête, comme si cela lui en coûtait. Et maintenant, fous le camp !

Après sept heures de vaines recherches, Trimble déclara que Mark Sway ne se trouvait pas dans l'enceinte de l'hôpital. Entouré de ses officiers, près du bureau des admissions, il ordonna la fin de la fouille du bâtiment. Des hommes continueraient à patrouiller dans le dédale de couloirs et de passages, à surveiller les ascenseurs et les escaliers, mais ils étaient tous persuadés que le gosse leur avait filé entre les doigts. Trimble appela McThune pour lui faire part de sa décision.

McThune ne s'en étonna pas. Au long de la matinée, il avait été tenu au courant de l'inutilité des recherches. Et Reggie Love n'avait pas donné signe de vie. Des agents s'étaient présentés à deux reprises chez sa mère qui avait décidé de ne plus leur ouvrir sa porte. Elle demanderait qu'on lui présente un mandat de perquisition ou exigerait qu'ils disparaissent sur-le-champ. Rien ne justifiait une commission rogatoire, et McThune soupçonnait Momma Love de le savoir. La direction de l'hôpital avait consenti à la pose d'un micro sur l'appareil de la chambre 943. Une demi-heure plus tôt, deux agents spéciaux, se faisant passer pour des garçons de salle, étaient entrés dans la chambre pendant que Dianne répondait dans le couloir aux questions d'un policier. Au lieu de poser un micro, ils avaient procédé à un échange d'appareils. L'opération n'avait pas pris plus d'une minute. Le petit dormait et n'avait pas fait un mouvement. C'était une ligne directe et la mise sur table d'écoute, par l'intermédiaire du standard de l'hôpital, aurait pris au moins deux heures et exigé du personnel supplémentaire.

On n'avait pas retrouvé Clint, mais, comme il n'y avait aucune raison de se présenter avec un mandat à son appartement, on se contentait de le surveiller.

Harry Roosevelt avait été retrouvé dans l'Arkansas, sur la rivière Buffalo, à bord d'un bateau de location. McThune s'était entretenu avec lui vers 11 heures. Fou furieux, le magistrat avait plié ses gaules et était sur le chemin du retour.

Ord avait téléphoné deux fois à Foltrigg dans la matinée, mais, contrairement à son habitude, le grand homme n'avait guère été loquace. Sa brillante stratégie reposant sur le piège de la citation avait fait long feu. Il songeait dorénavant à limiter les dégâts.

K.O. Lewis était à bord du jet du directeur. Deux agents spéciaux avaient été expédiés à l'aéroport pour l'attendre. Son arrivée était prévue vers 14 heures.

Un avis de recherche national concernant Mark Sway avait été lancé dès le début de la matinée. McThune hésitait à y joindre le nom de Reggie Love. Malgré son aversion pour la gent avocassière, il avait de la peine à croire que l'un de ses membres pût aider l'enfant dans sa fuite. Mais, au fil des heures, restant sans nouvelles de Reggie Love, il avait acquis la conviction que les deux disparitions n'étaient pas une coïncidence. A 11 heures, il ajouta le nom et le signalement de l'avocate à l'avis de recherche, précisant qu'elle voyageait probablement en compagnie de Mark Sway. S'ils étaient réellement ensemble et s'ils avaient franchi la frontière de l'État, le délit deviendrait fédéral et il aurait le plaisir de l'épingler.

Il n'y avait pas grand-chose d'autre à faire qu'attendre. Il avala avec George Ord des sandwiches et du café en guise de déjeuner. Son téléphone sonna, c'était un journaliste qui avait quelques questions à lui poser. Rien à déclarer.

Nouvelle sonnerie du téléphone, l'agent spécial Durston entra dans le bureau en montrant trois doigts.

– Ligne trois, dit-il. C'est Brenner qui appelle de l'hôpital.

McThune enfonça une touche.

– J'écoute ? grogna-t-il.

Brenner était dans la chambre 945, contiguë à celle de Ricky. Il parla d'une voix feutrée.

– Vous m'écoutez, Jason ? Nous venons d'intercepter un appel de Clint Van Hooser à Dianne Sway. Il a dit qu'il venait de parler à Reggie, qu'elle se trouvait à La Nouvelle-Orléans, avec Mark, et que tout allait bien.

– A La Nouvelle-Orléans ?

– C'est ce qu'il a dit. Aucune précision, juste La Nouvelle-Orléans. Dianne n'a presque pas ouvert la bouche, la conversation n'a pas duré plus de deux minutes. Il a dit qu'il téléphonait de chez sa petite amie, à Memphis-Est, et a promis de rappeler.

– Où, à Memphis-Est ?

– Nous n'avons pas pu le déterminer et il n'a pas donné l'adresse. Nous essaierons, la prochaine fois, de localiser l'appel. Il a raccroché trop vite. Je vous envoie la bande.

– Très bien, fit McThune.

Il enfonça une autre touche, mettant fin à la communication. Il composa aussitôt le numéro d'Harry Trumann, à La Nouvelle-Orléans.

36

La maison se trouvait dans le tournant d'une vieille rue ombragée. A mesure qu'ils approchaient, Mark s'enfonça instinctivement dans son siège, jusqu'à ce que seul le sommet de sa tête soit visible par la vitre. Il portait une casquette noir et or, aux couleurs des Saints, que Reggie lui avait achetée en route, avec un jean et deux sweat-shirts. Un plan de la ville, grossièrement plié, était coincé entre le siège et le frein à main.

– C'est une grande maison, fit Mark, tandis que la voiture prenait le tournant sans réduire sa vitesse.

Reggie embrassa tout ce qu'elle put du regard, mais elle était dans une rue inconnue et tenait à ne pas attirer l'attention. Il était 15 heures, ils avaient toute la fin de l'après-midi devant eux et pouvaient passer et repasser autant de fois qu'ils le voulaient devant la maison. Elle était, elle aussi, coiffée d'une casquette des Saints qui dissimulait ses cheveux courts. De grosses lunettes de soleil cachaient ses yeux.

Reggie retint son souffle en passant devant la boîte aux lettres portant le nom de Clifford en petits caractères dorés. Une grande maison, assurément, mais rien d'extraordinaire pour le quartier. De style Tudor, bois foncé et briques rouge sombre, couverte de lierre sur tout un côté et la majeure partie de la façade. Pas particulièrement jolie, songea Reggie, en se souvenant de l'article présentant Clifford comme un père divorcé. Il sautait aux yeux, du moins aux siens, que l'absence d'une femme était perceptible. Elle n'avait jeté qu'un coup d'œil au passage, cherchant le garage, à l'affût de voisins, de policiers, de truands, mais avait eu le temps de remarquer les parterres dégarnis, les haies mal entretenues, les rideaux de fenêtres sombres et tristes.

Si la maison n'était pas jolie, l'endroit respirait la tranquillité. La construction s'élevait au centre d'un vaste terrain planté de grands chênes. Une allée bordée d'une haie touffue se perdait derrière le bâtiment. Clifford était mort depuis cinq jours, mais le gazon était bien tondu. Rien n'indiquait que la maison fût inhabitée, rien ne semblait louche. L'endroit paraissait bien choisi pour cacher un cadavre.

– Et voici le garage, fit Mark, risquant un coup d'œil par la vitre.

C'était un bâtiment indépendant, distant d'une quinzaine de mètres de la maison, de construction beaucoup plus récente. Un petit chemin les reliait. Près de la porte du garage se trouvait une Triumph Spitfire rouge sur cales.

Mark se retourna pour regarder par la lunette arrière.

– Qu'en pensez-vous, Reggie ?

– L'endroit paraît extrêmement tranquille.

– Ça, c'est sûr.

– Tu t'attendais à quelque chose de ce genre ?

– Je ne sais pas. J'ai l'habitude de regarder les séries policières et je m'attendais plus ou moins à voir la maison de Romey entourée de rubans jaunes.

– Pourquoi ? Aucun crime n'a été commis ici. C'est seulement la demeure d'un homme qui s'est suicidé. Pourquoi la police s'y intéresserait-elle ?

De la rue, la maison n'était plus visible. Mark se retourna et se redressa dans son siège.

– Croyez-vous qu'ils ont perquisitionné chez Romey ?

– Probablement. Ils ont certainement obtenu un mandat pour le domicile et le cabinet, mais qu'auraient-ils pu trouver ? Le petit secret de Clifford était bien gardé.

Ils s'arrêtèrent à un carrefour, continuèrent à faire le tour du quartier.

– Que va devenir la maison ? demanda Mark.

– Il a dû faire un testament. La maison et le reste de ses biens iront à ses héritiers.

– Vous savez, Reggie, je crois que je devrais faire mon testament aussi. Avec tous les gens qui courent après moi. Qu'est-ce que vous en pensez ?

– Que possèdes-tu exactement ?

– Euh... maintenant que suis une célébrité, j'imagine que Hollywood va frapper à ma porte. Je sais bien, en ce moment, nous n'avons pas de porte, mais ça va s'arranger. Nous aurons bientôt une porte quelque part, hein, Reggie ? Je suis sûr qu'ils vont vouloir faire un grand film sur l'enfant qui en savait trop long. Ça m'ennuie de dire ça, pour des raisons que vous devez comprendre, mais, si ces gangsters se débarrassent de moi, le film aura un succès fou, et maman et Ricky pourront se la couler douce. Vous me suivez ?

– Je crois. Tu veux faire ton testament pour que Dianne et Ricky touchent les droits cinématographiques de l'histoire de ta vie ?

– Exactement.

– Ce n'est pas nécessaire.

– Pourquoi ?

– De toute façon, tout leur reviendra.

– Tant mieux. On économisera les frais de notaire.

– Pourrions-nous parler d'autre chose que de mort et de testament ?

Mark se tut et regarda les maisons de son côté de la rue. Il avait dormi une grande partie de la nuit sur le siège arrière, puis cinq heures dans la chambre du motel. Reggie, elle, après avoir conduit toute la nuit, n'avait pas sommeillé plus de deux heures au motel. Elle était fatiguée, elle avait peur et commençait à être brusque.

Ils continuèrent de rouler à allure réduite dans les rues bordées d'arbres. L'air était chaud et limpide. Dans toutes les maisons, ils voyaient quelqu'un tondre la pelouse, désherber, repeindre les volets. De la mousse espagnole pendait des chênes majestueux. Reggie découvrait La Nouvelle-Orléans, mais elle aurait préféré le faire en d'autres circonstances.

– Vous commencez à en avoir assez de moi ? demanda-t-il, sans tourner la tête.

– Absolument pas. Et toi ?

– Non, Reggie. En ce moment, vous êtes le seul ami que j'aie au monde. J'espère que je ne vous casse pas trop les pieds.

– Je te promets que non.

Reggie avait passé deux heures à étudier le plan. Elle décrivit une large boucle avant de reprendre la rue de Romey. Ils repassèrent devant la maison, sans ralentir, les yeux rivés sur le garage au toit en pente, surmontant une porte pliante à deux battants. Il avait besoin d'une bonne couche de peinture. L'allée cimentée s'arrêtait à cinq ou six mètres de la porte et repartait vers l'arrière de la maison. Une haie mal taillée, haute de deux mètres, longeait un des côtés du garage et bouchait la vue de la construction la plus proche, distante d'une bonne trentaine de mètres. Derrière le garage, une petite pelouse s'étendait jusqu'au grillage séparant la propriété d'un bois touffu.

Ils n'échangèrent pas un mot pendant le deuxième passage. L'Accord noire continua de sillonner le quartier et s'arrêta devant un court de tennis attenant à un jardin public qui portait le nom de West Park. Reggie déplia le plan, le tourna et le retourna jusqu'à ce qu'il prenne toute la place sur le siège avant. Mark suivait avec fascination les échanges plus que maladroits de deux ménagères empotées. Mais elles étaient agréables à regarder, avec leurs chaussettes rose et vert, et leur visière assortie. Un vélo passa sur une piste cyclable et disparut entre les arbres.

– C'est bien là, dit Reggie, en s'escrimant à plier le plan.

– Vous allez vous dégonfler ? demanda Mark.

– Je ne sais pas. Et toi ?

– Je ne crois pas. On est arrivés jusqu'ici, ce serait un peu bête de faire demi-tour. Je n'ai pas senti de danger en regardant le garage.

– Nous pouvons essayer, fit Reggie. Si nous avons trop peur, nous reviendrons à la voiture.

– Où sommes-nous ?

– Allons faire un tour, dit-elle, en ouvrant sa portière.

La piste cyclable longeait un terrain de football avant de s'enfoncer dans un espace de terrain couvert d'arbres serrés. Les branches se joignaient au-dessus de la piste, formant une sorte de tunnel obscur. Le soleil jouait de loin en loin sur le feuillage. Quelques cyclistes les obligèrent à quitter la piste à leur passage.

La promenade leur fit du bien. Après trois journées à l'hôpital, deux journées de cellule, treize heures passées dans la voiture et la chambre du motel, Mark avait de la peine à se retenir de gambader. Il pensa à son vélo, se dit que ce serait drôlement bien de pédaler avec Ricky sur cette piste, libre de tout souci. Comme deux gamins. Il pensa à l'animation des rues du lotissement, aux copains courant en tous sens, aux jeux de toutes sortes. Aux petites pistes tracées dans les bois, autour du lotissement, aux longues promenades solitaires qu'il avait toujours faites. Il pensa à ses cachettes, sous ses arbres préférés et en bordure de ses ruisseaux, où il se retirait pour réfléchir et fumer une ou deux cigarettes. A propos, il n'en avait pas grillé une seule depuis le lundi.

– Qu'est-ce que je fais ici ? murmura-t-il d'une voix à peine audible.

– C'est toi qui as eu l'idée de venir, répondit Reggie, les mains dans les poches du jean qu'elle avait acheté en même temps que les affaires de Mark.

– C'est ma question préférée depuis le début de la semaine : qu'est-ce que je fais ici ? Je me la suis posée partout. A l'hôpital, en prison, au tribunal, partout.

– Veux-tu rentrer chez toi, Mark ?

– Quel chez moi ?

– A Memphis. Je peux te ramener auprès de ta mère.

– Bien sûr, mais je ne resterai pas avec elle. On n'aurait même pas le temps d'arriver à la chambre de Ricky avant qu'ils ne sautent sur moi. Et je repartirais en prison, au tribunal, dans la salle d'audience d'Harry. Il serait content de me voir, hein ?

– Oui, mais je peux l'influencer.

Mark avait compris que personne n'influençait Harry. Il s'imagina à la barre, essayant d'expliquer pourquoi il s'était échappé. Harry le renverrait au centre de détention, où l'attitude de sa chère Doreen changerait du tout au tout. Plus de pizzas. Plus de télévision. On le mettrait sans doute aux fers, on le jetterait au cachot.

– Je ne peux pas retourner là-bas, Reggie. Pas encore.

Ils avaient discuté interminablement des différentes possibilités qui s'offraient à eux sans prendre de décision. Chaque idée nouvelle soulevait une infinité de problèmes. Chaque solution conduisait au désastre. Ils étaient tous deux arrivés, par des voies différentes, à la conclusion inévitable qu'il n'existait pas de solution simple. Aucun plan n'était véritablement attrayant.

Ni l'un ni l'autre ne croyait en son for intérieur qu'ils iraient jusqu'à exhumer le corps de Boyd Boyette. Quelque chose les en empêcherait et ils repartiraient dare-dare à Memphis. Il leur restait pourtant à se l'avouer.

Reggie s'arrêta sur la piste cyclable. A gauche s'étendait une sorte de pré, au centre duquel s'élevait un pavillon destiné aux pique-niqueurs. A droite un sentier s'enfonçait au cœur des arbres.

– Essayons par là, dit-elle.

– Vous savez où nous allons ? demanda Mark, en lui emboîtant le pas.

– Non, mais suis-moi quand même.

Le sentier s'élargit insensiblement et disparut d'un seul coup. Le sol était jonché de bouteilles de bière et de paquets de chips. Ils zigzaguèrent entre les arbres et les buissons, finirent par déboucher dans une petite clairière. Le soleil les éblouit. Reggie mit sa main en visière et considéra une rangée d'arbres bien alignés qui s'étirait devant eux.

– Ce doit être le ruisseau, fit-elle.

– Quel ruisseau ?

– D'après le plan, la rue de Clifford est en bordure du parc et il y a une petite ligne verte, un ruisseau, un bayou, une sorte de petit cours d'eau qui coule derrière la maison.

– Je ne vois que des arbres.

Reggie s'écarta de quelques mètres, s'arrêta et tendit le bras.

– Regarde, on aperçoit des toits de l'autre côté des arbres. Je crois que c'est la rue de Clifford.

Mark la rejoignit, se dressa sur la pointe des pieds.

– Je vois.

– Suis-moi, dit-elle.

Ils se dirigèrent vers la rangée d'arbres. La journée était belle, ils se promenaient dans un jardin public, ils n'avaient rien à redouter de personne.

Du cours d'eau, il ne restait qu'un lit de sable et de détritus. Ils écartèrent les broussailles pour descendre dans le canal où l'eau ne coulait plus depuis de longues années. Même la boue était sèche. Ils remontèrent sur l'autre bord, bien plus pentu, en s'agrippant aux plantes grimpantes et aux arbrisseaux. Reggie haletait quand elle prit pied de l'autre côté.

– As-tu peur ? demanda-t-elle.

– Non. Et vous ?

– Bien sûr, et toi aussi. Veux-tu continuer ?

– Oui, mais je n'ai pas peur. Nous faisons une petite balade, c'est tout.

Il était terrifié et mourait d'envie de prendre ses jambes à son cou, mais ils touchaient au but, sans avoir rencontré d'obstacle. Et il était très excitant de traverser furtivement la jungle. Il l'avait fait des centaines de fois autour du lotissement. Il savait se protéger des serpents et des plantes vénéneuses. Il avait appris à aligner trois arbres devant lui pour éviter de se perdre. Il avait joué à cache-cache en terrain plus accidenté. Courbé en deux, il passa devant Reggie.

– Suivez-moi.

– Ce n'est pas un jeu.

– Suivez-moi, sauf si vous avez peur, bien sûr.

– Je suis terrifiée, Mark, et j'ai cinquante-deux ans. Ralentis, veux-tu ?

La première clôture qui leur apparut était une palissade. Ils restèrent sous le couvert des arbres pour longer les maisons. Un chien aboya dans leur direction, mais ils étaient invisibles. Ils virent ensuite un grillage, ce n'était pas celui de Clifford. Le sous-bois s'épaissit, mais ils tombèrent sur un sentier parallèle à la rangée de clôtures.

Ils reconnurent soudain, derrière un grillage, la Triumph rouge sur ses cales, abandonnée près du garage de Romey. La lisière du bois n'était pas à plus de six mètres de la clôture. Entre l'arrière du garage et le grillage s'étendait un bout de jardin ombragé, planté d'une douzaine de chênes et d'ormes couverts de mousse.

Ce pauvre Romey avait entassé derrière son garage des planches et des briques, des seaux et des outils de jardinage invisibles de la rue.

Une petite porte s'ouvrait dans le grillage. Entre la fenêtre et la porte de derrière du garage, des sacs d'engrais étaient empilés. Une vieille tondeuse sans poignées gisait au milieu du jardin envahi par les mauvaises herbes qui montaient jusqu'aux genoux le long du grillage.

Ils restèrent à l'abri des arbres. Le patio du voisin et son barbecue étaient à deux pas.

Reggie essaya de reprendre son souffle, mais c'était difficile. Elle serra la main de Mark. Elle avait toutes les peines du monde à imaginer que le corps d'un sénateur était enterré à quelques dizaines de mètres d'elle.

– On y va ? demanda Mark.

C'était une manière de défi, mais elle discerna un tremblement dans sa voix. Tant mieux, se dit-elle, il a peur.

– Non, fit-elle, entre deux inspirations précipitées. Nous sommes allés assez loin.

– Ce sera facile, reprit Mark, après un long moment d'hésitation.

– Le garage est grand.

– Je sais exactement où est le corps.

– Je n'ai pas voulu te presser de questions, mais je pense que le moment est venu de me dire ce que tu sais.

– Il est sous le bateau.

– Il t'a dit ça ?

– Oui. Il a bien précisé que le corps était enterré sous le bateau.

– Et s'il n'y a pas de bateau ?

– Nous mettons les voiles.

Il commençait à transpirer, sa respiration se faisait plus courte. Reggie estima en avoir assez vu. Rasant le sol, elle commença à reculer.

– Nous faisons demi-tour, dit-elle.

K.O. Lewis ne descendit pas de l'avion. McThune et les autres attendaient à l'aéroport quand l'appareil se posa, ils montèrent à bord pendant le ravitaillement en carburant. Une demi-heure plus tard, l'avion décollait pour La Nouvelle-Orléans, où Trumann était sur des charbons ardents.

Lewis n'aimait pas la tournure que prenaient les événements. Qu'allait-il faire à La Nouvelle-Orléans ? La ville était grande et ils ignoraient dans quelle voiture les fugitifs se déplaçaient. Ils ne savaient même pas s'ils étaient en voiture ou s'il avaient pris l'avion, le car ou le train. C'était une ville touristique où les chambres d'hôtel se comptaient par milliers, où les rues grouillaient de monde. Si les fugitifs ne commettaient pas d'erreur, il serait impossible de les retrouver.

Mais le directeur du FBI tenait à ce qu'il soit sur place. Il n'y avait pas à discuter. Trouver le gamin et le faire parler, telles étaient ses instructions. On pouvait lui promettre tout ce qu'il voulait.

37

Deux des trois hommes, Leo et Ionucci, étaient de vieux serviteurs de la famille Sulari. Ils étaient même apparentés à Barry Muldanno mais ne s'en vantaient pas. Le troisième, un jeune costaud aux biceps imposants, au cou puissant, au corps empâté était simplement surnommé le Taureau, pour des raisons évidentes. On l'avait choisi pour accomplir le gros du travail de cette singulière mission. Barry leur avait assuré que ce ne serait pas difficile. La couche de ciment était mince, le corps de petite taille. Il suffirait de faire sauter quelques éclats de ciment et ils verraient apparaître en un rien de temps un sac poubelle noir.

Barry avait dessiné le sol du garage et indiqué avec une grande précision la position du corps. Sur son plan une ligne partant du parking de West Park passait entre les courts de tennis, traversait le terrain de football, puis un bouquet d'arbres et un pré où s'élevait un pavillon destiné aux pique-niqueurs avant de suivre une piste cyclable coupée par un sentier menant au fossé. Il avait répété tout l'après-midi que ce serait facile.

La piste cyclable était déserte, pour l'excellente raison qu'il était 23 h 10. Le temps était si lourd qu'ils transpiraient abondamment et soufflaient comme des bœufs lorsqu'ils atteignirent le sentier. Le Taureau, beaucoup plus jeune et en bien meilleure condition physique, suivit les deux autres et souriait discrètement en les écoutant pester à voix basse, dans l'obscurité, contre la moiteur étouffante. Il ne leur donnait pourtant qu'une petite quarantaine d'années. Ils devaient fumer comme des pompiers, boire comme des trous, manger n'importe comment. Un bon kilomètre leur avait suffi pour transpirer abondamment.

Leo, le chef de l'expédition, portait la torche. Il était tout en noir, comme les autres. Ionucci suivait comme un vieux chien, la tête baissée, le souffle court, abattu, furieux contre le monde entier.

— Attention, souffla Leo, en se laissant glisser dans les herbes hautes, jusqu'au fond du fossé.

L'endroit leur avait déjà paru assez effrayant en fin d'après-midi, quand ils étaient venus en reconnaissance. En pleine nuit, c'était franchement terrifiant. Le Taureau redoutait à tout instant de poser le pied sur un gros serpent. S'il se faisait mordre, il aurait une raison valable pour rebrousser chemin et, il l'espérait, retrouver la voiture. Ses deux potes seraient bien obligés de se charger seuls du boulot. Il trébucha sur une souche, parvint à garder l'équilibre. Il regretta presque de ne pas tomber sur un serpent.

— Attention, fit Leo pour la dixième fois, comme si le fait de les mettre en garde rendait les choses plus faciles. Ils suivirent sur deux cents mètres le lit du cours d'eau et remontèrent sur l'autre bord. La torche était éteinte. Ils traversèrent les broussailles, s'arrêtèrent devant le grillage de Clifford et se laissèrent tomber à genoux.

— C'est complètement idiot, fit Ionucci en reprenant son souffle. Depuis quand notre boulot consiste-t-il à déterrer un cadavre ?

Leo scrutait le jardin de Clifford, plongé dans le noir. Il n'y avait pas de lumière. Quelques minutes plus tôt, en passant en voiture devant la maison, ils avaient remarqué qu'un globe restait allumé près de la porte d'entrée, mais tout le fond du jardin était plongé dans les ténèbres.

— Tais-toi, répliqua Leo sans bouger la tête.

— Bon, bon, marmonna Ionucci. Mais c'est stupide.

Ses poumons faisaient le bruit d'un soufflet de forge, la sueur coulait de son menton. Accroupi derrière eux, le Taureau secouait la tête d'un air navré. Les deux hommes étaient essentiellement utilisés comme garde du corps et chauffeur, deux occupations qui n'exigeaient pas de grands efforts physiques. D'après certaines rumeurs, Leo avait commis son premier meurtre à l'âge de dix-sept ans, mais il avait arrêté, quelques années plus tard, après avoir fait de la prison. Le Taureau avait entendu dire que Ionucci avait reçu plusieurs blessures. Fallait-il croire tout ce qu'on entendait ?

— Allons-y, fit Leo, comme le chef d'un commando.

Ils traversèrent rapidement l'herbe jusqu'au grillage, franchirent la petite porte et se faufilèrent entre les arbres du jardin. Ils se plaquèrent contre le mur du garage. Ionucci souffrait. Il se laissa tomber à quatre pattes, pantelant. Leo rampa vers l'angle du mur, aux aguets du moindre mouvement dans la propriété voisine. Rien. Rien que les bruits d'un Ionucci au bord de la syncope. Le Taureau se glissa vers l'autre bout du mur pour surveiller l'arrière de la maison de Clifford.

Tout dormait alentour. Même les chiens en avaient assez fait pour la journée.

Leo se redressa et essaya d'ouvrir la porte de derrière. Elle était fermée à clé.

– Restez là, dit-il.

Plié en deux, il fit le tour du garage jusqu'à la porte de devant. Elle était fermée aussi.

– Il va falloir briser du verre, les gars, fit-il en rejoignant ses compagnons.

Ionucci prit un marteau dans un petit sac qu'il portait à la ceinture. Leo commença à frapper la vitre sale, à coups légers, juste au-dessus de la poignée de la porte.

– Va surveiller ce coin-là, ordonna-t-il au Taureau qui s'avança jusqu'à l'angle du mur et se tourna vers la propriété voisine, celle des Ballantine.

Leo frappa jusqu'à ce que la vitre se brise. Il retira soigneusement les éclats de verre et les lança derrière lui. Quand tous les fragments eurent disparu, il passa le bras par l'ouverture et tourna la clé dans la serrure. Il alluma la torche et les trois hommes se glissèrent à l'intérieur.

Barry avait été frappé par la pagaille du garage et, à l'évidence, Clifford n'avait pas eu le temps de mettre de l'ordre avant de passer l'arme à gauche. La première chose qui leur sauta aux yeux fut que le sol n'était pas cimenté, mais recouvert de gravier. Leo poussa du pied des petits cailloux blancs. Si Barry en avait parlé, cela lui était sorti de l'esprit.

Le bateau occupait le centre du garage. C'était un hors-bord de cinq mètres, couvert d'une épaisse couche de poussière. Trois des quatre roues de la remorque étaient à plat. Ce canot n'avait pas été mis à l'eau depuis des années. Tout un bric-à-brac était entassé contre la coque : outils de jardinage, boîtes de conserve vides, piles de journaux, meubles de jardin rouillés. Romey n'avait pas besoin d'un service de ramassage des ordures, il avait un garage. Entre les épaisses toiles d'araignées tendues dans tous les coins, quelques outils étaient accrochés aux murs.

Clifford avait une prodigieuse collection de cintres. Ils étaient suspendus par milliers à des fils de fer tendus au-dessus du bateau, serrés sur de longs clous plantés dans les murs. Dans un souci de protection de l'environnement, Clifford conservait aussi boîtes en fer blanc et récipients en plastique, dans la noble intention de les faire recycler. Mais il était très pris par ses occupations et une montagne de sacs poubelle occupait près de la moitié du garage. Ce plouc en avait même jeté quelques-uns dans le bateau.

Leo dirigea le pinceau lumineux vers le sol, juste au centre de la remorque. Il fit signe au Taureau, qui s'approcha à quatre pattes et commença à balayer le gravier de la main. Ionucci sortit une petite truelle de son sac. Il la tendit au Taureau qui poursuivit son travail de déblaiement sous le regard des deux autres.

A cinq centimètres de profondeur, le bruit changea quand la truelle racla le ciment. Le bateau le gênait. Il se remit debout, souleva lentement l'attache de la remorque et, d'une poussée puissante, fit pivoter l'avant d'un mètre cinquante. Le bord de la remorque heurta avec fracas la montagne de boîtes de conserve. Les trois hommes se figèrent sur place, l'oreille tendue.

– Il faut faire attention ! souffla Leo. Restez ici, ne bougez pas !

Il les planta là, dans l'obscurité, et sortit. Dissimulé par un tronc d'arbre, il observa la maison des voisins. Elle était sombre et silencieuse. La lumière du patio projetait une clarté diffuse autour du barbecue et des massifs de fleurs, mais rien ne bougeait. Leo attendit, tous ses sens en éveil. Les voisins n'auraient probablement pas entendu un marteau-piqueur. Il retourna dans le garage, dirigea le faisceau de sa torche sur la petite surface de ciment dégagée.

– Enlève-moi tout ça, dit-il au Taureau, qui se remit à la tâche.

Barry avait expliqué qu'il avait d'abord creusé une tombe d'à peu près un mètre quatre-vingts sur soixante centimètres et de moins de cinquante centimètres de profondeur. Puis il avait versé le ciment autour du corps enveloppé dans des sacs poubelle noirs, avant d'ajouter l'eau pour compléter sa petite recette. Il était revenu le lendemain pour recouvrir le ciment de gravier et remettre le hors-bord à sa place.

Barry avait fait du bon boulot. Avec le sens de l'organisation qui caractérisait Clifford, cinq ans se seraient écoulés avant que le bateau ne soit déplacé. Dans l'esprit de Barry, cette sépulture était temporaire. Il avait prévu de transporter le corps ailleurs, mais les fédéraux ne l'avaient pas lâché. Leo et Ionucci, qui avaient déjà fait disparaître quelques cadavres, en général dans un tonneau lesté, envoyé au fond de la mer, étaient impressionnés.

Le Taureau continua à déblayer le gravier ; toute la surface cimentée fut bientôt dégagée. Ionucci s'agenouilla en face de lui et ils attaquèrent le ciment au burin et au marteau. Leo posa la torche à côté d'eux, sur un lit de gravier, et ressortit. Il gagna le devant du garage. Tout était calme, mais les coups de burin étaient perceptibles. Il s'avança rapidement vers l'arrière de la maison, constata que le bruit était à peine audible. Il sourit dans l'obscurité. Même si les voisins avaient été réveillés, ils n'auraient rien entendu.

Il rebroussa chemin, s'assit dans l'obscurité entre la Triumph et un angle du garage. Une petite voiture noire passa lentement devant la maison et s'éloigna. Pas d'autre véhicule. A travers la haie, il distingua les contours de la maison voisine. Pas un mouvement. Les seuls bruits dans la nuit étaient les coups de burin étouffés venant de la tombe de Boyd Boyette.

L'Accord de Clint s'arrêta près des courts de tennis. Une Cadillac rouge était garée sur le bas-côté. Reggie éteignit les phares et coupa le moteur.

Ils attendirent en silence, regardant par le pare-brise le terrain de football obscur. Un endroit parfait pour se faire agresser, songea Reggie, sans faire part de ses craintes à Mark. Ils avaient bien assez de soucis comme cela.

Il n'avait pas dit grand-chose depuis la tombée de la nuit. Ils avaient sommeillé dans la chambre d'hôtel, côte à côte, sur le même lit, après avoir mangé une pizza. Ils avaient regardé la télévision. Mark lui demandait sans arrêt l'heure, comme s'il avait rendez-vous avec un peloton d'exécution. A 22 heures, elle était persuadée qu'il allait se dégonfler. A 23 heures, il tournait en rond dans la chambre et allait aux toilettes toutes les cinq minutes.

A minuit moins vingt, ils étaient assis dans la voiture, dans la nuit noire, pour mettre au point une mission impossible à laquelle ni l'un ni l'autre ne tenait vraiment.

– Croyez-vous que quelqu'un sait que nous sommes là ? demanda doucement Mark.

Elle se tourna vers lui. Son regard était fixé au loin, derrière le terrain de football.

– Tu veux dire à La Nouvelle-Orléans ?

– Oui. Croyez-vous que quelqu'un sait que nous sommes là ?

– Non, je ne crois pas.

Cette réponse parut le satisfaire. Elle avait téléphoné à Clint vers 19 heures. La station de télévision locale avait annoncé sa disparition, mais tout semblait calme à Memphis. Clint, qui n'avait pas quitté sa chambre depuis douze heures, lui avait demandé de se dépêcher de terminer ce qu'elle avait à faire. Il avait appelé Momma Love. Elle était inquiète, mais n'allait pas si mal, compte tenu des circonstances.

Ils descendirent de voiture, s'engagèrent sur la piste cyclable.

– Tu es sûr de vouloir faire ça ? demanda Reggie, en regardant nerveusement autour d'elle.

La piste était d'un noir d'encre. Par endroits, seul le contact du revêtement sous leurs chaussures leur évitait de s'égarer. Ils allaient lentement, côte à côte, la main dans la main.

En avançant de ce pas hésitant, Reggie se demanda ce qu'elle faisait en compagnie de cet enfant pour qui elle éprouvait une grande affection, mais n'était pas prête à donner sa vie. Elle étreignit sa main et rassembla son courage. Elle pria pour qu'il arrive très vite quelque chose qui les oblige à faire demi-tour vers la voiture et quitter La Nouvelle-Orléans.

– J'ai réfléchi, dit Mark.

– Tu m'étonnes !

– Il sera peut-être trop difficile de trouver le corps. Alors, voici ce que j'ai décidé. Vous allez rester à l'abri des arbres, près du fossé, pendant que j'irai voir dans le garage. Je regarderai sous le bateau, juste pour m'assurer qu'il est bien là. Et nous repartirons.

– Tu crois qu'il suffira de regarder sous le bateau pour voir le corps ?

– Je ne sais pas, je verrai peut-être où il est.

– Écoute-moi, Mark, fit Reggie en accentuant l'étreinte de ses doigts sur la petite main. Il n'est pas question de nous séparer. Si tu vas voir dans le garage, je t'accompagne.

Elle avait parlé d'une voix étonnamment ferme, persuadée qu'ils n'atteindraient jamais le garage.

Dans une trouée entre les arbres, ils virent le pavillon à la lumière d'un lampadaire. Le sentier partait sur la gauche. Mark appuya sur un bouton, le faisceau lumineux d'une petite torche éclaira le sol, devant eux.

– Suivez-moi, dit-il. Personne ne peut nous voir ici.

Il se faufilait adroitement et silencieusement entre les arbres. Dans la chambre d'hôtel, il avait fait le récit de ses promenades nocturnes dans les bois entourant le lotissement et des jeux auxquels les garçons jouaient dans l'obscurité. Les jeux de la jungle, comme il disait. Avec l'aide de la torche, il avançait rapidement, frôlant les branches, évitant les buissons.

Reggie lui demanda plusieurs fois de ralentir. Il lui prit la main pour l'aider à descendre dans le lit à sec du ruisseau. Ils remontèrent de l'autre côté, se faufilèrent dans les broussailles et retrouvèrent le mystérieux sentier dont la présence les avait étonnés dans l'après-midi. Les premières clôtures leur apparurent. Mark éteignit la torche.

Ils s'arrêtèrent sous les arbres, juste derrière la maison de Clifford, et s'accroupirent en retenant leur souffle. Ils distinguaient l'arrière du garage à travers les herbes et les broussailles.

– Et si nous ne voyons pas le corps ? fit Reggie à mi-voix. Que faisons-nous ?

– Nous verrons bien quand nous y serons.

Ce n'était pas le moment de se lancer de nouveau dans une longue discussion. Mark s'avança à quatre pattes jusqu'à l'orée du bois. Reggie le suivit. Ils s'arrêtèrent dans les hautes herbes humides, à quelques mètres de la petite porte. Le jardin était sombre et silencieux. Il n'y avait ni lumière, ni bruit, ni mouvement. Toute la rue dormait.

– Je veux que vous restiez ici, Reggie. Gardez la tête baissée. Je reviens dans une minute.

– Pas question ! souffla-t-elle avec véhémence. Ne fais pas ça, Mark !

Il était déjà parti. C'était comme un jeu pour lui. Il se faufila dans l'herbe comme un lézard, entrouvrit la porte et se glissa dans le jardin.

Reggie commença à le suivre en rampant, puis renonça. Il était déjà loin. Il s'arrêta derrière le premier arbre et tendit l'oreille. Il rampa juqu'au suivant et entendit quelque chose. Des bruits métalliques. Il s'immobilisa, en appui sur les mains et les genoux. Les bruits venaient du garage. Il passa très lentement la tête derrière le tronc, les yeux fixés sur la porte. Il se retourna vers Reggie, mais les arbres et les broussailles formaient un rideau noir. Il braqua de nouveau les yeux sur la porte. Il y avait quelque chose de différent. Il rampa sur trois mètres jusqu'à l'arbre suivant. Les bruits métalliques étaient plus nettement perceptibles. Il vit que la porte était entrouverte et qu'il manquait une vitre.

Il y avait quelqu'un dans le garage ! Les bruits reprirent de plus belle. Quelqu'un était caché dans le garage et creusait dans le noir ! Mark inspira longuement et se dissimula derrière un tas d'objets de rebut, à trois mètres de la porte. Il n'avait fait aucun bruit et il le savait.

L'herbe était plus haute à cet endroit. Il se mit à ramper, très lentement, comme un caméléon.

Au moment où il bondissait vers la porte, sa cheville heurta l'extrémité d'une planche pourrie, et il trébucha. Le tas d'ordures fut ébranlé, un seau de peinture vide tomba.

Leo se dressa d'un bond et s'élança vers l'arrière du garage. Il saisit son calibre 38 muni d'un silencieux, s'enfonça dans l'obscurité. Arrivé à l'angle du mur, il s'accroupit et écouta. Les coups de burin avaient cessé. Ionucci passa la tête par la porte entrouverte.

En entendant le raffut, Reggie se laissa tomber à plat ventre dans l'herbe humide. Elle ferma les yeux et dit une prière. Que faisait-elle dans cette galère ?

Leo s'avança furtivement jusqu'au tas d'ordures, en fit le tour, l'arme au poing, prêt à faire feu. Il s'accroupit derechef, scruta patiemment les ténèbres. Le grillage était à peine visible. Rien ne bougeait. Il se glissa derrière un arbre et attendit. Ionucci avait suivi tous ses mouvements. De longues secondes s'écoulèrent sans un bruit. Leo se redressa et se dirigea lentement vers la porte du grillage. Le craquement d'une brindille sous son pied le cloua sur place.

Il explora l'arrière du jardin, plus hardiment, mais toujours prêt à tirer. Il s'appuya contre un arbre, un chêne dont les branches basses atteignaient la limite de la propriété voisine. Dans une haie broussailleuse, à trois ou quatre mètres de l'homme au pistolet, Mark se fit tout petit et retint son souffle. Il avait suivi les mouvements de la silhouette qui se déplaçait entre les arbres, sachant que, s'il restait immobile, l'homme ne le trouverait pas. Il expira lentement, les yeux rivés sur la forme sombre, près du gros arbre.

– Qu'est-ce que c'était ? interrogea une voix grave venant du garage.

Leo glissa le pistolet dans sa ceinture et revint lentement sur ses pas.

– Qu'est-ce que c'était ?

– Je ne sais pas, répondit Leo à voix basse. Peut-être un chat ou un autre animal. Remettez-vous au boulot.

La porte se referma sans bruit. Pendant cinq minutes, Leo fit les cent pas devant le garage. Cinq minutes qui, pour Mark, semblèrent durer une heure.

Puis la silhouette disparut derrière l'angle du mur. Mark était à l'affût du moindre mouvement. Il compta lentement jusqu'à cent avant de se mettre à ramper le long de la haie, jusqu'au grillage. Il s'arrêta à la porte et compta jusqu'à trente. Il ne perçut rien d'autre que les bruits métalliques étouffés venant du garage. Il s'élança vers le sous-bois où Reggie, terrorisée, l'attendait. Elle le saisit par le bras et ils s'enfoncèrent sous le couvert des arbres.

– Ils sont là ! fit Mark, hors d'haleine.

– Qui ?

– Je ne sais pas ! Ils sont en train de déterrer le corps !

– Que s'est-il passé ?

Il continua à haleter. Sa tête montait et descendait sur sa poitrine.

– Je me suis pris le pied dans quelque chose, expliqua-t-il d'une voix étranglée. Un type est arrivé, je crois qu'il était armé, et a failli me surprendre. J'ai eu une de ces peurs !

– Et moi, crois-tu que je n'ai pas eu peur ? Fichons le camp d'ici !

– Attendez un peu, Reggie. Écoutez ! Vous entendez ?

– Non ! Que devrais-je entendre ?

– Le bruit métallique d'un outil. Je n'entends pas non plus, nous sommes trop loin.

– Je propose d'aller encore plus loin. En route !

– Attendez une minute, Reggie.

– Ce sont des tueurs, Mark. Des hommes de la mafia. Fichons le camp en vitesse !

– Calmez-vous, Reggie, souffla Mark entre ses dents, en lui lançant un regard de reproche. Essayez de vous calmer. Personne ne peut nous voir. On ne distingue même pas ces arbres du garage. J'ai regardé. Maintenant, calmez-vous.

Elle se laissa tomber à genoux, la tête tournée vers le garage. Mark mit son doigt sur ses lèvres, pour l'inviter au silence.

– Nous ne risquons rien ici, murmura-t-il. Écoutez.

Ils écoutèrent, mais aucun bruit ne leur parvint.

– Mark, ce sont les hommes de Muldanno. Ils savent que tu t'es échappé. Ils sont affolés. Ils ont des pistolets, des couteaux, Dieu sait quoi encore ! Allons-nous-en. Ils sont arrivés avant nous. C'est terminé, ils ont gagné.

– On ne peut pas les laisser emmener le corps, Reggie. Réfléchissez. S'ils le sortent du garage, on ne le retrouvera jamais.

– Tant mieux. Tu n'auras plus de soucis à te faire, la mafia te fichera la paix. En route !

– Non, Reggie. Il faut faire quelque chose.

– Comment ? Tu veux te battre avec des tueurs de la mafia ? Allons, Mark, c'est de la folie !

– Laissez-moi une minute.

– D'accord, une minute ! Dans une minute, je m'en vais.

Il se tourna vers elle en souriant.

– Vous ne m'abandonnerez pas, Reggie. Je sais que vous ne ferez jamais ça.

– N'insiste pas, Mark. Je sais maintenant ce que Ricky a éprouvé pendant que tu t'amusais avec le bout de tuyau d'arrosage de Clifford.

– Taisez-vous, s'il vous plaît. Je réfléchis.

– C'est bien ce qui m'effraie.

Elle s'assit par terre, les jambes croisées. Des feuilles et des plantes grimpantes frôlaient son visage et son cou. Mark se balança lentement, tel un lion prêt à bondir.

– J'ai une idée, déclara-t-il enfin.

– Le contraire m'aurait étonné.

– Restez là.

Elle le saisit par la nuque, approcha le visage du sien.

– Écoute-moi bien. Ce n'est pas un de tes jeux de la jungle, où tu tires des fléchettes en plastique et lance des mottes de terre. Ce ne sont pas tes petits camarades qui jouent à cache-cache ou à un autre de vos jeux d'enfants. C'est une affaire de vie ou de mort, Mark. Tu viens de commettre une erreur et tu t'en es bien sorti. Une autre erreur et tu es mort ! Et maintenant, on fiche le camp ! Tout de suite !

Il demeura immobile jusqu'à la fin de la diatribe, puis se dégagea avec violence.

— Restez ici ! lança-t-il, les mâchoires serrées. Ne bougez surtout pas !

Il sortit du sous-bois, rampa dans les herbes en direction du grillage.

A côté de la porte donnant accès au jardin se trouvait un parterre abandonné, délimité par des morceaux de bois enfoncés dans la terre et envahi de mauvaises herbes. Mark ramassa trois pierres avec le soin méticuleux d'un cuisinier choisissant des tomates sur un étal du marché. Il regarda de droite et de gauche avant de battre silencieusement en retraite.

Reggie attendait. Elle n'avait pas fait un mouvement. Il savait qu'elle serait incapable de retrouver la voiture. Il savait qu'elle avait besoin de lui. Ils se serrèrent l'un contre l'autre, à la lisière du bois.

— Mark, c'est de la folie, mon petit, fit-elle d'une voix implorante. Sois raisonnable. Ces gens-là ne sont pas venus jouer.

— Ils sont trop occupés pour s'intéresser à nous. Nous sommes en sécurité, Reggie. S'ils faisaient une sortie maintenant, ils ne nous trouveraient pas. Nous ne risquons rien, faites-moi confiance.

— Te faire confiance ! Tu vas te faire tuer, oui !

— Restez là.

— Quoi ? Mark, je t'en prie ! Cesse de jouer !

Sans l'écouter, il montra trois arbres, à une dizaine de mètres de là.

— Je reviens tout de suite, fit-il.

Il s'enfonça dans le sous-bois jusqu'à ce qu'il arrive à la hauteur de la maison voisine. Il distinguait à peine le bord du garage de Romey. Reggie était invisible.

Une grande fenêtre à verre épais donnait sur le patio modeste et mal éclairé, contenant trois fauteuils en osier et un barbecue. C'est cette fenêtre qui attira son attention. Caché derrière un arbre, il estima la distance à la longueur de deux mobile homes mis bout à bout. La pierre devrait être lancée assez bas pour éviter les branches, mais assez haut pour passer au-dessus d'une haie. Il respira profondément et la lança de toutes ses forces.

Le bruit venant de la maison voisine fit sursauter Leo. Il longea la façade du garage et regarda à travers la haie. Le patio était vide et silencieux. Le buit semblait avoir été celui d'une pierre frappant une surface de bois avant de rebondir sur la brique. Ce n'était peut-être qu'un chien. Il observa longuement la maison, rien ne se passa. Tout allait bien. Encore une fausse alerte.

M. Ballantine se tourna dans son lit et fixa les yeux au plafond. Il venait d'avoir soixante ans et avait du mal à dormir depuis qu'on lui avait retiré un disque intervertébral, un an et demi auparavant. Il sommeillait quand un bruit l'avait réveillé. Un bruit ? On n'était plus en sécurité nulle part, à La Nouvelle-Orléans, et il avait déboursé deux mille dollars pour un système d'alarme. Le crime était partout. Ils envisageaient de déménager, sa femme et lui.

Il se retourna. Il venait de fermer les yeux quand la fenêtre vola en éclats. Il se rua vers la porte pour allumer la lumière.

– Lève-toi, Wanda ! Lève-toi !

Wanda saisit son peignoir tandis que son mari allait chercher le fusil de chasse. L'alarme hurlait. Ils s'élancèrent dans le couloir en criant et en actionnant tous les commutateurs. Le sol du salon était jonché de fragments de verre. M. Ballantine dirigea le canon du fusil vers la fenêtre, comme pour parer une nouvelle attaque.

– Appelle la police ! rugit-il. Fais le 911 !

– Je connais le numéro !

Avançant sur la pointe des pieds, il prit garde de ne pas marcher avec ses pantoufles sur les débris de verre. Il tenait le fusil devant lui, comme pour repousser un cambrioleur qui aurait choisi d'entrer par la fenêtre. Il atteignit la cuisine, se dirigea vers le tableau de contrôle et enfonça plusieurs touches. Le hurlement des sirènes cessa.

Leo venait de regagner son poste de garde, près de la Triumph, quand le fracas du verre brisé déchira le silence. Il se mordit la langue en bondissant de nouveau vers la haie. Une sirène hurla quelques instants, puis se tut. Un homme en chemise de nuit rouge s'élança dans le patio, un fusil à la main.

Leo repartit rapidement vers l'arrière du garage. Ionucci et le Taureau, terrorisés, étaient accroupis contre le bateau. Leo marcha sur un rateau, le manche heurta un sac rempli de boîtes de conserve. Les trois hommes retinrent leur souffle. Des voix s'élevèrent chez les voisins.

– Qu'est-ce que c'est que ce bordel ? demanda Ionucci, les dents serrées, le front couvert de sueur.

Les chemises trempées des deux hommes leur collaient au corps. La sueur coulait sur leur visage.

– Je ne sais pas, répondit sèchement Leo, crachant du sang.

Il s'avança prudemment vers la fenêtre donnant sur la haie mitoyenne.

– Je crois que quelque chose a fracassé une fenêtre. Je n'en suis pas sûr. Ce vieux fou a un fusil de chasse.

– Un quoi ?

Ionucci se retint pour ne pas hurler. Il alla rejoindre Leo devant la fenêtre. Le cinglé au fusil de chasse arpentait le fond de son jardin en rugissant, le nez levé vers les arbres.

M. Ballantine en avait par-dessus la tête de La Nouvelle-Orléans, de la drogue, de tous ces voyous qui ne pensaient qu'à piller et voler. Il en avait par-dessus la tête de la délinquance sous toutes ses formes et de vivre dans la crainte perpétuelle. Il était tellement excédé qu'il leva son fusil et tira un coup en l'air. Il allait leur montrer, à ces petits salopards, de quel bois il se chauffait. S'ils avaient le malheur de revenir, il les expédierait en enfer.

Mme Ballantine, sur le pas de la porte, dans son peignoir rose, se mit à hurler quand son mari tira un coup de fusil en direction des arbres.

Les trois têtes dépassant de la fenêtre du garage du voisin plongèrent d'un même mouvement en entendant la détonation.

– Il est complètement cinglé ! s'écria Leo.

Les trois têtes remontèrent avec un synchronisme parfait à la hauteur de la vitre. Au même moment, la première voiture de police, lançant des éclairs bleu et rouge, s'engagea en faisant crisser ses pneus dans l'allée des Ballantine.

Ionucci fut le premier à sortir, le Taureau et Leo sur ses talons. Ils étaient évidemment très pressés, mais tenaient absolument à ne pas attirer l'attention des abrutis d'à côté. Ils décampèrent en rasant le sol, passant d'arbre en arbre, s'efforçant désespérément d'atteindre le bois avant que la fusillade ne reprenne. La retraite s'effectua en bon ordre.

Mark et Reggie restèrent tapis dans le sous-bois.

– Tu es fou, ne cessait-elle de répéter.

Ce n'était pas une formule toute faite. Elle croyait sincèrement que son client était déséquilibré. Mais elle le prit dans ses bras et ils se serrèrent l'un contre l'autre. Il ne virent les trois silhouettes que lorsqu'elles atteignirent le grillage.

– Les voilà ! souffla Mark, en montrant les trois hommes.

Trente secondes plus tôt, il avait demandé à Reggie de surveiller la porte de la clôture.

– Ils sont trois, ajouta Mark à voix basse.

Les trois hommes se jetèrent dans le sous-bois, à cinq ou six mètres de Mark et Reggie, et disparurent entre les arbres.

– Tu es fou, répéta Reggie, en accentuant son étreinte.

– Peut-être. Mais les résultats sont là.

Le coup de fusil avait failli faire perdre la tête à Reggie. Elle n'avait cessé de trembler depuis qu'ils étaient à la lisière de la forêt. Elle avait été horrifiée en apprenant qu'il y avait quelqu'un dans le garage et avait failli hurler en voyant Mark lancer la pierre dans la vitre. Le coup de fusil avait été la goutte d'eau qui allait faire déborder le vase. Son cœur battait à se rompre, ses mains tremblaient violemment.

C'est à cet instant qu'elle comprit qu'ils ne pouvaient prendre la fuite. Les trois déterreurs de cadavres se trouvaient entre eux et la voiture. La retraite était coupée.

Le coup de fusil réveilla tout le quartier. Des projecteurs s'allumèrent dans les jardins, des hommes et des femmes en vêtements de nuit apparurent dans les patios et regardèrent dans la direction des Ballantine. Des voix lancèrent des questions par-dessus les clôtures. Des chiens se mirent à aboyer. Mark et Reggie s'enfoncèrent plus avant dans le sous-bois.

M. Ballantine et un des policiers longèrent la clôture de derrière, peut-être à la recherche d'autres pierres. Ce fut peine perdue. Mark et Reggie entendirent des voix, sans pouvoir distinguer ce qu'elles disaient. M. Ballantine criait beaucoup.

Les policiers le calmèrent et l'aidèrent à fixer une feuille de plastique sur la fenêtre. Les lumières rouge et bleu cessèrent de clignoter. Au bout de vingt minutes, les policiers repartirent.

Mark et Reggie attendirent, tremblants, en se donnant la main. Des bestioles couraient sur leur peau. Les moustiques étaient sans pitié. Des herbes et des bardanes s'accrochaient à leur tee-shirt noir. Les lumières s'éteignirent chez les Ballantine. Ils attendirent encore un peu.

38

Quelques minutes après 1 heure, une trouée s'ouvrit dans les nuages et un croissant de lune éclaira le jardin et le garage de Romey. Reggie regarda sa montre. Ses jambes étaient engourdies par la position accroupie et elle avait mal aux reins. Mais, curieusement, elle s'était habituée à son petit coin de jungle où, après avoir échappé aux truands, aux flics et à l'ahuri avec son fusil de chasse, elle se sentait en sûreté. Sa respiration et son pouls étaient redevenus normaux. Mark ne parlait presque pas. Ce silence était inquiétant. Il écrasait des moustiques. Il observait la rangée de clôtures en mâchonnant une herbe et donnait l'impression d'être seul à savoir précisément quand il conviendrait de passer à l'action.

— Allons nous dégourdir les jambes, proposa-t-il, en se levant.

— Où veux-tu aller ? Retourner à la voiture ?

— Non, marcher un peu sur le sentier. Je sens que je vais avoir des crampes.

La jambe droite de Reggie était engourdie au-dessous du genou, la gauche insensible à partir de la hanche. Elle se leva avec difficulté, suivit Mark dans les broussailles, d'où ils débouchèrent sur le petit sentier parallèle au lit asséché du cours d'eau. Il se déplaçait comme un chat dans l'obscurité, sans utiliser la torche.

Ils firent halte au cœur du bois, hors de vue de la rangée de clôtures.

— Je pense sincèrement que nous devrions repartir, dit Reggie, d'une voix un peu plus forte, puisqu'ils s'étaient éloignés des habitations. J'ai toujours eu peur des serpents, tu sais, et je n'aimerais pas en rencontrer un dans le noir.

Il garda la tête tournée vers le fossé, sans regarder Reggie.

— Je ne crois pas que ce soit une bonne idée d'abandonner maintenant, murmura-t-il.

Reggie savait qu'il avait une raison pour dire cela. Elle n'avait pas réussi une seule fois en six heures à imposer son point de vue.

– Pourquoi ?

– Parce que ces trois hommes peuvent encore être dans les environs. Ils sont peut-être tout près d'ici. Ils attendent que les choses se soient calmées pour retourner dans le garage. Si nous repartons vers la voiture, nous risquons de tomber sur eux.

– Écoute, Mark, j'en ai assez. Tu vois peut-être ça comme un grand jeu, mais j'ai cinquante-deux ans et je n'en peux plus. C'est quand même incroyable que je sois, moi, en train de me cacher dans cette forêt, à 1 heure du matin.

– Chut ! fit-il, en mettant un doigt sur ses lèvres. Vous parlez trop fort. Et ce n'est pas un jeu.

– Bon sang, je le sais bien ! Tu ne vas pas me faire un sermon !

– Gardez votre calme, Reggie. Nous sommes hors de danger maintenant.

– C'est ça ! Je ne me sentirai pas hors de danger avant d'avoir tiré le verrou de la chambre du motel !

– Eh bien, allez-y ! Vous n'avez qu'à retourner à la voiture et rentrer au motel !

– Ben voyons ! Et toi, tu vas rester là, bien sûr !

La lune disparut derrière un nuage, le bois parut soudain plus sombre. Mark tourna le dos à Reggie et repartit vers leur cachette. Elle le suivit instinctivement, profondément agacée de constater qu'elle dépendait d'un gosse de onze ans. Mais elle le fit quand même, sur ce sentier qu'elle distinguait à peine, à travers la végétation touffue, jusqu'à l'endroit où ils s'étaient tapis pour attendre. Le garage était à peine visible.

Elle avait encore les jambes raides, mais le sang circulait normalement. Des élancements lui parcouraient les reins. En passant la main sur son avant-bras, elle sentit les marques des piqûres de moustiques. Elle remarqua une petite tache de sang sur le dos de sa main droite, sans doute provoquée par une épine ou une herbe coupante. Si jamais elle revoyait Memphis, elle se jura de s'inscrire dans un centre de remise en forme et d'entretenir son corps. Elle n'avait aucunement l'intention de revivre une aventure de ce genre, mais elle en avait assez d'avoir mal partout et d'être essoufflée au moindre effort.

Mark mit un genou à terre et glissa un nouveau brin d'herbe entre ses dents, sans quitter des yeux le garage.

Ils attendirent près d'une heure, sans ouvrir la bouche, ou presque. L'envie de le planter là, de s'enfuir à toutes jambes à travers bois se fit de plus en plus pressante.

– Bon, je m'en vais, finit par déclarer Reggie. Fais ce que tu as à faire, Mark. Moi, je m'en vais.

Mais elle ne bougea pas.

Il vint s'accroupir tout près d'elle et montra le garage, comme si elle ne savait pas où il se trouvait.

– Je vais aller là-bas en rampant, avec la torche, et je vais regarder si je vois le corps ou la tombe qu'ils creusaient. D'accord ?

– Non.

– Ça ne prendra pas plus d'une minute. Avec un peu de chance, je reviens tout de suite.

– Je t'accompagne.

– Non, je veux que vous restiez ici. J'ai peur que ces types ne soient en train de surveiller le garage, eux aussi, du côté de la rangée d'arbres. S'ils se lancent à ma poursuite, je veux que vous preniez la fuite en criant de toutes vos forces.

– Pas question, mon chéri. Si tu vas chercher le corps, je vais avec toi, un point, c'est tout ! Pas de discussion !

Il plongea les yeux dans ceux de Reggie, distants de quelques centimètres, et décida de ne pas discuter. Elle secouait lentement la tête, les mâchoires serrées. La casquette lui allait bien.

– Alors, suivez-moi. Restez courbée et tendez l'oreille. Il faut être à l'affût de tous les bruits.

– D'accord, d'accord ! Je ne suis pas si empotée que ça. Je commence même à devenir une spécialiste de la reptation.

Ils se mirent à quatre pattes et s'avancèrent dans l'herbe froide et humide. La petite porte du grillage, que les déterreurs de cadavres avaient laissée ouverte dans leur précipitation, grinça légèrement quand Reggie la heurta du pied. Mark se retourna pour lui lancer un regard noir. Ils s'arrêtèrent derrière le premier arbre, se glissèrent jusqu'au suivant. Pas un bruit ne troublait le silence. Il était 2 heures du matin, tout dormait. Mark s'inquiétait quand même au sujet du cinglé avec son fusil de chasse. Il se dit que le voisin aurait du mal à trouver le sommeil, avec sa vitre brisée. Il l'imagina dans sa cuisine, en train de surveiller le patio, guettant le moindre craquement de branche pour se remettre à tirer comme un forcené. Ils s'arrêtèrent au troisième arbre, avant de se dissimuler derrière le tas d'ordures.

Le souffle court et saccadé, Reggie hocha la tête. Ils bondirent jusqu'à la porte du garage, qui était entrebâillée. Mark passa la tête à l'intérieur. Il alluma la torche, la dirigea devant lui, sur le sol. Reggie se glissa à son tour dans l'ouverture.

L'odeur était âcre et lourde, comme celle d'un animal en putréfaction exposé au feu du soleil. Reggie se couvrit instinctivement la bouche et les narines. Mark respira un grand coup et retint son souffle.

Le seul espace dégagé se trouvait au centre, à l'endroit où avait été poussé le bateau. Ils se penchèrent sur la dalle de ciment.

— Je crois que je vais vomir, fit Reggie, articulant à peine pour ne pas ouvrir la bouche.

Dix minutes de plus, et ils auraient sorti le corps. Ils avaient commencé dans la région du torse et dégagé le ciment de chaque côté. Les sacs poubelle noirs, à moitié décomposés, avaient été arrachés. Une petite tranchée avait été creusée à la hauteur des pieds et des genoux.

Mark avait vu ce qu'il voulait. Il saisit un burin abandonné, le plongea dans le plastique noir.

— Ne fais pas ça ! souffla Reggie en reculant, mais sans tourner la tête.

Il commença à déchirer le plastique à l'aide du ciseau d'acier en s'éclairant avec la torche. Il traça une courbe et arracha le plastique à main nue. Il eut un mouvement de recul horrifié. Lentement, avec une grimace de dégoût, il dirigea le faisceau de la torche vers le visage en décomposition du sénateur Boyd Boyette.

Reggie fit un pas de plus en arrière, bascula sur une pile de sacs remplis de boîtes de conserve. Le fracas fut assourdissant dans l'obscurité du garage. Elle tâtonna pour se relever, glissant bruyamment sur les boîtes vides et le plastique. Mark agrippa une main, la tira vers le bateau.

— Je suis désolée, murmura Reggie, sans penser au cadavre à ses pieds.

— Chut ! fit Mark.

Il monta sur un carton et regarda par la fenêtre. Une lumière s'alluma dans la maison des voisins. Le fusil de chasse n'allait pas tarder à faire son apparition.

— Filons, dit-il. Baissez-vous !

Au moment où ils sortaient du garage, une porte claqua chez les voisins. Immédiatement à quatre pattes, Mark longea le tas d'ordures, fila entre les arbres, Reggie sur ses talons. Ils franchirent la porte du grillage, rampèrent dans les broussailles. Courbés en deux, ils poursuivirent leur fuite éperdue jusqu'au sentier. Mark alluma la torche. Ils ne ralentirent qu'après avoir atteint le lit asséché du ruisseau. Mark se blottit dans les hautes herbes et éteignit la torche.

— Qu'est-ce qui se passe ? haleta Reggie, terrifiée, ne comprenant pas pourquoi il s'arrêtait.

— Avez-vous vu son visage ? demanda Mark, qui n'en revenait pas de ce qu'ils venaient de faire.

– Bien sûr que je l'ai vu. Allez, en route.

– Je veux le revoir.

Elle se retint pour ne pas le gifler. Puis elle se redressa, les mains sur les hanches, et s'éloigna d'un pas résolu.

Mark s'élança derrière elle, la torche allumée.

– C'était une blague !

Elle s'arrêta, le regard dur. Il lui prit la main, l'aida à traverser le lit asséché du cours d'eau.

Ils prirent la voie express près du Superdome, en direction de Metairie. A 2 heures et demie, dans la nuit du samedi au dimanche, il y avait un peu plus de circulation que dans une autre grande ville. Depuis qu'ils étaient montés en voiture et avaient quitté West Park, ils n'avaient pas échangé un mot. Le silence ne semblait les gêner ni l'un ni l'autre.

Reggie songea qu'elle avait vu la mort de très près. Mafiosi, serpents, voisin enragé, policiers, choc psychologique, fusil de chasse ou crise cardiaque, la mort aurait pu prendre n'importe quelle forme. Elle avait de la chance d'être encore là, de rouler dans cette voiture, couverte de sueur, de piqûres d'insectes et d'égratignures, sale comme un peigne, après cette nuit dans la jungle. Cela aurait pu être bien pire. Elle allait prendre une bonne douche au motel, se reposerait peut-être un peu et réfléchirait à ce qu'elle allait faire. Elle était épuisée. Tous ses muscles étaient endoloris, à force d'avancer à quatre pattes et de marcher courbée. Elle était trop vieille pour toutes ces bêtises.

Mark gratta délicatement les piqûres de moustiques sur son bras gauche. Les lumières se faisaient plus rares à mesure qu'ils s'éloignaient du centre de la ville.

– Avez-vous vu ces taches brunes sur son visage ? demanda-t-il, sans tourner la tête vers Reggie.

Cette vision resterait à jamais gravée dans sa mémoire, mais elle ne se rappelait pas avoir vu des taches brunes sur le petit visage ratatiné, à demi décomposé. Elle souhaitait chasser cette image de son esprit.

– Je n'ai vu que les vers.

– C'étaient des taches de sang, déclara Mark du ton sans réplique d'un médecin légiste.

Elle n'avait pas envie de poursuivre cette conversation. Maintenant que le silence était rompu, ils avaient des sujets plus importants à aborder.

– Si nous parlions de tes projets, maintenant que notre folle équipée est terminée ? fit-elle, en lançant un coup d'œil vers Mark.

– Il va falloir faire vite, Reggie. Ces types vont revenir chercher le corps. Vous ne croyez pas ?

– Si. Pour une fois, je suis d'accord. Ils y sont peut-être déjà.

Mark se gratta l'autre bras. Il plia une jambe, posa la cheville sur son genou.

– J'ai réfléchi, fit-il.

– Je n'en doute pas.

– Il y a deux choses que je n'aime pas à Memphis : la chaleur et le pays plat. Il n'y a pas de collines, pas de montagnes, vous voyez ? J'ai toujours pensé que ce serait chouette de vivre à la montagne, où l'air est frais et où il y a une neige épaisse en hiver. Ce serait sympa, non ?

– Ce serait merveilleux, fit-elle, en ébauchant un sourire. Tu aimerais une montagne particulière ?

– Quelque part dans l'Ouest. J'adore ces vieux épisodes de *Bonanza*, avec Hoss et Little Joe. Je les regardais déjà quand j'étais tout petit et je me suis toujours dit que ce serait drôlement chouette de vivre dans ce coin-là.

– Et les gratte-ciel, la foule grouillante de la grande ville ?

– C'était avant. Aujourd'hui, j'ai envie de montagne.

– C'est là que tu aimerais vivre, Mark ?

– Je crois. Ce sera possible ?

– Cela doit pouvoir s'arranger. A l'heure qu'il est, ils accepteraient à peu près tout.

Mark cessa de se gratter et prit son genou entre ses deux mains.

– Dites-moi, Reggie, fit-il d'une voix lasse, je suppose que je ne peux pas retourner à Memphis ?

– Non, répondit-elle doucement.

– C'est bien ce qu'il me semblait. Ce n'est pas plus mal, reprit-il après un silence. De toute façon, il ne me reste pas grand-chose là-bas.

– Pense à cet avenir comme à une nouvelle aventure, Mark. La maison, l'école, le travail de ta mère, tout sera nouveau. Tu vivras dans un lieu beaucoup plus agréable, tu te feras de nouveaux amis, tu verras des montagnes tout autour de toi, si c'est ce que tu désires.

– Répondez franchement, Reggie. Croyez-vous qu'ils me retrouveront un jour ?

Elle était obligée de dire non. Mark n'avait plus le choix. Elle ne voulait pas continuer à jouer au gendarme et au voleur en sa compagnie. Soit ils appelaient le FBI pour passer un marché, soit ils appelaient le FBI pour se constituer prisonniers. La cavale était sur le point de s'achever.

– Non, Mark, ils ne te retrouveront pas. Il faut faire confiance au FBI.

– Je n'ai pas confiance en ces gens-là. Vous non plus.

– Disons que j'éprouve une certaine méfiance. Mais, pour l'instant, nous n'avons pas d'autre solution.

– Il faut vraiment entrer dans leur jeu ?

– Sauf si tu as une meilleure idée.

Mark était sous la douche. Reggie composa le numéro de Clint. Une douzaine de sonneries se succédèrent avant qu'il ne décroche. Il était 3 heures du matin.

– Clint ? C'est moi.

– Reggie ? fit-il d'une voix pâteuse.

– Oui, c'est ça, Reggie. Écoutez-moi attentivement. Allumez la lumière, posez les pieds par terre et ouvrez grandes vos oreilles.

– J'écoute.

– Vous trouverez dans l'annuaire de Memphis le numéro de téléphone de Jason McThune. Appelez-le et demandez-lui le numéro personnel de Larry Trumann à La Nouvelle-Orléans. Avez-vous compris ?

– Pourquoi ne cherchez-vous pas dans l'annuaire de La Nouvelle-Orléans ?

– Ne posez pas de questions, Clint. Faites simplement ce que je dis. Trumann n'est pas dans l'annuaire.

– Que se passe-t-il, Reggie ? demanda Clint, avec plus de vivacité.

– Je vous rappelle dans un quart d'heure. Faites-vous un bon café, la journée risque d'être longue.

Elle raccrocha et délaça ses tennis boueux.

Sa douche terminée, Mark sortit un slip neuf de son paquet. Il avait été très gêné quand Reggie avait acheté les sous-vêtements, mais cela paraissait si peu important maintenant. Il passa un tee-shirt jaune, neuf aussi, et mit son jean neuf, mais sale. Pas de chaussettes. Il n'aurait pas à quitter la chambre pendant quelque temps, d'après son avocat.

Quand il sortit de la salle de bains, Reggie était étendue sur le lit. Elle s'était débarrassée de ses chaussures. Il s'assit sur le bord du lit, la tête tournée vers le mur.

– Tu te sens mieux ?

Il hocha la tête sans rien dire, s'allongea à côté d'elle. Elle l'attira vers elle, glissa le bras sous la tête mouillée.

– Je suis très perturbé, Reggie, fit-il doucement. Je ne sais plus où j'en suis.

Le petit dur de onze ans qui lançait des pierres dans les fenêtres, bravait la mafia et la police, traversait intrépidement les bois les plus sombres se mit à pleurer doucement. Il se mordit la lèvre et plissa très fort les yeux, mais ne put retenir ses larmes. Reggie le serra contre elle. Il se laissa enfin aller et éclata en sanglots, sans essayer de se retenir ni de jouer les durs. Il pleura sans honte ni gêne, le corps secoué de sanglots, serrant le bras de Reggie.

– Tout ira bien, Mark, lui murmura-t-elle à l'oreille. Tout ira bien, tu verras.

De sa main libre, elle essuya les larmes sur ses joues. A elle de jouer maintenant. De redevenir l'avocate pleine d'audace qui prenait les choses en main. La vie de Mark en dépendait.

Elle avait coupé le son du téléviseur. Les ombres grises et bleutées de l'écran répandaient une clarté diffuse sur le pauvre mobilier de la petite chambre à deux lits.

Jo Trumann se jeta sur le téléphone et chercha le cadran du réveil dans le noir. Quatre heures moins dix. Elle passa l'appareil à son mari qui se mit sur son séant, au milieu du lit.

– Allô ! grogna-t-il.

– Salut, Larry ! C'est Reggie Love. Vous vous souvenez de moi ?

– Oui. Où êtes-vous ?

– Chez vous, à La Nouvelle-Orléans. Il faut que je vous parle, le plus tôt sera le mieux.

Il faillit faire une remarque sur l'heure qu'il était, mais se retint. Elle n'aurait pas appelé en pleine nuit si l'affaire n'était pas d'importance.

– D'accord. Que se passe-t-il, Reggie ?

– Eh bien, pour commencer, nous avons trouvé le corps.

– Je vous écoute, fit Trumann, en bondissant du lit.

– J'ai vu le corps il y a deux heures, Larry. Je l'ai vu de mes propres yeux. J'ai senti aussi.

– Où êtes-vous ? poursuivit Trumann en enfonçant la touche du magnétophone posé près du téléphone, sur la table de nuit.

– J'appelle d'un téléphone public. Ne cherchez pas à localiser l'appel.

– D'accord.

– Les gens qui ont enseveli le corps ont essayé de le récupérer cette nuit, mais ils n'ont pas réussi. Ce serait trop long à vous raconter. Je vous expliquerai plus tard. Je suis disposée à parier qu'ils ne vont pas tarder à revenir.

– Le petit est avec vous ?

– Oui. Il savait où était le corps. Nous sommes venus, nous avons vu, nous avons vaincu. Le sénateur sera à vous à midi si vous faites ce que je dis.

– Tout ce que vous voulez.

– Parfait, Larry. Mark voudrait conclure un marché avec vous. Nous devons nous voir.

– Où et quand ?
– Venez me rejoindre au Raintree Inn, sur Veterans Boulevard, à Metairie. Il y a un grill ouvert toute la nuit. Combien de temps vous faut-il ?
– Donnez-moi trois quarts d'heure.
– Plus vite vous viendrez, plus vite vous aurez le corps.
– Puis-je amener quelqu'un avec moi ?
– Qui ?
– K.O. Lewis.
– Il est ici ?
– Oui. Comme nous savions que vous étiez à La Nouvelle-Orléans, M. Lewis est arrivé il y a quelques heures.
– Comment saviez-vous que j'étais ici ? demanda Reggie après un moment d'hésitation.
– Nous disposons de certains moyens.
– Qui avez-vous mis sur table d'écoute, Trumann ? Je veux une réponse franche.
Elle parlait d'une voix ferme, mais où perçait l'inquiétude.
– Je vous expliquerai quand nous nous verrons, suggéra-t-il, en se reprochant amèrement de s'être fourré lui-même dans ce guêpier.
– Je veux une explication immédiate.
– Je vous expliquerai avec plaisir, quand...
– Écoutez-moi bien, pauvre crétin ! J'annule le rendez-vous si vous ne me dites pas immédiatement qui est sur écoute ! Allez-y, Trumann.
– Bon, bon... Nous avons posé un micro sur le téléphone de la chambre, à l'hôpital. Nous n'aurions pas dû, je sais. C'est Memphis qui est responsable, pas moi.
– Qu'ont-il appris ?
– Pas grand-chose. Votre secrétaire a appelé hier après-midi pour dire à la mère de Mark que vous étiez tous deux à La Nouvelle-Orléans. C'est tout, je vous le jure.
– Vous n'oseriez pas me mentir, Trumann ? fit-elle, en songeant à leur première rencontre et à la bande magnétique.
– Je ne mens pas, Reggie.
Trumann pensait, lui aussi, à cette foutue bande.
Il y eut un long silence, pendant lequel il n'entendit que le bruit de la respiration de l'avocate.
– Vous et Lewis, c'est tout, dit-elle enfin. Je ne veux voir personne d'autre. Si Foltrigg se pointe, tout sera fichu.
– Vous avez ma parole.
Elle raccrocha. Trumann téléphona aussitôt à Lewis, dans sa chambre du Hilton. Puis il appela McThune.

39

Trois quarts d'heure plus tard, à la minute près, Trumann et Lewis entrèrent nerveusement dans le grill quasi désert. Reggie était assise au fond de la salle, à une table isolée. Elle n'était pas maquillée et avait les cheveux mouillés. Un ample tee-shirt, portant l'inscription « LSU Tigers », en grosses lettres rouges, était rentré dans son jean délavé. Elle buvait un café. Ils s'avancèrent vers la table, s'assirent sans un sourire.

– Bonjour, maître Love, fit Lewis.

– Appelez-moi Reggie, et il est trop tôt pour les civilités. Sommes-nous seuls ?

– Évidemment, répondit Lewis.

A cet instant, huit agents spéciaux surveillaient le parking, d'autres étaient en route.

– Pas de micro, pas de mouchard, pas de magnétophone, pas de salière ni de bouteille de ketchup ?

– Rien de tout ça.

Un garçon s'approcha, ils commandèrent des cafés.

– Où est l'enfant ? demanda Trumann.

– Pas loin d'ici. Vous le verrez bientôt.

– Il est en sécurité ?

– Bien sûr. Vous ne seriez même pas capables de l'épingler s'il faisait la manche sur le trottoir.

Elle tendit une feuille de papier à Lewis.

– Ce sont les noms de trois hôpitaux psychiatriques spécialisés dans le traitement des enfants. Battenwood, à Rockford, Illinois. Ridgewood, à Tallahassee. La clinique Grant, à Phoenix. N'importe lequel fera l'affaire.

Le regard des deux hommes passa lentement du visage de Reggie à la liste.

– Nous nous sommes déjà mis d'accord avec la clinique de Portland, protesta Lewis, l'air perplexe.

– Peu importe avec qui vous vous êtes mis d'accord, monsieur Lewis. Prenez cette liste et recommencez. Je vous conseille de faire vite. Appelez Washington, tirez du lit qui vous voudrez, mais faites vite.

Lewis plia la feuille, la glissa sous son coude.

– Vous... vous avez dit que vous aviez vu le corps ?

– En effet, répondit Reggie en souriant. Il y a à peine trois heures. Les hommes de Muldanno étaient en train de l'exhumer, mais nous les avons fait fuir.

– Qui, nous ?

– Mark et moi.

Suspendus à ses lèvres, les deux hommes attendirent les détails de cette folle, de cette invraisemblable histoire. On leur apporta les cafés. Ils n'eurent pas un regard pour le garçon, ni pour leur tasse.

– Nous ne mangeons pas, fit sèchement Reggie, congédiant le garçon d'un geste. Voici le marché que j'ai à vous proposer, poursuivit-elle. Il y a plusieurs clauses, aucune d'elles n'est négociable. Faites ce que je propose, faites-le vite, et il vous sera possible de récupérer le corps avant que Muldanno ne le subtilise pour le larguer dans l'océan. Si vous laissez passer cette occasion, messieurs, je doute qu'on vous en offre une seconde.

Ils acquiescèrent vigoureusement de la tête.

– Êtes-vous venu en avion privé ? demanda Reggie à Lewis.

– Oui, le jet du directeur.

– Combien de passagers peut-il transporter ?

– Une vingtaine.

– Parfait. Envoyez-le à Memphis. Je veux que Dianne et Ricky Sway ainsi que le psychiatre de l'enfant et Clint, mon secrétaire, soient conduits à bord de cet appareil, et qu'il les ramène aussitôt ici. McThune pourra se joindre à eux. Nous les attendrons à l'aéroport. Quand Mark sera à bord de l'appareil et qu'il aura décollé, je vous révélerai où se trouve le corps. Qu'en dites-vous ?

– Pas de problème, répondit Lewis, tandis que Trumann demeurait bouche bée.

– Toute la famille bénéficiera du programme de protection des témoins. Ils choisiront d'abord l'hôpital, puis la ville quand Ricky sera capable de se déplacer.

– Pas de problème.

– Changement d'identité pour tout le monde et une jolie petite maison. Cette femme doit rester chez elle et se consacrer quelque temps à ses enfants. Je propose donc une allocation mensuelle de quatre mille dollars, avec une garantie de trois ans. Plus un versement initial de vingt-cinq mille dollars, en espèces. N'oubliez pas qu'ils ont tout perdu dans l'incendie du mobile home.

– Bien sûr. Tout cela est facile à régler.

Lewis était si désireux de la satisfaire qu'elle regretta de ne pas avoir demandé cinquante mille.

– Si, à un moment ou à un autre, elle souhaite recommencer à travailler, je suggérerais un emploi de fonctionnaire, une bonne planque, sans responsabilités, avec des heures de travail assez brèves et un salaire confortable.

– Ce n'est pas ce qui manque.

– S'il leur prend l'envie de déménager, n'importe quand et n'importe où, il leur sera loisible de le faire, à vos frais, cela va sans dire.

– Nous avons l'habitude.

Trumann ne put s'empêcher de sourire.

– Il lui faudra une voiture.

– Pas de problème.

– Ricky peut avoir besoin d'un traitement de longue durée.

– Nous le prendrons à notre charge.

– Je tiens à ce que Mark soit examiné par un psychiatre, mais j'imagine qu'il est en bien meilleur état que nous.

– Ça marche.

– Il reste deux ou trois problèmes mineurs, qui seront traités dans notre accord.

– Quel accord ?

– Celui que je suis en train de faire dactylographier. Il sera signé par Dianne Sway, le juge Harry Roosevelt et moi-même. Et par vous, monsieur Lewis, en qualité de délégué du directeur du FBI.

– Qu'y a-t-il d'autre, dans cet accord ?

– Je vous demande de vous engager à faire tout ce qui est en votre pouvoir pour contraindre Roy Foltrigg à comparaître devant le tribunal pour enfants du comté de Shelby, Tennessee. Le juge Roosevelt a différents sujets à aborder avec lui et je suis persuadée que Foltrigg refusera d'obtempérer. Si une citation doit lui être notifiée, je veux que ce soit de votre main, monsieur Trumann.

– Avec joie, fit Trumann, le visage éclairé par un sourire mauvais.

– Nous ferons notre possible, ajouta Lewis, l'air perplexe.

– Parfait. Allez donner vos coups de fil, messieurs, et faites décoller cet avion. Appelez McThune, dites-lui de passer prendre Clint Van Hooser chez lui et de le conduire à l'hôpital. Et enlevez votre foutu micro, parce que j'ai à parler à Dianne Sway.

Pas de problème.

Les deux hommes se levèrent du même mouvement.

– Rendez-vous ici dans une demi-heure.

Clint martelait les touches de son antique machine à écrire. Sa tasse de café, la troisième, tremblait sur la table de la cuisine chaque fois qu'il frappait une touche. Il étudiait ses pattes de mouche, les notes prises à la hâte sur la couverture d'un numéro d'*Esquire,* en s'efforçant de se souvenir de chacune des clauses qu'elle avait énumérées au téléphone. S'il arrivait au bout, ce serait, sans l'ombre d'un doute, le document juridique le plus bâclé qui eût jamais été rédigé. Clint poussa un juron et saisit le flacon d'effaceur.

Les coups frappés à la porte le firent sursauter. Il passa la main dans ses cheveux en broussaille et se leva.

– Qui est là ?

– FBI.

Pas si fort, faillit-il répliquer. Il imagina les voisins jasant sur lui et sur cette arrestation au point du jour. Une affaire de drogue, sans doute.

Il entrouvrit la porte retenue par l'entrebâilleur, distingua dans la pénombre deux hommes aux yeux gonflés de sommeil.

– On nous a demandé de venir vous chercher, fit le premier, pour s'excuser.

– Je voudrais voir votre plaque.

Ils approchèrent les plaques de l'ouverture.

– FBI, répéta le premier.

Clint ouvrit la porte, leur fit signe d'entrer.

– J'en ai pour quelques minutes. Prenez un siège.

Ils demeurèrent au milieu du salon, l'air gauche, tandis que Clint allait se rasseoir devant sa machine à écrire. Il recommença à taper lentement. Incapable de déchiffrer les pattes de mouche, il improvisa la fin. Il espérait avoir transcrit tous les points importants. Reggie trouvait toujours à redire à ce qu'il tapait au cabinet. Cette fois, cela ferait l'affaire. Il tira soigneusement la feuille dactylographiée, la glissa dans un petit porte-documents.

– Allons-y, fit-il.

A 5 h 40, Trumann revint seul à la table occupée par Reggie. Il apportait deux téléphones cellulaires.

– Nous pouvons en avoir besoin, dit-il.

– Comment les avez-vous eus ?

– On nous les a remis ici.

– Des agents à vous ?

– Exact.

– Par simple curiosité, j'aimerais savoir combien d'hommes vous avez dans un périmètre de cinq cents mètres.

– Je ne sais pas très bien. Douze ou treize. C'est la routine, Reggie. Nous aurons peut-être besoin d'eux. J'en enverrai quelques-uns pour protéger le garçon, si vous acceptez de me dire où il est. Je suppose qu'il est seul.

– Il est seul et il va bien. Avez-vous téléphoné à McThune ?

– Oui, on est déjà passés prendre Clint.

– Ils n'ont pas perdu de temps.

– Pour être tout à fait franc, deux de nos agents surveillaient son appartement depuis vingt-quatre heures. Nous les avons réveillés et leur avons demandé d'aller frapper chez lui. Nous avons retrouvé votre voiture, Reggie, pas celle de Clint.

– Bien sûr, c'est moi qui m'en sers.

– C'est ce que je m'étais dit. Vous êtes rusée, mais nous vous aurions retrouvée en moins de vingt-quatre heures.

– Ne faites pas le fier-à-bras, Trumann. Vous cherchez Boyette depuis huit mois.

– C'est vrai. Comment l'enfant a-t-il réussi à s'échapper ?

– Ce serait trop long à raconter maintenant.

– Vous risquez d'être impliquée dans cette affaire, vous savez ?

– Pas si vous signez notre petit accord.

– Nous signerons, n'ayez aucune inquiétude.

Un des téléphones sonna. Trumann se jeta dessus. Tandis qu'il écoutait l'appareil collé à l'oreille, K.O. Lewis fit son entrée dans la salle, son propre téléphone cellulaire à la main. Il s'assit rapidement, se pencha sur la table, les yeux brillants d'excitation.

– J'ai appelé Washington. Nous sommes en train de nous renseigner pour l'hôpital. Tout semble marcher comme sur des roulettes. Le directeur va appeler. Il voudra probablement vous parler.

– Et l'avion ?

– Il est en train de décoller, répondit Lewis en consultant sa montre. Il devrait arriver à Memphis vers 6 h 30.

Trumann posa la main sur son téléphone.

– C'est McThune. Il est à l'hôpital, il attend le docteur Greenway et l'administrateur. Il a réussi à joindre le juge Roosevelt, qui est sur la route.

– Avez-vous retiré votre micro du téléphone ?

– Oui.

– Enlevé les salières ?

– Il n'y a pas de salière. Vous ne risquez rien.

– Très bien. Dites-lui de rappeler dans vingt minutes.

Trumann murmura quelques mots et coupa la communication. Quelques secondes plus tard, le téléphone de Lewis sonna. Il colla l'appareil à son oreille, un grand sourire aux lèvres.

– Oui, monsieur, tout de suite, fit-il d'un ton profondément respectueux.

Il tendit vivement le téléphone à Reggie.

– C'est le directeur. Il aimerait vous parler.

– Reggie Love à l'appareil.

Lewis et Trumann l'observèrent avec gourmandise, comme deux gamins attendant qu'on leur serve une glace.

La voix que Reggie entendit était grave, très claire. Au long des quarante-deux ans ans passés à la tête du FBI, Denton Voyles n'avait jamais beaucoup apprécié les journalistes, mais ils réussissaient parfois à lui arracher quelques mots. Reggie connaissait cette voix.

– C'est Denton Voyles, maître Love. Comment allez-vous ?

– Bien, merci. Appelez-moi Reggie, je vous prie.

– Comme vous voudrez, Reggie. Lewis vient de me mettre au courant de la situation, et je tiens à vous assurer que le FBI fera tout ce qui vous paraît utile pour protéger l'enfant et sa famille. Lewis a toute autorité pour agir en mon nom. Si vous le souhaitez, nous assurerons aussi votre protection.

– C'est surtout celle de l'enfant qui me préoccupe, Denton.

Trumann et Lewis se regardèrent. Elle venait de l'appeler par son prénom, ce que nul n'avait jamais osé faire. Et sans lui avoir manqué le moins du monde de respect.

– Si vous le désirez, vous pouvez me faxer l'accord, et je le signerai de ma main.

– Ce ne sera pas nécessaire. Merci quand même.

– Mon avion est à votre disposition.

– Merci.

– Je vous promets aussi que nous ferons en sorte que M. Foltrigg ne puisse se dérober. Nous n'avons rien à voir avec cette citation devant le grand jury.

– Oui, je sais.

– Je vous souhaite bonne chance, Reggie. Mes hommes régleront les détails. Lewis peut soulever les montagnes. Si vous avez besoin de moi, n'hésitez pas à appeler. Je serai au bureau toute la journée.

– Merci, fit Reggie, en rendant son téléphone à K.O. Lewis, l'homme qui soulevait les montagnes.

L'assistant du responsable de nuit du grill, un jeune homme poseur, à peine sorti de l'adolescence, s'approcha de la table. Ces clients étaient là depuis une heure et tout donnait à penser qu'ils comptaient s'installer. Il y avait trois téléphones sur la table, des papiers s'accumulaient. La femme portait un sweat-shirt et un jean. L'un des hommes était coiffé d'une casquette et n'avait pas de chaussettes.

– Excusez-moi, fit-il sèchement, puis-je vous être utile ?

– Non, répondit Trumann d'un ton cassant, en jetant un coup d'œil par-dessus son épaule.

Le jeune homme hésita, fit un pas en avant.

– Je suis l'assistant du responsable de nuit et j'exige que vous me disiez ce que vous faites.

Trumann claqua des doigts. Deux messieurs plongés dans la lecture du journal du dimanche, à une table voisine, se levèrent brusquement et sortirent une plaque de leur poche.

– FBI, dirent-ils en même temps.

Ils prirent chacun le jeune homme par un bras et l'entraînèrent hors de la salle. Il ne revint pas.

Un téléphone sonna, Lewis le saisit. Il écouta attentivement. Reggie prit le journal dominical de La Nouvelle-Orléans. Elle découvrit sa photo au bas de la première page, à côté de la photo de classe de Mark. Leurs deux visages accolés. Évadé. Disparue. En fuite. Boyette et toute l'affaire. Elle ouvrit le journal, chercha les bandes dessinées.

– C'était Washington, annonça Lewis en reposant le téléphone sur la table. La clinique de Rockford est pleine. Ils se renseignent pour les deux autres.

Reggie hocha la tête et but une gorgée de café. Le soleil lançait ses premiers feux. Elle avait les yeux rougis de fatigue et la tête lui élançait, mais l'adrénaline coulait à flot dans ses veines. Avec un peu de chance, elle serait chez elle avant la fin de la journée.

– Dites-moi, Reggie, fit Trumann avec précaution, pourriez-vous nous donner une idée du temps qu'il faudra pour arriver jusqu'au corps ?

Il ne voulait pas être trop pressant, il ne voulait pas la prendre à rebrousse-poil, mais il fallait commencer à organiser les choses.

– Muldanno est encore en liberté ajouta-t-il. S'il arrive le premier, nous serons tous dans de beaux draps.

Il attendit qu'elle dise quelque chose.

– Il est ici, n'est-ce pas ?

– Si vous ne vous perdez pas en route, vous devriez être sur place en un quart d'heure.

– Un quart d'heure, répéta-t-il, en détachant les mots, comme si c'était trop beau pour être vrai. Un quart d'heure.

40

Clint, qui n'avait pas fumé une cigarette depuis quatre ans, tirait nerveusement sur une Virginia Slim. Dianne aussi en avait une à la bouche. Debout au fond du couloir, ils regardaient le jour se lever sur les tours de Memphis. Greenway était dans la chambre de Ricky. Dans la chambre contiguë, Jason McThune, l'administrateur de l'hôpital, et un petit groupe d'agents spéciaux du FBI attendaient. Dans la dernière demi-heure, Clint et Dianne avaient tous deux parlé à Reggie au téléphone.

— Le directeur a donné sa parole, fit Clint, en tirant vigoureusement sur la petite cigarette pour aspirer un peu de fumée. Il n'y a pas d'autre solution, Dianne.

Elle regardait par la fenêtre, appuyée sur un bras, tenant sa cigarette de l'autre main.

— Alors, nous partons, comme ça ? Nous prenons un avion qui nous emmène où nous voulons et nous coulons une existence heureuse ?

— C'est un peu ça, oui.

— Et si je n'ai pas envie ?

— Vous ne pouvez pas refuser.

— Pourquoi ?

— C'est très simple. Votre fils a décidé de rompre le silence. Il a aussi décidé d'entrer dans le programme de protection des témoins. Que cela vous plaise ou non, vous êtes obligée de le suivre. Ricky aussi.

— Je voudrais parler à mon fils.

— Vous le verrez à La Nouvelle-Orléans. Si vous réussissez à le faire changer d'avis, il n'y a plus de marché. Reggie ne fera ses révélations que lorsque votre avion aura décollé.

Clint essayait de se montrer à la fois ferme et compatissant. Elle avait peur, elle se sentait faible, vulnérable. Elle porta d'une main tremblante la cigarette à sa bouche.

– Madame Sway ! lança derrière eux une voix de stentor.

Ils se retournèrent et reconnurent le juge Harry Roosevelt, en jogging bleu roi, portant le sigle des Tigres de l'université de Memphis. Ce devait être une taille extra large. Le pantalon s'arrêtait quinze centimètres au-dessus des chevilles. Ses grands pieds étaient emprisonnés dans des vieilles chaussures de sport qui avaient peu servi. Il tenait à la main les deux feuilles dactylographiées du projet d'accord de Reggie.

Dianne le salua d'un signe de tête, mais garda le silence.

– Mes respects, Votre Honneur, fit Clint.

– Je viens de parler à Reggie, dit Harry à Dianne. Leur petite virée semble avoir été assez mouvementée.

Il se plaça entre eux, sans s'occuper de Clint.

– J'ai pris connaissance de ce projet d'accord, poursuivit-il, et je suis enclin à signer. Je pense qu'il est dans l'intérêt de Mark que vous le fassiez aussi.

– C'est un ordre ? demanda-t-elle.

– Non, je n'ai pas le pouvoir de vous y contraindre.

Sur ces mots, un grand sourire éclaira son visage.

– Mais je le ferais, si je pouvais.

Dianne mit sa cigarette dans le cendrier posé sur l'appui de la fenêtre et enfonça les deux mains dans les poches de son jean.

– Et si je ne le fais pas ?

– Dans ce cas, Mark sera ramené ici et reconduit au centre de détention. Après, je ne sais pas. Tôt ou tard, il sera obligé de parler. La situation est devenue extrêmement urgente.

– Pourquoi ?

– Parce qu'il est maintenant établi que Mark sait où se trouve le corps. Reggie aussi. Peut-être sont-ils en grand danger. Au point où vous en êtes, madame Sway, vous devez faire confiance aux gens.

– Facile à dire, pour quelqu'un comme vous.

– Je vous l'accorde. Mais, à votre place, je signerais ces papiers et je sauterais dans cet avion.

Dianne prit lentement les deux feuilles dans la main du magistrat.

– Allons voir le docteur Greenway, dit-elle.

Ils lui emboîtèrent le pas dans le couloir.

Vingt minutes plus tard, une douzaine d'agents du FBI bouclèrent le neuvième étage de l'hôpital St. Peter's. La salle d'attente fut évacuée. Les infirmières reçurent l'ordre de ne pas quitter leur bureau. Trois ascenseurs furent immobilisés au rez-de-chaussée, la porte du quatrième maintenue ouverte au neuvième étage par un agent fédéral.

La porte de la chambre 943 s'ouvrit, le petit Ricky Sway, sous sédatif, sortit sur un brancard poussé par Jason McThune et Clint Van Hooser. Après six jours d'hospitalisation, son état n'avait pas évolué. Greenway marchait d'un côté du brancard, Dianne de l'autre. Harry fit quelques pas derrière le chariot, puis s'arrêta.

Le brancard entra dans la cabine de l'ascenseur qui descendit au quatrième étage, bouclé aussi par des agents du FBI. Il fut ensuite poussé jusqu'à un ascenseur de service qui descendit au deuxième. Ricky ne fit pas un mouvement. Dianne lui prit la main et trottina pour rester à sa hauteur.

Il fallut ensuite manœuvrer le chariot dans une enfilade de petits couloirs séparés par des portes métalliques. Ils débouchèrent soudain sur un toit. Un hélicoptère attendait. Quand le chariot fut chargé à bord de l'appareil, Dianne, Clint et McThune montèrent l'un après l'autre.

Quelques minutes plus tard, l'hélicoptère se posa près d'un hangar de l'aéroport international de Memphis. Une demi-douzaine d'agents du FBI surveillèrent l'aire d'atterrissage pendant que Ricky était transporté dans un jet.

A 6 h 50, un téléphone cellulaire sonna à la table du fond du Raintree Grill. Trumann prit la communication. Il écouta un moment, regarda sa montre.

– Ils sont partis, annonça-t-il, avant de reposer le téléphone.

Lewis était en communication avec Washington.

Reggie inspira profondément et sourit à Trumann.

– Le corps est dans une gangue de ciment, dit-elle. Il vous faudra des marteaux et des burins.

Trumann faillit s'étrangler en buvant une gorgée de jus d'orange.

– D'accord. Autre chose ?

– Oui. Placez deux hommes près de l'intersection de St. Joseph et Carondelet.

– Tout près ?

– Faites ce que je vous dit.

– C'est comme si c'était fait. Autre chose ?

– Je reviens dans une minute.

Elle se dirigea vers la réception, demanda à l'employé d'aller jeter un coup d'œil au télécopieur. Il revint avec une copie des deux feuilles de l'accord. Reggie les lut attentivement. La qualité d'impression était affreuse, le texte parfait. Elle regagna la table.

– Allons chercher Mark, dit-elle.

Mark se brossa les dents pour la troisième fois et alla s'asseoir au bord du lit. Son sac aux couleurs des Saints était bourré d'effets sales et de sous-vêtements neufs. Il y avait un dessin animé à la télé, mais il n'avait pas envie de regarder.

Il entendit un bruit de portières, puis des pas. On frappa.

– C'est moi, Mark, dit Reggie.

Il ouvrit la porte, mais elle n'entra pas.

– Es-tu prêt à partir ?

– Je pense.

Le soleil s'était levé, le parking était visible. Il connaissait le visage de l'homme qui se tenait derrière Reggie. C'était l'un des deux agents du FBI qui l'avaient interrogé à l'hôpital. Mark prit son sac, sortit sur le parking. Trois voitures attendaient. Un homme ouvrit la portière arrière de celle du milieu. Mark et son avocat montèrent. Le petit cortège s'ébranla et s'éloigna rapidement.

– Tout va bien, dit Reggie, en lui prenant la main.

Les deux hommes assis à l'avant gardaient les yeux fixés droit devant eux.

– Ricky et ta mère sont en route. L'avion doit arriver dans une heure. Comment te sens-tu ?

– Pas mal. Leur avez-vous tout dit ? poursuivit-il en baissant la voix.

– Pas encore, répondit Reggie. J'attends que tu sois dans l'avion et qu'il ait décollé.

– Ce sont tous des agents du FBI ?

Elle hocha la tête et lui tapota la main. Il se sentit soudain important, voyageant comme un personnage officiel à l'arrière d'une grosse voiture noire qui le conduisait à l'aéroport, où il embarquerait à bord d'un jet privé, entouré de flics qui n'étaient là que pour le protéger. Il croisa les jambes, se redressa légèrement.

Il n'avait jamais pris l'avion.

41

Barry allait et venait nerveusement devant les fenêtres du bureau de son oncle, s'arrêtait pour regarder le ballet des remorqueurs et des péniches sur le fleuve. S'il avait les yeux rouges, ce n'était pas à cause de l'alcool ni d'une partie fine, mais parce qu'il n'avait pas dormi. Il avait attendu dans l'entrepôt qu'on lui livre le corps. Quand Leo et les autres étaient revenus bredouilles vers 1 heure du matin, il avait appelé son oncle.

Ce dimanche matin, Johnny ne portait ni cravate ni bretelles. Il faisait les cent pas derrière son bureau, lentement, enveloppé dans les volutes bleuâtres de son troisième cigare de la journée. Un épais nuage de fumée flottait au-dessus de sa tête.

Les hurlements et les engueulades avaient cessé depuis plusieurs heures. Barry avait injurié Leo, Ionucci et le Taureau. Leo lui avait répliqué sur le même ton. Au fil des heures, l'affolement était retombé. Tout au long de la nuit, Leo était passé devant la maison de Clifford, toujours dans un véhicule différent, et n'avait rien remarqué d'anormal. Le corps n'avait pas bougé.

Johnny avait décidé d'attendre vingt-quatre heures avant de faire une seconde tentative. Ils surveilleraient la maison toute la journée et attaqueraient en force après la tombée de la nuit. Le Taureau lui avait assuré qu'il pouvait finir de dégager le corps en dix minutes.

Johnny avait demandé à tout le monde de garder son sang-froid. Pas de panique, tel était le mot d'ordre.

Roy Foltrigg termina la lecture du journal dans le patio de sa maison de banlieue et traversa pieds nus la pelouse humide, une tasse de café froid à la main. Il avait très mal dormi. Après avoir attendu le passage du livreur dans l'obscurité de la véranda, il était allé chercher le journal en peignoir. Il avait appelé Trumann, mais Mme Trumann ne savait pas où se trouvait son mari. Bizarre.

Il inspecta les rosiers de sa femme, le long de la clôture, en se demandant pour la centième fois où Mark Sway avait bien pu aller. Il ne faisait aucun doute, du moins dans son esprit, que Reggie Love l'avait aidé à s'échapper. A l'évidence, elle avait de nouveau pété les plombs et s'était enfuie avec le gamin. Il se dit avec un petit sourire qu'il aurait le plaisir de la coffrer.

Le hangar se trouvait à quatre cents mètres du terminal. Il faisait partie d'une rangée de grises et mornes constructions identiques. Les mots « Gulf Air » étaient peints en lettres orange au-dessus des énormes vantaux qui s'ouvraient au moment où les trois véhicules s'arrêtèrent. Le sol cimenté était d'un vert brillant, sans un grain de poussière. Le hangar abritait en tout et pour tout deux jets, garés côte à côte dans le fond. Les quelques lumières allumées se reflétaient sur le revêtement luisant. Il y a assez d'espace pour organiser une course de stock-cars, songea Mark en tendant le cou pour mieux voir les deux jets.

L'ouverture des portes achevée, la façade du hangar fut entièrement dégagée. Trois hommes longèrent rapidement la paroi du fond, comme s'ils cherchaient quelque chose. Deux autres se postèrent près d'un des vantaux. A l'extérieur, il y en avait encore une demi-douzaine, qui marchaient lentement, sans s'approcher des voitures.

– Qui sont ces hommes ? demanda Mark.

– Ils travaillent avec nous, répondit Trumann.

– Ce sont des agents du FBI, précisa Reggie.

– Pourquoi sont-ils si nombreux ?

– Simple mesure de prudence, répondit Reggie. Combien de temps faudra-t-il attendre ? poursuivit-elle en se tournant vers Trumann.

– A peu près une demi-heure, répondit-il, après avoir regardé sa montre.

– Allons nous dégourdir les jambes, fit-elle.

Comme à un signal, toutes les portières s'ouvrirent et les voitures se vidèrent. Mark regarda d'abord la rangée de hangars, puis se tourna vers le terminal et vit un avion se poser sur la piste la plus proche. Cela devenait très excitant. A peine trois semaines plus tôt, à l'école, il avait dérouillé un gars qui se moquait de lui, parce qu'il n'avait jamais pris l'avion. S'ils le voyaient maintenant ! On le conduisait en voiture à l'aéroport, où il attendait le jet privé qui allait l'emmener là où il le voudrait. Fini, le mobile home ! Finies, les bagarres avec les crétins de l'école. Plus de message quotidien à Dianne, puisqu'elle resterait à la maison. Dans la chambre du motel, après le départ de Reggie, il avait décidé que c'était une idée merveilleuse. Il était venu à La Nouvelle-Orléans, il avait fait un pied de nez à la mafia sur son propre territoire et il était capable de recommencer.

Il surprit les regards furtifs des deux agents postés à l'entrée du hangar. Ils lançaient un coup d'œil dans sa direction et tournaient aussitôt la tête. Juste pour le jauger. Il signerait peut-être des autographes un peu plus tard.

Il suivit Reggie à l'intérieur du vaste hangar, toute son attention concentrée sur les deux avions. Ils ressemblaient à ces petits jouets brillants que l'on trouve au pied du sapin de Noël. Le fuselage de l'un était noir, l'autre argenté. Mark les contempla avec fascination.

Un homme en blouson orange sur lequel était cousu le nom « Gulf Air » sortit d'un petit bureau et s'avança vers eux. K.O. Lewis lui serra la main et ils échangèrent quelques mots à voix basse. L'homme au blouson tendit le bras vers son bureau et prononça le mot café.

Larry Trumann s'accroupit à côté de Mark, qui ne quittait pas les deux avions des yeux.

— Te souviens-tu de moi, Mark ? demanda-t-il en souriant.

— Oui, monsieur. Nous nous sommes rencontrés à l'hôpital.

— Exact. Je m'appelle Larry Trumann.

Il tendit la main à Mark qui la prit lentement. Les enfants ne sont pas censés serrer la main des adultes.

— Je suis un agent spécial du FBI, reprit Trumann. Je travaille à La Nouvelle-Orléans.

Mark hocha la tête, sans quitter les avions des yeux.

— Aimerais-tu les voir de plus près ?

— Je peux ? fit Mark, soudain beaucoup plus amical.

— Bien sûr.

Trumann se releva et prit Mark par l'épaule. Ils s'avancèrent lentement ; les pas de Trumann résonnaient dans le vaste hangar. Ils s'arrêtèrent devant l'avion noir.

— Celui-ci est un Lear Jet, commença à expliquer Trumann.

Reggie et Lewis sortirent du bureau avec un grand gobelet de café fumant. Les agents qui les avaient escortés s'étaient fondus dans les ombres du hangar. Ils commencèrent à boire ce qui devait être le dixième café de cette interminable matinée, en regardant Trumann et Mark inspecter les avions.

— C'est un garçon courageux, fit Lewis.

— Remarquable. Par moments, il raisonne comme un terroriste, puis il fond en larmes comme un tout petit enfant.

— C'est un enfant.

— Je sais. Mais il ne faut surtout pas le lui dire. Il risquerait de se vexer, et qui sait ce qu'il pourrait faire ensuite ? Oui, un garçon remarquable, répéta-t-elle pensivement.

Lewis souffla sur son café, prit une petite gorgée.

– Grâce à nos relations, expliqua le directeur adjoint du FBI, une chambre attend Ricky à la clinique Grant, à Phoenix. Nous devons savoir si ce sera la destination de l'appareil. Le pilote a appelé il y a cinq minutes. Il doit obtenir l'autorisation de décoller, présenter un plan de vol, vous voyez.

– La destination est bien Phoenix. Secret absolu, d'accord ? Ricky doit être admis sous une fausse identité. Même chose pour Mark et sa mère. Laissez quelques hommes à proximité. Vous rembourserez les frais de voyage du psychiatre et le dédommagerez pour quelques jours de travail.

– Pas de problème. A Phoenix, personne chez nous n'est au courant de rien. Avez-vous parlé de l'endroit où ils veulent se fixer ?

– Un peu, pas beaucoup. Mark dit qu'il veut vivre à la montagne.

– Vancouver serait un bon choix. J'y suis allé en vacances, l'été dernier. Absolument magnifique.

– C'est à l'étranger.

– Aucun problème. Denton Voyles a dit qu'ils pouvaient aller n'importe où. Quelques-uns de nos témoins protégés se sont installés hors de nos frontières. Je pense que les Sway sont d'excellents candidats. Nous prendrons soin d'eux, Reggie, vous avez ma parole.

L'homme au blouson orange rejoignit Mark et Trumann, et se mua en cicérone. Il fit descendre la passerelle donnant accès au Lear noir, et ils disparurent tous les trois dans l'avion.

– Je dois avouer que je n'étais pas convaincu que Mark détenait ce secret, reprit Lewis, après avoir avalé une autre gorgée de café brûlant.

– Clifford lui avait tout raconté. Il savait précisément où se trouvait le corps.

– Et vous ?

– Non. Je ne l'ai appris qu'hier. Quand il est venu me consulter, au cabinet, il m'a dit qu'il le savait, mais n'a rien voulu me révéler. Le Ciel en soit loué ! Il a gardé le secret jusqu'au dernier moment, quand nous avons décidé d'aller voir si le corps était bien là.

– Pourquoi être venus ici ? Cela paraît affreusement risqué.

– Il faudra le lui demander, fit Reggie. Il tenait à trouver le corps. Si Clifford lui avait menti, il s'imaginait être tiré d'affaire.

– Vous avez donc fait le trajet jusqu'à La Nouvelle-Orléans juste pour voir si le corps était bien là ?

– C'est un peu plus compliqué. Ce serait trop long à vous raconter maintenant. Attendons de faire un bon dîner ensemble, et je vous donnerai tous les détails.

– Je meurs d'impatience.

La petite tête de Mark apparut dans le cockpit. Reggie se prit à imaginer que les moteurs allaient se mettre en marche, que l'avion sortirait lentement du hangar pour se diriger vers une piste d'envol, que Mark les éblouirait en accomplissant un décollage parfait. Elle l'en savait capable.

– Craignez-vous pour votre propre sécurité ? poursuivit Lewis.

– Pas vraiment. Je ne suis qu'une modeste avocate. Qu'auraient-ils à gagner en se débarrassant de moi ?

– La satisfaction de la vengeance. Vous ne savez pas comment ces gens fonctionnent.

– C'est vrai, je ne sais pas.

– M. Voyles aimerait que nous ne nous éloignions pas de vous pendant quelques mois, au moins jusqu'à la fin du procès.

– Faites ce que vous voulez. Tout ce que je demande, c'est de ne pas me rendre compte que je suis l'objet d'une surveillance.

– Très bien. Nous savons nous y prendre.

La visite guidée se poursuivit par le jet argenté, un Citation. Mark Sway avait chassé de ses pensées le cadavre du sénateur et les tueurs tapis dans l'ombre. La passerelle du Citation descendit, il monta à bord, Trumann sur ses talons.

Un agent fédéral, une radio sur l'oreille, s'avança vers Reggie et Lewis pour annoncer que l'avion avait entamé la phase d'approche. Ils le suivirent à l'extérieur du hangar, s'arrêtèrent un peu avant les voitures. Une minute plus tard, Mark et Trumann les rejoignirent. Le nez en l'air, ils virent apparaître au nord un point dans le ciel.

– Les voici, fit Lewis.

Mark se rapprocha insensiblement de Reggie et lui prit la main. L'appareil approchait de la piste d'atterrissage. Il était noir aussi, mais beaucoup plus gros que les deux jets du hangar. Les agents spéciaux, en complet ou en jean, se déployèrent quand l'avion commença à rouler dans leur direction. L'appareil s'immobilisa à une trentaine de mètres, les moteurs furent coupés. Une longue minute s'écoula avant qu'une porte ne s'ouvre et que la passerelle ne touche le sol.

Jason McThune fut le premier à descendre. Quand il posa le pied sur le tarmac, une douzaine d'agents encerclaient l'avion. Dianne et Clint rejoignirent McThune. Ils se dirigèrent d'un pas vif vers le hangar

Mark lâcha la main de Reggie et s'élança à la rencontre de sa mère. Dianne ouvrit les bras et le serra contre elle. Il y eut un moment de gêne, pendant lequel tous les yeux furent braqués sur eux ou tournés vers le terminal qui se dressait au loin.

Ils s'étreignirent en silence. Mark passa les bras autour du cou de sa mère.

– Pardon, maman, fit-il d'une voix entrecoupée de sanglots. Pardon.

Elle prit la petite tête entre ses mains, l'appuya contre son épaule, partagée entre l'envie de l'étrangler et le désir de ne jamais plus le lâcher.

Reggie conduisit Mark et sa mère dans le petit bureau du hangar et proposa un café à Dianne. Elle refusa. Les autres attendirent devant la porte. Le plus nerveux était Trumann. Et s'ils changeaient d'avis ? Et si Muldanno récupérait le corps ? Il ne tenait pas en place, marchait de long en large, se tournait sans arrêt vers la porte fermée, harcelait Lewis de questions. Ce dernier buvait encore du café et s'efforçait de rester calme. Il était huit heures moins vingt. L'air était humide, le soleil brillait.

Mark était assis sur les genoux de sa mère, Reggie avait pris place au bureau. Clint restait debout, près de la porte.

– Je suis heureuse que vous soyez venue, dit Reggie à Dianne.

– Je n'avais pas tellement le choix.

– Maintenant, vous l'avez. Il vous est encore possible de changer d'avis. Vous pouvez me demander tout ce que vous voulez.

– Vous rendez-vous compte de la vitesse à laquelle tout cela est arrivé, Reggie ? Il y a six jours, en rentrant à la maison, j'ai trouvé Ricky recroquevillé dans son lit, en train de sucer son pouce. Puis Mark est arrivé, avec ce policier. Aujourd'hui, on me demande de changer de nom et de tout recommencer, loin d'ici.

– Je comprends, murmura Reggie. Mais nous ne pouvons arrêter la marche des événements.

– Tu es fâchée contre moi, maman ? demanda Mark.

– Oui, tu seras privé de gâteaux pendant une semaine.

Elle lui caressa la tête. Un long silence suivit.

– Comment va Ricky ? demanda Reggie.

– Son état est stationnaire. Le docteur Greenway voudrait lui faire reprendre connaissance, pour qu'il profite du voyage en avion. Mais il a fallu lui administrer un sédatif pour quitter l'hôpital.

– Je ne veux pas retourner à Memphis, maman, déclara Mark.

– Le FBI est entré en contact avec un hôpital psychiatrique pour enfants à Phoenix, expliqua Reggie. On vous attend. C'est un établissement réputé. Clint s'est renseigné vendredi.

– C'est donc à Phoenix que nous allons vivre ? demanda Dianne.

– Jusqu'à ce que Ricky puisse sortir de l'hôpital. Après, vous irez où bon vous semble. Canada, Australie, Nouvelle-Zélande, à vous de choisir. Vous pourrez aussi rester à Phoenix.

– Si on allait en Australie, maman ? Il y a encore de vrais cow-boys, là-bas. J'ai vu ça dans un film, un jour.

– Plus de films pour toi, Mark, fit Dianne, en continuant de lui masser le front. Nous n'en serions pas là, si tu n'avais pas regardé autant de films.

– Et la télé ?

– Non. Désormais, tout ce que tu feras, c'est lire des livres.

Il y eut un long silence. Reggie n'avait rien à ajouter. Clint, épuisé, aurait pu s'endormir debout. Pour la première fois depuis une semaine, le cerveau de Dianne fonctionnait normalement. Elle avait réussi à s'enfuir du cachot de St. Peter's. Elle avait vu le soleil, respiré l'air du dehors. Elle tenait dans ses bras son fils perdu et l'autre recouvrerait la santé. Tous ces gens qui l'entouraient essayaient de l'aider. La fabrique de lampes appartenait au passé, le chômage n'était plus une hantise. Plus de cette existence minable dans un mobile home, plus d'attente angoissée du versement de la pension alimentaire, plus de factures impayées. Elle pourrait regarder les garçons grandir et participer aux réunions de parents d'élèves. Elle pourrait s'acheter des vêtements, aller voir une manucure. Après tout, elle n'avait que trente ans. Avec quelques efforts et un peu d'argent, elle pourrait redevenir séduisante.

Aussi sombre et incertain que l'avenir pût paraître, rien ne pourrait être plus horrible que les six jours qu'elle venait de vivre. Quelque chose devait changer. Elle avait droit à une chance. Il fallait y croire.

– Je pense que le mieux est d'aller à Phoenix.

Reggie eut un sourire de soulagement. Elle prit les feuilles dactylographiées dans la serviette de Clint. Le document portait déjà la signature de Harry Roosevelt et de McThune. Reggie y ajouta la sienne et tendit le stylo à Dianne. Mark, qui avait eu sa dose de larmes et d'étreintes, se planta devant le mur pour admirer une collection de photos en couleurs de jets.

– Réflexion faite, j'aimerais être pilote, dit-il à Clint.

Reggie saisit le document.

– J'en ai pour une minute, lança-t-elle avant de sortir.

Trumann sursauta en voyant la porte s'ouvrir. Du café gicla du gobelet tenu par une main tremblante et lui brûla le poignet. Il jura, secoua son poignet, l'essuya sur son pantalon.

– Détendez-vous, Larry, fit Reggie. Tout va bien. Signez ici.

Elle lui colla le document sous les yeux. Il griffonna son nom, Lewis signa à son tour.

– L'avion peut décoller, dit Reggie. Ils vont à Phoenix.

Lewis se retourna et fit signe aux agents postés à l'entrée du hangar. McThune se dirigea vers eux au pas de course, avec des instructions complémentaires. Reggie regagna le bureau.

Lewis et Trumann échangèrent une longue poignée de main en souriant béatement. Ils se tournèrent vers le bureau où Reggie s'était enfermée.

– Et maintenant ? murmura Trumann.

– Elle est avocate, soupira Lewis. Rien n'est jamais simple avec ces gens-là.

McThune s'approcha de Trumann et lui tendit une enveloppe.

– C'est une citation à remettre à Roy Foltrigg, fit-il en souriant. Le juge Harry Roosevelt l'a signée ce matin.

– Un dimanche matin ?

– Oui, il a fait venir la greffière dans son cabinet. Il est très excité à l'idée de revoir Foltrigg à Memphis.

Les trois agents fédéraux gloussèrent de satisfaction.

– La citation sera notifiée au révérend dans le courant de la matinée, ajouta Trumann.

Une minute plus tard, la porte du bureau s'ouvrit. Clint, Dianne, Mark et Reggie, qui fermait la marche, se dirigèrent vers la piste. Les moteurs commencèrent à tourner. Des agents couraient en tous sens. Trumann et Lewis les accompagnèrent jusqu'aux portes du hangar, où ils s'arrêtèrent.

Avec sa courtoisie habituelle, K.O. Lewis tendit la main à Dianne.

– Bonne chance, madame Sway. Jason McThune vous escortera jusqu'à Phoenix et s'occupera de tout sur place. Vous ne risquez absolument rien. Si nous pouvons faire quoi que ce soit pour vous aider, n'hésitez pas à nous appeler.

Dianne fit un beau sourire et accepta la main tendue.

– Merci, K.O., dit Mark. Vous êtes un emmerdeur de première ! Mais il souriait et tout le monde trouva cela drôle.

Lewis éclata de rire.

– Bonne chance, Mark. Et je t'assure que, comme emmerdeur, tu n'es pas mal non plus.

– Oui, je sais. Je suis désolé pour tout ce qui s'est passé.

Il serra la main de Trumann et s'éloigna entre sa mère et McThune. Reggie et Clint restèrent à l'entrée du hangar.

Soudain, à mi-distance, Mark s'arrêta. Comme saisi par la peur, il resta cloué sur place et regarda Reggie au pied de la passerelle. Jamais, ces dernières vingt-quatre heures, il ne lui était venu à l'esprit que Reggie ne les accompagnerait pas. Il avait supposé qu'elle resterait avec eux jusqu'à la fin de cette épreuve. Qu'elle prendrait l'avion avec eux, qu'elle irait les voir dans le nouvel hôpital jusqu'à ce qu'ils soient tous sur pied. Elle comprit en le voyant s'immobiliser, silhouette minuscule sur l'immensité de la piste. Il venait de se rendre compte qu'elle n'était pas à ses côtés, qu'elle était restée devant le hangar, avec Clint et les hommes du FBI.

Il se retourna lentement, fixa sur elle un regard empreint de terreur, tandis que cette réalité pénétrait dans son cœur. Il fit deux pas dans sa direction, s'arrêta. Reggie s'écarta du petit groupe pour aller au-devant de lui. Elle s'agenouilla sur la piste, plongea les yeux dans ceux de Mark, où se lisait une peur panique. Il se mordit la lèvre.

— Vous ne pouvez pas venir avec nous, c'est ça ? fit-il lentement, d'une voix chevrotante.

Ils avaient discuté pendant des heures, sans jamais aborder ce sujet.

Elle secoua la tête, sentit les larmes lui monter aux yeux.

Mark essuya les siens d'un revers de main. Les agents du FBI étaient tout près, mais ne regardaient pas. Pour la première fois de sa vie, il n'avait pas honte de pleurer en public.

— Je veux que vous veniez avec nous, murmura-t-il.

— Je ne peux pas, Mark.

Elle se pencha vers lui, le prit par les épaules et l'étreignit.

— Je ne peux pas.

Il se mit à pleurer à chaudes larmes.

— Je suis désolé pour tout ce qui s'est passé. Vous ne méritez pas ça.

— Mais si ça n'était pas arrivé, je ne t'aurais jamais connu.

Elle l'embrassa sur la joue, le serra contre elle.

— Je t'aime, Mark, et tu vas me manquer.

— Alors, je ne vous reverrai jamais ? demanda-t-il d'une toute petite voix, la lèvre tremblante, le visage baigné de larmes.

— Non, Mark, répondit Reggie, en serrant les dents.

Elle respira profondément et se releva. Elle avait envie de le prendre dans ses bras et de l'emmener chez Momma Love. Elles lui auraient donné la chambre du haut, il se serait gavé de spaghetti et de crème glacée.

Elle indiqua l'avion de la tête. En haut de la passerelle, Dianne attendait patiemment. Mark s'essuya les joues.

— Je ne vous reverrai jamais, répéta-t-il à mi-voix, comme pour lui-même.

Il pivota sur ses talons, essaya de se redresser. C'était au-dessus de ses forces. Il parcourut lentement la distance qui le séparait de la passerelle et lança un dernier regard par-dessus son épaule.

42

Quelques minutes plus tard, tandis que l'avion roulait vers l'extrémité de la piste, Clint s'approcha de Reggie et lui prit la main. Ils regardèrent en silence l'appareil décoller et disparaître au loin dans les nuages.

– Je crois que je vais me spécialiser dans l'immobilier, dit-elle, en s'essuyant les joues. Cela devient trop dur à supporter.

– Un garçon formidable, fit Clint.

– Ça fait mal, Clint.

– Je sais, fit-il, avec une pression de la main.

Trumann vint se placer de l'autre coté de Reggie. Ils scrutèrent tous trois le ciel. Quand elle se rendit compte de sa présence, Reggie plongea la main dans sa poche, en sortit la microcassette.

– C'est pour vous, dit-elle.

Trumann prit la cassette.

– Le corps du sénateur, poursuivit Reggie, se trouve dans le garage de Jerome Clifford, un bâtiment indépendant, derrière la maison. 886, East Brookline, ajouta-t-elle, après s'être essuyé les yeux.

Trumann se tourna vers sa gauche, approcha une radio de sa bouche. Les agents du FBI se précipitèrent vers les voitures. Reggie et Clint ne firent pas un geste.

– Merci, Reggie, lança Trumann, impatient de partir.

– Ne me remerciez pas, répliqua-t-elle, le regard perdu dans les nuages. Remerciez Mark.

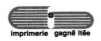

imprimerie gagné ltée

IMPRIMÉ AU CANADA